T3-BNX-996

Hasenstab · Modelle paulinischer Ethik

TÜBINGER THEOLOGISCHE STUDIEN

Herausgegeben von
Alfons Auer · Walter Kasper · Hans Küng · Max Seckler

Band 11

RUDOLF HASENSTAB

Modelle paulinischer Ethik

BEITRÄGE ZU EINEM AUTONOMIE-MODELL
AUS PAULINISCHEM GEIST

MATTHIAS-GRÜNEWALD-VERLAG

CIP-Kurztitelaufnahme der Deutschen Bibliothek

Hasenstab, Rudolf
Modelle paulinischer Ethik :
Beitr. zu e. Autonomie-Modell aus paulin. Geist.
– 1. Aufl. – Mainz : Matthias-Grünewald-Verlag, 1977.
(Tübinger theologische Studien ; Bd. 11)
ISBN 3-7867-0638-7

ISBN 3-7867-0638-7
Umschlag: Kroehl/Offenberg
Composersatz: Schreibsatz-Studio Gerda Tibbe, München
Druck und Bindung:
Buch- und Offsetdruckerei Georg Wagner, Nördlingen

VORWORT

Die vorliegende Arbeit ist im Sommer 1974 von der Theologischen Fakultät der Bayerischen Julius-Maximilians-Universität Würzburg als Dissertation angenommen worden. Für den Druck wurde sie gekürzt und überarbeitet. Dabei ist auch die inzwischen angelaufene Diskussion des Autonomiekonzepts einbezogen und berücksichtigt worden.

Es versteht sich von selbst, daß jeder Versuch, die paulinische Theologie im Horizont des neuzeitlichen Autonomiebewußtseins zu aktualisieren, ins Spannungsfeld zwischen historisch-kritischer Exegese und theologischer Ethik hineinführt. Daß hier jeder Schritt problematisch ist, ist mir bewußt. Die früheren Versuche einer biblischen Erneuerung helfen der heutigen Moraltheologie aber nicht weiter. Soll das Autonomiekonzept bibeltheologisch untermauert werden, müssen entsprechende Vorarbeiten geleistet werden. Meine Studie ist nur ein Schritt in diese Richtung.

Zu danken habe ich mannigfach. Zunächst herzlich und aufrichtig Herrn Prof. Dr. A. Auer, dessen Assistent ich während seiner letzten Würzburger Jahre sein durfte. Er hat von Tübingen aus die Entstehung der Arbeit weiterverfolgt, das Erstgutachten erstellt und im Verein mit den Mitherausgebern die Arbeit in die Reihe der „Tübinger Theologischen Studien" aufgenommen. Mein besonderer Dank gilt Herrn Prof. Dr. G. Teichtweier, der mich als Assistenten übernahm und mir weitgehende Freiheit zum eigenen Arbeiten gewährte. Er hat wertvolle Anregungen vor allem auch im Rahmen seines Doktorandenseminars gegeben und das Korreferat erstellt. Das exegetische Fachgutachten hat in dankenswerter Weise Herr Prof. Dr. R. Schnackenburg übernommen. Er hat das nötige Verständnis für den grundlegenden Unterschied zwischen exegetischem und systematischem Arbeiten aufgebracht und als Gutachter kritisches Interesse gezeigt und wertvolle Ratschläge erteilt. Dem Bischof von Würzburg, Dr. J. Stangl, danke ich für die Freistellung zum Studium und für die finanzielle Unterstützung bei der Drucklegung.

Maidbronn, im November 1976 Rudolf Hasenstab

INHALT

Zweiter Teil
BEITRÄGE ZU EINEM AUTONOMIE-MODELL AUS PAULINISCHEM GEIST

ABKÜRZUNGEN

AAWG.PH	Abhandlungen der Akademie der Wissenschaften in Göttingen. Phil.-hist. Klasse
AMT	Abhandlungen zur Moraltheologie
APPP	Abhandlungen zur Philosophie, Psychologie und Pädagogik
ATh	Arbeiten zur Theologie
AThANT	Abhandlungen zur Theologie des Alten und Neuen Testaments
AuV	O. Kuss, Auslegung und Verkündigung I. Aufsätze zur Exegese des Neuen Testaments, Regensburg 1963
AzS	Abhandlungen zur Sozialethik
BEvTh	Beiträge zur evangelischen Theologie
BHB	Biblische Handbibliothek
BHTh	Beiträge zur historischen Theologie
BiKi	Bibel und Kirche
BiLe	Bibel und Leben
BK	Biblischer Kommentar – Altes Testament, hrsg. von M. Noth und H.W. Wolf
BÖThPr	Beiträge zur ökumenischen Theologie und Praxis
BStHSTh	Basler Studien zur historischen und systematischen Theologie
BU	Biblische Untersuchungen
BuG	M. Dibelius, Botschaft und Geschichte I/II, Tübingen 1953 und 1956
BuL	Bibel und Liturgie
BTN	Bibliotheca theologica Norvegica
BZ	Biblische Zeitschrift
BZAW	Beihefte zur Zeitschrift für die alttestamentliche Wissenschaft
BZNW	Beihefte zur Zeitschrift für die neutestamentliche Wissenschaft
Cath	Catholica
ChQR	The Church Quarterly Review
ChrEx	R. Schnackenburg, Christliche Existenz nach dem Neuen Testament. Abhandlungen und Vorträge I/II, München 1967 und 1968
Conc	Concilium
CThM	Calwer Theologische Monographien
EHS.T	Europäische Hochschulschriften. Theologie
EiSt	Eichstätter Studien

EThL	Ephemerides Theologicae Lovanienses
EVB	E. Käsemann, Exegetische Versuche und Besinnungen I/II, Göttingen [5]1967
EtB	Études Bibliques
EvTh	Evangelische Theologie
FBESG	Forschungen und Berichte der evangelischen Studiengemeinschaft
FGLP	Forschungen zur Geschichte und Lehre des Protestantismus
FreibThSt	Freiburger Theologische Studien
FRLANT	Forschungen zur Religion und Literatur des Alten und Neuen Testaments
FSÖTh	Forschungen zur systematischen und ökumenischen Theologie
FThSt	Frankfurter Theologische Studien
FzB	Forschung zur Bibel
FZPhTh	Freiburger Zeitschrift für Philosophie und Theologie
GT.S	Gesellschaft und Theologie. Systematische Beiträge
Gr	Gregorianum
GuL	Geist und Leben
HdM	Handbuch der Moraltheologie, hrsg. von M. Reding
HdPth	Handbuch der Pastoraltheologie, hrsg. von F.X. Arnold, K. Rahner, V. Schurr, L. Weber, F. Klostermann, I–V, Freiburg/Basel/Wien [2]1970–1972
HkS	Handbuch der katholischen Sittenlehre, hrsg. von F. Tillmann
HNT	Handbuch zum Neuen Testament
HthG	Handbuch theologischer Grundbegriffe, hrsg. von H. Fries
HThK	Herders theologischer Kommentar zum Neuen Testament
HUTh	Hermeneutische Untersuchungen zur Theologie
Inst	J. Calvin, Institutio Religionis Christianae
JBL	Journal of Biblical Literature
JR	Journal of Religion
KD	K. Barth, Kirchliche Dogmatik
KKSt	Konfessionskundliche und kontroverstheologische Studien
KiZ	Kirche in der Zeit
KuD	Kerygma und Dogma
LR	Lutherische Rundschau
LThK	Lexikon für Theologie und Kirche
MASt	Münchener Akademie-Studien
MaThS	Marburger Theologische Studien
MeyerK	Kritisch-exegetischer Kommentar über das Neue Testament, begr. von H.A.W. Meyer
MPhF	Mainzer Philosophische Forschungen

MüThS	Münchener Theologische Studien
MüThZ	Münchener Theologische Zeitschrift
MystSal	Mysterium Salutis. Grundriß heilsgeschichtlicher Dogmatik, I–V, hrsg. von J. Feiner und M. Löhrer, Einsiedeln/Zürich/Köln 1965–1976
NKZ	Neue Kirchliche Zeitschrift
NRTh	Nouvelle Revue Théologique
NTA (NF)	Neutestamentliche Abhandlungen
NTD	Neues Testament Deutsch. Neues Göttinger Bibelwerk
NtlF	Neutestamentliche Forschungen
NTS	New Testament Studies
NZsystTh	Neue Zeitschrift für systematische Theologie und Religionsphilosophie
ÖF	Ökumenische Forschungen
PhR	Philosophische Rundschau
PP	E. Käsemann, Paulinische Perspektiven, Tübingen 1968
QD	Quaestiones disputatae
RAC	Reallexikon für Antike und Christentum
RGG	Die Religion in Geschichte und Gegenwart (3. Auflage, falls nicht ausdrücklich anders vermerkt)
RHPhR	Revue d'Histoire et de Philosophie Religieuses
RNT	Regensburger Neues Testament
RScPhTh	Revue des Sciences Philosophiques et Théologiques
SB	Stuttgarter Bibelstudien
SBM	Stuttgarter biblische Monographien
ScEccl	Sciences Ecclésiastiques
SDGSTh	Studien zur Dogmengeschichte und systematischen Theologie
SICSW	Schriften des Instituts für christliche Sozialwissenschaften
StANT	Studien zum Alten und Neuen Testament
StdZ	Stimmen der Zeit
StFr	Studia Friburgensia
StGkathM	Studien zur Geschichte der katholischen Moraltheologie
StNT	Studien zum Neuen Testament
StTh	Studia Theologica
StrThSt	Straßburger Theologische Studien
StzF	Studien zur Friedensforschung
StzThGg	Studien zur Theologie und Geistesgeschichte des 19. Jahrhunderts
TBT	Theologische Bibliothek Töpelmann
ThdG	Theologie der Gegenwart
ThEx	Theologische Existenz heute
ThF	Theologische Forschungen
ThGl	Theologie und Glaube

ThLZ	Theologische Literaturzeitung
ThÖ	Theologie der Ökumene
ThPh	Theologie und Philosophie
ThQ	Theologische Quartalschrift
ThR(NF)	Theologische Rundschau
ThRev	Theologische Revue
ThSt(B)	Theologische Studien (K. Barth)
ThSt	Theological Studies
ThViat	Theologia Viatorum. Jahrbuch der Kirchlichen Hochschule Berlin
ThWNT	Theologisches Wörterbuch zum Neuen Testament
ThZ	Theologische Zeitschrift
TrThZ	Trierer Theologische Zeitschrift
TTS	Tübinger Theologische Studien
UNT	Untersuchungen zum Neuen Testament
UUÅ	Uppsala Universitets Årsskrift
VGI	Veröffentlichungen des Grabmann-Instituts
WA	M. Luther, Werke. Kritische Gesamtausgabe, Weimar 1883ff (Halbband römisch, z.B. WA 40 I, 486, 13)
WMANT	Wissenschaftliche Monographien zum Alten und Neuen Testament
WuD	Wort und Dienst. Jahrbuch der Theologischen Schule Bethel
WuW	Wort und Wahrheit
ZAW	Zeitschrift für die alttestamentliche Wissenschaft
ZEE	Zeitschrift für evangelische Ethik
ZkTh	Zeitschrift für katholische Theologie
ZMR	Zeitschrift für Missionswissenschaft und Religionswissenschaft
ZNW	Zeitschrift für die neutestamentliche Wissenschaft
ZRGG	Zeitschrift für Religions- und Geistesgeschichte
ZsystTh	Zeitschrift für systematische Theologie
ZThK	Zeitschrift für Theologie und Kirche

EINLEITUNG

Seit ihrem Entstehen als eigenständige Disziplin[1] hat die Moraltheologie ihr Wesen und ihre Aufgabe aus dem Kontext der Kirche und der Theologie der jeweiligen Zeit heraus definiert. Sie hat ihr Selbstverständnis und ihre Funktion jedenfalls niemals aus eigenen Darstellungen von moraltheologischen Modellen der Urkirche[2], geschweige denn aus Darstellungen der biblischen Ethik gewonnen. Schließlich hatte man eine eigenständige Rolle gegenüber der biblischen Ethik übernommen, längst bevor es eine solche in der Gestalt exegetischer Darstellungen oder exegetischer Ethikmodelle gab. Das Verhältnis zur Exegese und zur biblischen Ethik ist zwar weder geschichtlich noch systematisch untersucht worden[3], doch kann gesagt werden, daß die Moraltheologie hauptsächlich versucht hat, zwischen der neutestamentlichen Ethik, insbesondere den sittlichen Forderungen Jesu, und der jeweiligen Zeitsituation zu vermitteln[4]. Nun hat die neuere Exegese selbst das Verhältnis der Moraltheologie zur biblischen Ethik von Grund auf verändert.

---

1 Vgl. dazu J. Theiner, Die Entwicklung der Moraltheologie zur eigenständigen Disziplin (StGkathM 17), Regensburg 1970.

2 Stellvertretend für die moraltheologischen Handbücher vgl. R. Hofmann, Moraltheologische Erkenntnis- und Methodenlehre (HdM 7), München 1963, 9–54, 133–145, 228–252 (Methodenlehre).

3 Historische Vorarbeiten sind nur in Ansätzen da. Vgl. J. Theiner, Die Entwicklung der Moraltheologie zur eigenständigen Disziplin passim; Ph. Delhaye, Le recours à l'Écriture Sainte dans l'enseignement moral. Aperçu historique, in: Bulletin des Facultés Catholiques de Lyon 77 (1955) 5–19; 78 (1956) 5–26; Le recours à l'Ancien Testament dans l'étude de théologie morale, in: EThL 31 (1955) 637–657; G. Teichtweier, Die Sündenlehre des Origenes (StGkathM 7), Regensburg 1958, 25, 30–58; R. Bruch, Die Ausbildung der Lehre von den Erkenntnisquellen der Moraltheologie im 17. und 18. Jahrhundert, in: ZkTh 85 (1963) 440–459.
Zum Verhältnis von Moraltheologie und Bibelwissenschaft vgl. die Handbücher, ferner den gleichnamigen Abschnitt bei R. Hofmann, Methodenlehre 257–258. Die Darstellungen der Hl. Schrift als moraltheologische Erkenntnisquelle und erste Übersichten über die Einführung primär biblisch bestimmter Grundprinzipien in die Moraltheologie bieten wenig exegesegeschichtliche und wissenschaftstheoretische Information. Vgl. R. Hofmann, a.a.O. 217–252; E. Hirschbrich, Die Entwicklung der Moraltheologie im deutschen Sprachgebiet seit der Jahrhundertwende, Klosterneuburg 1959; J.G. Ziegler, Moraltheologie und christliche Gesellschaftslehre im 20. Jahrhundert, in: Bilanz der Theologie im 20. Jahrhundert. Perspektiven, Strömungen, Motive in der christlichen und nichtchristlichen Welt, Bd. III, hrsg. von H. Vorgrimler und R. van der Gucht, Freiburg/Basel/Wien 1970, 316–360 (Bilanz).

4 So P.L. Lehmann, Ethik als Antwort. Methodik einer Koinonia-Ethik, München 1966, 22f.

Speziell M. Dibelius und die Paräneseforschung haben den Anspruch erhoben, die theologische Ethik über die Entstehung, die Funktion, den Ort und den Stellenwert der neutestamentlichen Weltethik im Horizont der urkirchlichen Eschatologie und Naherwartung umfassend aufzuklären. M. Dibelius präsentiert das Paränese-Modell aber nicht nur als historisch-kritische Diagnose der urkirchlichen Weltethik, sondern als ein Rezeptions- und Integrierungsmodell, das von der christlichen Ethik zeitgerecht aktualisiert werden sollte. Hier erhält es denn auch eine verspätete Beachtung und Erörterung, während die Exegese selbst weit über M. Dibelius hinausgeschritten ist und ganz andere Themen im Mittelpunkt ihrer Diskussion stehen. Zu dem phasenverschobenen moraltheologischen Interesse an den Ergebnissen der Paräneseforschung kommt es erst, als in der Ethik die Frage nach dem biblischen Modell in den Vordergrund rückt und die Befürworter eines theologischen Autonomiekonzepts das Rezeptions- bzw. Integrierungsmodell für die biblische Grundlegung desselben heranziehen. A. Auer erklärt, daß nicht nur aus der geschichtlichen Entwicklung, sondern „vor allem aus ihren theologisch privilegierten Anfängen, verbindliche Richtbilder sichtbar gemacht und mit einer gewissen Ausführlichkeit demonstriert"[5] werden können. Ähnlich sieht F. Böckle „im Prozeß der Ausformung und Verkündigung der sittlichen Botschaft in den Gemeinden des Neuen Testaments ein grundlegendes Modell für die Aufgabenstellung der Moraltheologie"[6]. Beide Autoren glauben, im Paränese-Modell das gesuchte neutestamentliche Modell vor sich zu haben, mit dessen Hilfe das theologische Autonomiekonzept endlich – gegen alle Widersacher in den eigenen Reihen – durchgesetzt werden kann. Die Feststellung, daß sich führende Moraltheologen aus gegenwartsbezogenen Fragestellungen heraus für die Ergebnisse der Paräneseforschung interessieren, ist der unmittelbare Anlaß, das eben erst geschlossene Kapitel der Exegese hier nochmals aufzuschlagen. Die Frage, ob das Paränese-Modell im Sinne des Autonomiegedankens[7] aktualisiert werden kann, erfordert (und begrenzt) die Darstellung dieses Modells. Rein methodisch kann das nicht ohne die wichtigsten exegesegeschichtlichen Auskünfte geschehen. Es müssen die Wege der Forschung nachgegangen werden, die zu diesem Modell führen, und es müssen seine entscheidenden Komponenten herausgearbeitet

---

5 Autonome Moral und christlicher Glaube, Düsseldorf 1971, 13 (Autonome Moral).

6 Theonome Autonomie. Zur Aufgabenstellung einer fundamentalen Moraltheologie, in: Humanum. Moraltheologie im Dienst des Menschen, hrsg. von J. Gründel, F. Rauh und V. Eid, Düsseldorf 1972, 17–46, hier 35. Vgl. auch B. Fraling, Glaube und Ethos. Normfindung in der Gemeinschaft der Gläubgen, in: ThGl 62 (1972) 81–105.

7 Vgl. dazu R. Pohlmann, Art. Autonomie, in: Historisches Wörterbuch der Philosophie, hrsg. von J. Ritter, I. Darmstadt 1971, 701–719, hier 707–715; E.W. Mayer, Art. Autonomie, in: RGG^2, I, 682–683 (Tübingen 1927); M. Welker, Der Vorgang Autonomie. Philosophische Beiträge zur Einsicht in theologischer Rezeption und Kritik, Neukirchen-Vluyn 1975 (Vorgang).

werden. Könnte der Moraltheologe das für sein Fach Bedeutsame einfach den exegetischen Forschungsberichten[8] oder den Darstellungen der neutestamentlichen Ethik[9] entnehmen, so erübrigten sich die eigene Bestandsaufnahme und Modellerstellung. Doch wie sehen die Arbeiten, in denen die exegetischen Ergebnisse für die Moraltheologie zusammengefaßt werden, normalerweise aus? Sie skizzieren je neu die neutestamentliche Materialethik, ohne über die exegesegeschichtliche Konstellation und die angewandte Methodik Rechenschaft zu geben. Sie berücksichtigen kaum den Stand der moraltheologischen Problemdiskussion oder enthalten sich jeden Urteils darüber, ob die Ergebnisse der Paräneseforschung zur Grundlegung eines theologischen Autonomiekonzepts dienen können. Umgekehrt achten Moraltheologen bei der Rezeption exegetischer Ergebnisse zu wenig auf die forschungsgeschichtliche Bedingtheit derselben. Sie entdecken viel zu schwer oder womöglich zu spät die Korrekturen, die die Exegese in ihrem imponierenden Lernprozeß vornimmt. Kaum ein Moraltheologe ist in der Lage, den exegetischen Lernprozeß so mitzuvollziehen, daß er jederzeit über die entscheidenden Angelpunkte und Tendenzen der Paulusauslegung informiert ist. So kam es zu dem genannten Versuch einer moraltheologischen Aktualisierung des Paränese-Modells zu einem Zeitpunkt, als führende Vertreter der Paulusexegese sich von diesem globalen Begriff distanzierten und den für die paulinische Mahnrede kennzeichnenden Begriff der Paraklese herausarbeiteten. Waren damit die Weichen in Richtung auf ein Alternativmodell gestellt? Zielte die Ablösung des Paränesebegriffs durch den Paraklesebegriff über die Grenzen des Corpus Paulinum[10] hinaus? War die moraltheologische Diskussion des Rezeptions- bzw. Integrierungsmodells davon betroffen oder nicht? Erschöpft sich der exegetische Begriffstausch im rein Terminologischen, oder muß er inhaltlich-theologisch-strukturell expliziert

---

[8] Vgl. W.G. Kümmel, Das Neue Testament. Geschichte der Erforschung seiner Probleme (Sammlung Orbis III, 3), Freiburg/München 1958; A. Schweitzer, Geschichte der paulinischen Forschung, Tübingen ²1933; R. Schnackenburg, Neutestamentliche Theologie. Der Stand der Forschung (BHB 1), München 1963; B. Rigaux, Paulus und seine Briefe. Der Stand der Forschung (BHB 2), München 1964.

[9] Vgl. R. Schnackenburg, Die sittliche Botschaft des Neuen Testamentes (HdM 6), München ²1962 (Botschaft), ders., Neutestamentliche Theologie; H.D. Wendland, Ethik des Neuen Testaments (Grundrisse zum Neuen Testament, hrsg. von G. Friedrich, NTD Ergänzungsreihe 4), Göttingen 1970 (Ethik); K.H. Schelkle, Theologie des Neuen Testaments, III. Ethos, Düsseldorf 1970 (Theologie III); G. Strecker, Handlungsorientierter Glaube. Vorstudien zu einer Ethik des Neuen Testaments, Stuttgart/Berlin 1972.

[10] Die neuere Forschung erachtet sieben Briefe als authentisch: 1 Thess, Gal, 1 und 2 Kor, Röm, Phil, Phlm. O. Kuss, Paulus. Die Rolle des Apostels in der theologischen Entwicklung der Urkirche (AuV III), Regensburg 1971, 77, tendiert dahin, auch 2 Thess und Kol als „Manifestationen des unmittelbaren paulinischen Denkens, Sprechens und Schreibens" anzuerkennen.

und aktualisiert werden? Ergibt sich durch die Schwenkung zum Paraklese-Modell eine Veränderung im biblischen Richtbild? Eignet sich das eine oder das andere Modell besser zur biblischen Grundlegung des Autonomiekonzepts?

Diese Fragen machen es erforderlich, auch das Paraklese-Modell in seiner Entstehung und in seiner vorläufigen Endgestalt zu skizzieren. Dabei sind jene Tendenzen aufzuzeigen, die sich gewissermaßen als Reaktion auf M. Dibelius und die von ihm ausgelöste Paräneseforschung in der Exegese abzeichnen. Im Hinblick auf die Problemdiskussion im eigenen Fach muß der Moraltheologe das Risiko eingehen und – für seinen spezifischen wissenschaftlichen Gebrauch – einen Modellvergleich anstellen und auswerten. Es kann vorweg gesagt werden, daß das Paraklese-Modell kein Alternativmodell darstellt, zumindest nicht, was die Rezeption und Integrierung profaner Moral betrifft. Es stellt aber auch in den Punkten, in denen es deutlich vom Paränese-Modell abweicht, kein aktualisierbares Richtbild für die heutige Ethik dar. Das hängt daran, daß A. Grabner-Haider die eschatologische Begründung der paulinischen Mahnrede in den Mittelpunkt rückt. Dadurch wird die Feststellung des Paränese-Modells eher noch unterstrichen, daß die Eschatologie den Schlüssel zum Verständnis der paulinischen Theologie und Ethik bildet. Der Modellvergleich konfrontiert den Moraltheologen vor allem mit dem Problem des schöpfungstheologischen Defizits im paulinischen Denken. Die Frage erhebt sich, ob jeder Aktualisierungsversuch zwangsläufig an der historischen Gestalt der paulinischen Eschatologie (und Naherwartung) scheitern muß oder ob die exegetischen Ethikmodelle, auf den nachträglichen hermeneutischen Ausgleich des schöpfungstheologischen Defizits hin, doch noch aktualisiert werden könnten. Der nachträgliche Einbau der Schöpfungstheologie kommt nicht in Frage, weil dadurch der historisch-kritische Charakter der Modelle zerstört würde. Der Modellvergleich führt zur Erkenntnis, daß keines der beiden exegetischen Ethikmodelle zur Grundlegung eines theologischen Autonomiekonzepts herangezogen werden kann, sondern ein gesamttheologisches, vom historischen Denkansatz grundverschiedenes Autonomie-Modell aus paulinischem Geist eigens entworfen werden muß.

Die Frage nach dem biblischen Richtbild darf nicht nur an die exegetischen Modelle, sie muß auch an die rezeptionsgeschichtlichen Modelle paulinischer Ethik gestellt werden. Diese rücken bei der Darstellung des Paraklese-Modells ins Blickfeld. Das hängt damit zusammen, daß der gleiche Begriff auch auf sie zutrifft.

Der Unterschied zwischen dem Paraklese-Modell der Exegese und den Paraklese-Modellen der theologischen Ethik besteht darin, daß das erste auf einer umfassenden Bestandsaufnahme der paulinischen Verkündigung und Mahnrede beruht, während letztere vornehmlich von der gesetzestheologischen Reflexion (Gesetz und Evangelium) und dem hier angesiedelten Pa-

raklesebegriff ausgehen. Das gesetzestheologische Paraklese-Modell wird zuerst in der vom Reformator Luther konzipierten Gestalt vorgestellt. An diesem wohl bekanntesten Aktualisierungsversuch paulinischer Theologie und Ethik brauchen nur die wichtigsten rezeptionsgeschichtlichen Züge herausgearbeitet zu werden. Daneben wird die wenig bekannte, von B. Schüller vorgelegte katholische Version eines gesetzestheologischen Paraklese-Modells gestellt. Das Augenmerk richtet sich ganz besonders auf die Infragestellung der lutherischen Rezeption der paulinischen Gesetzestheologie durch K. Barth. Die verschiedenen hermeneutischen Ausgangspunkte erfordern es, daß die gesetzestheologischen Definitionen des Paraklesebegriffs deutlich voneinander abgehoben werden: Gesetz und Paraklese (Luther), Paraklese als Gesetz (K. Barth), Gesetz als Paraklese (B. Schüller).
Für die Moraltheologie ergibt sich damit die Möglichkeit, die gesetzestheologischen Modelle paulinischer Ethik mit den exegetischen Ethikmodellen zu vergleichen und beide auf ihre sachliche und strukturelle Kongruenz hin zu befragen. Ein solcher Modellvergleich ist aus zwei Gründen bisher nicht vorgenommen worden. Erstens hat die Exegese auf die in der Systematik vorhandenen (gesetzestheologischen) Paraklese-Modelle nicht besonders geachtet und eine Verifizierung des einen Typs durch den anderen nicht für nötig gefunden. Zweitens hat sich die theologische Ethik bisher wenig in die von der Exegese geführte Modelldiskussion eingeschaltet und sich kaum um die sachliche und strukturelle Kongruenz der unterschiedlichen Ethikmodelle gekümmert. Die theologische Ethik war weder auf evangelischer noch auf katholischer Seite mit der exegetischen Modelldiskussion synchronisiert. Man ist vor allem in der Frage nach dem biblischen Ethikmodell bzw. nach dem biblischen Richtbild bisher die eigenen, konfessionell getrennten Wege gegangen. Die evangelische Ethik ist dem Ansatz in der gesetzestheologischen Reflexion treu geblieben, die Moraltheologie orientiert sich, schon um den reformatorischen Ansatz zu umgehen, lieber an den von der Exegese entwickelten Modellen. Es ist kein Zufall, daß sich die Frage nach der biblischen Grundlegung des Autonomiekonzepts im katholischen Raum erhebt und sich an das Paränese-Modell, aber nicht an das gesetzestheologische Ethikmodell richtet. Um so dringlicher ist es, bei der Suche nach der bibeltheologischen Begründung des Autonomiegedankens auch die gesetzestheologischen Modelle paulinischer Ethik mit einzubeziehen. Die Frage nach der Aktualisierbarkeit im Sinne des Autonomiegedankens stellt sich hier neu, weil bei ihnen ja das schöpfungstheologische Defizit der paulinischen Theologie bereits berücksichtigt und ausgeglichen worden ist. Es zeigt sich jedoch, daß die rezeptionsgeschichtlichen Modelle genauso wenig aktualisierbar sind wie die historisch-kritischen. Das hängt ganz einfach daran, daß die Ansätze zu einem gesetzestheologischen Ethikmodell, die in der gesetzestheologischen Reflexion des Paulus vorhanden sind, von sich aus weder die schöpfungstheologische Gesetzesidee noch erst recht den schöpfungstheolo-

gisch begründeten Autonomiegedanken implizieren. Die gesetzestheologische Schicht des paulinischen Denkens bietet hierfür durchaus wertvolle Ansätze, aber diese müssen erst hermeneutisch freigelegt werden. Die berühmte Stelle vom Sich-selbst-Gesetz-Sein der Heiden (Röm 2,14) kann nur von einer aktuellen Hermeneutik auf den Autonomiegedanken bezogen werden; von der historisch-kritischen Auslegung des Wortsinns führt kein Weg dahin.

Bei keinem Versuch, die paulinische Theologie und Ethik zu aktualisieren, hat bisher der Autonomiegedanke eine Rolle gespielt. Das Problem des ethischen Richtbilds hat sich in der Rezeptionsgeschichte unter den verschiedensten Gesichtspunkten gestellt, noch niemals aber in bezug auf den Autonomiegedanken. Dennoch kann man bei der Suche nach einem Autonomie-Modell aus paulinischem Geist gerade die rezeptionsgeschichtlichen Modelle paulinischer Ethik nicht überspringen. Sie vermitteln nicht nur wertvolle Einblicke in die Zeitgebundenheit jeder Paulusrezeption, sondern auch in die Zeitgebundenheit des schöpfungstheologischen Ausgleichs. Letztere fällt im Horizont des neuzeitlichen Autonomiebewußtseins anders aus als im Horizont des mittelalterlichen Weltbilds. Die rezeptionsgeschichtliche Modellskizze hilft vor allem den riesigen Abstand zu überbrücken, der sich zwischen den exegetischen Darstellungen der zeitgebundenen paulinischen Ethik und dem heutigen Versuch einer Aktualisierung paulinischer Theologie und Ethik auftut. Es gibt keine bessere Legitimation für den Versuch, paulinische Theologie und Ethik heute im Horizont des Autonomiegedankens zu aktualisieren, als die rezeptionsgeschichtlichen Modelle.

Bestandsaufnahme und Modellvergleich münden in die Feststellung, daß keines der in der Exegese und in der Rezeptionsgeschichte vorhandenen Modelle paulinischer Ethik im Sinne des Autonomiegedankens aktualisiert werden kann. Es stellt sich heraus, daß nicht nur die jeweils maßgeblichen theologischen Komponenten und Strukturen, sondern gerade auch die nachträglich eingetragene Schöpfungstheologie gewaltsam umfunktioniert würden, wenn sie auf einmal zur Erhellung des Autonomiegedankens herangezogen werden sollten. Beim Versuch einer Aktualisierung der vorhandenen Modelle paulinischer Ethik käme gerade die entscheidende Tatsache nicht ans Licht, daß nämlich die paulinische Theologie – als einzige unter allen neutestamentlichen Theologien – auf den Autonomiegedanken bezogen werden kann.

Im 2. Teil wird zu zeigen versucht, inwiefern die Befürworter eines theologischen Autonomiekonzepts – trotz der Unbrauchbarkeit der Modelle – mit der paulinischen Theologie und Ethik rechnen können. Hier werden die Bausteine mit Hilfe dreier hermeneutisch-systematischer Thesen geortet, gehoben und zu einem Autonomie-Modell aus paulinischem Geist zusammengefügt. Die Thesen besagen global, daß eine gesamttheologische Erhellung der Autonomie ausdifferenziert und im Denkhorizont des heutigen Menschen verifiziert werden kann. Konkret heißt das, daß eine κλῆσις-geschichtliche, eine hamartiologische und eine christologisch-pneumatologische Erhellung der Autonomie vorgenommen wird. Beachtenswert ist dabei, daß zumindest das κλῆσις-geschichtliche und das hamartiologischen Denken unmittelbar auf den Autonomiegedanken appliziert werden können, das christologische allerdings nur indirekt. Angesichts des schöpfungstheologischen Defizits im paulinischen Denken erweist sich die Frage, wie eine schöpfungstheologische Grundlegung der Autonomie geleistet werden kann, als besonders schwierig. Sie wird dadurch zu lösen versucht, daß auf den genuin paulinischen Begriff der heilsgeschichtlich-eschatologischen κλῆσις Gottes zurückgegriffen wird, von dem eine, wenn auch nur andeutungsweise ausgeprägte, schöpfungstheologische Komponente (Röm 4,17) existiert. Den rekonstruierten schöpfungstheologischen κλῆσις-Gedanken direkt mit dem Autonomiegedanken zu verbinden stellt hermeneutisch keine Schwierigkeit dar.

Die erste These dieser Arbeit lautet, daß die bei Paulus weitgehend fehlende oder nur im Ansatz ausgeprägte Schöpfungstheologie an keiner Stelle so leicht und legitim rekonstruiert und expliziert werden kann als in dem genannten Rahmen der paulinischen κλῆσις-Reflexion. Die schöpfungstheologische Komponente des κλῆσις-Begriffs erweist sich schon deshalb für den nachträglichen Ausbau als besonders geeignet, weil hier auf der Ebene ein und desselben Begriffs Schöpfungstheologie und Soteriologie miteinander verbunden bzw. in Einklang gebracht werden können. Gibt es aber auch Anhaltspunkte dafür, daß gerade die paulinische κλῆσις-Reflexion zum Grundgerüst eines Autonomie-Modells aus paulinischem Geist erhoben und ausgebaut werden kann? Sind die paulinischen Hinweise auf die heilsgeschichtlich-eschatologische κλῆσις bisher nicht weitgehend von der Exegese und dementsprechend auch von der biblischen Ethik bloß als Hinweise auf ein Motiv neben vielen anderen gewertet worden[11]? Die Frage nach dem theologischen Stellenwert und nach der theologischen Tragfähigkeit der κλῆσις-Reflexion ist berechtigt. Es kann jedoch im Anschluß an einige neuere Begriffsstudien[12] gezeigt werden, daß der κλῆσις-Begriff Heilsgeschichte,

---

[11] Vgl. L. Nieder, Die Motive der religiös-sittlichen Paränese in den paulinischen Gemeindebriefen (MüThS I, 42), München 1956; G. Haufe, Motive und Motivwandel in der frühchristlichen Paränese, Leipzig 1964; O. Merk, Handeln aus Glauben. Die Motivierungen der paulinischen Ethik (MaThSt 5), Marburg 1968 (Handeln).

[12] Vgl. E. Egel, Die Berufungstheologie des Apostels Paulus, Diss. Heidelberg 1939; K.L. Schmidt, Art. καλέω κλῆσις, in: ThWNT III, 488–497; O. Michel, Art. Berufung im NT, in: RGG I, 1086–1088; E. Neuhäusler, Art. Berufung, in: LThK II, 280–283; ders., Ruf Gottes und Stand des Christen. Bemerkungen zu 1 Kor 7, in: BZ 3 (1959) 43–60; ders., Berufung. Ein biblischer Grundbegriff, in: BiLe 8 (1967) 148–152; W. Bieder, Die Berufung im Neuen Testament (AThANT 38), Zürich 1961 (Berufung); D. Wiederkehr, Die Theologie der Berufung in den Paulusbriefen (StFr NF 36), Freiburg/Schweiz 1963 (Berufung); vgl. ferner K. Barths gedrängte Begriffs- und Theologie-

Eschatologie, aber auch Protologie umfaßt, wie kaum ein anderer. An diesem Begriff müssen natürlich zuerst die heilsgeschichtlich-eschatologischen Aspekte der Heilsberufung (D. Wiederkehr), der Neuschöpfung, der Heraus- und Hineinrufung herausgearbeitet werden. Es versteht sich für den Moraltheologen jedoch von selbst, daß er die κλῆσις Gottes unter den genannten Gesichtspunkten dann auch nach dem, vom eschatologischen Missionar nicht weiter beachteten, protologischen κλῆσις-Gedanken hinterfragt.
Was beim hermeneutischen Ausbau der schöpfungstheologischen Komponente des κλῆσις-Begriffs (Röm 4,17) herauskommt, kann nicht im historischen Sinn als paulinisches Denken bezeichnet werden. Es ist jedoch schwer abzustreiten, daß der κλῆσις-Begriff die schöpfungstheologischen Vorstellungen des Paulus weitgehend repräsentiert, weil diese nun einmal hauptsächlich κλῆσις-geschichtlicher Herkunft sind. Die Rekonstruktion des protologischen κλῆσις-Gedankens empfiehlt sich vor allem auch deshalb, weil man ihn kosmologisch und anthropologisch explizieren kann. Trotz des großen bewußtseinsgeschichtlichen Abstands eignet er sich vorzüglich zur schöpfungstheologischen Grundlegung des Autonomiegedankens. Gerade für eine theologische Anthropologie aus paulinischem Geist erweist es sich als besonders vorteilhaft, daß der κλῆσις-Gedanke beides umfaßt: eine reich ausgefächerte Soteriologie (Heilsberufung, Neuschöpfung, Heraus- und Hineinrufung) und das in dieser stillschweigend vorausgesetzte κλῆσις-geschichtliche Mensch- und Personverständnis. Indem von der heilsgeschichtlich-eschatologischen κλῆσις ausgegangen wird, läßt sich das protologische κλῆσις-Verhältnis zwischen Schöpfer und Geschöpf erhellen, das die relative Autonomie des Menschen begründet. Wenn man auch nur paulinische ἅπαξ λεγόμενα auswerten kann, läßt sich zeigen, daß Herz, Vernunft und Gewissen des Menschen die sittliche Autonomie realisieren. Die theonome Autonomie erweist sich als Gabe und Aufgabe, die im Zustand der immanentistischen Selbstabkapselung weiterbesteht. Καρδία und νοῦς vermögen die Immanentisierung der Autonomie deshalb nicht ganz durchzusetzen, weil die συνείδησις dem Drang nach radikaler Emanzipation einen Riegel vorschiebt, indem sie einerseits die radikale Verantwortlichkeit bewußtmacht und andererseits – als Zeugin der gescheiterten Autonomie – den Anknüpfungspunkt für die heilsgeschichtliche κλῆσις Gottes bildet.
Mit der κλῆσις-geschichtlichen Erhellung der Person und ihrer Grundkräfte verbindet sich notwendig die hamartiologische Erhellung des immanentistischen Anspruchs auf Autonomie. Darauf geht die zweite These ein. Eigentlich behandelt die κλῆσις-geschichtliche Erhellung auch schon das menschliche Nein bzw. die Aufrichtung der Äonsmächte. Doch soll in einem eigenen hamartiologischen Kapitel herausgearbeitet werden, daß der ins Dasein ge-

---

geschichte des κλῆσις-Begriffs in: KD III, 4, 683–744; ders., KD IV, 3, 573–742, 780–951.

rufene Mensch die ambivalente Gabe der Autonomie theologisch negativ realisieren kann, ohne daß deswegen die relative Autonomie als Anlage verlorengeht.
Die dritte These enthält die christologisch-pneumatologische Erhellung der Autonomie. Es wird gezeigt, daß die heilsgeschichtlich-eschatologische Herausrufung des Menschen aus der Mächteherrschaft und die Hineinrufung in die Christusherrschaft sich als Wiederherstellung der ursprünglich theonomen Autonomie auswirken. Die Christus-κοινωνία und die ἐκκλησία erscheinen als das Kraftfeld, in dem dem Menschen die αἰών-kritische und αἰών-überwindende Ausübung der Autonomie ermöglicht wird.
Mit den eben skizzierten Thesen ist von vornherein klargestellt, daß im 2. Teil kein Modell paulinischer Ethik im historischen Sinn, sondern ein Autonomie-Modell aus paulinischem Geist entworfen wird. Es versteht sich von selbst, daß der Versuch einer zeitbezogenen Paulusrezeption nicht gleich in der Gestalt eines aktuellen moraltheologischen Autonomiekonzepts vorgelegt werden kann. Die Arbeit hat ihr Ziel erreicht, wenn sie zu zeigen vermag, daß die Befürworter eines theologischen Autonomiekonzepts mit der paulinischen Theologie rechnen können, obwohl die vorhandenen Modelle paulinischer Ethik für die Grundlegung eines solchen nicht in Frage kommen. Die Probleme der Aktualisierung und Verifizierung des Autonomie-Modells aus paulinischem Geist im Denkhorizont des heutigen Menschen treten hinter dem Modellangebot zurück. Sie werden im Schlußkapitel kurz angedeutet.
Ausgangspunkt der Arbeit ist die Feststellung, daß führende Moraltheologen, in der umfassenden Grundlagenkrise ihres Faches[13], nicht bloß nach

---

[13] Signifikant für Analyse und Bewältigung sind: A. Auer, Anliegen heutiger Moraltheologie, in: ThQ 138 (1958) 275–306; ders., Die Erfahrung der Geschichtlichkeit und die Krise der Moral, in: ThQ 149 (1969) 4–22; ders., Nach dem Erscheinen der Enzyklika ‚Humanae Vitae' – Zehn Thesen über die Findung sittlicher Weisungen, in: ThQ 149 (1969) 75–85; ders., Autonome Moral; ders., Die normative Kraft des Faktischen. Zur Begegnung von Ethik und Sozialempirie, in: Begegnung. Beiträge zu einer Hermeneutik des theologischen Gesprächs, Festschrift für H. Fries, hrsg. von M. Seckler, O.H. Pesch, J. Brosseder, W. Pannenberg, Graz 1972, 615–632; G. Teichtweier, Eine neue Moraltheologie?, in: Lebendiges Zeugnis Heft 1/2 (1965) 67–89; G. Teichtweier und W. Dreier (Hrsg.), Herausforderung und Kritik der Moraltheologie, Würzburg 1971 (Herausforderung); F. Böckle, Die Funktion der Moraltheologie in Kirche und Gesellschaft, in: Die Funktion der Theologie in Kirche und Gesellschaft, hrsg. von P. Neuenzeit, München 1969, 61–74; ders., Theonome Autonomie; J.G. Ziegler, Zur Gestalt und Gestaltung der Moraltheologie, in: TrThZ 71 (1962) 46–55; H. Rotter, Tendenzen in der heutigen Moraltheologie, in: StdZ 185 (1970) 259–268; D. Mieth, Auf dem Wege zu einer dynamischen Moral (Reihe X), Graz/Wien/Köln 1970; P. Antoine, Situation presente de la morale, in: Le Supplément Nr. 92, Paris 1970, 8–27; A. Hertz, Moral (Grünewald-Materialbücher 4), Mainz 1972, F. Furger, Zur Begründung eines christlichen Ethos – Forschungstendenzen in der katholischen Moraltheologie, in:

den im 19. Jahrhundert vorhandenen Ansätzen und Vorarbeiten[14] zu einem theologischen Autonomiekonzept fragen, sondern nach den möglicherweise vorhandenen biblischen Richtbildern und Modellen. Die Arbeit versucht ein eigenes Autonomie-Modell aus paulinischem Geist zu entwerfen und zur Diskussion zu stellen, weil die exegetischen und die rezeptionsgeschichtlichen Modelle nicht weiterhelfen. Programme[15] oder Versuche einer biblischen Erneuerung[16], wie sie noch vor wenigen Jahren erörtert wurden, nützen wenig. Was die Moraltheologie braucht, ist die hermeneutische Ausarbeitung einer am neutestamentlichen Pluralismus orientierten pluriformen Fundamentalmoral. Wenn irgendwo im Neuen Testament, dann müßten die Bausteine für ein Autonomiekonzept in der vom κλῆσις-geschichtlichen Denken geprägten Theologie des Paulus zu finden sein. Diese Aufgabe stellt sich übrigens für die evangelische theologische Ethik genauso[17] wie für die Moraltheologie.

Theologische Berichte IV, hrsg. von J. Pfammater und F. Furger, Zürich/Einsiedeln/Köln 1974, 11–87.

[14] Vgl. dazu Ch. Keller, Das Theologische in der Moraltheologie. Eine Untersuchung historischer Modelle aus der Zeit des Deutschen Idealismus (StzThGg 17), Göttingen 1976 (Das Theologische).

[15] Sehr allgemeine Formulierungen finden sich in der Dogmatischen Konstitution über die göttliche Offenbarung (Kap. 6, Art. 24), in: LThK, Das Zweite Vatikanische Konzil. Dokumente und Kommentare, Bd. II, Freiburg/Basel/Wien 1967, 576–579, hier 579; ferner im Dekret über die Ausbildung der Priester, a.a.O. 343–345, hier 345. Zum Ganzen vgl. B. Häring, Moralverkündigung nach dem Konzil, Bergen-Enkheim 1966; J. Fuchs, Moral und Moraltheologie nach dem Konzil, Freiburg/Basel/Wien 1967; J.G. Ziegler, Moraltheologie nach dem Konzil, in: ThGl 59 (1969) 164–191.

[16] Herausragend ist immer noch F. Tillmann, HkS, Bd. III. Die Idee der Nachfolge Christi, Düsseldorf [4]1953; Bd. IV, 1 und 2. Die Verwirklichung der Nachfolge Christi, Düsseldorf [4]1950. Zur Diskussion der biblischen Erneuerung vgl. J. Stelzenberger, Biblisch oder romantisch ausgerichtete Moraltheologie?, in: ThQ 140 (1960) 291–303; N. Crotty, Biblical perspectives in moral theology, in: ThSt 26 (1965) 574–595; C.J. van Ouwerkerk, Biblisches Ethos und menschlicher Kompromiß, in: Conc 1 (1965) 367–374; E. Hamel, L'usage de l'Ecriture sainte en théologie morale, in: Gr 47 (1966) 53–85; A. Elsässer, Christus der Lehrer des Sittlichen (VGI 6), München/Paderborn/Wien 1968; J. Blank, Zum Problem ethischer Normen im Neuen Testament, 176–183; ders., Geht es mit der Bibel weiter?, in: Zukunft der Theologie – Theologie der Zukunft, Wien/Freiburg/Basel 1971, 155–177, hier 160f, 174f; J. Endres, Genügt eine rein biblische Moraltheologie?, in: Studia Moralia II (Pontificia Universitas Lateranensis, Academia Alfonsiana, Institutum Theologiae Moralis), Rom/Paris/Tournai/New York 1964, 43–72; A. van Harvey, Is there an Ethics of Belief?, in: JR 49 (1969) 41–58.

[17] Vgl. dazu H.W. Bartsch, Der Ansatz evangelischer Ethik im Neuen Testament, in: KiZ 15 (1960) 222–226; W. Schweitzer, Glaube und Ethos im Neuen und Alten Testament. Ein Beitrag zum Problem der biblischen Begründung der christlichen Ethik, in: ZEE 5 (1961) 129–149; M. Kühn, Neuansätze evangelischer Ethik seit 1945, in: KiZ 3 (1964) 106–110; E. Jüngel, Erwägungen zur Grundlegung evangelischer Ethik im Anschluß an die Theologie des Paulus, in: ders., Unterwegs zur Sache. Theologische Bemerkungen (BEvTh 61), München 1972, 234–245 (Erwägungen).

Die vorliegende Arbeit ist ein Versuch, die paulinische Theologie und Ethik in die katholische Moraltheologie einzuholen unter den heute gegebenen bewußtseinsgeschichtlichen Bedingungen. Die gemeinsamen Probleme drängen die christlichen Konfessionen dahin, sich untereinander zu verständigen und mit einem einheitlichen Autonomiekonzept aufzutreten. Ein Autonomiekonzept aus paulinischem Geist ermöglicht nicht nur die innerchristliche Verständigung, sondern vor allem die ethische Kooperation zwischen Christen und Nichtchristen.

Erster Teil

MODELLE PAULINISCHER ETHIK

Methodische Vorbemerkungen

Im 1. Teil werden insgesamt 5 Modelle paulinischer Ethik skizziert: zwei exegesegeschichtliche und drei rezeptionsgeschichtliche. Obwohl gerade die Skizze des Paränese-Modells ausschließlich auf einen Erkenntnisfortschritt in der moraltheologischen Diskussion abzielt, muß doch zunächst versucht werden, die theologiegeschichtliche Konstellation zu erhellen, unter welcher das Paränese-Modell zustande gekommen ist, und seine theologischen Komponenten möglichst getreu darzustellen. Vor allem gilt es, den Einstieg des M. Dibelius in das Eschatologie-Ethik-Problem nachzuzeichnen, nicht die Perspektive der Eschatologie, unter welche die Exegese die gesamte neutestamentliche Ethik gestellt sieht, sondern den ganz spezifischen Lösungsversuch der Entdeckergeneration, die das Problem von Eschatologie und Ethik erstmals formuliert und die Möglichkeit der formgeschichtlichen Lösung realisiert hat. Nur so wird die ganze Eingebundenheit des Paränese-Modells in den exegetischen Forschungsprozeß deutlich.

Die Beiträge R. Bultmanns und seiner Schüler zur paulinischen Ethik können im Rahmen dieser Arbeit unberücksichtigt bleiben. Sie weichen von der Lösung des Eschatologie-Ethik-Problems bei M. Dibelius erheblich ab, entwickeln eine ausgesprochen existentiale Hermeneutik der neutestamentlichen Eschatologie[18], die übrigens gegenwärtig unter anhaltende Kritik[19] gerät, und führen zu völlig anders gearteten Versuchen einer Aktualisierung der neutestamentlichen Theologie und Ethik.

Für den Zweck einer Darstellung der Modelle paulinischer Ethik ist es legitim, das Paränese-Modell aus seinen paulinischen Bestandteilen zu rekonstruieren und alle Materialien wegzulassen, die M. Dibelius den neutesta-

---

[18] Näheres darüber bei J. Moltmann, Theologie der Hoffnung. Untersuchungen zur Begründung und zu den Konsequenzen einer christlichen Eschatologie (BEvTh 38), München [6]1966, 31–84 (Hoffnung); G. Sauter, Zukunft und Verheißung. Das Problem der Zukunft in der gegenwärtigen theologischen und philosophischen Diskussion, Zürich/Stuttgart 1965, 102f, 115f (Zukunft); P. Kerstiens, Die Hoffnungsstruktur des Glaubens, Mainz 1969, 89–94.

[19] Vgl. P. Stuhlmacher, Neues Testament und Hermeneutik. Versuch einer Bestandsaufnahme, in: ZThK 68 (1971) 122–161 (Hermeneutik).

mentlichen Spätschriften und der altkirchlichen Literatur entnimmt. Die methodische Schwierigkeit besteht darin, daß dann nur die Kommentare des M. Dibelius zu den Kleinen Paulusbriefen im Rahmen des Lietzmannschen Handbuchs zum Neuen Testament[20] und die zusammenfassende Arbeit „Geschichtliche und übergeschichtliche Religion im Christentum“[21] zur Verfügung stehen. Die großen Paränesearbeiten, die die Epoche der Nachpaulinen und der Pastoralen bis hin zur altkirchlichen Ethik betreffen[22], bleiben sämtlich außer Betracht. Auch die zahlreichen Untersuchungen, mit denen die spätere Forschung den von M. Dibelius zur Verfügung gestellten Rahmen ausgefüllt hat, werden nicht berücksichtigt.

---

[20] Vgl. M. Dibelius, An die Thessalonicher I.II, An die Philipper (HNT 11) Tübingen [3]1937; ders., An die Kolosser, Epheser, An Philemon (HNT 12), Tübingen [2]1927.

[21] Göttingen 1925. Zweite unveränderte Auflage unter dem Titel: Evangelium und Welt, Göttingen 1929. Zitiert wird nach der Erstauflage (Religion).

[22] Es sind dies: Die Pastoralbriefe (HNT 13), 3. neu bearb. Aufl. von H. Conzelmann, Tübingen 1955; Der Brief des Jakobus (MeyerK 15), Göttingen [7]1921; Der Hirt des Hermas (HNT: Ergänzungsband: Die apostolischen Väter 4), Tübingen 1923; Das soziale Motiv im Neuen Testament, in: BuG I, 178–203; Rom und die Christen im ersten Jahrhundert, in: BuG II, 177–228.

1. Kapitel

PARÄNESE-MODELL
(M. Dibelius)

Die Moraltheologie kann nicht umhin, zunächst die theologiegeschichtliche Konstellation zu reflektieren, unter welche das Paränese-Modell geschaffen wurde. Sie spiegelt sich im Gesamtbild dieses Modells wider und muß bei der Beurteilung seiner moraltheologischen Relevanz berücksichtigt werden.

I. THEOLOGIEGESCHICHTLICHE KONSTELLATION

Vereinfacht gesagt, handelt es sich bei der theologiegeschichtlichen Konstellation um das Zusammentreffen der Entdeckung der paulinischen Eschatologie durch R. Kabisch[23] mit der formgeschichtlichen Methode, wie sie von H. Gunkel[24] am Alten Testament entwickelt worden war. R. Kabisch gibt als Grund für die jahrhundertelange Nichtbeachtung der paulinischen Eschatologie „das Interesse der Lebendigen" an, das aus der Hl. Schrift, speziell aus den Paulusbriefen, zu allen Zeiten primär das schöpft, „was den eigenen Durst stillt"[25]. Abgesehen von den immer wiederkehrenden Schwärmerbewegungen habe das Christentum die neutestamentliche Eschatologie kaum noch ernst genommen und ausgeschöpft. Der originäre eschatologische Durst des Spätjudentums sei ausschließlich als Angelegenheit der jüdischen Nation, nicht jedoch auch als die ureigene Sache des Urchristentums angesehen worden. Um so nachdrücklicher müsse einmal die Tatsache herausgestellt werden, daß „das Christentum nicht allein seinen Namen, sondern auch sein Dasein" dem ausgesprochen eschatologischen „Christusbegriff" verdankt, den das jüdische Volk entwickelt[26], den Jesus von Nazaret aufgegriffen und den die Urgemeinde der Menschheit „gebracht"[27] habe.
R. Kabisch, der – wie im Vorwort zu lesen ist – sein Buch „ursprünglich als Vorarbeit zu einer paulinischen Ethik gedacht" hatte, betont gegenüber der

---

23 Vgl. Die Eschatologie des Paulus in ihren Zusammenhängen mit dem Gesamtbegriff des Paulinismus, Göttingen 1893 (Eschatologie).

24 Vgl. W. Klatt, Hermann Gunkel. Zu seiner Theologie der Religionsgeschichte und zur Entstehung der formgeschichtlichen Methode, Göttingen 1969; H.J. Kraus, Geschichte der historisch-kritischen Erforschung des Alten Testaments, Neukirchen-Vluyn ²1969, 341–367.

25 Eschatologie 1.

26 A.a.O. 2; a.a.O. 5: „Christusbegriff".

27 A.a.O. 4.

zeitgenössischen ethischen Auslegung der Paulusbriefe mit allem Nachdruck, daß für den Apostel „die Eschatologie ... das erste, die Ethik ... und die Religion ... das zweite"[28] gewesen sei. „Was in der apostolischen Predigt beabsichtigt war, war die Begründung eines Häufleins, das den unmittelbar bevorstehenden Zusammenbruch des gegenwärtigen *αἰών* überdauerte und sicher hinübergerettet wurde in den seligen *αἰὼν ὁ μέλλων*; ..."[29] Mit dieser Betonung der Priorität und des Primates der Eschatologie gegenüber aller Ethik und Religion wollte R. Kabisch den Lesern der Paulusbriefe die Augen öffnen. Sie sollten erkennen, „dass den breit dahinfliessenden Strom ... weit andere Gewässer füllen, als die seinem Lauf den Ursprung gaben"[30].

M. Dibelius verifiziert dieses Wort mit Hilfe der formgeschichtlichen Methode[31], die H. Gunkel erprobt hatte. Er verfolgt den „breit dahinfliessenden Strom" der Paulusbriefe, der synoptischen Evangelien und der späteren Briefliteratur bis zu seiner Quelle in der mündlichen eschatologischen Predigt zurück. Die Zuflüsse bzw. Seitenflüsse aus Religion und Ethik werden dabei bis ins einzelne vermessen und geortet. Die souveräne Art, in welcher M. Dibelius das von R. Kabisch aufgeworfene Problem von Eschatologie und Ethik anging und löste, hat seinen Ergebnissen eine nachhaltige Wirkung und eine bleibende Bedeutung gesichert.

Wenn sich die Moraltheologie nun viel später für sein Paränese-Modell interessiert, so muß sie als erstes dieses eben skizzierte Zusammentreffen der radikalen Eschatologiethese und der formgeschichtlichen Methode im Auge behalten. Nur so vermag sie das Schwergewicht der literaturwissenschaftlichen Methodik an diesem Modell und seinen begrifflichen Komponenten in Rechnung zu stellen und die daraus resultierenden bibeltheologischen bzw. moraltheologischen Konsequenzen zu eruieren.

F. Overbeck hat die Entdeckung der urchristlichen Naherwartung sofort zu einer viel beachteten Besinnung über die Christlichkeit der heutigen Theologie geführt. Mit welchem Recht, so fragt er, kann denn überhaupt von einer christlichen Theologie gesprochen werden, wo doch das Christentum als reine Propaganda des Weltuntergangs in Erscheinung trat[32], jede geschichtliche Zukunft verneinte und daher a priori alle Ansätze zu einer literarischen und theologischen Entwicklung ausschloß[33]?

Für M. Dibelius stand dieses aktuelle Problem einer christlichen Theologie

---

[28] A.a.O. 5.	[29] Ebd.

[30] A.a.O. 2.

[31] Vgl. dazu R. Schnackenburg, Art. Formgeschichtliche Methode, in: LThK IV, 211–213; K. Koch, Was ist Formgeschichte? Neue Wege der Bibelexegese, Neukirchen 21967; Einführung in die Methoden der biblischen Exegese, hrsg. von J. Schreiner, Würzburg 1971.

[32] Vgl. F. Overbeck, Über die Christlichkeit unserer heutigen Theologie. Zweite, um eine Einleitung und ein Nachwort vermehrte Auflage, Leipzig 1903, 27.

[33] Vgl. a.a.O. 82, 85.

oder gar einer christlichen Weltethik nicht in dem Maße im Vordergrund, wie das bei seinen heutigen moraltheologischen Befragern der Fall ist. Sein Ausgangspunkt ist das literaturgeschichtliche Problem[34], wie es durch R. Kabischs Bild vom „breit dahinfliessenden Strom" des Evangeliums, d.h. seiner eschatologischen Quelle und seinen mächtig anschwellenden Zuflüssen aus Ethik und Religion gestellt worden war. Daß M. Dibelius von seinem Einstieg in das Eschatologie-Ethik-Problem her mehr als eine historisch-kritische Beschreibung, nämlich ein moraltheologisch relevantes Modell erstellen würde, stand eigentlich nicht zu erwarten.

II. Formgeschichtliche Lösung des Eschatologie-Ethik-Problems

Jede Fragestellung entwickelt die ihr angemessene Methodik. Es versteht sich daher von selbst, daß bei der formgeschichtlich gestellten Frage nach der paulinischen Weltethik die Antwort im literaturgeschichtlichen Horizont, d.h. mit Hilfe literarisch begründeter Unterscheidungen erfolgt.

1. *Eschatologische Predigt*

M. Dibelius verifiziert als erstes R. Kabischs These, wonach die eschatologische Predigt[35] der Quellstrom ist, der erst allmählich durch die Zuflüsse von Ethik und Religion vermehrt, ja überlagert wird. Bei Paulus schien ihm die Urgestalt der eschatologischen Predigt noch greifbar, während sie im späteren Sammelbecken der synoptischen Evangelien nur noch in der tradierten literarischen Gestalt („Gemeindebildungen") zu finden bzw. zu rekonstruieren ist[36].

M. Dibelius geht von den Stellen aus, an denen Paulus urgemeindliche Überlieferungen zitiert. Für ihn bedeutet der Tatbestand der Traditionszitate von 1 Kor 11 und 15, daß Paulus entweder bei seiner Bekehrung in den frühen dreißiger Jahren (32–35) oder bei seiner Missionsaussendung in den vierziger Jahren in Damaskus oder im syrischen Antiochien „ein geformtes Kerygma und einen geformten Abendmahlsbericht"[37] erhielt.

---

34 Signifikant dafür ist M. Dibelius, Geschichte der urchristlichen Literatur, Berlin 1926.

35 Vgl. R. Kabisch, Eschatologie 5.

36 Zum Ganzen vgl. R. Schnackenburg, Zur formgeschichtlichen Methode in der Evangelienforschung, in: ZkTh 85 (1963) 16–32; Zum Verfahren der Urkirche bei der Jesusüberlieferung, in: ders., Schriften zum Neuen Testament. Exegese in Fortschritt und Wandel, München 1971, 155–175, hier 165, 167, 170f (Schriften).

37 M. Dibelius, Die Formgeschichte des Evangeliums. Zweiter photomechanischer Nachdruck der 3. Aufl., hrsg. von G. Bornkamm, Tübingen 1966, 294 (Formgeschichte).

Was Inhalt und Form des vorliterarischen κήρυγμα, λόγος oder εὐαγγέλιον betrifft – Begriffe, die Paulus bereits in einem technischen und absoluten Sinne gebraucht –, so gilt als ausgemacht, daß sie den Tod und die Auferweckung als schlechthin eschatologische Anfangsereignisse verkündeten und von daher die Naherwartung schürten. Daß Tod und Auferweckung in der Urgemeinde das eschatologische Zentralthema aller urchristlichen Predigt bildeten, wurde durch die formgeschichtliche Analyse der Passionsgeschichte und der Auferstehungsberichte der synoptischen Evangelien eindrucksvoll bestätigt[38].

Wie lange die vom Mutterboden der jüdischen Messiaseschatologie (R. Kabisch) getragene, vom Erfüllungsglauben der Todes- und Auferweckungszeugnisse gesteigerte Naherwartung des Endes bzw. der Parusie das einzige Thema des vor- und unliterarischen κήρυγμα, λόγος oder εὐαγγέλιον war und wie lange die Naherwartung das ausschließliche Thema der urchristlichen (auch paulinischen) Missionspredigt blieb, vermag auch der Formgeschichtler nicht auszumachen. Was er feststellt, ist die Tatsache, daß von der eschatologischen Predigt so grundlegend verschiedene Erzählungsformen wie z.B. Paradigma[39] und Novellen[40] hinzukamen, m.a.W. daß die Exodusgemeinde zu den weltlichen Formen griff. Da man glaubte, die „Urzelle"[41] bzw. den Quellstrom ausschließlich in den eschatologischen Themen des Todes, der Auferstehung und der Parusie sehen zu müssen, konnten alle im Sammelbecken der synoptischen Evangelien bzw. der Paulusbriefe gesichteten literarischen Formen[42] letzten Endes nur noch als Zuflüsse begriffen werden, die im Laufe der Zeit die urchristliche eschatologische Predigt mit „weit anderen Gewässer(n) füll(t)en, als die ihrem Lauf den Ursprung gaben".

Den Moraltheologen interessiert weniger, wie die Zuflüsse aus der Religion den Urstrom der eschatologischen Predigt bzw. des κήρυγμα mit der Zeit vermehren und überlagern. Moraltheologisch relevant ist, wie M. Dibelius die mächtig anschwellenden Zuströme an ethischer Weisung formgeschichtlich ortet und kanalisiert, wie er das Verhältnis von eschatologischer Predigt und Ethik bestimmt und welche Rolle er dabei der Erfahrung der Parusieverzögerung zumißt. Es versteht sich von selbst, daß der Zuwachs an weltethischer Weisung in den Räumen der synoptischen Tradition anderen literaturgeschichtlichen Bedingungen unterworfen ist, als das bei Paulus der Fall ist,

---

38 Vgl. a.a.O. 178–218.

39 Vgl. a.a.O. 34–66. Paradigmen bekommen eine die Predigt begleitende Bedeutung; sie sind Material bzw. Beispielsammlung für den Prediger.

40 Vgl. a.a.O. 66–100.

41 A.a.O. 66.

42 Zum Ganzen vgl. G. Bornkamm, Art. Evangelien, in: RGG II, 749–753; ders., Art. Formen und Gattungen, in: RGG II, 996–1005; V. Hamp, Art. Genus litterarium, in: LThK IV, 686–689; H. Zimmermann, Formen und Gattungen im Neuen Testament, in: Einführung in die Methoden der biblischen Exegese, 232–260.

der weitgehend außerhalb der synoptischen Jesusüberlieferung stand. Wie ließ sich literaturgeschichtlich bzw. formgeschichtlich das Phänomen des Zuwachses der weltethischen Weisung zur eschatologischen Predigt bei Paulus aufhellen?

2. *Halakhische Tradition*

„Die urchristlichen Gemeinden waren auf das Vergehen dieser Welt und nicht auf das Leben in ihr eingerichtet; so waren sie auch auf die Notwendigkeit keineswegs gerüstet, paränetische Losungen für den Alltag hervorzubringen."[43] Sie brauchten darin auch nicht eigentlich schöpferisch tätig zu werden. Sie konnten ja zu den herkömmlichen Mitteln greifen und z.B. die jüdische Halakha[44] verchristlichen. Diese war von Haus aus grundverschieden von der eschatologisch begründeten Mahnrede in der Apokalyptik[45] und bedeutete für das weltflüchtige Christentum eine weltliche literarische Form. Für einen Formgeschichtler wie M. Dibelius stand fest, daß „den aus dem Judentum kommenden Christen die Unterscheidung zwischen den haggadischen und halakhischen Bestandteilen ihrer neuen christlichen Tradition von vornherein nahegelegt"[46] war. In der Tat findet man bei Paulus neben der Zitation von „vorgeformte(m) Kerygma" und „geformte(m) Abendmahlsbericht" ganz eindeutig den Gebrauch urchristlicher halakhischer Überlieferung.

Natürlich weiß niemand etwas Genaues über den Umfang der Worte Jesu, die man sich von allem Anfang an nach Art dieser jüdisch-halakhischen Tradition aufbewahrt und weitertradiert denken darf. Vor allem weiß man nicht, ob wirklich die Parusieverzögerung und das Bedürfnis nach ethischer Weisung das auslösende Moment für die Aufnahme der halakhischen Tradition in der Urkirche waren. M. Dibelius befaßt sich daher auch weniger mit diesem Gesichtspunkt der Halakha als vielmehr mit dem Nachweis der Paräneseentstehung im Raum der synoptischen Jesusüberlieferung[47]. Was die christliche Halakha betrifft, so hält er es für wahrscheinlich, daß der „Schatz der echten Jesusworte" von den im wachsenden Maße an Paränese interessierten Gemeinden „um ein paar unechte"[48] vermehrt worden sein kann.

---

[43] M. Dibelius, Formgeschichte 241.

[44] Im Judentum gab es die Halakha, d.h. Tradition von Lebens- und Kultusregeln und die Haggada, die Tradition von geschichtlichen und theologischen Stoffen. Nach M. Dibelius, Formgeschichte 26, mußte die Halakha „strenger und geregelter sein", weil sie ja „Anspruch auf Befolgung" erhob, „während mit der Haggada nur der Anspruch auf Beachtung und Diskussion verbunden ist".

[45] Vgl. dazu A. Grabner-Haider, Paraklese und Eschatologie bei Paulus. Mensch und Welt im Anspruch der Zukunft Gottes (NTA NF 4), Münster 1968, 68–79 (Paraklese).

[46] Formgeschichte 26.

[47] Vgl. a.a.O. 234–265.

[48] A.a.O. 242.

M. Dibelius hätte mit sich streiten lassen, ob Paulus den vorgeformten Abendmahls- und Osterbericht als Neubekehrter oder erst als Missionar empfangen hat[49]. Eines aber stand für ihn außer Zweifel, daß Paulus bei seiner Missionsaussendung von der antiochenischen Gemeinde bereits einen nicht näher angebbaren Umfang von paränetisch gemünzten Jesusworten empfangen hatte[50]. M. Dibelius betont ja gerade damit das Usuelle einer christlichen Halakha und das Usuelle und Austauschbare der paränetischen Praxis allgemein. Er zielt keineswegs darauf ab, Paulus als causa exemplaris der Zusammenfügung von eschatologischer Predigt und Paränese hinzustellen. Was er betont, ist dies, daß Paulus sich in nichts von allen übrigen christlichen Missionaren unterscheidet. M. Dibelius läßt es offen, ob Paulus die christliche Halakha einer mündlichen Tradition entnimmt und seinem mnemotechnisch geschulten Gedächtnis anvertraut oder ob er sie jeweils den in seinem Besitz befindlichen Papyrusblättern entnimmt[51]. Er neigt jedoch mehr der Vorstellung zu, daß sich der Apostel, wie jeder andere Missionar auch, von seinem Papyrusmaterial abhängig erklärt[52], ob er nun einen autoritativen Spruch des Herrn in die Waagschale werfen kann oder nicht[53].
Die Frage, wie die hellenistische Gemeinde in Antiochia in den Besitz solcher Jesussprüche gelangt ist bzw. welchen Anteil sie an der Produktion oder paränetischen Stilisierung derselben hat, bleibt ungeklärt. Den durch die Briefe hinreichend bekannten Paulusgemeinden scheint jedenfalls kein „wesentliche(r) Teil der Traditionsbildung ... zuzuschreiben“[54] zu sein. Paulus ist also nicht der Anfang, sondern lediglich das Beispiel, an welchem die paränetische Praxis der ersten Zeit veranschaulicht werden kann. Das von Haus aus weltfremde Christentum war also schon vor Paulus dazu übergegangen, die im Judentum geläufige literarische Form der Halakha zu gebrauchen. Wenn aber die Übergabe von Herrenworten mit paränetischer Absicht schon bei seinem Missionsbeginn zu den Notwendigkeiten oder Selbstverständlichkeiten gehörte, dann muß auch die Erfahrung der Parusieverzögerung und das Bedürfnis nach weltethischer Weisung entsprechend intensiv gewesen sein.
Freilich bleibt zu beachten, daß Paulus sich angesichts des steigenden Bedarfs weder als besonderer Liebhaber noch als produktiver Faktor für die Vermehrung der urchristlichen Halakha erweist. Als ehemaliger Pharisäerschüler wäre er doch eigentlich für einen extensiven Gebrauch dieser jüdischen Form paränetischer Lehre in Frage gekommen. Hängt seine Enthaltsamkeit damit zusammen, daß er als glühender Eschatologe lieber zu der eschatologisch begründeten Mahnrede griff, wie sie in der Apokalyptik zu

---

49 Vgl. .a.aO. 18, 294.
50 Vgl. a.a.O. 27, 29.
51 Vgl. a.a.O. 36, 243.
52 Vgl. a.a.O. 36.
53 Vgl. a.a.O. 243.
54 A.a.O. 27.

Hause war? Oder kann es sein, daß er sich eine eigenständige paränetische Praxis entwickelt hat?
M. Dibelius hat mit seinen Feststellungen zur urchristlichen Halakha bei Paulus zweifellos mehr Fragen aufgeworfen als beantwortet. Auf seine Darstellung des Problems der Paränese innerhalb der synoptischen Jesusüberlieferung braucht hier nicht weiter eingegangen zu werden[55]. Es genügt festzuhalten, daß sich für M. Dibelius die Erfahrung der Parusieverzögerung und das dadurch entstandene Bedürfnis nach Weltethik auch in der Entstehung und im Gebrauch der christlichen Halakha widerspiegelt. „Man kann es von der Formgeschichte ablesen, daß der Weg des Christentums von der grundsätzlichen Weltfremdheit mit ihrer Selbstbeschränkung auf die religiösen Interessen der Gemeinde hinführte zur Einrichtung in der Welt und zur Anpassung an ihre Verhältnisse."[56]

3. *Paränetische Briefabschnitte*

Nirgends sollte sich die formgeschichtliche Methode so bewähren, wie bei der Untersuchung der paränetischen Briefabschnitte[57]. Schon bei Paulus, aber erst recht in den späteren Briefen schien es evident zu sein, daß in den paränetischen Abschnitten „weit andere Gewässer" (R. Kabisch) zusammen mit dem Urstrom der eschatologischen Predigt dahinflossen. Hier lagen Texte vor, die man so oder ähnlich in der gesamten antiken Literatur vorfand. Sie gaben sich auf den ersten Blick als integrierte literarische Formen zeitgenössischer sittlicher Mahnrede zu erkennen[58].
Die Paulusbriefe boten zunächst nicht den Anlaß, diese Beobachtung formgeschichtlich zu verifizieren. Wohl aber erschienen sie als der Schlüssel, mit dem sich das Phänomen der Integration jüdischer[59] und heidnischer[60] Par-

---

55 Vgl. dazu M. Dibelius, Religion 145f.

56 M. Dibelius, Formgeschichte 288.

57 So M. Dibelius, Zur Formgeschichte des Neuen Testamentes, in: ThR NF 3 (1931) 207–242.

58 Bestimmte M. Dibelius das Woher der paränetischen Zuflüsse noch ganz allgemein, so legte die von ihm angeregte formgeschichtliche Forschung genaue Quellennachweise vor. Vgl. die Arbeiten zu den Haustafeln (K. Weidinger, Die Haustafeln [UNT 14], Leipzig 1928), zu den Tugend- und Lasterkatalogen (A. Vögtle, Die Tugend- und Lasterkataloge im Neuen Testament [NTA 16, 4–5], München 1936; S. Wibbing, Die Tugend- und Lasterkataloge im Neuen Testament [BZNW 25], Berlin 1959) usw.

59 Vgl. H. Aschermann, Die paränetischen Formen der ‚Testamente der 12 Patriarchen' und ihr Nachwirken in der frühchristlichen Mahnung. Eine formgeschichtliche Untersuchung. Diss. Berlin 1955.

60 Vgl. W. Schrage, Die konkreten Einzelgebote in der paulinischen Paränese. Ein Beitrag zur neutestamentlichen Ethik, Gütersloh 1961, 187–210 (Einzelgebote); Th. Herr, Naturrecht aus der kritischen Sicht des Neuen Testamentes (AzS 11), München/Paderborn/Wien 1976, 21–72 (Naturrecht).

änese in der entscheidenden ersten Phase erschließen ließ. Vor allem konnten hier erstmals die beiden Instrumentarien der formgeschichtlichen Methode zusammenwirken: die Textanalyse und die soziologische Konstruktion[61]. Wo sonst hatte die soziologische Konstruktion einige Aussicht auf konkrete Ergebnisse, wenn nicht im literarisch erschlossenen Raum der paulinischen Gemeinden? War hier soziologisch das Vorhandensein einer wie auch immer gearteten Lehrerschaft festzustellen, so konnte als erwiesen gelten, daß neben den Träger der eschatologischen Predigt bereits ein selbständiger Träger der halakhischen Spruchtradition bzw. der paränetischen Praxis getreten war. Es ließ sich auch hier nicht historisch fixieren, wann die Alleinherrschaft der ursprünglich eschatologischen Predigt zu Ende ging und wie und wann sich als Ergänzung die eigenständige Funktion des paränetischen Lehrers herausschälte und hinzugesellte. Doch es gab für M. Dibelius keine andere Erklärung, als daß die Träger dieser Funktion ein infolge der Endverzögerung wachsendes und dringliches Bedürfnis in den Gemeinden befriedigten.

Es war die Frage, ob man auch für die Räume der synoptischen Traditionsbildung einen solchen eigenständigen Träger paränetischer Praxis annehmen durfte. M. Dibelius zögerte nicht, aus dem sich klar abzeichnenden paulinischen Gemeindebild Rückschlüsse auf analoge Entwicklungen in den außerpaulinischen Gemeinden zu ziehen. War die Lehrerschaft in den Paulusgemeinden vor allem der Träger und „Vermittler dieser Paränese"[62], so durfte auch der paränetisch geformte, ja zu einem gewissen Teil umfinalisierte Bestand der synoptischen Überlieferung hinsichtlich Ursprung, vorliterarischer Formung und literarischer Ausprägung auf das Konto einer Lehrerschaft gesetzt werden[63]. Was M. Dibelius aufgrund der soziologischen Konstruktion aus den Paulusgemeinden erhoben und auf die übrigen urkirchlichen Verhältnisse übertragen hatte, das sah er durch die synoptische Textanalyse vollauf bestätigt.

Was die paränetischen Briefabschnitte bei Paulus betrifft, so stellt der Formgeschichtler fest, daß hier eine Vielzahl auf dem Boden des Judentums, aber auch im hellenistischen Bereich gewachsener literarischer Formen der sittlichen Mahnrede anzutreffen ist. Der notwendig gewordene Rückgriff auf die vorhandenen literarischen Formen erklärt gleichzeitig, daß die christlichen Paränesen mit der allgemein üblichen Paränese die charakteristischen Merkmale gemeinsam haben[64]. Es zeigt sich, daß die paränetischen Teile in

---

61 Vgl. dazu W.G. Kümmel, Martin Dibelius als Theologe 132; ferner H. Zimmermann, Neutestamentliche Methodenlehre. Darstellung der historisch-kritischen Methode, Stuttgart 1967, 173.

62 M. Dibelius, Formgeschichte 241.

63 Vgl. a.a.O. 244–247.

64 Z.B. gleiche Gedanken bei den verschiedensten weltanschaulichen Richtungen, ähnliche Disposition bzw. Reihenfolge; Eklektizismus usw.

stilistischer und sachlicher Hinsicht vom „übrigen Briefkörper"[65] abtrennbar sind. „... bezeichnender Weise wirken die ethischen Abschnitte seiner Briefe, gemessen an anderen urchristlichen Texten, bei weitem nicht so originell wie die Ausführungen über Gnade und Glaube, Schuld und Heil..."[66] Sie erweisen sich durch ihre Unverbundenheit mit seinen religiösen bzw. theologischen Grundlegungen des Ethos vielfach als ausgesprochen usuelle Paränese-Praxis, die meist keinen Bezug auf die jeweilige aktuelle Briefsituation hat[67]. Es erscheint selbstverständlich, daß die ethischen Abschnitte zwischen Apostel, Apostelschülern, Lehrern, ja Gemeindemitgliedern austauschbar waren; jedenfalls stellen sie sich selbst vielfach als bloße briefliche Wiederholung der traditionellen Paränese dar[68].
Damit war für einen beachtlichen Teil der im Corpus Paulinum vorfindlichen Mahnrede festgestellt: Man hat in der Urkirche unter dem Druck der Parusieverzögerung und des praktischen Bedürfnisses die vorhandenen Formen sittlicher Weisung einfach integriert. Man darf „Paulus ... als Typus nehmen" und hat „ein Recht, von den Paulusbriefen abzulesen, was sich mehr oder minder auf allen Missionsgebieten vollzogen hat: daß christliche Ethik nicht in grundsätzlichem Neubau, sondern allmählich, von Fall zu Fall und zum Teil mit übernommenem Material gestaltet wurde"[69]. Mit dem Aufweis der Integrierung paränetischer Materialien hatte die formgeschichtliche Methode ihren primär literaturgeschichtlichen Zweck erfüllt. Zum Modus der Integrierung solcher vor- und außerchristlicher ethischer Gehalte genügte es vollauf zu erklären: „Die wesentlichste Verbindung ist diese: die paränetischen Regeln, auch die aus der Umwelt übernommenen, werden vorgetragen als Anweisungen zum Leben *ἐν Χριστῷ*. Darum genügt zur Verchristlichung solcher Regeln mitunter ein *ἐν κυρίῳ*, wie z.B. Kol 3,18.20. In Wirklichkeit werden solche Paränesen fremder Herkunft mit dieser Verchristlichung auf eine andere Ebene übertragen; die Ausführung dieser Gebote gehört zum Vollzug des neuen Lebens."[70] Ist damit der Erfahrungs- und Sinnhorizont, in welchen die Paränese integriert wird, erschöpfend beschrieben?

4. *Theologische Paränese*

Die anderen paränetischen Texte der Paulusbriefe, wie z.B. die Paränesen zur Taufe, zum *πνεῦμα*- und Charismenbesitz, wurden im Rahmen der formgeschichtlichen Erstellung des Paränese-Modells nicht zum Gegenstand der

65 M. Dibelius, Formgeschichte 239. Ähnlich: An die Thessalonicher I, II (HNT 11), Tübingen ³1937, 17f.
66 M. Dibelius, Religion 147f.
67 Vgl. M. Dibelius, Formgeschichte 239, und R. Schnackenburg, Art. Paränese 80.
68 So M. Dibelius, Formgeschichte 240, 241.
69 M. Dibelius, Religion 147 und 148.
70 M. Dibelius, Formgeschichte 240 Anm. 2.

Untersuchung gemacht. Das ist begreiflich; denn die formgeschichtliche Methode war vor allem aus literaturwissenschaftlichem Interesse entwickelt worden und zielte auf die Erforschung des Formengebrauchs in größeren literarischen Zeiträumen. Ihr ging es um die Feststellung des urgemeindlichen Gebrauchs vorhandener literarischer Formen, um Fragen der Abhängigkeit und der Modifikation. Die Feststellung neuer, durch das Christentum erst geschaffener Formen z.B. auch bei der sittlichen Mahnrede (Paraklese!) lagen überhaupt noch nicht im Blickfeld[71]; eine Ausnahme machte der Evangeliumsbegriff[72].

M. Dibelius gebrauchte Paulus als Typus, als Schlüssel; an eine Herausarbeitung der differentia specifica zwischen Paulus und den übrigen neutestamentlichen Traditionsströmen dachte er nicht. Das zeigt seine Beurteilung der spezifisch christologisch oder pneumatologisch begründeten Mahnrede. Ihr wird kein Eigengewicht zuerkannt[73]. Für M. Dibelius ist auch sie ganz der eschatologischen Erwartung eingegliedert. Sie muß dem Apostel genauso abgenötigt werden wie die weltethische Weisung, wobei er das eine Mal zu den Aussageweisen der hellenistischen Mystik und das andere Mal zur jüdischen und heidnischen Paränese greift.

Für Paulus, „der wie die anderen Christen seiner Generation dieser Welt Ende nahe gekommen sieht, sind die Probleme des Lebens vom Jetzt bis zum Weltende nicht vorherrschend wichtig. „... Selbstverständlich ist ihm, daß sich die Kräfte des dann anbrechenden neuen Lebens schon jetzt in den Gläubigen auswirken. Wie dies Leben ‚im Geist' nun im einzelnen aussieht und wie es sich im Rahmen der gegebenen Verhältnisse des Einzellebens auswirkt, diese Frage hat ihm, dem alle irdische Beurteilung der Dinge versunken und ein neues Urteil auch über die menschlichen Beziehungen – ‚in Christus', wie er sagt – aufgegangen war, persönlich keine Schwierigkeiten bereitet. Was ihn dennoch die Antwort auf solche Fragen geben ließ, war das praktische Bedürfnis seiner Gemeinden, dem der Missionar sich nicht verschloß."[74] M. Dibelius zögert nicht, die christologisch oder pneumatologisch begründete Paränese zur ausschließlich eschatologisch begründeten Paränese zu deklarieren und sie in die Rubrik der dem Apostel abgerungenen Weisungen einzuebnen. Daß sie für die Statuierung weltethischer Weisungen von grundlegender Bedeutung sein könnten, wird nicht bemerkt.

Mit der Gegenüberstellung der eschatologischen Predigt und der drei wichtigsten Formen sittlicher Mahnrede ist die formgeschichtliche Lösung des

---

71 Vgl. dazu A. Grabner-Haider, Paraklese 5.

72 Vgl. G. Bornkamm, Art. Evangelien, in: RGG II, 749–753. Ausführlich: P. Stuhlmacher, Das paulinische Evangelium I. Vorgeschichte (FRLANT 95), Göttingen 1968 (Evangelium).

73 Vgl. M. Dibelius, Glaube und Mystik bei Paulus, in: ders., BuG II, 94–116 (Glaube und Mystik); ders., Paulus und die Mystik, a.a.O. 134–159.

74 M. Dibelius, Religion 147.

Eschatologie-Ethik-Problems umrissen. M. Dibelius hat zur einheitlichen Kennzeichnung der sittlichen Mahnrede in den neutestamentlichen Gemeinden den Terminus Paränese gebraucht und schon damit zum Ausdruck gebracht, daß zur „Urzelle" radikal eschatologischer Predigt der Begriff weltlicher Ethik hinzugedacht werden muß. Es entging ihm völlig, daß er damit einen Begriff gewählt hatte, der im ganzen Corpus Paulinum, also gerade bei seiner Schlüsselfigur, nicht anzutreffen ist. Hier hakt dann später die Gegenbewegung ein, die zeigt, daß die „Paraklese" des Paulus eine ausgesprochen theologische Praxis der sittlichen Mahnrede ist.
Da „die formgeschichtliche Forschung in fast scholastischer Weise an ihren Ursprüngen, den großen Werken von M. Dibelius und R. Bultmann orientiert blieb"[75], kommt dem Paränesebegriff eine exemplarische Bedeutung zu. Er repräsentiert den Versuch, das Eschatologie-Ethik-Problem vornehmlich literaturgeschichtlich zu lösen. Er steht für das ganze Denkmodell[76], obwohl damit im wesentlichen nur das Vorkommen der halakhischen Tradition sowie die Integration jüdischer und heidnischer Materialien erklärt worden war. Die theologische Paränese war aus Gründen der formgeschichtlichen Unergiebigkeit weitgehend unberücksichtigt geblieben.
Für den Zweck dieser Arbeit sind nun die begrifflichen Komponenten noch besonders herauszuarbeiten; sie erst verdeutlichen die moraltheologische Relevanz des Paränese-Modells.

III. Komponenten des Paränese-Modells

Exegese und Moraltheologie, historisch-kritische Rekonstruktion und systematisches Denken sind zwei verschiedene Dinge. Wie man sieht, kommt jedoch schon die literaturgeschichtliche Lösung nicht ohne eine ganze Reihe systematischer bzw. theologischer Implikationen zustande. Diese sollen im folgenden expliziert und reflektiert werden. Es ist dabei jetzt schon zu fragen, ob das historische Modell mit seinen tragenden Komponenten eine moraltheologische Aktualisierung erlaubt oder nicht.

1. Ἐκκλησία und Welt

M. Dibelius geht davon aus, daß „der Endglaube als Missionsmotiv" wirkte, daß „Paulus unter seinem Zwang von Stadt zu Stadt, von Provinz zu Provinz

---

[75] M. Hengel, Kerygma oder Geschichte?, in: ThQ 151 (1971) 321–336, hier 324.
[76] Zur Forschungsgeschichte der paulinischen Paränese vgl. F. Laub, Eschatologische Verkündigung und Lebensgestaltung nach Paulus. Eine Untersuchung zum Wirken des Apostels beim Aufbau der Gemeinde in Thessalonike (BU 10), Regensburg 1973, 1–24; Th. Herr, Naturrecht 21–33.

eilte, um vor der Wiederkunft seines Herrn möglichst allen Teilen der ihm bekannten Welt das Evangelium darzubieten"[77]. Dabei kann er an den Begriff der ἐκκλησία anknüpfen, „das pathetischste Wort, mit dem das griechische Judentum sich selbst und seine Stellung zu Gott bezeichnete"[78]. Für M. Dibelius besteht kein Zweifel, daß der Missionar Paulus diesen Anspruch, ἐκκλησία zu sein, in seinen Gemeinden „zu dem Glauben" steigerte, „daß sie im Gegensatz zum Volke Israel das Geschlecht der Erfüllung seien: was jene in Ahnung geschaut, das wird von denen erlebt, über die das Ende der Zeiten gekommen ist"[79]. Paulus ist aufgewachsen in der Reich-Gottes-Vorstellung und Erwartung des Judentums, also versteht er die ἐκκλησία allerorten als die Gemeinschaft derer, „die des Endes gewärtig sind, weil mit dem Ende das Reich ihres Herrn beginnt; Keimzelle dieses Reiches ist die Kirche, ein Stück der neuen Welt, völlig durchwaltet von göttlichen Kräften – diese Kirche ist Nicht-Welt"[80]. Damit ist der erste und entscheidende Grundzug der paulinischen Gemeinden genannt: Es ist die Weltfremdheit der ἐκκλησία „aus dem Endglauben heraus"[81].

Eine Zeitlang ist sie identisch mit der soziologisch begründeten Weltfremdheit, mit der „Weltscheu" der „Kleinen Leute". Denn die ersten Gläubigen „haben keine Kultursphäre, in die sie den neuen Glauben hineinstellen könnten; als ethische Sphäre ist ihnen das fromme Leben des Judentums vertraut, als Laienfrömmigkeit, nicht als rabbinische Theologie"[82]. Die geringste Veränderung und erst recht die Preisgabe der Distanz zur Welt wird deshalb auch literaturgeschichtlich greifbar. M. Dibelius beschreibt das unausweichliche Dilemma, in welches Paulus als eschatologischer Missionar mehr und mehr gerät. Obwohl der Apostel nichts anderes als das nahe Ende und die Wiederkunft Christi verkünden will, steht er als „Begründer der ersten Gemeinden unter den Heiden" mitten in einer kulturellen Aufgabe, er muß „für Menschen verschiedener, wenn auch meist noch ‚kleiner' Herkunft die ethische Sphäre erst schaffen", bringt dazu allerdings „die Früchte seiner jüdisch-theologischen Ausbildung mit, jüdische Theologie und rabbinische Exegese"[83].

Es besteht für M. Dibelius kein Zweifel, daß es das wachsende Bedürfnis nach weltethischer Weisung ist, welches die ἐκκλησία aus ihrer religiös begründeten Weltfremdheit herauslockt. „Schon als die Erwartung des nahenden Endes die Christen noch in beständiger Spannung zu den Verhältnissen ihrer Umgebung erhielt, denen sie sich entfremdet wußten, wurde diesen entweltlichten Menschen das Problem ‚Welt' brennend. Denn namentlich auf dem Boden der Stadtgemeinden drängten sich täglich Fragen an sie

---

77 Religion 109.
78 A.a.O. 113.
79 Ebd.
80 Ebd.
81 A.a.O. 107.
82 A.a.O. 110.
83 Ebd.

heran – nach der Regelung des täglichen Lebens, des Essens, des Verkehrs, des Haushalts, des Berufs – Fragen, die nach Antwort verlangten, auch wenn den des Endes Gewärtigen die Antwort nur auf Monate oder Tage nötig erschien. Man mußte das Leben regeln, auch wenn es bald enden, man mußte sich in der Welt einrichten, auch wenn diese Welt demnächst versinken sollte."[84] Paulus vollbringt mit seinen Briefen[85] ungewollt eine kulturelle Leistung. Nicht als Prediger des eschatologischen Evangeliums, sondern in seiner paränetischen Funktion artikuliert er die Zuwendung zur Welt. Ungewollt beschleunigt er die „organisatorisch(e) Weltwerdung"[86] der *ἐκκλησία* bzw. ihre „Formwerdung in dieser Welt"[87].

Die eigentliche, durchgreifende soziologische Veränderung der christlichen Gemeinden beobachtet M. Dibelius freilich erst im nachpaulinischen Schrifttum, in den Pastoralen und noch später. In diesem Zeitraum erzwingt der Zutritt der Gebildeten, der Begüterten und Amtsträger eine intensivere Zuwendung zur weltlichen Literatur und insbesondere eine merkliche Differenzierung innerhalb der christlichen Ethik[88]. Nachdem die *ἐκκλησία* und ihre Paränese schließlich die Erfahrung der Parusieverzögerung bewältigt hat, steht endgültig fest: „Die Kirche ist ‚Welt', auch die Ethik"[89].

Es erhebt sich die Frage, ob M. Dibelius mit seinem literaturgeschichtlichen Einstieg in das Verhältnis der *ἐκκλησία* zur Welt den *ἐκκλησία*- und den Weltbegriff eruiert hat, der in der paulinischen Theologie anzutreffen ist. Was ist schon gesagt, wenn M. Dibelius ausführt, daß sich der Missionar der Exodusgemeinde mit den literarischen Formen der sittlichen Mahnrede gleichzeitig auch der Welt zuwendet? Da hätte er schon genauer aufzeigen müssen, wie der Weltbegriff der eschatologischen Predigt und der eschatologisch begründeten Mahnrede[90] auf den so ganz anderen Weltbegriff stößt, den die weltethische Weisung enthält und verlangt.

Aus der Perspektive eschatologischer Predigt und eschatologisch begründeter Mahnrede „ist das ganze jetzt noch bestehende Weltgerüst ein morscher, verfehlter und verfallener Bau. Das beste, was man ihm wünschen kann, ist, daß er möglichst bald verschlungen werde..."[91]

M. Dibelius ist davon überzeugt, daß diese negative Perspektive der Weltbetrachtung wirklich in der eschatologischen Predigt vorherrschte und auch gegen alle Parusieverzögerung durchgehalten wurde. Mag sein, daß der eschato-

---

[84] A.a.O. 107.

[85] A. Deißmann, Licht vom Osten. Das Neue Testament und die neuentdeckten Texte der hellenistisch-römischen Welt, Tübingen [4]1923, 203f, betont, daß der Apostel ein gelegentlicher Briefschreiber war, nicht antiker Epistolograph.

[86] M. Dibelius, Religion 146.

[87] A.a.O. 107.

[88] Vgl. a.a.O. 111.

[89] A.a.O. 110.

[90] Vgl. dazu A. Grabner-Haider, Paraklese 68–79.

[91] R. Kabisch, Eschatologie 146.

logische Missionar den Glauben, die christliche Exodusgemeinde werde den Untergang der Welt erleben, nie aufgegeben hat. Er hat dennoch seiner ἐκκλησία einen differenzierten Weltbegriff vermittelt und ihr die Unterscheidung zwischen Schöpfung und Äonsmächteherrschaft beigebracht. Längst haben denn auch der ἐκκλησία-Begriff und der Weltbegriff eine Darstellung erfahren, die von den ursprünglichen Konturen dieser Komponente des Paränese-Modells wenig übrigläßt[92].

Die Moraltheologie wird daher sorgfältig prüfen müssen, was an dieser für den Paränesebegriff maßgeblichen Bestimmung des Verhältnisses von Kirche und Welt überholt oder gültig ist. Sie ist fast ausschließlich literaturgeschichtlich bzw. soziologisch und nicht theologisch zustande gekommen. Sie bezieht den Exoduscharakter der eschatologischen ἐκκλησία ausschließlich auf die Naherwartung des Weltendes und der Parusie, aber nicht auch auf den Herrschaftswechsel und den Auszug aus der Mächteherrschaft in der Gegenwart. Das Paränese-Modell stellt die Kirche als eine apokalyptisch gestimmte Exodusgemeinde dar, die in dieser Welt keine positive Funktion mehr zu erfüllen hat. Wie sollte eine zu ständiger End- und Parusieerwartung angehaltene Gemeinde noch ein positives Verhältnis zur Welt im schöpfungstheologischen Sinn entwickeln? Im Grunde zwingt M. Dibelius mit seiner ersten Komponente des Paränese-Modells das Unvereinbare – Feuer und Wasser – zusammen. Bei der Aktualisierung müßte die Moraltheologie die Predigt als den Ort der Weltabwendung und die Paränese als den Ort der Weltzuwendung festhalten.

2. *Profanität als Ort urchristlicher Ethik*

Aus M. Dibelius' Darstellung des Verhältnisses der ἐκκλησία zur Welt verdient besonders hervorgehoben zu werden, daß die von der ursprünglich eschatologischen Predigt herausgerufene, ganz auf Weltuntergang und Parusie eingestimmte ἐκκλησία in der Frage der Ethik notwendigerweise an den Ort der Profanität zurückkehren mußte. Generation um Generation muß das christliche Proprium, nämlich die intensive Naherwartung, modifizieren und sich mehr und mehr zum Weitermachen mit der vorhandenen Weltethik entschließen. Anfangs stand die Weltzuwendung in starker Spannung zur glühenden Eschatologie, am Ende amalgamierte sich der ausgeglühte Rest der Enderwartung mit der unvermeidlichen Weltethik.

Nun, aus der formgeschichtlichen Feststellung des wachsenden Gebrauches weltlicher literarischer Formen der sittlichen Mahnrede soll nicht nur die

---

[92] Genannt seien nur: G. Hierzenberger, Weltbewertung bei Paulus nach 1 Kor 7,29–31. Eine exegetisch-kerygmatische Studie, Düsseldorf 1967 (Weltbewertung); W. Schrage, Die Stellung zur Welt bei Paulus, Epiktet und in der Apokalyptik. Ein Beitrag zu 1 Kor 7,29–31, in: ZThK 61 (1964) 125–154 (Stellung).

Schlußfolgerung gezogen werden, daß man in der einen Welt notwendigerweise die Sprache der anderen gebrauchen mußte. M. Dibelius' Paränese-Modell besagt darüber hinaus, daß die Welt bzw. die Profanität der einzige Ort war, wo die christliche Gemeinde die auch für sie gültige materiale Weltethik entgegenzunehmen hatte. Die Welt stellte nicht nur den Fundus der literarischen Formen sittlicher Mahnrede zur Verfügung, sie erwies sich auch als der einzige Ort, wo die christliche Gemeinde wieder zur Solidarität mit allen Menschen gelangen konnte. Die Aufnahme der materialen Weltethik erwies sich als die einzige Form, sich zum Tun bzw. Mittun des Guten für die Welt bereitzuerklären. Die Kooperation für den Fortbestand des weltlichen Lebens setzte die christliche Annahme der weltlichen Spielregeln voraus.

Von allen Komponenten des Paränese-Modells wird die Hinwendung der christlichen Exodusgemeinde zur Profanität bzw. das Aufsuchen der Profanität als dem Ort der urchristlichen Weltethik gegenwärtig am meisten reflektiert. Man löst mit Recht die Hinwendung zur Welt aus dem zeitgeschichtlichen Kontext der Enderwartung und der Erfahrung der Parusieverzögerung und erblickt darin ein dauerhaftes Kennzeichen der Kirche überhaupt. A. Auer stützt sich nicht zuletzt auf diese Komponente des Paränese-Modells (Rezeption bodenständig gewachsener ethischer Inhalte und ihrer literarischer Formen), wenn er die heutige Moraltheologie dazu auffordert, „die moderne autonome Profanität als Ort ihrer Reflexion“[93] aufzusuchen.

Was besagt das für die Moraltheologie, daß sich die urchristliche Gemeinde in den Fragen weltethischer Motivierung und Normierung mit der damaligen Welt solidarisiert hat? Soll die formgeschichtliche These von der Hinwendung der christlichen Exodusgemeinde zur Welt – womöglich noch ein wenig mit Strukturalismus und Linguistik untermauert – unmittelbar in ein aktuelles moraltheologisches Programm umgesetzt werden? Ist die Erklärung A. Auers, daß der Moraltheologie „die moderne autonome Profanität als Ort ihrer Reflexion zugewiesen ist“, durch die zweite Komponente des Paränese-Modells theologisch hinreichend abgestützt? Man wird beachten müssen, daß das Paränese-Modell seine Aussage ausschließlich unter Hinweis auf die paulinische Eschatologie trifft, bezüglich der Schöpfungstheologie jedoch ein beachtliches Defizit konstatiert. Die Feststellung, daß Profanität und Säkularität der Ort sind, an dem die Kirche die weltethischen Weisungen aufgreift bzw. artikuliert, kann heutzutage aber nicht mehr ohne Schöpfungstheologie aktualisiert werden. Wenn gesagt wird, daß buchstäblich vom allerersten Anfang an die profane und säkulare Ethik die Quelle ist, aus der das Christentum seine Ethik für das Leben und Handeln in der Welt und in der Solidarität mit allen Menschen schöpft, so ist damit die Frage

93 Autonome Moral 13 Anm. 4.

nach der Grundlegung der Ethik erst aufgeworfen, aber nicht beantwortet.

Wie ist die literaturgeschichtlich gewonnene Erkenntnis der Hinwendung der Exodusgemeinde zum profanen Weltort moraltheologisch auszuwerten? Ist das Problem der moraltheologischen Reflexion bzw. Funktion etwa rein sprachwissenschaftlich aufzuklären? Wenn formgeschichtlich nachgewiesen wird, daß die eschatologische Exodusgemeinde sich zum Gebrauch profaner Sprachformen der Ethik entschließen mußte, so ist das sprachwissenschaftlich gesehen eine Selbstverständlichkeit. Es ist mit dieser Feststellung aber noch gar nichts darüber ausgesagt, wie sich das eschatologisch-kainologische Selbstverständnis im Akt der Auffindung bzw. Statuierung der weltethischen Weisung auswirkt (vom schöpfungstheologisch geprägten Selbstverständnis ganz zu schweigen). Hat das Paränese-Modell herausbekommen, wie sich die paulinische Eschatologie auf die Findung des christlichen Weltethos und auf die gemeindliche Statuierung weltethischer Weisung ausgewirkt hat?

Man muß sich also der Frage zuwenden, wie M. Dibelius die urkirchliche Praxis der Integrierung profaner Ethik näherhin beschreibt. Erst wenn man weiß, wie er die Auswirkung der Eschatologie auf den Akt der Integrierung profaner Moral dargestellt hat, läßt sich beurteilen, ob von den urchristlichen Ethikern so etwas wie ein autonomer Denkansatz vorgebildet wurde oder nicht. Sollte hier eine unbefriedigende Auskunft gegeben werden, so wäre die moraltheologische Aktualisierbarkeit dieser entscheidenden Komponente des Paränese-Modells in Frage gestellt.

3. *Integrierung autonomer Moral*

Die zentrale Komponente des Paränese-Modells enthält die Beschreibung des Rezeptions- bzw. Integrierungsvorgangs. M. Dibelius und seine Nachfolger in der Paräneseforschung haben die Praxis der Integrierung exogen entwickelter Moral von Paulus bis hin zur nachapostolischen Zeit mit einer eindrucksvollen Zahl von Texten belegt. Gerade beim frühesten neutestamentlichen Autor Paulus finden sie neben dem relativ kleinen Bestand an verchristlichten Formen der jüdischen Mahnrede ganze Briefabschnitte, die wie ein Anhang, um nicht zu sagen wie ein Anhängsel wirken. Sie enthalten das zum Urstrom der eschatologischen Predigt hinzugekommene weltliche Element der Ethik sozusagen in separater Form. Hier liegen sittliche Weisungen vor, die man so oder ähnlich in der gesamten antiken Liteератur findet. Es zeigt sich, daß die sittliche Mahnrede des christlichen Apostels mit der allgemein üblichen Paränese die charakteristischen Merkmale gemeinsam hat. Der Begriff Paränese, aber auch der Begriff Paraklese, schien im neutestamentlichen Raum und in der sonstigen antiken Literatur denselben Sachverhalt zu bezeichnen, die Begriffe Paränese und Paraklese schienen untereinander austauschbar zu sein. Erst später stellte die Parakleseforschung fest, daß das Urchristentum zwar die Begriffe, aber nicht ohne weiteres auch die Praxis (Struktur, Motivierung usw.) der sittlichen Mahnrede gemeinsam hat. Vor allem merkte man, daß der eine wie der andere Begriff für die Ethik auf den in den neutestamentlichen Gemeinden zentralen Begriff des Christusevangeliums bezogen werden mußte, was seinen Charakter wesentlich veränderte.

Nach dem Paränese-Modell dienen die am profanen Weltort vorgefundenen und aufgegriffenen paränetischen Materialien dem eschatologischen Prediger dazu, das vom Glauben an Christus bzw. an den Herrentag ausgefüllte Leben des Christen für die Dauer der Parusieverzögerung weltethisch zu motivieren und zu normieren. Schon im Hinblick auf die Beiläufigkeit und Nebensächlichkeit der Integrierung profaner Moral hebt M. Dibelius hervor, daß man, wenn überhaupt, nur von einer höchst oberflächlichen Theologisierung und Christianisierung der übernommenen Moral sprechen kann[94]. Weil man fast ausschließlich von der bloßen Textgestalt der rezipierten paränetischen Materialien und weniger vom theologischen Untergrund und Kontext ausging, stellte man sich zweifellos „die Christianisierung zu mechanisch, oberflächlich und äußerlich vor“[95]. Man begnügte sich faktisch damit, von einer Praxis autoritativer Ermahnung „in Christus“ bei Paulus zu sprechen. Mit dem Hinweis auf den Horizont der Naherwartung und der Erfahrung der Parusieverzögerung schien der Rezeptions- und Integrierungsvorgang hinreichend begründet und erklärt zu sein. Man sah sich jedenfalls nicht genötigt, auch nach eventuell vorhandenen schöpfungstheologischen Voraussetzungen zu fragen.

M. Dibelius wählt als klassisches Beispiel einer Integrierung „profaner ‚heidnischer‘ Ethik“ die Stelle in Phil 4,8, wo er „unter den sittlichen Idealen, die hier genannt werden, rein gesellschaftliche Werte wie das Beliebte und das Anerkannte entdeckt“[96]. Auch für ihn hat „der hier beobachtete Vorgang ... weltgeschichtliche Bedeutung. Denn hier wird in der christlichen Ethik neben der jüdisch-christlichen eine hellenistische Linie erkennbar, d.h. aber neben den Motiven, die unmittelbar in den geschichtlichen Religionen des Judentums und Christentums wurzeln, andere, die der Abstraktion, dem Humanitätsgedanken, dem Naturrecht entstammen.“[97]

M. Dibelius hat klar gesehen, daß das Aufgreifen der profanen heidnischen Moral als christliche Integrierung anzusehen ist und daß die Kirche in den Vorgang der Integrierung die theologische Substanz ihres *κήρυγμα* einbringt[98]. Aber er ist der Frage nach den positiven Auswirkungen des *κήρυγμα*

---

[94] Vgl. Religion 146–149; Formgeschichte 240 Anm. 2.

[95] W. Schrage, Einzelgebote 203.

[96] Religion 148.

[97] A.a.O. 149.

[98] Dementsprechend formuliert A. Auer, Autonome Moral 108: „Ethik bleibt als sol-

auf die Ethik nicht nachgegangen. Was die schöpfungstheologischen Grundlagen und Voraussetzungen der Integrierung betrifft, hat er für Paulus eine glatte Fehlanzeige festgestellt. M. Dibelius hat nicht einmal darüber reflektiert, daß Paulus die rezipierte Moral in einen positiven eschatologischen Horizont hineingenommen und damit in einen neuen Sinn- und Begründungszusammenhang gestellt hat. Um die aktuelle Hermeneutik der jesuanischen Eschatologie hat M. Dibelius sich jedenfalls viel stärker bemüht als um die Hermeneutik der paulinischen. Die paulinische Eschatologie ist für ihn ganz durch die Verzögerungsproblematik gekennzeichnet. Die Integrierung „profaner heidnischer Moral" muß nach M. Dibelius ausschließlich im Horizont des Eschatologie-Ethik-Problems, das durch die Parusieverzögerung entstand, gesehen und bewertet werden[99].
Durch die ausschließliche Fixierung auf die eschatologische Zukunft von Weltende und Parusie wird aber der Blick für das Ausmaß der eschatologischen Gegenwart im Denken des Paulus arg eingeengt. Die Dimension der eschatologischen Gegenwart wird nur sehr verkürzt wahrgenommen. Das sieht man an den wenigen Stellen, an denen M. Dibelius vom „neuen Sein"[100] als der Basis für die Integrierung der Weltethik spricht. Sie können nicht darüber hinwegtäuschen, daß das Paränese-Modell bei seiner Beschreibung der Integrierung der Dimension der eschatologischen Gegenwart zu wenig Bedeutung beimißt. Es wird nicht ersichtlich, wie sich die eschatologische Gegenwart des neuen Seins auf die Findung und Statuierung des neuen Weltethos auswirkt. M. Dibelius konnte diesen Aspekt von der Voraussetzung eines fundamentalen eschatologischen Irrtums her auch gar nicht recht wahrnehmen. Ihm genügte es, den Zusammenhang zwischen der angenommenen Naherwartung, der Erfahrung der Parusieverzögerung und dem Bedürfnis nach weltethischer Weisung aufgedeckt und beschrieben zu haben. Dabei legte er den allergrößten Wert auf die Feststellung, daß sich Paulus die Integrierung „profaner heidnischer Ethik" nur in einem passivistischen Sinne geleistet haben kann. Seines Erachtens hat Paulus vor lauter Passivismus noch nicht einmal darüber reflektiert, ob seine Integrierung innerweltlicher ethischer Motive nun einen Abfall von seiner eschatologischen Predigt oder eine heilsgeschichtliche Notwendigkeit darstellte. Als eschatologischer

---

che bestehen, aber sie wird in den Kontext des christlichen Kerygmas integriert." Ähnlich F. Böckle, Theonome Autonomie 26.

99 Zur damit angeschnittenen Problematik vgl. H.D. Wendland, Ethik und Eschatologie in der Theologie des Paulus, in: NKZ 41 (1930) 757–783, 793–811; F. Guntermann, Die Eschatologie des hl. Paulus (NTA XIII, 4–5), Münster 1932; O. Cullmann, Das wahre durch die ausgebliebene Parusie gestellte neutestamentliche Problem, in: ThZ 3 (1947) 177–191; H.H. Rex, Das ethische Problem in der eschatologischen Existenz bei Paulus, Diss. Tübingen 1954.

100 Religion 85; a.a.O. 164, spricht M. Dibelius von „dem ewigen Sein..., das Jesus offenbar gemacht hat..."

Missionar hat er das Eschatologie-Ethik-Problem weder durchreflektiert noch systematisch gelöst.

Erst aus der viel späteren Retrospektive heraus erscheint es evident, daß sein Einschwenken auf die weltlichen Formen und Inhalte der Ethik keine „erweichende Akkomodation an die Verhältnisse"[101] war. Man ist sich schließlich erst in der Neuzeit bewußt geworden, daß die irdischen „Verhältnisse" die Substanz des Lebens und Handelns der Kirche in Welt und Geschichte ausmachen. Gewissermaßen hat sich erst bei der Neuentdeckung der Eigenart der paulinischen Eschatologie die Erkenntnis aufgedrängt, daß alle bisherige Zuwendung der Welt nur eine Verlängerung der urkirchlichen Einstellung war und immer noch auf der Basis dieser unbewältigten Vergangenheit beruhte. Der paränetische Ansatz schien in der Ethik immer noch nicht überwunden. Die kirchliche Weltethik hatte die Erkenntnis erst noch zu vollziehen, daß ihre Zuwendung zur Welt weder Abfall noch Akkomodation, sondern heilsgeschichtliche und schöpfungstheologische Notwendigkeit war. In diesem Sinne geht M. Dibelius daran, die „weltgeschichtliche Bedeutung" der urchristlichen Integrierung profaner Moral für die gegenwärtige theologische Ethik auszuwerten.

In der Sexual- bzw. Eheethik sieht er die gegenwärtige christliche Ethik immer noch in der Gewohnheit befangen, sich an der materialen neutestamentlichen Paränese zu orientieren. Er warnt davor, daß sie weiterhin unreflektiert „bei der durch Endglauben und Überlieferung bestimmten Form der Jesus- und Paulusworte" stehenbleibt und „das Zeitbedingte in ihnen"[102] vergesetzlicht. „Das Zeitbedingte in ihnen" – das ist vor allem die apokalyptisch-urchristliche Eschatologie. M. Dibelius' Paränese-Modell kann erstmals der theologischen Ethik dazu verhelfen, die doppelte Zeitbedingtheit der im Neuen Testament vorliegenden Weltethik zu erfassen. Zeitbedingt ist einmal die unter der Dominanz der Nah- bzw. Enderwartung zustande gekommene und daher nur passivistisch gemeinte Integrierung der paränetischen Materialien. Diese selbst sind dann noch einmal zeitgebunden und zeitbedingt im Kontext des zeitgenössischen antiken Denkens.

M. Dibelius ging es beim Paränese-Modell darum, auf den exogenen Ursprung der weltethischen Weisung der Urkirche aufmerksam zu machen und die Statuierung der Weltethik als einen einzigen großen Integrierungsvorgang darzustellen, der in der Zeit des Zusammenbruchs der Naherwartung vor sich gegangen ist. Er hat die Bedingungen der Integrierung unter den spezifischen Voraussetzungen der urchristlichen Eschatologie herausgearbeitet und den Nachdruck auf die Beiläufigkeit, die Nebensächlichkeit und den Passivismus dieses Prozesses gelegt. Dennoch soll sich sein Modell nicht in der historischen Reminiszenz erschöpfen, sondern den Weg für die Erneuerung des Integrierungsvorgangs unter den heutigen Bedingungen (der Eschatologie)

---

101 A.a.O. 109.

102 A.a.O. 159.

freilegen[103]. Bei jeder Berührung mit der neutestamentlichen Weltethik sollte künftig bedacht werden, daß man es hier mit dem literaturgeschichtlich greifbaren Ergebnis einer einmaligen und unwiederholbaren Situation zu tun hat[104].

Führende Moraltheologen haben sich von dieser exegetischen Reflexion des urkirchlichen Integrierungsvorgangs inspirieren lassen. Sie versuchen, aus der urkirchlichen Praxis ein für alle Zeiten verbindliches Richtbild zu eruieren. Ihr Interesse, am Ineinander bzw. Beieinander von offenbarungsgeschichtlichem bzw. eschatologischem Glaubenszeugnis und zeitgebundener materialer Weltethik bei Paulus, zeitlos gültige Bedingungen und Kriterien der Rezeption bzw. Integrierung herauszuarbeiten, ist völlig legitim. Man muß sich nur dabei mit den von M. Dibelius gezeichneten Perspektiven kritisch auseinandersetzen. Man muß prüfen, ob sich die rein formalen Gesichtspunkte der Formgeschichte ohne weiteres in moraltheologische Richtpunkte umformen lassen. Wenn es z.B. zutrifft, daß das christliche Proprium bei Paulus nicht in der von ihm aktualisierten bzw. verchristlichten Halakha und auch nicht in den von ihm tradierten Herrenworten gesehen werden kann, einfach weil Jesus „keine neue Ethik verkündet"[105] hat, dann muß die von ihm praktizierte Integrierung theologisch genauer durchleuchtet werden, als das in den formgeschichtlichen Untersuchungen geschah.

Die Paräneseforschung hat die These in den Raum gestellt, daß das Urchristentum die autonome Moral als einen Anhang übernommen und sie nur höchst oberflächlich unter ein theologisches bzw. christliches Vorzeichen gestellt hat. Das konnte zu der Annahme führen, daß es so etwas wie eine religionsfreie Moral gäbe, die vorgefunden wird und die in den religiösen Horizont integriert werden kann, aber nicht unbedingt integriert oder religiös legitimiert werden muß. Die Rede vom weitgehenden urkirchlichen Verzicht auf Theologisierung und Christianisierung der Moral konnte zum programmatischen Schlagwort werden. A. Auers Erklärung, daß er selber nicht mehr für die Theologisierung der Moral im bisherigen Sinne plädiere[106], ist in diesem Sinne mißverstanden worden[107]. Es liegt jedoch auf der Hand, daß

---

[103] M. Dibelius, a.a.O. 159, zeigt am Beispiel der Sozial- und Sexualethik, „daß die wahrhaft christliche Ethik ihre Arbeit immer neu tun muß, weil sie aus den sich wandelnden Verhältnissen heraus die Lebensbeziehungen immer wieder im Sinne des von Jesus gebrachten neuen Seins schöpferisch zu gestalten hat".

[104] Vgl. E. Käsemann in seinen Ausführungen zu dieser historischen Grundeinsicht der Paräneseforschung. In: Gottesdienst im Alltag der Welt. Zu Römer 12, in: ders., EVB II, 198–204, hier 198; ders., Grundsätzliches zur Interpretation von Römer 13, a.a.O. 204–222, hier 205f (Grundsätzliches).

[105] A. Auer, Autonome Moral 79.

[106] Vgl. a.a.O. 13 Anm. 4.

[107] Vgl. B. Stoeckle, Grenzen der autonomen Moral, München 1974, 34 (Grenzen); J. Ratzinger (unter Mitarbeit von Heinz Schürmann und Urs von Balthasar), Prinzipien christlicher Moral, Einsiedeln 1975, 45 (Prinzipien).

A. Auer sich dabei nicht auf das Paränese-Modell stützt, denn dieses berücksichtigt bei seiner Feststellung ausschließlich die Eschatologie, aber nicht auch die Schöpfungstheologie. Die überwiegend literaturwissenschaftliche und soziologische Bestimmung des Verhältnisses von Kirche und Welt bei M. Dibelius kann nicht in eine moraltheologische Maxime umgemünzt werden. Was heißt das moraltheologisch, daß die Urkirche bei der Übernahme der profanen Moral weitgehend auf jede Theologisierung und Christianisierung verzichtet hat? Kein Systematiker kann annehmen, daß die christliche Exodusgemeinde mit leeren Händen an den Weltort zurückgekehrt sei, um hier die Moral zu rezipieren. A. Auer hat denn auch bei der systematischen Reflexion des Integrierungsvorgangs auf die stimulierenden und kritisierenden Momente des Glaubens hingewiesen[108]. M. Dibelius gibt mit seinem Paränese-Modell kaum Anhaltspunkte dafür. Wie sollte er auch nach der stimulierenden und kritisierenden Funktion des urchristlichen Glaubens fragen, wo er doch den durch die Naherwartung verursachten Passivismus für sein hervorstechendstes Merkmal hält? Es ist jedoch offenkundig, daß selbst bei der passivistischen Integrierung nicht ganz von der stimulierenden und kritisierenden Funktion der paulinischen Christologie bzw. Pneumatologie und Ekklesiologie abgesehen werden kann. Nicht einmal die Eschatologie hat bei Paulus nur als negativer Hintergrund fungiert. Sie ist dem Vorgang der Integrierung der Ethik gegenüber durchaus nicht äußerlich geblieben, sondern hat mit der ganzen Wucht der Kainologie auf den Vorgang der Statuierung weltethischer Weisung eingewirkt.

Das Paränese-Modell des M. Dibelius ist ein einziger Appell an die theologische Ethik, von der Eschatologie in der überlieferten Gestalt Abschied zu nehmen. Neuentwurf und Neubau einer dynamischen christlichen Weltethik hängen jedoch nicht von der Eliminierung der Eschatologie ab, sondern vom Wirksamwerden ihrer stimulierenden und kritisierenden Funktion. Wo wäre denn bei Paulus – das gleiche gilt für Jesus – die Frage nach der Neuheit bzw. dem Proprium der Ethik anzusetzen, wenn nicht bei der Eschatologie bzw. Kainologie? In welchen anderen Horizont ist denn die vorgefundene Weltethik von Paulus und Jesus integriert worden, wenn nicht in den eschatologischen? Diese Fragen stellen, heißt, die Schwächen des Paränese-Modells, insbesondere seiner dritten Komponente, aufzudecken. Nirgends macht sich die exegesegeschichtliche Situationsgebundenheit des Modells so bemerkbar wie hier, wo es die Integrierung der Moral statt auf die positive Eschatologie auf die Parusieverzögerung zuordnet? Das Paränese-Modell kann deshalb in der heute viel verhandelten Frage nach der Eigenart des christlichen Weltethos wenig weiterhelfen. Dazu enthalten seine Komponenten viel zu wenig paulinische Theologie.

---

108 Vgl. Autonome Moral 189–194f.

4. *Parusieverzögerung und Passivismus*

Die Skizze des Paränese-Modells wird erst vollständig und die urkirchliche paränetische Praxis erst voll verständlich, wenn im folgenden der Erfahrungsprozeß und seine Auswirkung ins Blickfeld rücken. Wie M. Dibelius immer wieder betont, „machte sich das Stehenbleiben der Welt nicht in einem geschichtlichen Augenblick bemerkbar..., sondern die Überzeugung, daß das Ende vorläufig ausbleibe, teilte sich den Generationen allmählich im Ablauf der Jahrzehnte mit"[109].

Infolgedessen hat die *ἐκκλησία* ihr radikal eschatologisches Selbstverständnis, wie es durch die eschatologische Predigt eingeführt und trotz allen Zuströmens von Religion und Ethik am Leben erhalten wurde, niemals mit dem Begriff einer fortdauernden Welt in Verbindung gebracht und daraus die Konsequenzen gezogen. Die *ἐκκλησία* hat ihren Endglauben zwar mit der Zeit kanalisiert, doch hat dieser eschatologische Urstrom niemals spannungslos mit dem breit und breiter dahinfließenden Strom von Religion und Ethik koexistiert. Die Folge davon ist, daß jahrzehntelang in der paränetischen Praxis der Urkirche ad-hoc-Lösung um ad-hoc-Lösung produziert[110] und das Eschatologie-Ethik-Problem immer wieder auf die lange Bank geschoben wird.

Wie sich M. Dibelius die Auswirkung des langsamen Erfahrungsprozesses konkret vorstellt, wird am besten an zwei Beispielen veranschaulicht: an der paulinischen Eheethik und an der permanenten Spannung zwischen dem radikal eschatologischen Hauptmotiv und den hinzugekommenen innerweltlichen Motivationen. Nach M. Dibelius beurteilt das Urchristentum „das Verhältnis der Geschlechter ... selbstverständlich von der Erwartung des Weltendes aus"[111]. Die Frage, „ob man jemanden noch raten kann, eine Ehe zu beginnen in einer Zeit, da die alternde Welt dem Ende zueilt und der Gläubige sich ungeteilt der Ewigkeit zuwenden muß", hat der Apostel „ganz entschieden verneint"[112]. Obwohl an der Dominanz seiner persönlichen Enderwartung nicht zu zweifeln ist, hat er jedoch keine ausschließlich eschatologisch begründete Weisung zur Ehelosigkeit gegeben. Der Grund dafür, daß er denen, die zu solcher Ehelosigkeit unfähig sind, die Ehe rät, liegt letztlich in der ihm aufgenötigten paränetischen Praxis insgesamt. Gewiß erwartet er – für bald – den großen Umschwung der Dinge durch Gott[113], er erfährt jedoch auch die Verzögerung. Darum reagiert er auf das Bedürfnis nach einer Eheethik für das Leben in der fortdauernden Welt und postuliert nicht eine Vorwegnahme der „Umgestaltung der Lebensbeziehungen"[114] durch den Christen. M. Dibelius interpretiert diese Praxis dahin, daß „die Enderwar-

---

109 Religion 146.
110 Vgl. a.a.O. 151.
111 Ebd.
112 A.a.O. 152.
113 Vgl. a.a.O. 38.
114 A.a.O. 152.

tung" den Apostel auch in der Ehefrage nicht „aktivistisch" denken lasse, weil sie grundsätzlich zu keiner aktivistischen Umgestaltungsethik drängte. Seine ganze weltzugewandte Paränese sei nicht „aktivistisch" im Sinne eines positiven Engagements in den Weltdingen; gerade die weltzugewandte Paränese sei durchaus „passivistisch" auszulegen, nämlich „im Sinne des Ertragens und Gewährenlassens bis zum Ende... Dieser Passivismus ist im Zeichen der Enderwartung die wahrhaft christliche Haltung"; der Apostel hat „Bedenken, dem alsbald sich mit voller Majestät offenbarenden Gott durch stümperhaftes Werk zuvorzukommen"[115].

Ähnlich muß die Hinnahme anderer innerweltlicher Zielsetzungen durch Paulus beurteilt werden. R. Kabisch hatte herausgearbeitet, daß Paulus „vielleicht mit noch grösserer Energie, mit noch grösserer Leidenschaft als die Urapostel" die eschatologischen Zwecke ins Auge gefaßt bzw. vor Augen geführt hat, denen „das ganze sittliche und religiöse Leben dient..."[116] M. Dibelius differenziert bereits genauer. Er konstatiert, daß Paulus für seine Person und im Grunde auch für seine Adressaten die radikale eschatologische Motivierung aufrechterhält. Aber er beobachtet eben auch, daß gleichzeitig mit den ihm abverlangten paränetischen Auskünften alle möglichen innerweltlichen ethischen Motivationen – wie Seitenflüsse – zum zentralen eschatologischen Urmotiv hinzufließen. „Ganz neue Arten der sittlichen Zielsetzung gewinnen ihr Recht im Christentum: Bürgerlichkeit, Ordnung, Loyalität, Menschenliebe, der Nutzen der menschlichen Gesellschaft – alle diese rationalen Worte, die dem Urchristentum von Haus aus fremd sind, erhalten eine gewisse Berechtigung. Allerdings ist diese Berechtigung nur relativ, denn die Werte des Gottesreichs bleiben übergeordnet, aber diese Weltwerte erlangen doch selbständige Bedeutung – und damit erst ist die Möglichkeit einer Ethik gegeben, die das ganze Leben umfaßt."[117] Worauf es wiederum bei Paulus ankommt, ist dies, daß er den Zustrom innerweltlicher ethischer Motivation rein „passivistisch" geschehen läßt und kein eschatologisches Umgestaltungsmotiv damit verbindet. Es wird niemals darüber reflektiert, wie weltethische Motivation und eschatologische Motivation zusammengehören.

M. Dibelius weigert sich im Falle der radikal eschatologisch begründeten Sittlichkeit den Begriff „Ethik" zu gebrauchen, wie R. Kabisch das getan hatte[118]. Er schlägt für diesen Sachverhalt den Begriff „Haltung", „unbedingtes Ethos"[119] vor, was mit seiner Hermeneutik der neutestamentlichen Eschatologie zusammenhängt. Die durch die Parusieverzögerung bedingte und dem Apostel abgenötigte Paränese bezeichnet er dagegen als „Ethik"[120],

---

115 Ebd.

116 Eschatologie 7. Ähnlich a.a.O. 69.

117 M. Dibelius, Religion 149.

118 Vgl. Eschatologie 5, 25, 56.

119 M. Dibelius, Religion 45.

120 A.a.O. 45, 145f.

auch wenn sie lediglich eine „passivistische" Weltzuwendung darstellt. M. Dibelius liest es zwar am Umfang und Ernst der paränetischen Teile der Briefe ab, „wie wichtig Paulus diese Art der ethischen Belehrung war"[121], aber er zögert keinen Augenblick, im Sinne des Apostels von einem bedauerlichen Zurücktreten des eschatologischen Ethos hinter das Angebot an Ethik zu sprechen. Zweifellos bedeutet „der kulturelle Gewinn ... einen Mangel an Überzeitlichkeit. Denn was den Gemeinden auf diese Weise an ethischer Belehrung zuteil wird, das ist zwar wertvoll, aber es ist doch eben Ethik dieser Zeit und dieser Welt."[122] Auf die Hermeneutik der biblischen Eschatologie, die sich hinter dieser Feststellung verbirgt, wird später noch einzugehen sein. Einstweilen gilt es festzuhalten, daß im Unterschied zum synoptischen Evangelium, welches die von Jesus gewollte Dominanz des „unbedingten Ethos" verkörpert, das Corpus Paulinum geradezu das Unentschieden zwischen Eschatologie und Ethik darstellt, mehr noch: das Zurücktreten der „Überzeitlichkeit" der Ethosforderung hinter die abgenötigte und passivistisch gewährte Alltags- und Weltethik. Einerseits wird die eschatologische Perspektive durchgehalten, andererseits besteht der Zwang zur beständigen Fortsetzung einer weltzugewandten Paränese. Hierin erblickt M. Dibelius die Wurzel jener verhängnisvollen Dialektik von Weltfremdheit und Weltläufigkeit, welche die ganze Kirchengeschichte durchzieht[123].
Faßt man das über die Hauptkomponenten des Paränese-Modells Gesagte zusammen, so ergibt sich folgendes Bild. Für M. Dibelius ist der über Generationen hinweg allmählich voranschreitende Erfahrungsprozeß der erste und der aus der durchgehaltenen Enderwartung resultierende Passivismus der zweite und entscheidende Grund dafür, daß das Eschatologie-Ethik-Problem in der Urkirche niemals entschieden wurde und bis heute unerledigt ist. Beide Momente sind als Ursachen dafür anzusehen, daß im Raum der Urkirche solange Interimslösungen und ad-hoc-Lösungen ausgegeben wurden, bis die Schriftwerdung und schließlich die Kanonbildung diese Kompromißethik der „theologisch privilegierten Anfänge" (A. Auer) endgültig zementierte.

IV. Aktualisierbarkeit des Paränese-Modells

Abschließend gilt es, die Konsequenzen darzustellen und zu überprüfen, die der Exeget selbst aus seiner formgeschichtlichen Arbeit gezogen hat. Vor allem aber ist die Frage zu beantworten, ob M. Dibelius das Modell für ein theologisches Autonomiekonzept entworfen hat, nach welchem führende Moraltheologen Ausschau halten.

---

121 A.a.O. 150.
122 Ebd.
123 Vgl. a.a.O. 108.

M. Dibelius hat die hohe moraltheologische Relevanz seiner formgeschichtlichen bzw. literaturwissenschaftlichen Arbeit erkannt und teilweise selbst noch ausgewertet. Er wußte, wie sehr er sich mit seinem Nachweis, daß die zum Urstrom der eschatologischen Predigt aus allen Richtungen hinzugeflossene Ethik „Welt" war, zum „landläufigen Urteil über die Sittenlehre Jesu oder die Ethik des Christentums"[124] im Widerspruch befand. Seit der Schriftentstehung war die offenbarungsgeschichtliche Qualität vom Glaubenszeugnis auch auf die damit verbundene paränetische Praxis übertragen worden.

M. Dibelius hat diese Betrachtungsweise aus den Angeln gehoben. Er hat als erster das in der Urkirche gegebene Problem von Eschatologie und Ethik in umfassender Weise aufgerollt. Er hat das Warum und das Woher der neutestamentlichen Ethik originell und endgültig geklärt. Er hat die Langsamkeit des Erfahrungsprozesses in der Urkirche und insbesondere seine Auswirkung auf die paränetische Praxis eindrucksvoll dargestellt. Damit waren die wichtigsten Ursachen aufgedeckt, aus denen es von der ersten Zeit der „Schriftlesung" an zur völligen Verkennung des bloßen Interimscharakters der Paränese kam, die im breiten Strombett mitschwamm. M. Dibelius arbeitet heraus, daß diese in die frühesten neutestamentlichen Schriften eingegangene Weltethik bei allen späteren Lesern der Schrift den Anschein erwecken mußte, als ob sie gerade nicht zeitbedingt, sondern „in irgendeinem Maße besonders christlich sei"[125]. Damit nennt er ein entscheidendes Motiv für die Tatsache, daß der Integrierungsvorgang über Jahrhunderte hinweg ausgeblendet wurde. Nun konnte sich die theologische Ethik an die systematische Auswertung dieser Ergebnisse wagen[126]. M. Dibelius wollte, daß der paränetische Ansatz der urkirchlichen Weltethik in all seinen Erscheinungsformen und Konsequenzen reflektiert wird. Nach seinen Worten liegt „die größte Gefahr der Theologie ... in dem beziehungslosen Auseinandertreten ihrer historischen und systematischen Arbeit"[127]. M. Dibelius drängt mit seinem analytischen Modell die Ethik der Gegenwart dahin, sich endlich vom überholten paränetischen Ethikkonzept zu emanzipieren und jede Spur dieses Ansatzes zu tilgen. Sie geht ja längst nicht mehr davon aus, daß die Welt entgegen aller Parusie- und Enderwartung für den einzelnen Christen wie für die ganze Gemeinde zur unheimlichen Eigengröße wird. Es ist längst nicht mehr so, daß die Hoffnung auf Parusie und Weltende ein echtes Interesse an der Gestal-

---

[124] A.a.O. 145.

[125] A.a.O. 150.

[126] Nach A. Auer, Autonome Moral 136, muß die Moraltheologie verifizieren, was „biblische ... Modelle ... zu leisten versucht haben"; ders. a.a.O. 12f.

[127] M. Dibelius, „Wozu Theologie?" Von Arbeit und Aufgabe theologischer Wissenschaft, Leipzig 1941, 17.

tung der Welt von vornherein im Keim ersticken. Der Hauptzweck der kirchlichen Weltethik ist nicht mehr die Seelsorge am Einzelnen und der Gemeinde[128]. Im Mittelpunkt steht längst nicht mehr die Frage des paränetischen Ethikkonzepts, „wie das im Glauben ergriffene Heil festgehalten werden kann, und zwar gegen andere, der ‚Welt' konforme Bindungen, die dazu auffordern, sich auf sie einzulassen"[129]. Die Zeiten sind vorüber, in denen es nur darum ging, die Gemeinde auf die unvermeidliche Bürgerlichkeit hinzuweisen und sie in die bestehenden Ordnungen einzufügen, ohne diese zu reflektieren, weder schöpfungstheologisch noch *αἰών*-kritisch. Die theologische Ethik soll sich dazu aufraffen, den an den Paulusbriefen herausgearbeiteten Rezeptions- und Integrierungsvorgang auf der jetzigen Stufe der Geschichte zu aktualisieren.

Bedeutende Moraltheologen fühlen sich diesem von M. Dibelius aufgestellten Programm verpflichtet. Es ist – wenn auch erst in erheblichem Abstand zu den Arbeiten des Formgeschichtlers – zu dem von ihm geforderten Zusammentreten von Exegese und Moraltheologie, von historisch-kritischer Rekonstruktion und systematischer Reflexion gekommen. Die von M. Dibelius geforderte Wende im Verhältnis der Moraltheologie zur Bibel ist im großen und ganzen vollzogen. M. Dibelius kann für sich in Anspruch nehmen, die theologische Ethik bzw. die Moraltheologie aus dem jahrhundertelang unreflektierten Verhältnis zur biblischen Ethik herausgeführt zu haben.

Problematisch wird die moraltheologische Berufung auf das Paränese-Modell erst in dem Augenblick, wo führende Vertreter den Rezeptions- und Integrierungsgedanken durch den theologischen Autonomiegedanken ablösen, sich aber dennoch weiterhin auf das gleiche Modell stützen wollen. Wenn nämlich das Paränese-Modell schon für die moraltheologische Aktualisierung des Rezeptions- und Integrierungsgedankens die entscheidende schöpfungstheologische Grundlegung versagt, dann trifft das erst recht für den Autonomiegedanken zu, der ohne Schöpfungstheologie nicht gedacht werden kann. Die Moraltheologie muß daher sorgfältig prüfen, ob sie das angestrebte Autonomiekonzept aus den Komponenten eines Modells aufbauen kann, das vorwiegend diagnostische Bedeutung hat.

2. *Diagnose der urchristlichen Weltethik*

M. Dibelius wollte, daß die theologische Ethik der Gegenwart aus dem historisch-kritischen Modell die Lehren zog. Deswegen hat er sie mit allem Nachdruck auf den hohen Stellenwert hingewiesen, den die Eschatologie

---

128 Vgl. H. Schulze, Begriff und Kriterien einer theologischen Handlungslehre – im Gegenüber zu paränetischer und ordnungstheologischer Ethik, in: EvTh 29 (1969) 183–202, hier 190 (Kriterien).

129 Ebd.

bzw. genauer die jeweilige Behandlung des Eschatologieproblems hinsichtlich der Integrierung der Weltethik besitzt. Letzten Endes läuft seine Darstellung des langsamen urkirchlichen Erfahrungsprozesses immer wieder darauf hinaus, daß die damals ad hoc vorgenommene Integrierung keineswegs als Frucht einer grundsätzlichen oder gar abschließenden Reflexion des Eschatologie-Ethik-Problems bewertet werden darf. Der Umstand, daß die Paulusbriefe mit ihren weltethischen Interimslösungen eines Tages als Hl. Schrift gelesen wurden, hat bis heute die Tatsache des bloßen urkirchlichen ad-hoc-Arbeitens und die Unterlassung jeder grundsätzlichen Reflexion verschleiert. Die späteren Generationen haben sich über die Tatsache hinweggetäuscht, daß ihnen das unreflektierte Weitermachen verboten und die Entwicklung einer zeitgerechten Weltethik geboten war[130].
M. Dibelius kann der heutigen Ethik die Erkenntnis nicht ersparen, daß die gesamte urkirchliche Weltethik alles andere als ein echtes Engagement für diese Welt bedeutet. Er will zeigen, daß der mögliche Neubau einer christlichen Weltethik von der frühen Kirche unterlassen und daß der regelmäßig in allen Epochen fällig gewordene Integrierungsvorgang niemals eingeübt und praktiziert wurde. Hier liegt der entscheidende Grund dafür, daß das von ihm erstellte Paränese-Modell kein aktuelles Modell für die christliche Ethik von heute abgibt. Mit seiner Hilfe wollte er ja lediglich zum Bewußtsein bringen, daß das Eschatologie-Ethik-Problem von den Tagen der Urkirche an immer nur vertagt wurde und daß es im Grunde immer noch zur Entscheidung ansteht. Ferner wollte er mit Hilfe seines historischen Modells den kausalen Zusammenhang zwischen der urkirchlichen, speziell der paulinischen Eschatologie bzw. der Langsamkeit des Erfahrungsprozesses und dem passivistischen Charakter sowie der affirmativen und konservativen Struktur der urkirchlichen Weltethik offenlegen[131].
Die Diagnose seines Paränese-Modells markiert den Zeitpunkt, von dem an die christliche Weltethik ihre affirmative und konservative Grundstruktur hätte durchbrechen können. Die Frage ist, ob M. Dibelius mit seiner Hermeneutik der Eschatologie wenigstens der heutigen Ethik das Instrumentar geliefert hat, mit dem der verspätete Durchbruch durchzuführen ist.

3. *Problematische Eliminierung der Eschatologie*

Die formgeschichtliche Darstellung des Eschatologie-Ethik-Problems der Urkirche mündet in ein historisches Modell, an dem man lernen sollte, das aber

---

130 Belege dafür bei M. Dibelius, An Timotheus I II, An Titus (HNT 13), Tübingen ²1931; H.W. Bartsch, Die Anfänge urchristlicher Rechtsbildungen. Studien zu den Pastoralbriefen, Hamburg-Bergstedt 1965; E. Lohse, Paränese und Kerygma im 1. Petrusbrief, in: ZNW 45 (1954) 68–89.

131 Vgl. dazu M. Dibelius, Die Bergpredigt, in: ders., BuG I, 79–174, hier 154.

einer Aktualisierung nicht fähig war. Das für die Epoche der Parusieverzögerung zutreffende Integrierungsmodell mußte ergänzt werden durch eine aktuelle Hermeneutik der neutestamentlichen Eschatologie, die das Bleibende herausarbeitete und für den Akt der Integrierung heutiger Weltethik bereitstellte. Was aber hatte die Generation der Entdecker der biblischen Eschatologie hier anzubieten? Sie hatte ihren Lesern die Eschatologie eines Jesus und eines Paulus in ihrer ganzen Zeitgebundenheit und historischen Unwiederholbarkeit dargestellt. Wie versuchte sie, aus der im ganzen nicht nachvollziehbaren neutestamentlichen Eschatologie das Bleibende aufzuzeigen?

Für M. Dibelius, der die Entdeckung der Eschatologie lediglich formgeschichtlich ausgewertet und dabei sein Hauptaugenmerk auf das Parusieverzögerungsproblem gerichtet hatte, stand das Erfordernis einer aktuellen Hermeneutik gewiß nicht im Vordergrund[132]. Da er sich jedoch als der führende Bearbeiter des Eschatologie-Ethik-Problems der Urkirche zu Wort gemeldet hat, muß sein Beitrag kurz skizziert werden. M. Dibelius unterscheidet eine apokalyptisch eingefärbte, zeitgebundene „Form des Wirkens Jesu" und einen von seinem Auftreten unabhängigen Reich-Gottes-„Sinn"[133]. „Es ist kein Zweifel, daß die Anschauung Jesu und seiner Umgebung vom Reich mit einem überwundenen Weltbild zusammenhängt und daß die dadurch bedingte Erwartung einer baldigen kosmischen Katastrophe irrig war. Aber mit dieser Erkenntnis ist der Endglaube Jesu weder erledigt noch als unwesentlich zurückgedrängt."[134] Die singuläre geschichtliche Form der Verkündigung Jesu, wie sie den Inhalt des synoptischen Evangeliums bildet, enthält einen über allen weltbildlichen Irrtum erhabenen bleibenden übergeschichtlichen „Sinn"[135]. Die apokalyptische „Form", in welche der übergeschichtliche Reich-Gottes-Gedanke sich im Neuen Testament manifestiert, ist das eine; die Notwendigkeit, die heutige christliche Weltethik in den bleibenden Kern dieser Reich-Gottes-Idee zu integrieren, ist das andere.

Mochte J. Weiß auch „die religiös-ethische Verwendung dieser Vorstellung in der neuen Theologie, welche diesselbe völlig ihres ursprünglichen eschatologisch-apokalyptischen Sinnes entkleidet hat"[136], für unberechtigt halten. M. Dibelius suchte als der Paräneseforscher und als der für die christliche Ethik engagierte Exeget einen praktikablen Weg. Er verband das Wissen um die Geschichtstranszendenz des Reiches Gottes mit einer Ethik der approximativen Gestaltung des Reiches Gottes in der Welt und Geschichte. Die Notwendigkeit, das sittliche Handeln heute mit dem Bleibenden der biblischen Eschatologie zu verbinden, drängte ihn zu dieser Lösung. Es rührt offen-

---

132 Vgl. „Wozu Theologie?" 29.
133 Religion 44.
134 A.a.O. 40f.
135 Vgl. M. Dibelius, „Wozu Theologie?" 14.
136 Die Predigt Jesu vom Reiche Gottes, Göttingen ²1898, 49.

sichtlich von dieser unreflektierten Grundvoraussetzung her, daß M. Dibelius schon von den ersten Christengenerationen, die noch ganz im apokalyptisch-urchristlichen Reich-Gottes-Denken standen, diesen radikalen Umbruch der Reich-Gottes-Vorstellung erwartete bzw. postulierte. „Als die Welt den christlichen Erwartungen zum Trotz stehen blieb, erwuchs den Christen eine ungeheure Aufgabe. Denn nun lag der Akzent ihres Lebens nicht mehr auf der Erwartung des Reiches, sondern auf der Gestaltung des Reiches in ihrem eigenen Kreise – das hieß aber, ... in der Welt."[137] Wegen des langsamen Erfahrungsprozesses aber „machte sich das Stehenbleiben der Welt nicht in einem geschichtlichen Augenblick bemerkbar, sodaß die große Aufgabe von einer Generation mit einem Mal hätte begriffen werden können..."[138] M. Dibelius entschuldigt die Urchristen. Weil man in der Epoche der Endverzögerung den Endglauben nicht eliminierte, wurde die „Gestaltung des Reiches in ihrem eigenen Kreise – das hieß aber ... in der Welt –" niemals als Aufgabe begriffen und in Angriff genommen. Immer wieder kommt M. Dibelius darauf zurück, daß „in dem Augenblick, da das Reich Gottes nicht mehr als Gabe der nächsten Zukunft erwartet wurde, ... es als Aufgabe erkannt werden"[139] mußte. Die stereotype Entschuldigung der ersten Epoche lautet: „Da jedoch der Verzicht auf die Nähe des Endes von der Kirche nicht in einem Augenblick geleistet, sondern in allmählicher Entwicklung zugestanden wurde, stellte sich diese Alternative der Christenheit niemals mit völligem Ernst."[140]

Man begreift, daß dieses historische Paränese-Modell, das den unabgeschlossenen Lernprozeß der Urkirche schildert, im tiefsten und letzten in den Appell an die gegenwärtige Ethik ausmündete, das Versäumnis der Urkirche nachzuholen. Theologisch endlich die von M. Dibelius formulierte Alternative zu erkennen und zu vollziehen, das hieß aber praktisch, die Eschatologie in ihrer biblischen Ausprägung zu eliminieren. Es galt ja, die alte Eschatologie als die unbewältigte Vergangenheit anzusehen und sie als den Faktor zu begreifen, der die *ἐκκλησία* am Anfang zur Exodusgemeinde verfälscht und sie die ganze Zeit daran gehindert hat, eine ungebrochene Weltethik zu entfalten. Aber stimmt es denn überhaupt, daß „in dem Augenblick, da das Reich Gottes nicht mehr als Gabe der nächsten Zukunft erwartet wurde, ... es als Aufgabe erkannt werden"[141] mußte? Besteht die Grundforderung des M. Dibelius an die heutige Ethik zu Recht, „diese Alternative", die sich der Urkirche „niemals mit völligem Ernst"[142] gestellt hatte, endlich zu sehen und zu vollziehen? Nach R. Schnackenburg[143] ist das nicht der Fall. Man

---

137 M. Dibelius, Religion 156.
138 Ebd.
139 A.a.O. 152.
140 Ebd.
141 Ebd.
142 Ebd.
143 Gottes Herrschaft und Reich. Eine biblisch-theologische Studie, Freiburg/Basel/Wien ³1963.

kann der aktuellen Hermeneutik, mit der M. Dibelius sein Paränese-Modell ergänzt, den Vorwurf nicht ersparen, daß sie die biblische Eschatologie im tiefsten und letzten eliminiert hat.
Diese Feststellung wird am eindrucksvollsten bestätigt durch einen abschließenden historischen Hinweis auf die Wirkungslosigkeit des Paränese-Modells und der Hermeneutik im Raum der systematischen Theologie. Es steht fest, daß der Anstoß zur neueren Eschatologiedebatte nicht vom Paränese-Modell und schon gar nicht von M. Dibelius' eschatologischer Hermeneutik ausgegangen ist, sondern von der Dialektischen Theologie, speziell von der Theologie K. Barths[144]. Dieser hat die Verlegenheit und Hilflosigkeit der Exegese vor dem Eschatologieproblem und die gesamte neuprotestantische Eschatologieinterpretation beiseite geschoben und sich als Systematiker einen eigenen Begriff von Eschatologie gebildet[145]. So haben schließlich die Schüler K. Barths (J. Moltmann u.a.), getragen vom gesellschaftskritischen und theologischen Impetus ihres Lehrers und inspiriert von der neomarxistischen Bearbeitung des Hoffnungs- und Zukunftsthemas[146], die Eschatologiedebatte „unter den Bedingungen der sechziger Jahre"[147] erneuert. Keiner von ihnen beruft sich darauf, den von M. Dibelius, dem Ersteller des Paränese-Modells, aufgetragenen Neubau einer christlichen Weltethik oder gar die von ihm formulierte Alternative zu vollziehen. J. Moltmann, G. Sauter u.a. standen weit entfernt von jeder neuprotestantischen Eliminierung der Eschatologie und hatten alle Hände voll zu tun, um mit Hilfe von linkshegelianischen Kategorien (J. Moltmann) die christliche Eschatologie zum Motor einer progressiven christlichen Weltethik auszubauen[148].
Wie die folgende Darstellung der von M. Dibelius entwickelten Idee einer revolutionierenden christlichen Weltethik zeigen wird, erfüllten sie zwar damit seinen Auftrag, aber mit anderen Mitteln. Als Exeget hatte M. Dibelius mit seinem Paränese-Modell wohl ein Instrument der Eschatologiekritik geliefert. Mit seinem Versuch einer Hermeneutik der Eschatologie als des An-

---

144 Zum Unterschied zwischen K. Barths Eschatologieverständnis und dem traditionellen vgl. W. Kreck, Die Zukunft des Gekommenen. Grundprobleme der Eschatologie, München 1961, 40–50; H.J. Birkner, Eschatologie und Erfahrung, in: Wahrheit und Glaube, Festschrift für E. Hirsch, Itzehoe 1963, 31; G. Sauter, Zukunft 84.

145 Vgl. K. Barth, Der Römerbrief, München ²1922, 300: „Christentum, das nicht ganz und gar und restlos Eschatologie ist, hat mit Christus ganz und gar und restlos nichts zu tun."

146 Vgl. E. Bloch, Das Prinzip Hoffnung (3 Bde.), Frankfurt 1959. Vgl. dazu H. Kimmerle, Die Zukunftsbedeutung der Hoffnung. Auseinandersetzung mit Ernst Blochs „Prinzip Hoffnung" aus philosophischer und theologischer Sicht (APPP 34), Bonn 1966.

147 P. Cornehl, Die Zukunft der Versöhnung. Eschatologie und Emanzipation in der Aufklärung, bei Hegel und in der Hegelschen Schule, Göttingen 1971, 327.

148 Vgl. a.a.O. 323.

dringens der „Überzeitlichkeit“ in der Zeit hatte er jedoch kein Angebot gemacht, das zur Erneuerung der Eschatologie hinführen konnte.
Die Moraltheologie würde einen Versuch mit untauglichen Mitteln riskieren, wenn sie sich ohne Berücksichtigung dieser historischen Fakten zu einer Aktualisierung des Paränese-Modells entschließen wollte.
Wo immer – bewußt oder unbewußt – von den diagnostischen Erkenntnissen des Paränese-Modells ausgegangen und eine Durchbrechung der affirmativen und konservativen Grundstruktur christlicher Weltethik versucht wurde[149], hat man zuerst die verhängnisvolle Eliminierung der Eschatologie rückgängig gemacht. Der Neuentwurf der christlichen Gemeindeethik erscheint nicht denkbar, ohne daß nach der stimulierenden und kritisierenden Einwirkung der Eschatologie auf das zu integrierende Weltethos gefragt wird.

4. Problem einer christlichen Weltethik

Die entscheidende These des Paränese-Modells besagt, daß die Urkirche die Profanität als den Ort ihrer weltethischen Reflexion und ihrer konkreten weltethischen Weisung aufsuchen mußte, da sie durch das Bedürfnis der Gemeinden dazu genötigt wurde. Wer sich an die Ausführungen zum ἐκκλησία- und Weltbegriff, insbesondere jedoch zum Erfahrungsprozeß erinnert, wird aber nun eine Überraschung erleben.
M. Dibelius versucht nämlich auf einmal zu beweisen, daß die ἐκκλησία eigentlich von vornherein zum Neubau einer christlichen Weltethik gesendet und ausgerüstet war. Gleichzeitig erklärt er damit, warum es bis heute nicht zu dieser Neuzeugung einer christlichen Weltethik gekommen ist. Will er seine These von der Integrierung des profanen Weltethos hiermit einschränken oder ergänzen? Alles, was unter der Dominanz der Naherwartung und des daraus resultierenden Passivismus an paränetischen Materialien integriert wurde, hat nach M. Dibelius „zur inneren Festigung der Gemeinden zweifellos viel beigetragen, hat aber auch verhindert, daß die Christen die sittliche Weltbearbeitung von Grund auf neu gestalteten. Dazu hätte die Sendung des Christentums in der Tat gedrängt. Denn in den christlichen Gemeinden lebte ein Geschlecht, das schon einer neuen Welt entgegengewachsen und darum von den Bindungen der alten grundsätzlich befreit war, eine neue Menschheit, die ein starkes affektvolles Ethos erfüllte. Als man sich der Fortdauer der alten Welt bewußt wurde, hätte dieses Ethos sich auf die Verhältnisse

---

149 In den Arbeiten A. Auers, Weltoffener Christ. Grundsätzliches und Geschichtliches zur Laienfrömmigkeit, Düsseldorf [4]1966, 159; ders., Christsein im Beruf. Grundsätzliches und Geschichtliches zum christlichen Berufsethos, Düsseldorf 1966, 228, 242, 284; vor allem auch in den Arbeiten zur Hoffnungstheologie, zur politischen Theologie und zur Theologie der Revolution.

der alten Welt richten müssen. Daraus wäre dann wahrscheinlich eine christliche Revolutionierung der Mittelmeerwelt entstanden, kraftvoll genug, um einer überalterten Welt neue Daseinsformen und neue Lebensgesetze aufzuzwingen. So hätten sich die Christen wirklich als ein ‚drittes Geschlecht' neben Juden und Heiden bewährt... Wenn es zu dieser gewaltigen Offensive des christlichen Geistes auf die Welt nicht kam, so lag die Ursache darin, daß die Notwendigkeit der Weltbearbeitung nicht in einem Moment und nicht von einer Generation begriffen wurde, sondern den Christen ganz allmählich aufging. So schritten sie von Interimslösung zu Interimslösung, d.h. von Kompromiß zu Kompromiß, und als dann der Zwang und auch die Macht vorhanden war, die Welt wirklich zu verchristlichen, war das Christentum durch die Kompromißarbeit der vorangehenden Generationen bereits gebunden; eine so späte Revolution hätte bereits zur christlichen Sitte Gewordenes (wie die Loyalität des Staatsverhältnisses) zerstören müssen. Wer diese Entwicklung der Dinge übersieht, kann nur von Schicksal reden, nicht von Schuld... Aber man muß sich diese zum Teil noch im Neuen Testament sichtbaren Anfänge der ethischen Weltbearbeitung durch das Christentum vergegenwärtigen, wenn man verstehen will, warum der christliche Geist das Aussehen der Welt nicht energischer verändert hat."[150]

Nach M. Dibelius sind es „die sexuellen und die sozialen Fragen, in deren Bereich das Fehlen einer selbständigen, aus dem christlichen Geist neugezeugten Ethik am meisten offenbar wird"[151]. Selbstverständlich enthält „das von der Enderwartung erfüllte Evangelium ... keinerlei Programm einer neuen ehelichen Gemeinschaft; aber Motive zu einer Neugestaltung der Ehe sind daraus für jeden Leser oder Hörer zu entnehmen, der die Botschaft Jesu nicht als Gesetz, sondern als Ausstrahlung des neuen Seins versteht."[152] Schon für Paulus hätte der Wegfall des „alte(n) kultische(n) Unterschied(s) zwischen Mann und Weib", sowie die Kenntnis der Jesusüberlieferung Mk 10,9 „ein Motiv neuer Ehegestaltung"[153] abgegeben – wenn ihn der Passivismus nicht daran gehindert hätte. Im Gefolge der Urkirche ist dann aber das ganze bisherige Christentum der Welt diese Neugestaltung der Ehe schuldig geblieben.

Analog betont Dibelius, daß das Christentum zwar nicht „als Evangelium sozialer Befreiung in die Welt getreten"[154] sei. Daneben müsse jedoch sofort der andere Gedanke gestellt werden, „daß die christliche Botschaft eine Fülle der sozialen Antriebe birgt und daß die sozialen Wirkungen, die im Lauf der Geschichte vom Christentum tatsächlich ausgegangen sind, sich aus die-

150 M. Dibelius, Religion 150f.
151 A.a.O. 151.
152 A.a.O. 153.
153 Ebd.
154 A.a.O. 160. Näheres dazu bei M. Dibelius, Altes und Neues Testament als Quelle sozialer und politischer Lehre (Studienbriefe des ASTA Heidelberg. Theologische Reihe, Brief 1), Heidelberg 1947.

ser Tatsache erklären"[155]. Er hält es für ausgemacht, daß diese „Fülle von Motiven ... sich auswirken konnte und auswirken mußte, wenn die Welt stehen blieb"[156]. Ungeklärt ist aber, woher überhaupt die „Fülle der sozialen Antriebe" stammt, aus dem Urstrom der eschatologischen Predigt oder aus dem Zustrombereich, aus dem auch die anderen weltethischen Motivationen zuflossen. M. Dibelius erklärt: „Die bewegende ethische Macht der christlichen Botschaft würde uns allen deutlicher ... zum Bewußtsein kommen, wenn wir uns gewöhnten..., nach dem letzten Hintergrund des Verhaltens zu fragen, nach den Antrieben, die dem Christen aus dem ewigen Sein zuströmen, das Jesus offenbar gemacht hat; die innere Gebundenheit an diese Antriebe, nicht ihre Umsetzung in weltbedingte Ethik ist es, die über die Christlichkeit des Verhaltens entscheidet."[157] Damit scheint doch die Eschatologie oder richtiger ihr in der zeitbedingten geschichtlichen Form enthaltener übergeschichtlicher Sinn angesprochen. Kann der Moraltheologe mit den in diesen ausführlichen Zitaten enthaltenen vagen Andeutungen der Möglichkeit einer christlichen Weltethik etwas anfangen?
M. Dibelius verlangt von der gegenwärtigen Ethik, daß sie mit der passivistischen Integrierung profaner Ethik endlich Schluß macht und zum Neubau einer christlichen Weltethik schreitet. Mit seinem Paränese-Modell hat er dargetan, daß die urkirchliche Weltethik (zum größten Teil) eine exogen erzeugte, nicht-theologale Substanz ist, die erst integriert werden muß. Durch die Integrierung in eine falsche Eschatologie ist daraus eine absolut affirmative und konservative Weltethik geworden. Wollte M. Dibelius damit andeuten, daß erst die Integrierung der profanen ethischen Substanz in die richtige Eschatologie die christliche Ethik zu einer revolutionären Größe verwandeln kann? Dann müßte die gegenwärtige christliche Ethik zur Integrierung profaner Ethik schreiten und den bisher versäumten Neubau einer christlichen Weltethik dadurch nachholen, daß sie die integrierte Ethik an das Kraftfeld der wahren christlichen Eschatologie anschließt. Zweifelsohne hat ein Neubau der christlichen Weltethik von der Eschatologie aus zu erfolgen, zumal diese der Schlüssel zum Wesen des Christentums ist und bleibt. Von welcher Eschatologie soll aber ausgegangen werden, wenn M. Dibelius mit seinem Paränese-Modell zeigt, daß es solange keine durchgreifende Erkenntnis des Auftrags der ethischen Weltbearbeitung geben konnte, als die Enderwartung nicht völlig abgebaut war. Im Falle des Apostels Paulus ließ doch bekanntlich die durchgehaltene Eschatologie die aus allen Lebensbereichen integrierten innerweltlichen ethischen Motivationen niemals zur Aktivität, geschweige denn zu einer revolutionären Wirkung kommen. Einerseits kann der heiß gelaufene Motor seiner Eschatologie nicht mehr abgeschaltet werden. Andrerseits kann aber auch kein Transmissionsriemen mehr aufgelegt wer-

[155] M. Dibelius, Religion 163.
[156] A.a.O. 146.
[157] A.a.O. 164.

den, der die Schwungkraft der Eschatologie auf die integrierten innerweltlichen Motivationen übertrüge. Woher soll die integrierte Weltethik aber ihre Antriebskraft oder gar ihre christliche Veränderungskraft erhalten, wenn nicht aus der Eschatologie, die mehr ist als bloße Überzeitlichkeit? Hält man nun M. Dibelius' Forderung einer Neukonstruktion der christlichen Weltethik neben sein Paränese-Modell und neben seine Hermeneutik der Eschatologie, dann wird klar, daß sein Postulat nur durch die entschlossene Abkehr von seinen Positionen erfüllt werden kann.
Insoweit das Paränese-Modell die exakte Skizze der paulinischen Ethik zu liefern beansprucht, ist es ungeeignet für die Neuzeugung einer christlichen Weltethik aus paulinischem Geiste. Auf seinem Boden läßt sich die fixe Idee einer ausschließlich negativen Auswirkung der Eschatologie auf die Weltethik kaum korrigieren. Die Moraltheologie muß davon ausgehen, daß das Paränese-Modell in puncto Eschatologie nicht aktualisiert werden kann und daß auch von der Parakleseforschung keine wesentlich andere Darstellung des Eschatologie-Weltethik-Verhältnisses zu erwarten ist. Damit stellt sich abschließend die Frage nach der moraltheologischen Aktualisierbarkeit dieses diagnostischen Modells. Kann das Paränese-Modell über die von M. Dibelius gewollte Erhellung der Rezeptions- bzw. Integrierungspraxis hinaus für den theologischen Autonomiegedanken ausgewertet werden?

5. *Probleme der moraltheologischen Aktualisierung*

A. Auer und F. Böckle sind – angeregt durch die bewußtseinsgeschichtliche Situation – von der Reflexion bzw. Aktualisierung des Rezeptions- bzw. Integrierungsvorgangs zur Reflexion bzw. Entwicklung eines theologischen Autonomiekonzepts fortgeschritten. Dahinter steckt sicher auch das Bestreben, von dem nicht sehr aktiv, sondern eher passiv anmutenden Begriff der Rezeption bzw. Integrierung wegzukommen. Begriffe, die für die urkirchliche Aktivität signifikant gewesen sind, müssen nicht für alle Zeiten die Aktivität der Kirche bzw. ihrer Theologie kennzeichnen. Gegenwärtig rückt der programmatische Begriff der Kommunikation und Kooperation zwischen Christen und Nichtchristen und damit die Frage nach dem christlichen Beitrag bei der autonomen Findung und Statuierung der sittlichen Normen mehr und mehr in den Vordergrund. Ist das Paränese-Modell, das den Integrierungsgedanken herausgestellt hat, auch für die Grundlegung des Autonomiegedankens geeignet? Führende Moraltheologen glauben, daß sich mit seiner Hilfe die mehrfach durchkreuzten Ansätze zu einem theologischen Autonomiekonzept endlich und endgültig durchsetzen lassen. Selbstverständlich kann kein Systematiker auf die schöpfungstheologische Begründung und Explikation des Autonomiegedankens verzichten. Eine solche liegt aber gerade nicht in den Perspektiven des favorisierten Paränese-Modells. Die Päräneseforschung mit ihrem spezifischen Eschatologieverständnis mußte geradezu das schöpfungstheologische Schweigen des Apostels hervorheben. Sie konnte gar nicht wahrnehmen, daß die Schöpfungstheologie als Gesamthorizont aller paulinischen Theologie und Ethik zu betrachten ist und daß die entscheidenden eschatologischen Begriffe im schöpfungstheologischen Horizont auszulegen sind, wie das neuerdings E. Käsemann, P. Stuhlmacher u.a. gezeigt haben[158]. So zeichnet das Paränese-Modell einen Gottesbegriff, in dem weder der Schöpfungs- und der Erhaltungsgedanke noch der Gesetzgebungs- und Ordnungsgedanke eine Rolle spielen. Insofern sich M. Dibelius auf die historisch-kritische Diagnose der Bewältigung der Parusieverzögerung konzentriert, braucht er den latent vorhandenen schöpfungstheologischen Voraussetzungen der Rezeption und Integrierung profaner Moral nicht nachzugehen. Das historisch-kritische Modell kann sich mit der Feststellung des schöpfungstheologischen Schweigens des Paulus begnügen, was die Moraltheologie bei ihrem Aktualisierungsversuch nicht kann. Sie muß sich nur bewußt sein, daß sie sich bei der schöpfungstheologischen Durchdringung des Autonomiegedankens nicht auf das Integrierungsmodell des M. Dibelius stützen kann, weil dessen tragende Komponenten jeden Hinweis auf die Schöpfungstheologie ausschließen. Es ist in der Einleitung schon darauf hingewiesen worden, daß das schöpfungstheologische Defizit eines historisch-kritischen Modells hermeneutisch nicht ausgeglichen werden kann, ohne daß die ganze Konstruktion einstürzt. Das gilt vor allem für die Konstruktion des Paränese-Modells, die mit der These von der Naherwartung und der Parusieverzögerung steht und fällt. Das Paränese-Modell aktualisieren hieße: die paulinische eschatologische Verkündigung und seine passivistische Weltethik in den historischen Proportionen und Relationen reproduzieren. Es hieße, das Selbstverständnis und den Glaubenshorizont des heutigen Christen mit der Botschaft vom Herrentag und vom Weltende ausfüllen und das Weltbild auf die Vorstellung einer leider fortdauernden Welt zusammenschmelzen. Die Weltethik würde dann auch weiterhin im radikal eschatologischen Horizont des Christusevangeliums entwickelt, statt daß sie im schöpfungstheologischen Horizont eines evolutiven Welt- und Geschichtsbildes entwickelt würde. Daraus wird ersichtlich, daß das Paränese-Modell nicht als Grundlage eines theologischen Autonomiekonzepts fungieren kann. A. Auer hat seiner Skizze der paulinischen Weltethik weitgehend die Rezeptions- und Integrierungsbeschreibung der Paräneseforschung zugrunde gelegt. Bei der theologischen Grundlegung des Autonomiegedankens macht er sich jedoch weitgehend davon unabhängig, was für einen Systematiker völlig legitim ist. Die Möglichkeiten und Grenzen des Paränese-Modells dürften damit fürs erste verdeutlicht worden sein.

---

158 Vgl. E. Käsemann, Zum Thema der urchristlichen Apokalyptik, in: ders., EVB II, 105–131 (Apokalyptik); P. Stuhlmacher, Gerechtigkeit Gottes bei Paulus (FRLANT 87), Göttingen 1965 (Gerechtigkeit). Näheres im Exkurs S. 138–147.

ZUSAMMENFASSUNG

Das Paränese-Modell wird durch das Eschatologieverständnis seines Urhebers auf die rein analytische und diagnostische Funktion eingeschränkt. Seine Sinnspitze besteht im tiefsten und letzten nicht in der exemplarischen Darstellung der Rezeption autonomer Moral, sondern in der Analyse und Diagnose des Passivismus der urchristlichen Weltethik. M. Dibelius sieht die Wurzel allen Übels darin, daß der Irrtum der Naherwartung zu keinem Zeitpunkt eingestanden und theologisch aufgearbeitet wird. Seiner Ansicht nach ist es die Eschatologie, die in bzw. seit den Tagen des Paulus jede originäre Zuwendung zur Welt als Schöpfung Gottes verhindert. Wegen der unerledigten Frage der Eschatologie gibt es im Raum der Urkirche immer nur Interimslösungen und ad-hoc-Lösungen. Weil es keinen Raum für einen schöpfungstheologischen Ansatz der Ethik vorsieht, kann das Paränese-Modell moraltheologisch nicht aktualisiert werden. Es fordert die christliche Ethik zwar in letzter Konsequenz zu einem historisch-dynamischen Autonomiekonzept auf, aber es stellt keineswegs auch schon die nötige theologische Grundlage dafür dar. Nachdem die theologische Paränese des Paulus aus Gründen der formgeschichtlichen Unergiebigkeit weitgehend ausgeklammert wurde, bleiben die für ein theologisches Autonomiekonzept wichtigen Aussagen, z.B. über das Ende des Gesetzes, über das „Sich-selbst-Gesetz-Sein" der Heiden (Röm 2,14), über die Erneuerung des *νοῦς* (Röm 12,2) unbeachtet. Das von der Parakleseforschung entwickelte Modell berücksichtigt stärker den theologischen Horizont der paulinischen Ethik. Doch ist auch von ihm keine größere bibeltheologische Erhellung der Autonomie zu erwarten.

2. Kapitel

PARAKLESE-MODELL
(H. Schlier, A. Grabner-Haider)

Methodische Vorbemerkungen

Im Folgenden werden die Paraklesearbeiten vorgestellt. Keine einzige erhebt den Anspruch, eine Alternative zum Paränese-Modell oder gar ein moraltheologisches Modell zu sein. Was ihnen einzeln und in der historischen Reihenfolge jedoch nicht abgesprochen werden kann, ist die Tendenz, den Paränesebegriff für Paulus abzulösen oder ihn zumindest durch ein zutreffenderes gesamttheologisches Ethikkonzept zu ersetzen. Die Paraklesearbeiten müssen also danach befragt werden, wie sie sich zum herrschenden Paränesebegriff verhalten, welche Lösung des Eschatologie-Ethik-Problems sie anvisieren, ob sie die Diagnostik des Paränese-Modells im großen und ganzen bestätigen usw. Selbstverständlich wird man besonders darauf achten, wie sie das paränetische Begriffsfeld analysieren und die Verbindungslinien zwischen eschatologischer Verkündigung und Ethik ziehen. Das Hauptaugenmerk richtet sich aber auch hier auf das Eschatologieverständnis, das sie im Zusammenhang mit dem Paraklesebegriff vortragen. Haben sie z.B. die Dimension der eschatologischen Gegenwart stärker berücksichtigt und deren positive Auswirkung auf das Ethos deutlicher markiert? Haben die Paraklesearbeiten die Einseitigkeiten und Mängel des Paränese-Modells vermieden?

I. Vorstoss zum „Wesen der apostolischen Ermahnung“
(H. Schlier)

Man vergegenwärtige sich, wie M. Dibelius das Wesen der sittlichen Mahnrede des Paulus bestimmt hatte. Für ihn bestand sie aus einer Vielzahl von literarischen Formen, die allesamt am profanen Weltort aufgegriffen waren und für die deshalb der profane terminus technicus „Paränese“ durchaus zutraf. Weil die Gemeinden infolge der Parusieverzögerung nach weltethischer Weisung verlangten, holte sich der Apostel Materie und Form der Paränese aus dem profanen, nicht-eschatologischen Denken der Umwelt. Neben die eschatologische Predigt und in Spannung zu ihr trat die paränetische Praxis.

1. *Charakteristik paulinischer Mahnrede*

Einen ganz anderen Weg schlägt H. Schlier ein, um zum „Wesen der apostolischen Ermahnung"[159] vorzustoßen. Treffsicher greift er auf die von M. Dibelius nicht beachteten, für den Apostel Paulus jedoch typischen παρακαλεῖν- und παράκλησις-Stellen zurück. Damit war jene terminologische Weichenstellung geschehen, die erst in der Gegenwart zur allmählichen Ablösung des Paränesebegriffs für Paulus führen sollte; der Blick für die differentia specifica war geschärft.

Mit der gleichen Sicherheit erfaßt H. Schlier die für den paulinischen παρακαλέω-Gebrauch geltenden Charakteristika. Da ist zunächst die Beobachtung, daß dieser Begriff keineswegs nur auf das sittliche Ermahnen eingeschränkt ist, sondern „auch umfassend die Darreichung des Evangeliums oder auch der Lehre"[160] beinhaltet. Eschatologisches Evangelium und sittliche Mahnrede scheinen also doch nicht so voneinander getrennt zu sein, wie M. Dibelius das von seinem formgeschichtlichen Befund aus angenommen hatte. H. Schlier untersucht die von Paulus vorgenommenen Begriffsverbindungen und erkennt, daß die apostolische παράκλησις „weder die argumentierende, noch die eigentlich belehrende Art der Verkündigung, sondern eine eindringliche, zu-, an- und herbeirufende Form der Predigt"[161] ist; sie hat „stets etwas von einer beschwörenden Art der Verkündigung an sich"[162].

Mit dem Begriffsfeld παρακαλεῖν, παράκλησις war jene eigentümlich paulinische Praxis in Sicht gekommen, in welcher das eschatologische Evangelium in weltethische Weisung übersetzt wurde. Eine Aufdeckung des inneren Zusammenhangs von Eschatologie und Ethik bahnte sich an, die ohne die These von der Parusieverzögerung und vor allem ohne die scharfe Trennung von Kerygma (R. Bultmann) und Paränese (M. Dibelius) zurechtkam.

2. *Paraklese statt Gesetz*

Zu alledem erkennt H. Schlier auf den ersten Blick, daß die paulinische Praxis der Paraklese als epochale Ablösung der jüdischen Gesetzespraxis zu verstehen und auszulegen ist, womit endlich die vom Formgeschichtler M. Dibelius ausgeklammerte theologische Paränese zu ihrem Rechte kommt. H. Schlier erinnert „an die christliche Vaterschaft und Bruderschaft, die familia dei von Mark. 3,31ff"[163]. Er beobachtet und beschreibt, wie der Vater

---

[159] Vgl. Vom Wesen der apostolischen Ermahnung. – Nach Röm 12,1–2, in: ders., Die Zeit der Kirche. Exegetische Aufsätze und Vorträge, Freiburg ²1958, 74–89 (Ermahnung).

[160] A.a.O. 76.

[161] A.a.O. 77.

[162] Ebd.

[163] Ebd.

Paulus zu den durch das Evangelium Gezeugten (1 Kor 4,15f) ganz anders redet, als der παιδαγωγός (1 Kor 4,15)[164], nämlich das Gesetz (Gal 3,24), zuvor den Menschen angesprochen hat. Er stellt fest, daß das paulinische παρακαλεῖν „der Stimme des Gesetzes entgegensteht"[165] und „Träger eines verborgenen Trostes an die Brüder, die Glieder der Familie Gottes"[166] ist.
Mit einer Fülle von Beobachtungen zum dreifachen paulinischen Wortgebrauch „ermahnen", „bitten", „trösten" versucht H. Schlier das eben skizzierte Wesen der apostolischen Mahnrede zu verifizieren. Er betont, daß παρακαλεῖν „an bestimmten Stellen nicht eindeutig als ‚ermahnen' oder als ‚trösten' zu verstehen ist, sondern – für uns zunächst seltsamerweise – beide Bedeutungen in einem enthält"[167]. Dieses Ineinanderverwobensein der Bedeutungen drängt H. Schlier zu der Annahme, daß παρακαλεῖν überall dort, wo es „in einem betonten Sinn die apostolische Mahnung bezeichnet, den Sinn einer tröstlichen Mahnung einschließt. Dann wäre damit gesagt, daß in der apostolischen Paraklese nicht die Stimme einer bloßen Forderung laut würde; sondern der Anspruch einer Forderung, die in sich einen Zuspruch birgt."[168]
Damit hat H. Schlier in entscheidenden Gesichtspunkten ein anderes Bild der paulinischen Mahnrede gezeichnet, als es M. Dibelius getan hatte. Zweifellos wurde H. Schliers Arbeit nicht von dessen Lösung des Eschatologie-Ethik-Problems inspiriert, sondern von eigenen Beobachtungen im Bedeutungsfeld des Begriffs παράκλησις. H. Schlier signalisierte jedoch als erster das Unbehagen an der pauschalen Kennzeichnung der paulinischen Mahnrede mit dem Paränesebegriff und rückte das für den Apostel Paulus kennzeichnende Begriffsfeld παρακαλεῖν, παράκλησις ins Licht. Der Wille, bei der Ethik der neutestamentlichen Traditionsströme zur differentia specifica vorzustoßen, war damit deutlich geworden. Eine erste Relativierung des herrschenden Paränese-Modells war vollzogen.

II. Wortgeschichtliche Grundlegung des Paraklese-Modells (G. Stählin, O. Schmitz)

H. Schlier fand eine eindrucksvolle Bestätigung durch die Verfasser des Artikels παρακαλεῖν, παράκλησις in G. Kittels „Theologischem Wörterbuch zum Neuen Testament"[169]. Die Wortgeschichte erhärtete, daß der paulinische Paraklesebegriff Eschatologie und Ethik zur Einheit verband und eine vom Paränese-Modell grundverschiedene Charakteristik der paulinischen Mahnrede ermöglichte.

164 Vgl. ebd.
165 A.a.O. 78.
166 Ebd.
167 A.a.O. 76.
168 Ebd.
169 O. Schmitz, G. Stählin, Art. παρακαλέω παράκλησις, in: ThWNT V, 771–798.

1. *Kompositum παρακαλεῖν*

Nach der Darstellung G. Stählins[170] scheint es, als sei das Kompositum *παρακαλεῖν*, schon rein sprachgeschichtlich gesehen, für den ihm zugefallenen biblischen, speziell paulinischen Gebrauch geradezu prädestiniert gewesen. „Das imperativische Moment in *παρακαλέω* (mahnen) ist immer mehr oder weniger spürbar begleitet von dem indikativischen (beruhigend zusprechen, trösten) und umgekehrt. Insofern spiegelt sich in dieser wesenhaften Vokabel und ihrem Bedeutungsbild der Doppelcharakter des ‚Wortes', in dem stets aus dem Indikativ des Kerygma der Imperativ der Paränese hervorwächst."[171] Es ist unschwer zu erkennen, daß G. Stählin die Bultmannsche Konzeption von Indikativ und Imperativ bereits in dem vorbiblischen Gehalt des Kompositums *παρακαλεῖν* ausgeprägt findet. Leider ist er gerade durch die in der Exegese seiner Zeit vorherrschenden Grundbegriffe Kerygma (R. Bultmann) und Paränese (M. Dibelius) daran gehindert worden, aus der Untersuchung der Wortgeschichte auch die Konsequenzen zu ziehen und den Paraklesebegriff als die angemessenste Kennzeichnung paulinischer Mahnrede vorzuschlagen.

So blieb es trotz des Vorstoßes von H. Schlier noch für lange Zeit bei der Einebnung des paulinischen Paraklesebegriffs in den von M. Dibelius aufgestellten Paränesebegriff[172]. Erst jüngst noch wurde der Terminus *παρακαλέω* – ohne daß man die Ergebnisse von H. Schlier, G. Stählin, O. Schmitz u.a. auswertete – in das Begriffsfeld der profanen Paränese eingeebnet[173].

2. *Alttestamentlicher und jüdischer Wortgebrauch*

G. Stählin hat die Wortgeschichte des Paraklesebegriffs in der außerbiblischen Antike sowie im Alten Testament und im Judentum nachgezeichnet und eindeutig herausgearbeitet, welche große Bedeutung ihm im offenbarungsgeschichtlich-jüdischen Raum von jeher zukommt. Durch ihre einzigartigen Zeugnisse über „Trost und Trostlosigkeit"[174] unterscheidet sich

---

[170] Vgl. a.a.O. 777–785. [171] A.a.O. 777.

[172] Vgl. J. Schniewind, Theologie und Seelsorge, in: EvTh 6 (1946/47) 336–367; O. Michel, Der Brief an die Römer (MeyerK IV), Göttingen ⁴1966, 290; W. Joest, Gesetz und Freiheit. Das Problem des tertius usus legis bei Luther und die neutestamentliche Parainese, Göttingen 1951, 151 (Gesetz).

[173] Vgl. Theologisches Begriffslexikon zum Neuen Testament, hrsg. von L. Coenen, E. Beyreuther und H. Bietenhard, I, Wuppertal 1967. G. Braumann, Art. Ermahnen, a.a.O. 272–276, hier 275, subsumiert den mit *παρακαλέω* bzw. *παράκλησις* bezeichneten Sachverhalt völlig unter den Paränesebegriff.

[174] Vgl. O. Schmitz, G. Stählin, Art. *παρακαλέω παράκλησις* 785–788: Trost und Trostlosigkeit im AT, 788–790: Menschen- und Gottestrost im Judentum.

gerade die alttestamentliche und jüdische Literatur von der reich ausgestatteten Trostkunst der Antike[175]. Der Religionsgeschichtlicher kennt „keine antike Gottheit..., deren Funktion und Wesen das Trösten wäre“[176]. Im biblischen, d.h. im verheißungs- und offenbarungsgeschichtlichen Raume steht dagegen die „göttliche Tröstung“[177] im Mittelpunkt. Gerade für das Judentum ist Gott der „Herr der Tröstungen“[178], hier heißt die Heilszeit des Messias „geradezu der Trost Gottes..., denn dann wird der Trost Israels Wirklichkeit: die Auferstehung“[179].
Es gab eine Reihe anderer Thematisierungen des Trostbegriffs in der biblisch-jüdischen Tradition. Es gab die prophetische Unterscheidung der *παράκλησις ἀληθινή* (Jes 57,18) von der *ματαία παράκλησις* (Jes 29; Sach 10,2; Ijob 21,34)[180], es gab die Schilderung der Trostlosigkeit des Einzelnen wie des Volkes in den Psalmen[181], es gab die Trostverheißungen an den Einzelnen und das Volk (Jes 40,1ff, vgl. LXX)[182], es gab die Veranschaulichung der Tröstung Gottes mit Hilfe der Bilder vom Hirten und von der Mutter[183]. Man sprach vom Ausgang aller „Mittler und Kanäle“ des Trostes von Gott[184], insbesondere von der Trostfunktion der Propheten[185], die im Gedächtnis der Späteren „vor allem als Tröster“[186] fortleben. O. Schmitz schließt seine Darstellung des alttestamentlich-biblischen Parakleseverständnisses mit dem Hinweis, daß vom „größte(n) Tröster an Gottes Statt“, nämlich vom Knecht, „der Gottestrost schlechthin ... die Rettung im Gericht“[187] erwartet worden ist.

3. Paulinischer Wortgebrauch

Den paulinischen Sprachgebrauch hat O. Schmitz hauptsächlich auf folgende Bedeutungsgehalte festgelegt: auf einen relativ festen Gebrauch von *παρακαλεῖν, παράκλησις* für den ermahnenden Zuspruch und auf den theologischen „Gebrauch des Verbs und vor allem des Substantivs für das eschatologische Getröstetwerden bzw. den eschatologischen Trost“[188]. Nach

---

175 Vgl. im einzelnen zu den Mitteln und Wegen des Trostes, a.a.O. 780f, zu den Motiven des Trostes 781, zur Verbindung mit dem imperativischen Moment 778, zum officium consolandi für Philosophen und Dichter 778, zum Trostbrief und zur Trostschrift 780.
176 A.a.O. 784.
177 A.a.O. 786.
178 A.a.O. 789, 790.
179 A.a.O. 790.
180 Vgl. a.a.O. 786.
181 Vgl. a.a.O. 787.
182 Vgl. ebd.
183 Vgl. ebd.
184 Vgl. ebd.
185 Vgl. a.a.O. An den Propheten ist zu beachten, „daß sie Tröster und Richter zugleich“ sind, ferner, daß „beide Berufe auf zwei Perioden ihres Lebens und darum auch auf zwei Teile ihrer Bücher verteilt“ sein können.
186 A.a.O. 787.
187 A.a.O. 788.
188 Vgl. O. Schmitz, G. Stählin, Art. *παρακαλέω παράκλησις* 791.

O. Schmitz liegt das *παρακαλεῖν* nicht im Munde des beim Kyrios Hilfe suchenden Apostels (2 Kor 12,8 ist singulär)[189]. Die Worte *παρακαλεῖν* bzw. *παράκλησις* tauchen vielmehr immer dann auf, wenn Paulus für die Heilsannahme wirbt (2 Kor 5,20), wenn er an seine missionarische Verkündigung erinnert (1 Thess 2,3) und wenn er die ethischen Konsequenzen des Heilsgeschehens verdeutlicht[190]. Demnach wäre also der im griechischen Judentum vorherrschende Wortsinn von *παρακαλεῖν* vom Apostel „zur Bezeichnung der missionarischen Verkündigung wie als Einführungsformel für die seelsorgerliche Mahnrede"[191] umgemünzt worden. O. Schmitz erklärt, daß sich das paulinische *παρακαλεῖν* sowohl bei der Kyriosbitte als auch beim charismatischen Ermahnen auf Ereignisse zurückbeziehe, die in der Vergangenheit liegen.

Der Schwerpunkt des paulinischen *παρακαλέω*-Gebrauchs liegt nach O. Schmitz jedoch ganz eindeutig in der consolatio, in der tröstenden Hilfe, wie sie „der Gott der Geduld und des Trostes" (Röm 15,4) seiner eschatologischen Gemeinde zwischen den Zeiten auf die Zukunft hin zuteil werden läßt. Hier wäre also die Bedeutung der „Tröstung" lebendig geworden, die im Übersetzungsgriechisch der LXX, im Alten Testament und im Spätjudentum dem Worte *παρακαλεῖν* zugewachsen war. Die paulinische Paraklese artikuliert nun im eschatologischen Sinne „die Hilfe Gottes, wie sie der leidenden Gemeinde Jesu"[192] als „Gegenwirkung"[193] gegen alle Bedrängnis und Betrübnis auf vielfache Weise und in reichem Maße zuteil werde[194]. Ja, das Heilswirken Gottes selbst vermittelt in der Gegenwart und in die Zukunft hinein[195] diese „tröstende Hilfe"; für Paulus als den Interpreten dieses Heilswirkens gehören nicht zufällig *παράκλησις* und *σωτηρία* (2 Kor 1,5–7) bzw. *παράκλησις* und *ἐλπίς* (2 Thess 2,16; Röm 15,4) eng zueinander[196].

Zusammenfassend läßt sich sagen: O. Schmitz hält wie H. Schlier daran fest, daß es im paulinischen Paraklesebegriff zur unverwechselbar eigentümlichen Zusammenlegung des Mahnungs- und des Tröstungsmoments kommt[197]. Was ihn von H. Schlier unterscheidet ist dies, daß er die Paraklese als Bitte und Ermahnung auf das in der Vergangenheit begonnene Heilsgeschehen, als „tröstende Hilfe" jedoch auf die Gegenwart und die Zukunft hin orientiert sein läßt[198].

---

[189] Nach G. Braumann, Art. Ermahnen 275f, liegt der Ursprung der paulinischen *παράκλησις* in der Identifikation des leidenden Apostels mit dem gekreuzigten Herrn. Vom leidenden Christus her wisse sich Paulus getröstet und zur Tröstung seiner leidenden Mitchristen besonders befähigt.

[190] Vgl. O. Schmitz, G. Stählin, Art. *παρακαλέω παράκλησις* 793.

[191] A.a.O. 797.

[192] Ebd.

[193] A.a.O. 796.

[194] Vgl. a.a.O. 795, 796.

[195] Vgl. a.a.O. 794, 798.

[196] Vgl. a.a.O. 797.

[197] Vgl. H. Schlier, Ermahnung 75.

[198] Vgl. O. Schmitz, G. Stählin, Art. *παρακαλέω παράκλησις* 794.

III. Formgeschichtliche Verneinung des Paraklese-Modells (C.J. Bjerkelund)

H. Schliers Vorstoß zum „Wesen der apostolischen Ermahnung" ist als der erste Ansatz, G. Stählins und O. Schmitz' wortgeschichtliche Grundlegungen sind als bedeutsame Vorarbeiten zu einem Paraklese-Modell vorgestellt worden. Daß diese Arbeiten insgesamt als die Weichenstellung für ein neues paulinisches Ethikmodell und als das Signal zur Ablösung des Paränese-Modells angesehen werden müssen, zeigt die Arbeit von C.J. Bjerkelund[199].

1. *Ausgangspunkt und Forschungsziel*

Was C.J. Bjerkelund zum theologiegeschichtlichen Ort und zum Forschungsziel seiner Arbeit ausführt, bestätigt die Richtigkeit der bisherigen Bestandsaufnahme, auch wenn er die Akzente anders setzt. So beginnt für C.J. Bjerkelund der Irrweg im Grunde schon damit, daß M. Dibelius einige paulinische *παρακαλέω*-Sätze als „den Einsatz der Paränese"[200] bezeichnete. Damit hatte der Ersteller des Paränese-Modells – ohne auch nur im mindesten die Besonderheit dieses Verbums oder seine Wortgeschichte zu reflektieren – diesen Übergangssätzen eine eindeutig paränetische Funktion zuerkannt. In der fortgeschrittenen formgeschichtlichen Perspektive von C.J. Bjerkelund erwies sich das als der entscheidende Irrtum. Doch sollte sich dieser erst in dem Augenblick voll auswirken, als H. Schlier u.a. das Signal zur Ablösung des Paränesebegriffs durch den Paraklesebegriff gaben und dabei an der sogenannten paränetischen Funktion dieses Begriffs festhielten. Die Bearbeiter der Wortgeschichte hatten ein übriges getan, um den Eindruck zu erwecken, daß an eben diesen *παρακαλέω*-Stellen das adäquate und genuin paulinische Verständnis der „Funktion und Bedeutung der Paränese"[201] zu gewinnen sei. C.J. Bjerkelund erblickt eine Steigerung des Irrtums darin, daß seit H. Schliers Arbeit „diese Übergangssätze zur Paränese"[202] nun auch noch „eine besondere Rolle ... in der theologischen Debatte in Deutschland..., und zwar in der Diskussion über das Verhältnis von Indikativ und Imperativ bei Paulus"[203], spielen. Es sei das Anliegen H. Schliers gewesen, das von seinem Lehrer inaugurierte Schema von Indikativ und Imperativ[204] an dem neu entdeckten *παρακαλέω*-Gebrauch, insbesondere an

---

199 Parakalô. Form, Funktion und Sinn der parakalô-Sätze in den paulinischen Briefen (BTN 1), Oslo/Bergen/Tromsö o.J. (1967).

200 A.a.O. 20.

201 A.a.O. 115.

202 A.a.O. 112.

203 Ebd.

204 Vgl. R. Bultmann, Das Problem der Ethik bei Paulus, in: ZNW 23 (1924) 123–140. Zum Ganzen vgl. H.M. Schenke, Das Verhältnis von Indikativ und Imperativ bei Paulus. Diss. Berlin 1957.

Röm 12,1f, zu verifizieren bzw. transparent zu machen[205]. Von daher habe sich die ganze Aufmerksamkeit auf die παρακαλέω-Sätze mit Präposition (παρακαλῶ διὰ) konzentriert[206]. Kein Wunder, daß C.J. Bjerkelund den Eindruck gewinnt, als habe die neuere Forschung das Wesen der apostolischen Mahnung in diesen παρακαλέω-Sätzen ergründen wollen[207] und als läge die einzige Chance, diesen Irrtum aufzudecken, in einer formgeschichtlichen Untersuchung ihrer Form, ihrer Funktion und ihres Sinnes.

Diese Blickverengung auf die παρακαλέω-Sätze in der theologiegeschichtlichen Bestandsaufnahme von C.J. Bjerkelund gilt es festzuhalten. Sie ist schuld an der weitgehenden Ausklammerung alles dessen, was H. Schlier, G. Stählin und O. Schmitz über die Wortgeschichte und den theologischen Gehalt des paulinischen Paraklesebegriffs ausgeführt hatten. Sie ist die Ursache dafür, daß für C.J. Bjerkelund eine Mehrschichtigkeit im paulinischen παρακαλέω bzw. παράκλησις-Gebrauch von vornherein nicht existiert und daß es zu einer ausgesprochen formgeschichtlichen Engführung seines Beweises kommt.

Die Folge der Weichenstellung H. Schliers, der die παρακαλέω-Sätze nicht mehr wie M. Dibelius als bloße Übergangssätze, sondern als Kristallisationspunkte einer völlig neuen Praxis ethischer Weisung ansah, war eine Theologisierung und Ethisierung des Begriffs παράκλησις. C.J. Bjerkelund stellt fest, daß seither die Paränese nicht mehr als „Anhang" (M. Dibelius), sondern „als die andere Seite der von Paulus den Gemeinden gebrachten Heilsbotschaft verstanden"[208] werde. Er denkt wohl an O. Michel[209], der die vom παρακαλέω-Satz Röm 12,1f eröffnete Paraklese als die Entfaltung des Evangeliums bezeichnet hat. Er zitiert G. Friedrich, für den „die Paraklesen" von Röm 12,1ff, „da sie den Indikativ der Tat Christi zur Voraussetzung haben und sich an Christen wenden, nur eine andere Form des Evangeliums"[210] sind. Jedenfalls hat sich C.J. Bjerkelund wenig Mühe gegeben, die von H. Schlier, G. Stählin und O. Schmitz herausgearbeitete Vielschichtigkeit des paulinischen παρακαλέω- und παράκλησις-Gebrauchs ernsthaft durchzuhalten. Er neigt dazu, einen möglichen Wortgebrauch bzw. Wortsinn über alle anderen Bedeutungsgehalte zu stellen. Dabei ist ihm die Anschauung G. Friedrichs u.a., daß gerade durch einen παρακαλέω-Satz wie in Röm 12,1 „die Paränese eng mit dem ersten Briefteil verbunden und der theologische Charakter des Briefes ... auf diese Weise unterstrichen"[211] werde, besonders fragwürdig. C.J. Bjerkelund bedauert, daß sich die Exegese aufgrund solcher Urteile mehr „auf den dogmatisch-theologischen Charakter dieser Schriften,

205 So C.J. Bjerkelund, Parakalô 113.
206 Vgl. a.a.O. 114.
207 Vgl. a.a.O. 115.
208 Ebd.
209 Vgl. Anm. 172.
210 G. Friedrich, Art. Römerbrief, in: RGG V, 1137–1143, hier 1142.
211 C.J. Bjerkelund, Parakalô 116.

statt auf die Briefsituation und die damit zusammenhängenden Fragen historischer Art"[212] konzentriert. In der stärkeren Beachtung der Briefsituation und in der davon bedingten Form und Funktion der παρακαλέω-Sätze erblickt C.J. Bjerkelund jedoch gerade den entscheidenden Punkt, an dem er den Hebel ansetzen will.

Es war nötig, den Weg der bisherigen Theologisierung und Ethisierung des paulinischen Paraklesebegriffs nochmals mit C.J. Bjerkelunds eigenen Angaben zu skizzieren. Nur so läßt sich das ganze Ausmaß der von ihm beabsichtigten theologiegeschichtlichen Korrektur erfassen. C.J. Bjerkelund hält diese ganze Entwicklung nämlich für einen Irrweg. Er beansprucht nicht mehr und nicht weniger, als die ganze von H. Schlier eingeleitete Abkehr vom Paränese-Modell und die ersten Ansätze zu einem Paraklese-Modell rückgängig zu machen. Es versteht sich von selbst, daß damit auch jedes moraltheologische Interesse an einem Paraklese-Modell a priori unter seinem Verdikt steht. Es ist klar, daß eine moraltheologische Arbeit, welche die Verbindlichkeit und den Modellcharakter des Paraklesebegriffs prüfen will, sich mit seiner Argumentationsweise auseinandersetzen muß.

2. *Recht und Grenzen formgeschichtlicher Vergleichung*

Hätte C.J. Bjerkelund festgestellt, daß beim paulinischen παρακαλέω-Gebrauch nicht nur der ethische Bedeutungsgehalt, sondern auch die Brieffunktion in Rechnung zu stellen ist, so gäbe es dazu nichts zu sagen. Man hätte den Nachweis, daß die jeweils erste παρακαλέω-Aufforderung in einem Brief das eigentliche Anliegen des Schreibers artikuliert[213], ohne weiteres akzeptiert, wenn er nur eine Differenzierung des paulinischen παρακαλέω-Gebrauchs im Auge gehabt hätte. Wenn ein Terminus wie παρακαλεῖν Träger verschiedener Bedeutungsgehalte ist, dann darf der ethische Sprachgebrauch nicht Ausschließlichkeit beanspruchen. Warum also sollte C.J. Bjerkelund nicht eine formgeschichtliche Untersuchung nachholen, die der große Formgeschichtler seinerzeit nicht wahrgenommen hatte? Er konnte durchaus dessen Urteil, wonach die παρακαλέω-Sätze der Gattung der Paränese zuzurechnen und als Überleitungssätze aufzufassen waren, überprüfen und feststellen, daß sie hier nicht im ethischen Sinne, sondern im Sinne eines reinen Briefstils formuliert waren.

C.J. Bjerkelund begnügte sich jedoch nicht damit, eine bisher nicht gesehene Auslegungsmöglichkeit aufzuzeigen. Er wollte das Rad der Entwicklung zurückdrehen. Die von den ersten Paraklesearbeiten nahegelegte Auslegung der paulinischen Termini παρακαλεῖν und παράκλησις im Sinne einer spezifisch theologisch qualifizierten paränetischen Funktion sollte ad absurdum geführt und der Paränesebegriff des M. Dibelius wieder zur Geltung gebracht

---

212 A.a.O. 115.

213 Vgl. a.a.O. 139, 141, 160.

werden. Zu diesem Zweck geht C.J. Bjerkelund hinter R. Bultmann zurück, der in seinen frühen formgeschichtlichen Arbeiten den Paulusbriefen den Geist und den Stil der kynisch-stoischen Diatribe[214] zugesprochen hatte. Mit seiner neuen Betonung „d(er) Briefsituation und d(er) damit zusammenhängenden Fragen historischer Art“[215] knüpft er wieder an A. Deißmann[216] an. C.J. Bjerkelund will dessen Herausarbeitung des Briefcharakters einen entscheidenden Beweis hinzufügen, indem er den Briefcharakter der *παρακαλέω*-Sätze erhellt. Schon die bloße tabellarische Übersicht[217] zeigt ihm, daß sie „als eine eigene Satzkategorie bei Paulus“[218] zu behandeln und auszulegen waren. Er zeigt, daß Paulus die in der ganzen Umwelt übliche Briefform der *παρακαλέω*-Sätze als eine feststehende Form gebraucht, die er nur ganz geringfügig variiert[219].

Seine Untersuchung gipfelt in dem Nachweis, daß die *παρακαλέω*-Sätze eine ausgesprochen briefliche Form und Funktion haben. Entscheidend sei bei ihrer Auslegung die Frage, welcher Tenor durch die Wortwahl in das Ganze der apostolischen Gemeindebriefe komme. Hätte C.J. Bjerkelund damit die Mehrschichtigkeit des Terminus *παρακαλεῖν* um eine wichtige Variante bereichern, hätte er die Exegese und die Moraltheologie anhand eines weiteren Beispiels eindringlich vor der Gefahr der Etymologisierung warnen wollen, so wäre das eine verdienstvolle Sache gewesen. Der Widerspruch regt sich erst, wenn C.J. Bjerkelund über die Mitteilung der neuen Auslegungsmöglichkeit dieser Satzgruppe hinausgreift und jeden wirkungsgeschichtlichen Zusammenhang zwischen dem alttestamentlich-jüdischen Zentralbegriff *παράκλησις* und dem paulinischen *παρακαλέω*-Gebrauch radikal in Frage stellt. Natürlich weiß auch C.J. Bjerkelund, daß Paulus, wie schon die LXX, *παρακαλεῖν* in der Bedeutung „trösten“ gebraucht (vgl. 1 Kor 14,31; 2 Kor 1,4–6; 2,7; 7,6–7; 7,13; Eph 6,22; Kol 2,2; 4,8; 1 Thess 3,7; 4,18; 2 Thess 2,17). Er rechnet sogar damit, daß „eine so scharfe Grenzziehung zwischen den angeführten Aspekten des Begriffes *παρακαλῶ* seitens Paulus unwahrscheinlich wirkt“[220]. Dennoch lehnt C.J. Bjerkelund für die Gruppe der *παρακαλέω*-Sätze jeden wirkungsgeschichtlichen Zusam-

---

214 Vgl. R. Bultmann, Der Stil der paulinischen Predigt und die kynisch-stoische Diatribe (FRLANT 13), Göttingen 1910; ders., Das religiöse Moment in der ethischen Unterweisung des Epiktet und das Neue Testament, in: ZNW 13 (1912) 97–110, 177–191. Damit glaubte R. Bultmann, die Forderung A. Deißmanns (Licht vom Osten 8, 48–115), die Sprache des Apostels im Zusammenhang der zeitgenössischen Sprachgeschichte und ihren religiös-ethischen Inhalt im Rahmen der zeitgenössischen Religions- und Kulturgeschichte zu untersuchen, erfüllt zu haben.

215 C.J. Bjerkelund, Parakalô 115.

216 Vgl. oben Anm. 85.

217 Vgl. C.J. Bjerkelund, Parakalô 13–17.

218 A.a.O. 13.

219 Vgl. a.a.O. 18.

220 A.a.O. 92.

menhang kategorisch ab und stellt sich damit in diametralen Gegensatz zu H. Schlier, der vom untrennbaren Ineinanderverwobensein der Bedeutungsgehalte „trösten“ und „mahnen“ gesprochen hatte. H. Schliers Entdeckung, daß in den Begriffen *παράκλησις* und *παρακαλεῖν* die genuin paulinische Praxis sittlicher Mahnrede zu erblicken sei, war damit erstmals bestritten.

C.J. Bjerkelund läßt das eschatologische Moment im *παρακαλεῖν*-Gebrauch völlig auf sich beruhen. Er konzentriert sich ganz auf den Nachweis, daß *παρακαλέω* „in der Bedeutung bitten immer wieder sowohl in wie außerhalb der LXX in festgeprägten Formulierungen und brieflich-diplomatischen Zusammenhängen vorkommt“, und er kämpft für die Annahme, „daß der Apostel *παρακαλῶ* in dieser Funktion und Bedeutung gekannt und in seinen p.-Sätzen benutzt hat“[221]. Dann wären in der Tat diese *παρακαλέω*-Sätze „nicht als Quelle für das Verständnis von Form und Inhalt“[222] des ganz spezifischen Begriffs *παράκλησις* heranzuziehen. C.J. Bjerkelunds ganzes Interesse zielt darauf ab, die von H. Schlier u.a. gegebene theologisch-ethische Interpretation dieses Begriffes (1 Thess 2,3) abzuschwächen und einen a-ethischen terminus technicus aus ihm zu machen. Auch er gibt zwar zu, daß in 1 Thess das Substantiv wie auch das Verbum retrospektiv auf die missionarische Erstverkündigung hin gebraucht werden[223]. Wegen dieser ausgesprochen theologischen bzw. kerygmatischen Sinngebung tauchen im Kontext dann auch ganz „andere synonyme Ausdrücke“[224] für *παρακαλεῖν* auf, als das bei der Gruppe der Briefstilsätze der Fall sei. Auf den ersten Blick möchte man hierin eine Anerkenntnis der Wortgeschichte und der Wirkungsgeschichte des alttestamentlich-jüdischen Zentralbegriffs *παράκλησις* erblicken. Allein der Nachdruck, mit welchem C.J. Bjerkelund das Substantiv *παράκλησις* in 1 Thess 2,3 zum reinen „Verkündigungs-Terminus“[225] erklärt und davor warnt, durch „die Übersetzung ‚Ermahnung‘ ... den Begriff zu sehr an das Ethische“[226] zu binden, belehrt eines anderen. C.J. Bjerkelund gesteht die Gleichsinnigkeit von Substantiv und Verbum zu, aber nur unter dem Gesichtspunkt der Verkündigung und nicht unter dem Gesichtspunkt einer neuartigen Praxis sittlicher Mahnrede (H. Schlier). Für die *παρακαλέω*-Sätze schließt er sogar jeden Zusammenhang mit dem neutestamentlichen „Verkündigungs-Terminus“ kategorisch aus.

Die Tendenz, den „Verkündigungs-Terminus“ vom Bereich des Ethischen abzukoppeln bzw. zu abstrahieren und jeden Zusammenhang mit den *παρακαλεῖν*-Stellen im Sinne von „trösten“ oder „ermahnen“[227] aufzuheben, ist unverkennbar. Das richtet sich gegen H. Schlier und seine Feststellung, daß die paulinischen Termini *παράκλησις* und *παρακαλεῖν* das escha-

---

221 A.a.O. 92.
222 A.a.O. 196 Anm. 11.
223 Vgl. a.a.O. 26.
224 Ebd.
225 Ebd.
226 A.a.O. 27.
227 Vgl. a.a.O. 112–116.

tologische Evangelium und die neue Praxis sittlicher Mahnrede umklammern. H. Schliers Entdeckung, daß keine anderen paulinischen Begriffe so wie παρακαλεῖν und παράκλησις beides, nämlich Theologie bzw. Eschatologie und Ethik, umgreifen und zusammenbinden, sollte mit dem Herausbrechen und der Entethisierung der παρακαλέω-Sätze das entscheidende Fundament entzogen werden. Wieder einmal sollte die Formgeschichte über die blinde Theologie urteilen. Allein das Urteil steht in diesem Falle auf schwachen Füßen, wie die kritische Musterung der wichtigsten Argumente[228] beweist.

a) Privatbriefe

C.J. Bjerkelund vergleicht die Paulusbriefe mit den antiken Privatbriefen und stellt fest, „wie alltäglich die Aufforderungsform mit παρακαλῶ in Briefen gewesen ist", d.h. daß die „zeitgenössische(n) Briefschreiber die Form in einer Weise gebrauchen, die der des Paulus entspricht"[229]. Zwar entdeckt er in der gesamten antiken Privatkorrespondenz keine einzige Parallele zu der vom Apostel mehrfach gebrauchten Aufforderungsform παρακαλῶ διὰ (Röm 12,1; 2 Kor 5,20), er bemerkt sogar den „große(n) Abstand..., der zwischen den kurzen und einfachen Papyrusbriefen und den ausführlichen, kompliziert gebauten und offiziellen Briefen des Apostels herrscht"[230]. Die Paulusbriefe sind für ihn keine Privatbriefe, sondern offizielle Texte. Es wird für C.J. Bjerkelund nicht im mindesten zum Problem, daß er in direkten Widerspruch zu A. Deißmann gerät, wenn er den Hauptbeleg nicht Privatbriefen, sondern der antiken Epistolographie entnimmt.

b) Offizielle Texte

C.J. Bjerkelund überrascht durch die Erklärung, daß es ausgerechnet drei hellenistische Königsbriefe an freie griechische Städte sind, die hinsichtlich der „Ähnlichkeit der Situation"[231] mit den Briefen des Apostels vergleichbar sind. „Die Könige wenden sich an verbündete Städte, um den Kontakt zu pflegen, innere Streitfälle zu lösen und den Abfall zu verhindern. Aus denselben Gründen schreibt der Apostel an die Gemeinden. Obwohl die Könige hätten befehlen müssen, ziehen sie es aus diplomatischen Gründen vor, ihre Aufforderungen mit παρακαλέω einzuleiten. Dasselbe Verhältnis begegnet uns bei Paulus, vgl. den Philemon-Brief."[232] C.J. Bjerkelund betont, „daß das Wort in erster Linie in diplomatischen schriftlichen und mündlichen Aufforderungen vorkommt"[233], wobei der schriftlichen Anwendung

---

228 Außer Betracht bleiben der nachpaulinische Wortgebrauch, a.a.O. 28–32, die griechischen und jüdischen Schriftsteller, a.a.O. 75–108.

229 A.a.O. 34.

230 A.a.O. 58.

231 A.a.O. 66.

232 Ebd.

233 A.a.O. 59.

der mündliche Vortrag des Delegierten vorausgegangen war. Warum versäumt C.J. Bjerkelund es, von der analogen Situation des Missionars zu sprechen, der doch gerade in 1 Thess seine ursprünglich mündliche *παράκλησις* später als Briefschreiber vor derselben Gemeinde schriftlich wiederholt?
Hier offenbart sich das ganze Dilemma, in welches C.J. Bjerkelund hineingerät. Einerseits erklärt er die Begriffe *παράκλησις* und *παρακαλέω* in 1 Thess zu a-ethischen „Verkündigungs-Termini", bei deren schriftlicher Wiederholung eine Briefform aber überhaupt nicht in Frage käme. Andrerseits erklärt er die *παρακαλέω*-Sätze zur reinen Briefform, die chemisch rein ist von allen wortgeschichtlichen Assoziationen und sogar von allen Verkündigungsassoziationen.
Für ihn ist es selbstverständlich, daß der zentrale Gebrauch von *παρακαλέω* im Ganzen der brieflichen *παράκλησις* ausschließlich Briefstil ist und dazu noch ein ausschließlich von der Diplomatie geprägter Briefstil.
Sieht man einmal davon ab, daß Paulus als eschatologischer Prophet seine *παράκλησις* in der Hauptsache mündlich vorgetragen hat, so bleibt es immer noch ein Rätsel, daß er in dem Augenblick, wo er zur Feder greift, mehr von der Diplomaten- als von der Prophetensprache inspiriert gewesen sein soll. Vergegenwärtigt man sich, wie M. Dibelius die Leserschaft der Paulusbriefe charakterisiert, bezweifelt man das Recht C.J. Bjerkelunds zu der Frage, „ob die Leser, die offenbar mit der Struktur und der Terminologie der diplomatischen Korrespondenz vertraut waren, nicht das paulinische *παρακαλῶ* auch so verstanden haben können"[234]. Ob die Adressaten des eschatologischen Gesandten Gottes gerade Kenner der diplomatischen Korrespondenz waren, darf bezweifelt werden.

3. *Enttheologisierung und Entethisierung des Paraklesebegriffs*

C.J. Bjerkelund hat den formgeschichtlichen Grundsatz vertreten, daß man „keine zufriedenstellende Erklärung von *παρακαλῶ* bei Paulus" finden kann, „ohne Rücksicht auf Funktion und Bedeutung dieses Wortes in anderen gleichzeitigen Zeugnissen zu nehmen"[235]. Da er dabei von der Briefform *παρακαλέω* ausgeht, genügt ihm die Ähnlichkeit der literarischen Form, um den Schreiber wie die Leser der Paulusbriefe auf den diplomatischen Briefstil festzulegen. Sein Ergebnis lautet, daß die Verfasser der hellenistischen Königsbriefe und der Apostel Paulus das Wort *παρακαλέω* gleichsinnig verwenden als „einen würdigen und urbanen Ausdruck der Aufforderung, dem alles Befehlende oder Untertänige fernliegt"[236]. Von seinem literaturgeschichtlich soziologischen Befund her hat er, wie es die ganze Formgeschichte vor ihm getan hatte, den Gedanken völlig ausgeschlossen, daß es durch eine

---

234 A.a.O. 104.
235 A.a.O. 111.
236 A.a.O. 110.

schöpferische Einzelpersönlichkeit zur originellen Ausprägung einer neuen Form gekommen sein konnte.
Als Formgeschichtler wagt er es sogar, mit Hilfe einer für wenige Sätze geltenden Differenzierung, den ganzen, von bedeutenden Exegeten aufgedeckten Zusammenhang zwischen dem Substantiv *παράκλησις* und dem Verbum *παρακαλεῖν* zu leugnen. Für ihn steht fest, daß die Bedeutung der *παρακαλέω*-Sätze „nicht auf der theologischen, sondern auf der Ebene der persönlichen, brüderlichen Begegnung"[237] liegt. Damit hatte C.J. Bjerkelund den Kernbestand des paulinischen *παρακαλεῖν*-Gebrauchs, das Schlüsselwort seiner paränetischen Funktion, radikal in Frage gestellt.
G. Haufe hat gemeint, Bjerkelunds „Grundthese vom briefmäßigen Charakter der p.-Sätze wäre wohl nur zu erschüttern, wenn sich wahrscheinlich machen ließe, daß Paulus hier bereits innerhalb einer christlichen Tradition mündlicher Paraklese steht"[238]. Hierzu bedürfte es aber einer neutestamentlichen Formgeschichte, welche die Blindheit der alten Formgeschichte hinsichtlich der Entstehung neuer Sprachformen – gerade auch auf dem Felde der neutestamentlichen Mahnrede – überwindet. Für die Zwecke dieser Arbeit genügt es, dargetan zu haben, daß die in der Exegese vorhandene Tendenz zu einem Paraklese-Modell für Paulus von der Kritik C.J. Bjerkelunds nicht vernichtet worden ist.

IV. Darstellung des Paraklese-Modells (A. Grabner-Haider)

C.J. Bjerkelunds Untersuchung war kaum erschienen, als A. Grabner-Haider eine Arbeit vorlegte, die genau von den entgegengesetzten Intentionen ausgeht. Sie darf als Skizze des Paraklese-Modells und als Gegenstück zum Paränese-Modell bezeichnet werden.

1. *Kennzeichnung der paulinischen Ethik*

C.J. Bjerkelund hatte den Begriff *παράκλησις* zu einem a-ethischen „Verkündigungs-Terminus" erklärt und ihm überdies jeden eschatologischen Charakter abgesprochen. Bei A. Grabner-Haider dagegen erscheint er als der Inbegriff einer existentiell-ethischen Evangeliumsauslegung, die ohne Eschatologie überhaupt nicht gedacht werden kann. A. Grabner-Haider respektiert das Urteil C.J. Bjerkelunds, daß in der von ihm untersuchten Satzgruppe

---

237 A.a.O. 190. Es ist die theologische Ebene, auf der die Gesetzesforderung durch die Paraklese abgelöst wird.
238 Besprechung zu Bjerkelunds Parakalô, in: ThLZ 94 (1969) Sp. 266.

das παρακαλέω reinen Briefformcharakter habe[239]. Was dessen Absicht angeht, die paränetische Funktion des Paraklesebegriffs zu destruieren, verfolgt er jedoch das entgegengesetzte Ziel. Er hält die paränetische Funktion dieses Begriffs nicht nur im vollen Umfang aufrecht, sondern bezieht sie auch wieder – wie H. Schlier – auf das eschatologische Evangelium.

Damit wird die Frage nach dem „Wesen der apostolischen Ermahnung" (H. Schlier) erneut mit Hilfe des Paraklesebegriffs beantwortet. A. Grabner-Haider unternimmt einen weit über seinen Lehrer hinausgreifenden Versuch, diesen Begriff zur Kennzeichnung der paulinischen Ethik einzuführen[240]. Sein Anliegen war dabei gewiß nicht, die vorhandenen Ansätze zu einem Modell paulinischer Paraklese auszubauen.

A. Grabner-Haider beschränkt sich darauf, den „aus der urchristlichen Missions- und Predigtpraxis selbst"[241] stammenden Begriff in der Gestalt vorzustellen, wie sie der Apostel Paulus geprägt hat. Dabei glaubt er nachweisen zu können, daß Paulus den Typus der eschatologisch begründeten Mahnrede, wie er durch die Apokalyptik- und Qumranforschung bekannt geworden ist, als für seine Zwecke besonders geeignet aufgegriffen und dementsprechend zurechtgeformt hat. Man kann, ohne vorgreifen zu wollen, seine Arbeit als den ersten größeren Versuch werten, den Paränesebegriff mit seinem Zerrbild einer Eschatologie durch die Darstellung der eschatologisch begründeten Mahnrede abzulösen.

2. Paraklese „im engeren Sinn"

Zunächst führt A. Grabner-Haider den Vorstoß H. Schliers zum „Wesen der apostolischen Ermahnung" in rein formaler Hinsicht zu Ende. Er untersucht eingehend das „Geschehen der Paraklese selbst, ihre(n) Anspruch und ihr (...) Selbstverständnis"[242]. Anders als H. Schlier blickt er von vornherein über den engeren Kreis der παρακαλεῖν- und παράκλησις-Stellen hinaus. Er fügt zur Wortanalyse von παρακαλεῖν die Wortanalysen all derjenigen Begriffe hinzu, die den paulinischen παρακαλεῖν-Gebrauch begleiten und also näherhin interpretieren. A. Grabner-Haider nimmt bewußt „auch andere Begriffe, die eine genauer umgrenzte Weise desselben Sachverhalts wiedergeben: παραμυθεῖσθαι, νουθετεῖν, δεῖσθαι, ἐρωτᾶν, στηρίξειν, μαρτυρεῖσθαι, ἐλέγχειν und noch andere mehr"[243] in das Bedeutungsfeld des Paraklese-

---

239 Paraklese 53 Anm. 171a.

240 Er verwendet (a.a.O. 4) den Paränesebegriff nur noch für die Mahnrede in der „Umwelt des NT". Alle Arbeiten, die sich dem Sachverhalt der neutestamentlichen Mahnrede zuwenden, bezeichnet er als Beiträge zur Parakleseforschung; sie sind (a.a.O. 6) „dem Inhalt, den Einzelforderungen, den Formen und Traditionen der ntl Paraklese" nachgegangen.

241 A.a.O. 4.

242 A.a.O. 7.

243 A.a.O. 5.

begriffs hinein. Er betont, daß sie allesamt von Paulus „für den Vollzug seiner Paraklese verwendet" werden und sich daraus eine „nicht geringe Bedeutungsbreite für dieses Geschehen"[244] ergibt. Diese Vervollständigung des paränetischen Begriffsfeldes entscheidet darüber, daß die eigentlichen παρακαλεῖν-Stellen in den Hintergrund treten und zur Kennzeichnung des Propriums paulinischer Mahnrede nicht weiter herangezogen werden. A. Grabner-Haider schlägt den Begriff der „Paraklese im engeren Sinn" vor und meint damit den „Vollzug der Ermahnung"[245].

Damit zielt er jedoch zunächst auf nichts anderes als auf die Ersetzung des Paränesebegriffs durch einen Paraklesebegriff, der das ganze paränetische Begriffsfeld in sich schließt. Das Bezeichnende dabei ist, daß er ohne jeden forschungsgeschichtlichen Seitenblick auf die Paräneseforschung vorgeht. Er schildert die „Sachverhalte" und das „Geschehen" der Paraklese[246] unter weitgehender Absehung von der Urtätigkeit des Apostels, die doch auch er in der Verkündigung des Evangeliums bzw. des Kerygmas erblickt. Er stellt den Umfang und die Rolle der „Traditionen in der Paraklese"[247] dar. Er beschreibt die „Umwelt der Paraklese" und insbesondere die „Neuorientierung der Kataloge bei Paulus"[248] sowie die „Neuprägung der Haustafeln in Kol und Eph"[249] ohne jede Reflexion des formgeschichtlichen Lösungsversuchs bei M. Dibelius.

Aufs Ganze gesehen erscheint zwar – auf der Ebene des Paraklesebegriffs – ein viel detaillierteres Bild der paulinischen Mahnrede, als M. Dibelius es mit seinem Paränesebegriff gezeichnet hat. Allein alles wirkt blaß und abstrakt, weil die Eschatologie darin noch keine Rolle spielt. Das ändert sich erst von dem Moment an, wo der Grundsatz A. Grabner-Haiders hervortritt: „Wie es für den Apostel eine Paradosis des Evangeliums gibt, so gibt es für ihn auch eine Paradosis der Paraklese."[250] Hier liegt der Schlüssel zu seiner Arbeit, der Schlüssel zum entscheidenden Begriff der Paraklese „im weiteren Sinn".

3. *Paraklese „im weiteren Sinn"*

A. Grabner-Haider geht davon aus, daß Paulus nicht nur hinsichtlich seines eschatologischen Evangeliums, sondern auch hinsichtlich seiner Paraklese (1 Thess 2,3) aus einer eschatologischen Tradition heraus begriffen werden muß. Betrachtete E. Käsemann „die Apokalyptik als Mutter der christlichen Theologie"[251], insbesondere der paulinischen, so beschränkt sich A. Grabner-Haider darauf, sie als die Mutter der eschatologisch begründeten Mahnrede bei Paulus herauszustellen. H. Schlier hatte bei seiner Bestimmung des

244 A.a.O. 11.
245 A.a.O. 4f.
246 Vgl. a.a.O. 11–24.
247 Vgl. a.a.O. 24–27.
248 Vgl. a.a.O. 27–29.
249 Vgl. a.a.O. 30.
250 A.a.O. 26.
251 Apokalyptik 130.

„Wesens der apostolischen Ermahnung" bereits die Zusammengehörigkeit von Evangelium und παράκλησις festgestellt. Aber er hatte die Klärung des Verhältnisses von Evangelium und παράκλησις nicht abgeschlossen, und er hatte vor allem das Vergleichsmaterial nicht ins Auge gefaßt, das im Schrifttum der jüdischen Apokalyptik bereitlag.

A. Grabner-Haider wendet sich zunächst der Zusammengehörigkeit von Evangelium und παράκλησις zu. Er fragt: „Stehen sie unvermittelt neben- oder gegeneinander, oder sind sie aufeinander zugeordnet?"[252] A. Grabner-Haider bezieht die Antwort aus der „grundlegende(n) Paraklese"[253] des 1 Thess. „Die ganze Predigt des Evangeliums ist hier einfach Paraklese genannt. Die erste Evangeliumsverkündigung heißt hier ohne jede Einschränkung Paraklese! Ist etwa Evangeliumsverkündigung auch das Werk der Paraklese oder ist Paraklese eine Weise des Evangeliums?"[254] An diesem Zitat fällt der große Abstand auf, der A. Grabner-Haider von den Entdeckern der paulinischen Eschatologie trennt. Seine Frage nach dem Wesen der Paraklese atmet nicht mehr den Geist eines R. Kabisch oder eines M. Dibelius. Seine Vorstellung von der Rolle bzw. Funktion der Paraklese im Evangeliumswerk berücksichtigt eher schon die Probleme einer aktuellen biblischen Hermeneutik. „Wenn wir als Aussagespitze des Begriffes Evangelium die Epiphanie der heilschaffenden Macht Gottes verstanden haben, dann darf gesagt werden, daß die Bedeutungsspitze des Verkündens des Evangeliums in der Paraklese liegt. Denn Paraklese richtet das Evangelium auf die Tat hin aus, auf das Manifestwerden göttlichen Handelns im Menschen hin. So ist Paraklese nicht eine abgeschwächte Weise des Evangeliums, sondern seine erste und eigentliche. Sie ist das wichtigste Element der Evangeliumsverkündigung, denn Gott handelt durch sein Evangelium an der Welt und an den Menschen und er will die antwortende Tat des Menschen."[255]

Der Unterschied dieser Paraklesedefinition gegenüber der Paränesedefinition eines M. Dibelius ist erheblich, aber auch der Fortschritt gegenüber H. Schlier ist beachtlich. Doch es wäre falsch, die von A. Grabner-Haider getroffene Zuordnung von Evangelium und Mahnrede für das Ganze zu halten, solange nicht der Aspekt der eschatologischen Begründung der paulinischen Mahnrede eingezeichnet ist. A. Grabner-Haider erblickt gerade hierin das Wesen der paulinischen Mahnrede, und er versucht es durch den Vergleich mit der Mahnrede der Apokalyptik in allen Details auszuleuchten. Der maßgebende Eindruck, der dabei entsteht, lautet allerdings dahin, daß die paulinischen Mahnreden in ihrem Kern das gleiche „Woraufhin" haben wie die Mahnreden der Apokalyptik. Aus dem nah erwarteten Gottestag der Apokalyptik ist freilich der nah erwartete Herrentag bzw. der Tag Christi geworden. Auch das brennende Warten auf den Anbruch des neuen Äon scheint

252 A. Grabner-Haider, Paraklese 33.

253 A.a.O. 11.

254 A.a.O. 33.

255 A.a.O. 36.

hier wie dort das gleiche zu sein, nur die phantastischen Ausschmückungen der neuen Weltzeit fehlen bei Paulus. Die Gestalt Christi beherrscht das Zentrum seines Zukunftsdenkens. A. Grabner-Haider betont besonders, daß die generelle Abwertung der jetzigen Weltzeit, wie sie in der Apokalyptik untrennbar mit der Erwartung des neuen Äon verbunden war, bei Paulus aufgehoben ist[256]. Dieser fundamentale Unterschied gegenüber der Apokalyptik rührt daher, daß die eschatologische Mahnrede des Apostels Paulus in seinem Christusevangelium wurzelt und von daher den eschatologischen und den kosmologischen Horizont des Christen ganz anders bestimmt[257].
A. Grabner-Haider bleibt daher auch nicht bei der Darstellung der eschatologischen Begründung aller Paraklese im Herrentag[258] stehen, sondern wendet sich der Herausarbeitung dieses eschatologischen und kosmologischen Horizonts im Leben des Christen zu[259]. Er will dabei die Dimension der eschatologischen Gegenwart zur Geltung bringen.

4. *Zuordnung der Begriffe Evangelium und Paraklese*

Vergleicht man die Arbeit A. Grabner-Haiders mit dem formgeschichtlichen Lösungsversuch des M. Dibelius, so treten die Gemeinsamkeiten und die Unterschiede klar zutage. A. Grabner-Haider setzt im neuen Paraklesebegriff durchaus die vom Paränese-Modell ausgeformte Elliptik fort, indem er die Zuordnung von Evangelium und Mahnrede festhält. Er vermeidet aber dessen größte Schwäche, indem er die schroffe Gegenüberstellung von eschatologischem Evangelium und nicht-eschatologischer Mahnrede fallenläßt. Er ordnet die beiden Begriffe gerade in ihrer positiven eschatologischen Struktur aufeinander zu. Die Paraklese ist die existentiell-ethische Auslegung des eschatologischen Evangeliums.
Man wird beachten müssen, daß A. Grabner-Haider diese Zuordnung von Evangelium und Paraklese allen anderen Zuordnungen vorzieht. In den Korintherbriefen scheinen ihm die „Prophetie"[260], aber auch die „Didache"[261] als „Weise der Paraklese"[262] genannt zu sein. Doch A. Grabner-Haider ist weit davon entfernt, die Praxis der Paraklese etwa auf die entsprechenden Gemeindefunktionen zurückzuführen, wie M. Dibelius das bei der Paränese gemacht hatte. Er will die Praxis der Paraklese weder mit der Rolle der Propheten noch mit derjenigen des Lehrers verknüpft sehen, sondern ausschließlich mit deren Dienst gegenüber dem Evangelium. Das Problem einer

---

256 Vgl. a.a.O. 68–79.
257 Zum Ganzen vgl. E. Käsemann, Apokalyptik, 107; P. Stuhlmacher, Gerechtigkeit 74–101, 102–184.
258 Vgl. Paraklese 80–90.
259 Vgl. a.a.O. 114–134.
260 Vgl. a.a.O. 14–18.
261 Vgl. a.a.O. 18–20.
262 Vgl. a.a.O. 18.

eigenständigen materialen Weltethik, die zum Evangelium hinzutritt, steht nicht in seinem Gesichtskreis[263]. Er entwirft das Bild einer mit dem eschatologischen Evangelium gleichzeitig aufwachsenden eschatologischen Paraklese.

A. Grabner-Haider hält den von R. Kabisch gesichteten Urstrom des eschatologischen Christusevangeliums fest, verifiziert aber daneben einen ebenbürtigen zweiten eschatologischen Strom, nämlich die eschatologisch begründete Paraklese. Er legt Wert auf die Feststellung, daß Paulus in seiner Eigenschaft als Prediger des eschatologischen Evangeliums eine wesenhaft eschatologische Mahnrede entfaltet. Gegenüber M. Dibelius, der die urchristliche Paränese insgesamt als Produkt der Parusieverzögerung erklärt hatte, bedeutet das einen Durchbruch. Nach A. Grabner-Haider gehören Paraklese und Eschatologie a priori zusammen, ja die Mahnrede stellt nur die andere Seite des eschatologischen Evangeliums dar. Die Paraklese partizipiert von Anfang an am eschatologischen Urstrom. Auch nach dem Durchgang durch die Epoche der Parusieverzögerung ist und bleibt sie eine wesenhaft eschatologisch begründete und ausrichtende Paraklese.

Mit dieser Erklärung geht A. Grabner-Haider gewissermaßen hinter das von M. Dibelius geschaffene Paränese-Modell zurück. Die Bedeutung seiner Untersuchung liegt in dem Aufweis, daß der an die Stelle des Paränese-Modells getretene Paraklesebegriff das paulinische Proprium, nämlich die Eschatologie enthält. Gemeint ist damit die positive Eschatologie des Apostels, die die Erfahrung der Parusieverzögerung nicht ausschließt, aber auch nicht überbetont. A. Grabner-Haiders Arbeit durchbricht die Front der Paräneseforschung, die sich in den Gräben der Parusieverzögerungsdebatte verschanzt hatte. Damit ist sie unter einer völlig veränderten theologiegeschichtlichen Konstellation zu einer vom Paränese-Modell abweichenden positiven Erklärung des Eschatologie-Ethik-Problems gekommen. A. Grabner-Haider macht Schluß mit der Eliminierung der Eschatologie aus der paulinischen Mahnrede und verifiziert den Paraklesebegriff als Inbegriff eschatologischer Mahnrede. Hat er damit aber auch schon den typisch paulinischen Paraklesebegriff und dessen eschatologische Besonderheit getroffen?

5. *Kritische Würdigung*

A. Grabner-Haider hat sich zweifellos von seiner Untersuchung der paulinischen Paraklese, insbesondere ihres Verhältnisses zum Evangelium, wichtige und bleibende Einsichten in die Grundstruktur der biblischen Hermeneutik versprochen. Man merkt das daran, daß er die paulinische Paraklese für die

---

263 Vgl. A. Grabner-Haider, Paraklese und biblische Hermeneutik, in: Cath 21 (1967) 213–221, hier 218.

früheste „existentiale Interpretation des Evangeliums“[264] hält. Doch er möchte die Sache der Hermeneutik weiterführen. Mit der von E. Käsemann aufgezeigten Perspektive der paulinischen Eschatologie will er die gegenwärtige biblische Hermeneutik dazu zwingen, „über die existentiale Interpretation hinauszugehen und diese weiterzuführen“[265].
Diese Ankündigung läßt die Moraltheologie aufhorchen, da sie – genauso wie die Exegese selbst[266] – brennend an einem Durchbruch über die existentiale Hermeneutik hinaus interessiert ist. Es erhebt sich die Frage, inwieweit A. Grabner-Haider mit seiner Darstellung der Paraklese als „Folge und Weise der Evangeliumsverkündigung“[267] hier richtungweisend geworden ist. Er arbeitet im engen Anschluß an E. Käsemann heraus, daß Gott „in der Offenbarung seines Herrscherrechtes ... endgültig begonnen“ hat, „seine Herrschaft über die Schöpfung heraufzuführen. Christus ist der Beginn dieses Herrscherrechtes (1 Kor 1,30) und so muß Christus zuerst seine Herrschaft durchsetzen, damit Gott darin zu seinem Recht komme“[268]. Nach A. Grabner-Haider ist die Eschatologie „ein weltweites kosmisches Geschehen, denn wie für die jüdische Apokalyptik, so ist auch für Paulus der Kosmos zum großen Forum Gottes geworden“[269]. Er weiß, „daß für die eschatologischen Aussagen des Paulus ein gewichtiger Akzent auf dem Herrschen Gottes liegt (1 Kor 15,25.28) und daß gerade Christus es ist, der „alles Geschaffene als Gottes Schöpfung“ unterwirft, um so die „weltweite Gottesherrschaft“ vorzubereiten[270]. Er betont: „Durch Christus muß Gott zu seinem Schöpferrecht und zu seiner Herrschaft kommen.“[271] Allein die Intention, den Begriff des eschatologischen Evangeliums bei Paulus nach E. Käsemanns Hermeneutik auszulegen, ist nicht recht wirksam geworden.
Es erweist sich als Fehler, daß A. Grabner-Haider den Paraklesebegriff isoliert und mit Hilfe der übrigen paränetischen Begriffe interpretiert. Der paulinische Begriff *παράκλησις* erschöpft sich nämlich nicht darin, die ganze Bandbreite der paränetischen Verben zu umfassen und zu repräsentieren. Wenn die paränetische Funktion des Apostels a priori eschatologisch orientiert ist, dann rührt das von seinem ganz spezifischen *παράκλησις*-Verständnis her. Der eschatologische Charakter der Mahnrede kommt jedenfalls nicht daher, daß Paulus einen neutralen Sammelbegriff für paränetische Verben auf den eschatologischen Evangeliumsbegriff hin koordiniert. Man

---

264 A.a.O. 215; vgl. ders., Verkündigung als Einladung (Probleme der praktischen Theologie, hrsg. von A. Görres und L. M. Weber, Bd. 8), Mainz 1969; ders., Welt und Mensch in Gottes Zukunft, in: ThdG 10 (1967) 139–144; ders., Zur Geschichtlichkeit der Moral. Biblische Bemerkungen, in: Cath 22 (1968) 262–270.

265 A.a.O. 216.

266 Vgl. P. Stuhlmacher, Hermeneutik 122–161.

267 Paraklese 44.

268 A.a.O. 61.

269 A.a.O. 62

270 A.a.O. 62 und 63.

271 A.a.O. 63.

kann den Paraklesebegriff nicht, wie A. Grabner-Haider das tut, als Sammelbegriff nehmen und behaupten, daß er wesenhaft durch die apokalyptische Praxis eschatologischer Begründung charakterisiert werde. Damit wird am Paraklesebegriff der ihm eigentümliche eschatologische Bezug verdeckt und ihm ein Etikett aus der Apokalyptik aufgeklebt.
Indem A. Grabner-Haider den Apostel bei allen Nuancen seiner parakletischen Funktion mit der eschatologischen Begründung nach Art der Apokalyptik arbeiten läßt, ist vor allem noch keine Zuordnung zum Evangeliumsbegriff erwiesen. Dessen Kern besteht bekanntlich nicht in der Naherwartung (des Herrentags), sondern in der Ansage des von Christus herbeigeführten Herrschaftswechsels im Kosmos und im Menschenleben. A. Grabner-Haider nimmt bei Paulus eine alles durchdringende Naherwartung an[272]. Damit ist die weltanschauliche Voraussetzung fixiert, aufgrund deren der Missionar zwangsläufig zu dem in der Apokalyptik entwickelten Typus der eschatologisch begründeten Mahnrede greift. So gerät A. Grabner-Haider in eine Engführung, welche die Weltoffenheit des paulinischen Christusevangeliums nicht mehr recht zum Zuge kommen läßt. Von dieser Grundentscheidung her kann er nicht mehr verständlich machen, warum für die paulinische Paraklese der Weltort und die somatische Existenz so wichtig und vordringlich werden. Die Bedeutung der eschatologischen Gegenwart, der doch wohl die paulinische Paraklese eigentlich und letztlich gilt, wird verkürzt.
Wieder einmal hat eine formgeschichtlich orientierte Arbeit das Gemeinsame zwischen Apokalyptik und Paulus überzeugender herausgearbeitet als das Trennende bzw. das unterscheidend Christliche.

V. Aktualisierbarkeit des Paraklese-Modells

Die Moraltheologie fragt auch beim Paraklese-Modell nicht einfach nach seinen historischen Komponenten als solchen, sondern nach seiner Aktualisierbarkeit. Werden die Erwartungen und Anforderungen der Moraltheologie an ein biblisches Modell vom Paraklese-Modell besser erfüllt als vom Paränese-Modell? Wo liegen seine Vorzüge, bietet es insgesamt bessere Bedingungen für eine Aktualisierung paulinischer Theologie und Ethik? Zur Beantwortung dieser Fragen ist es notwendig, sich das Gesamtbild und die wichtigsten Komponenten der paulinischen Paraklese zu vergegenwärtigen und nach den Chancen und Grenzen einer moraltheologischen Aktualisierung (im Sinne des Autonomiegedankens) zu fragen.

---

272 Vgl. a.a.O. 66f.

1. *Alternative zum Paränese-Modell?*

Überblickt man die entscheidenden Korrekturen, die die Parakleseforschung am Paränese-Modell vorgenommen hat, so gipfeln sie allesamt in der Aussage, daß der eschatologische Missionar Paulus die Ethik nicht bloß als Gegenstand der Rezeption angesehen, sondern sie in umfassender Weise theologisiert hat. Drei Ebenen zeichnen sich ab, auf denen die Theologisierung der Ethik nachgewiesen wird: der theologische Paraklesebegriff, die Charakteristik der Paraklese als Gegenstück zum alttestamentlich-jüdischen Gesetz und die Feststellung einer positiven Zuordnung der eschatologisch begründeten Paraklese zum eschatologischen Christusevangelium.

Die erste fundamentale Feststellung, die sich gegen das Paränese-Modell richtet, lautet, daß Paulus nicht den Paränesebegriff, sondern statt dessen den Paraklesebegriff verwendet. Das ist durchaus keine simple terminologische Angelegenheit, sondern eine Aussage von erheblicher moraltheologischer Relevanz. Der große Fehler der Paräneseforschung, der bis in die Arbeit C.J. Bjerkelunds hinein wirksam ist, liegt in der Annahme, daß Paraklese eben nur ein anderes Wort für Paränese ist. In Wahrheit hat Paulus mit dem Begriff auch die Praxis der sittlichen Mahnrede von Grund aus theologisch qualifiziert. Gewiß findet sich im paulinischen Sprachgebrauch das ganze Spektrum an offenbarungsgeschichtlichen und profanen Bedeutungsgehalten, die der Terminus παράκλησις, παρακαλεῖν umfaßt. H. Schlier, E. Schlink und A. Grabner-Haider haben jedoch den Nachweis erbracht, daß die dominierenden Bedeutungsgehalte eindeutig theologisch und darüber hinaus genuin paulinisch eingefärbt sind. Selbst für die möglicherweise als Briefform gebrauchten παρακαλέω-Sätze (C.J. Bjerkelund) ließ sich die unverwechselbare paulinische Theologisierung nicht abstreiten, geschweige denn ausschließen. Kurz: Paulus hat mit dem Begriff auch die Praxis der sittlichen Mahnrede theologisiert.

Es braucht nicht mehr im einzelnen wiederholt zu werden, aus welchen theologischen Quellen Paulus den Begriff und die Praxis seiner παράκλησις geschöpft hat. Die theologische Qualität des Paraklesebegriffs erhellt übrigens auch noch von einer ganz anderen Seite her: von der gesetzestheologischen Reflexion des Paulus. Vorläufig soll der Hinweis genügen, daß sich Paraklese und Gesetzestheologie bei Paulus wie zwei kommunizierende Gefäße zueinander verhalten. Damit ist jeder Behauptung, der paulinische Paraklesebegriff habe einen nicht-theologischen Charakter (Paränese-Modell, C.J. Bjerkelund), der Boden entzogen. Gleichzeitig ist eine der entscheidenden Komponenten des Paränese-Modells in Frage gestellt: der Begriff der profanen autonomen Moral, die durch die Rezeption kaum merklich theologisiert wird. Die Herausstellung des theologischen Paraklesebegriffs zwingt zu einem Neudurchdenken des vom Paränese-Modell dargestellten Rezeptions- bzw. Integrierungsvorgangs. Die formgeschichtliche These von einer bloß oberflächlichen Theologisierung bzw. Christianisierung der Weltethik rückt in ein neues Licht. Sie stimmt, insoweit sie die Textgestalt der rezipierten paränetischen Texte betrifft und durch literaturgeschichtliche bzw. formgeschichtliche Untersuchungen abgesichert ist. Es wurde schon gesagt, daß A. Grabner-Haider den paulinischen Paraklesebegriff mit dem profanen Paränesebegriff insoweit für deckungsgleich hält, als damit der Bestand an rezipierten paränetischen Materialien gemeint ist. Damit ist der Geltungsbereich des Paränesebegriffs im Ganzen der paulinischen Ethik sehr eingeschränkt, wenn nicht aufgehoben.

Auf keinen Fall dürfte man weiterhin die paulinische Praxis der Rezeption und Integrierung profaner Moral unter den von M. Dibelius geschaffenen und inhaltlich eindeutig festgelegten Paränesebegriff subsumieren. Dadurch bliebe der rezipierten paulinischen Weltethik der Stempel einer passivistischen, theologisch nicht reflektierten Ethik aufgeprägt: Sie wäre der durch die Erfahrung der Parusieverzögerung aufgenötigte Anhang zum Evangelium, weiter nichts.

Zunächst einmal kann A. Grabner-Haider darauf verweisen, daß auch die Weltethik, indem sie rezipiert wird, einen positiven eschatologischen Beweggrund und Zielpunkt erhält. Sie wird in den vom eschatologischen Christusevangelium geprägten und von der Erwartung des Herrentags beherrschten Sinnhorizont integriert. A. Grabner-Haider betont gegenüber M. Dibelius mit Recht, daß der Vorgang der Rezeption und Integrierung profaner Moral nicht neben der Evangeliumsverkündigung stattfindet, er sei auch nicht gegen sie gerichtet, sondern finde im engsten Zusammenhang mit ihr statt. Die weltethische Weisung und Orientierung geschieht im Rahmen einer Paraklese, die ihrerseits ganz der Evangeliumsverkündigung zugeordnet ist. Die profane Moral wird nach A. Grabner-Haider in den Zusammenhang der eschatologisch begründeten sittlichen Mahnrede hineingestellt, d.h. in die Paraklese insgesamt eingeordnet und als solche zur existentiell-ethischen Aktualisierung des Evangelium herangezogen. Paulus adressiert demnach die rezipierten paränetischen Materialien wohl an Christen, die den Herrentag erwarten, aber er hebt damit nicht die von der eschatologischen Predigt ausgelöste Naherwartung auf. Gerade die am Weltort rezipierte profane Moral wird also in den Horizont integriert, den das eschatologische Evangelium von Christus bzw. vom Herrentag markiert. Der Ethiker widerruft nicht, was der eschatologische Missionar verkündet, im Gegenteil: Die gelegentliche oder ständige Rezeption exogen entwickelter Moral dient letztlich dem gleichen Ziel wie die Evangeliumsverkündigung. Paulus will mit ihrer Hilfe den existentiell-ethischen Skopus des Christusevangeliums hervorkehren und zugleich sachgemäß artikulieren. Die These von einer rein passivistischen, ausschließlich durch die Erfahrung der Parusieverzögerung aufgezwungenen Ethik wird korrigiert, ohne daß damit die Naherwartung für die paulinische Eschatologie in Abrede gestellt wird. Der Eindruck, der ganze Rezeptions- und Integrierungsvorgang habe sich ausschließlich im Horizont der Naherwartung abgespielt und es sei wenig Theologie dabei investiert worden, wird erheblich reduziert. Die formgeschichtliche These, daß Paulus auf die Theologisierung der Ethik verzichtet habe, wird beachtlich eingegrenzt, wenn nicht überwunden. Tatsache ist, daß sich die Rezeption und Integrierung profaner Moral im Rahmen des ausgesprochen theologischen Paraklesebegriffs ereignen. Tatsache ist, daß das, was A. Grabner-Haider die Paraklese „im weiteren Sinn" nennt, gerade auch den profanen Paraklesebegriff und den Bestand an rezipierter profaner Weltethik umgreift. Damit steht fest, daß Paulus die Ethik nicht bloß als Gegenstand der Rezeption, sondern der theologischen Reflexion angesehen hat.

Der Hauptstoß der Parakleseforschung als einer Gegenbewegung richtet sich gegen die im Paränese-Modell angelegte Vorstellung von der Autonomie und Profanität der Moral als solcher. Das wird noch deutlicher, wenn man die zweite Ebene betrachtet, auf der die Parakleseforschung den grundsätzlich theologischen Charakter der paulinischen Ethik herausgearbeitet hat. Es genügt nicht, die These vom Gegensatz zwischen radikal eschatologischem Christusevangelium und profaner Weltethik einzuschränken. Es wäre oberflächlich, pauschal auf den Vorgang der umfassenden Theologisierung der rezipierten profanen Moral hinzuweisen. Eine echte Alternative zum Paränese-Modell wird das Paraklese-Modell erst dadurch, daß es die Tiefenschicht des paulinischen Denkens anspricht. Das geschieht in dem Nachweis, daß die Praxis der paulinischen Paraklese an die Stelle der alttestamentlich-jüdischen Gesetzespraxis getreten ist.

2. *Wegweiser zur paulinischen Gesetzestheologie?*

H. Schliers erste vielbeachtete theologische Explikation des Paraklesebegriffs gründet auf der Feststellung, daß die Evangeliumsverkündigung die Epoche des alttestamentlich-jüdischen Gesetzes ablöst. In der Christengemeinde tritt die Paraklese an die Stelle des Gesetzes. H. Schlier hat gesehen, daß Paulus die Paraklese auf die Seite des Evangeliums herüberholt und sie dem Gesetz als Inbegriff einer überholten heilsgeschichtlichen Verhältnisordnung entgegensetzt. H. Schlier hat als erster den Gegensatz von Paraklese und Gesetz bei Paulus herausgearbeitet: Paraklese statt Gesetz. Eschatologisches Evangelium und Paraklese bzw. Evangelium und Ethik sind kein Gegensatz, wie das Paränese-Modell meint, sondern eine Einheit. Die neutestamentliche Paraklese, einschließlich der Weltethik, artikuliert den Imperativ, der auf den Indikativ der Evangeliumsverkündigung folgt.

Bei ihrer Gegenüberstellung von Paraklese und Gesetz haben H. Schlier u.a. die gesetzestheologische Reflexion des Paulus zwar beachtet, aber doch wenig ausgewertet. Das nächste Kapitel, das sich mit dem gesetzestheologischen Zugang zum Paraklesebegriff befaßt, wird zeigen, daß das Verhältnis von Paraklese und Gesetz bzw. die Charakteristik der Paraklese als Nachfolgerin des Gesetzes nur auf dem Hintergrund der gesetzestheologischen Reflexion des Paulus voll verstanden werden kann. Die Parakleseforschung bekommt von der Wirklichkeit des Gesetzes jenen Ausschnitt ins Visier, wo die Buchstabengestalt der Forderung und der Forderungscharakter überhaupt gegenüber dem Glaubenden bzw. Gerechtfertigten in den Hintergrund treten. Man konstatiert das Ende des alten usus legis und den Neubeginn des von der Liebe moderierten usus legis, bei dem die Buchstaben- und Gesetzesgestalt nur noch die Funktion der Anzeige des konkreten Gotteswillens behalten. H. Schlier hat mit der Formel „Paraklese statt Gesetz" das Moment der Ablösung gut herausgestellt. Doch wird noch nicht deutlich, daß die Formeln „Paraklese statt Gesetz" und „Gesetz als Paraklese" austauschbar sind, weil das Gesetz dem Glaubenden gegenüber die ganz spezifische Gestalt und Funktion der Paraklese annimmt. Das Paraklese-Modell erweckt mit seiner Formel „Paraklese statt Gesetz" eher den Eindruck, als ob Paulus angesichts des nahe geglaubten Weltendes die Gesetzestheologie nicht mehr neu gestaltet habe. Die Parakleseforschung hat sie zu wenig als die eigentliche theologische Grundlage der Paraklesepraxis gewertet.

Daher bleibt auch das Verhältnis der Paraklese zum Evangelium in den Paraklesearbeiten noch eigenartig unbestimmt. H. Schlier bestimmt die Paraklese als die an- und zusprechende Weise des Evangeliums[273]. A. Grabner-Haider verdeutlicht, daß die Paraklese die existentiell-ethische Interpretation und Applikation des Evangeliums darstellt. Aber erst die gesetzestheologische Reflexion vermag offenzulegen, warum die Paraklese die andere Gestalt des Evangeliums ist. Denn sie zeigt, daß der Imperativ notwendig die andere Gestalt des Indikativs (Evangelium) ist und daß jede heilsgeschichtliche, auch die eschatologische notwendigerweise auch die Gestalt der lex gratiae annehmen muß. Über den Ansatz bzw. Ausgang des Imperativs aus dem Indikativ erfährt die Moraltheologie aus der gesetzestheologischen Reflexion mehr als vom Paraklese-Modell. Es ist richtig, daß dieses die paulinische Theologie ungleich stärker berücksichtigt als das Paränese-Modell. Dennoch trifft zu, daß die Parakleseforschung für sich allein nicht sagen kann, was die Ethik des Paulus zur theologischen Ethik macht. Es ist keine Frage, daß das Paraklese-Modell die beiden Größen Evangelium und Paraklese in ihren historischen Gestalten sehr deutlich und plastisch vor Augen stellt, die abstrakte gesetzestheologische Reflexion dagegen die historische Gestalt des Evangeliums völlig unberücksichtigt läßt. Für die moraltheologische Aktualisierung sind jedoch nicht die historischen Gestalten der einander zugeordneten Größen Evangelium und Paraklese maßgebend. Die Moraltheologie fragt nach den zwischen diesen Größen waltenden Wechselbeziehungen, genauer nach den

---

273 Vgl. Die Eigenart der christlichen Mahnung nach dem Apostel Paulus, in: GuL 36 (1963) 327–340.

darin verborgenen theologischen Baugesetzen. Von daher ist es verständlich, daß sich die theologische Ethik lieber am systematischen als am exegetischen Denkmodell orientiert. Dies um so mehr, als sie im biblischen Modell mögliche Ansätze für den Autonomiegedanken sucht.

3. *Zeitbedingte Zuordnung von Evangelium und Ethik?*

Als dritte Ebene, auf der sich die Theologisierung der Ethik bei Paulus ereignet, nennt die Parakleseforschung die Zuordnung der eschatologisch begründeten Mahnrede zum eschatologischen Evangelium. A. Grabner-Haider entwirft eine Zuordnung von Paraklese und Evangelium, die die vom Paränese-Modell getroffene, rein äußerliche Zuordnung von Evangelium und Ethik weit hinter sich läßt, weil sie die theologischen Strukturen und Gemeinsamkeiten der beiden Größen herausarbeitet.
A. Grabner-Haider hat gezeigt, daß Paulus die auf dem Boden der jüdischen Apokalyptik gewachsene und ausgereifte Form der eschatologisch begründeten bzw. eschatologisch motivierenden Mahnrede ins Christliche übersetzt. Demnach findet schon hinsichtlich der theologischen Struktur der Ethik eine grundlegende Rezeption bzw. Integrierung statt. Was Paulus leistet, ist die Überführung einer wesenhaft religiösen bzw. theologischen Grundgestalt der Ethik in den neuartigen offenbarungsgeschichtlichen Horizont des neutestamentlichen, speziell des eigenen Denkens. Die in der jüdischen Apokalyptik entwickelte Struktur der eschatologisch begründeten Mahnrede ist geeignet, der Evangeliumsverkündigung an die Seite gestellt zu werden. Beide verschmelzen im Horizont der paulinischen Eschatologie zu einer unzertrennlichen Einheit.
Der grundlegende Rezeptions- bzw. Integrierungsvorgang, der hier aufgedeckt wird, ist der Paräneseforschung völlig entgangen. Vermutlich waren die Konzentration auf die weltethische Weisung bzw. die Ausrichtung der formgeschichtlichen Methode auf die profanen paränetischen Texte die Ursachen für diese Blindheit. Jedenfalls steht nun fest, daß dem Vorgang der Rezeption profaner Moral die grundlegende Rezeption des theologischen Ethikkonzepts vorausliegt. Der eschatologische Missionar hat eine vorhandene Gestalt theologischer Ethik rezipiert, wenn er sie auch in vielfacher Hinsicht ganz entscheidend modifiziert und akzentuiert. Das Neue gegenüber der Apokalyptik ist, daß er eine seinem eschatologischen Evangelium von Christus bzw. vom Herrentag zugeordnete, eschatologisch begründete Mahnrede aktualisiert.
Wie dem auch sei: Ob man nun mit M. Dibelius vornehmlich die literarischen Formen profaner Moral oder mit A. Grabner-Haider die Form der eschatologisch begründeten Mahnrede zum Urstrom der eschatologischen Christuspredigt hinzukommen sieht, die christliche Paraklese oder Paränese unterscheidet sich gegenüber der profanen Mahnrede durch ihr eindeutig

theologisches Vorzeichen. Es zeigt sich, daß die Ethik einen ganz bestimmten Ort, eine ganz bestimmte Gestalt und Funktion im größeren Ganzen der Evangeliumsverkündigung einnimmt. Die Feststellung, daß Paulus einen streng theologischen Paraklesebegriff verwendet, ist der erste entscheidende Punkt, an dem das Paränese-Modell aus den Angeln gehoben wird. Die Beobachtung, daß die Paraklese die Nachfolgerin des alttestamentlich-jüdischen Gesetzes darstellt, erweist sich als zweiter Punkt, der die neutestamentliche Ethik als eine Funktion der Evangeliumsverkündigung erhellt. Die strukturale Zuordnung von eschatologisch begründeter Paraklese und eschatologischem Christusevangelium zeigt drittens, welchen Ort, welche Funktion die Ethik im Ganzen der Evangeliumsverkündigung erhalten hat.
Überblickt man die drei Ebenen, auf denen nach Auskunft des Paraklese-Modells die Theologisierung der Ethik erfolgt, so ergibt sich die Antwort auf die Frage nach der Aktualisierbarkeit von selbst. Das Paraklese-Modell ist in vielfacher Hinsicht eine Alternative zum Paränese-Modell. Aber es ist genauso wie dieses ein historisches Modell, das das Zueinander von paulinischer Evangeliumspredigt und Paraklese in den historischen Relationen nachzeichnet bzw. reproduziert. Das zeigt sich am deutlichsten daran, daß auch vom Paraklese-Modell das schöpfungstheologische Schweigen des Paulus festgestellt und eingehalten wird.

4. *Ausgleich des schöpfungstheologischen Defizits?*

Parakleseforschung und Paräneseforschung stimmen in dem entscheidenden Punkt überein, daß die Eschatologie der Zugang zum Verständnis der paulinischen Theologie und Ethik ist. Was beide Modelle unterscheidet, ist höchstens das unterschiedlich akzentuierte Bild von der paulinischen Eschatologie, insbesondere der paulinischen Naherwartung. Entsprechend unterschiedlich sind dann auch die Aussagen über die Entstehung, den Ort und die Funktion der Ethik im Ganzen der paulinischen Verkündigung. Beim Paraklese-Modell wird die Parusieverzögerung nicht mehr als entscheidender Faktor der Ethikentwicklung gewertet. Es wird kein zeitliches Nacheinander und erst recht kein diametrales Gegeneinander von Evangeliumsverkündigung und Weltethik behauptet. Evangelium und Paraklese werden vielmehr von Anfang an einander zugeordnet, und ihre Zusammengehörigkeit wird betont. Beide Modelle stimmen vor allem darin überein, daß bei der Grundlegung der paulinischen Ethik die Schöpfungstheologie keine Rolle spielt.
Das schöpfungstheologische Defizit wird dabei im Paraklese-Modell gleich auf zwei Ebenen festgestellt. Bei der Charakteristik der Paraklese als Nachfolgerin des alttestamentlich-jüdischen Gesetzes (Paraklese statt Gesetz) wird gesagt, daß Paulus nur die Vorstellung von der heilsgeschichtlichen Gesetzgebung am Sinai kennt. Der Apostel gelangt zwar bis zur Schwelle einer schöpfungstheologischen Vorstellung vom Gesetzgebergott, der den Heiden

das Gesetz ins Herz schreibt (Röm 2,15), aber diese schöpfungstheologische Gesetzgeberidee wird im Rahmen einer vorwiegend eschatologisch strukturierten Paraklese nirgends aktualisiert. Im radikal eschatologischen Gottesbild des Paulus spielt die Vorstellung vom Schöpfer, Erhalter und Ordner der Welt keine Rolle mehr. Die Formel „Paraklese statt Gesetz" bietet demnach keinen Anhaltspunkt, das schöpfungstheologische Defizit mit den Mitteln der Gesetzestheologie auszugleichen. Die schöpfungstheologische Gesetzgeberidee könnte daher in das Paraklese-Modell nicht eingebracht werden, ohne daß sein historischer Charakter aufgehoben würde. Ein nachträglicher schöpfungstheologischer Ausbau des Paraklese-Modells kommt daher nicht in Frage. Ein Modell mit einem schöpfungstheologischen Vakuum kann aber moraltheologisch nicht aktualisiert werden, weil die Weltethik ohne Schöpfungstheologie nicht gedacht werden kann.
Zum gleichen Ergebnis kommt man, wenn man das Paraklese-Modell unter dem Gesichtspunkt der strukturalen Zuordnung von eschatologisch begründeter Mahnrede und eschatologischem Evangelium betrachtet. Die Struktur der paulinischen Mahnrede läßt sich weder zur Grundstruktur einer neutestamentlichen Ethik verallgemeinern noch zu einem aktualisierbaren ethischen Konzept ausbauen. Am schöpfungstheologischen Schweigen scheitert jeder Versuch einer Aktualisierung. Der Vorgang der Findung und Statuierung weltethischer Weisung wird aber längst nicht mehr, wie zur Zeit des Paulus, ausschließlich von einer eschatologischen Theologie und Christologie getragen. Insofern die vorhandenen exegetischen Ethikmodelle die paulinische Evangeliumsverkündigung und Ethik in den historischen Relationen und Proportionen reproduzieren, sind sie moraltheologisch nicht aktualisierbar. Beide Modelle schweigen sich über die schöpfungstheologischen Grundlagen und Voraussetzungen der Rezeption bzw. Integrierung profaner Moral aus. Man kann sie aber auch nicht nachträglich schöpfungstheologisch erweitern, ohne ihren historisch-kritischen Charakter zu zerstören. In der These wird daher auch nicht die hermeneutische Ergänzung, Vervollständigung und Aktualisierung der exegetischen Ethikmodelle vorgeschlagen, sondern der Neuentwurf eines Autonomie-Modells aus paulinischem Geist. Zuvor sollen jedoch noch die rezeptionsgeschichtlichen Modelle paulinischer Ethik skizziert und mit den exegetischen verglichen werden.

3. Kapitel

REZEPTIONSGESCHICHTLICHE MODELLE
(Luther, K. Barth, B. Schüller)

Methodische Vorbemerkungen

Das Paraklese-Modell erweist sich als Wegweiser, der die Moraltheologie an die bisher wenig beachtete Quelle der paulinischen Gesetzestheologie hinführt. Erstaunlicherweise ist die Parakleseforschung selbst auf die Zusammenhänge zwischen der Schicht der gesetzestheologischen Reflexion (Quelle) und der spezifisch ausgeprägten Gestalt (dem Strom) der paulinischen Paraklese nicht weiter eingegangen. Sie hat auf die Möglichkeit, von der gesetzestheologischen Reflexion zum Paraklesebegriff vorzustoßen, nicht hingewiesen. Sie hat auf die historischen Versuche, Gestalt und Funktion der christlichen Ethik von der paulinischen Unterscheidung von Gesetz und Evangelium her zu bestimmen, nicht weiter aufmerksam gemacht. Dabei könnten die rezeptionsgeschichtlichen Modelle paulinischer Ethik durchaus auch als Paraklese-Modelle bezeichnet werden. Denn der von der gesetzestheologischen Reflexion her entwickelte Paraklesebegriff kann durch das exegetische Paraklese-Modell verifiziert werden und umgekehrt.
Die rezeptionsgeschichtlichen Paraklese-Modelle existieren in zwei bedeutsamen reformatorischen Varianten. Das erste geht auf Luthers Rezeption der paulinischen Gesetzestheologie zurück, das zweite ist bei K. Barths Versuch einer Umkehrung des lutherischen Ethikkonzepts entstanden. Hinzu kommt neuerdings die von B. Schüller entwickelte katholische Variante. Sie soll als jüngster und aktuellster Versuch einer katholischen Rezeption der paulinischen Gesetzestheologie besonders beachtet werden.
Die Darstellung der rezeptionsgeschichtlichen Modelle mündet in einen umfassenden Modellvergleich, der die Möglichkeiten und Grenzen der vorhandenen Modelle deutlich hervortreten läßt. Dabei spielt die Hervorhebung der kontroversen und konfessionellen Akzente der rezeptionsgeschichtlichen Modelle eine besondere Rolle. Es zeigt sich, daß die Systematiker ihre unterschiedlichen bzw. gegensätzlichen Standpunkte unabhängig von den historisch-kritischen Modellen der Exegese gewonnen haben. Umgekehrt wird deutlich, daß die exegetischen Ergebnisse und Modelle maßgeblich von den hermeneutischen Voraussetzungen der systematischen Theologie bzw. der theologischen Ethik beeinflußt sind. Insgesamt kann der Einblick in die Voraussetzungen und Intentionen der jeweiligen Paulusrezeption (bei Luther, K. Barth und B. Schüller) den Blick dafür schärfen, welche Bedingungen ein bibeltheologisches Ethikmodell erfüllen muß, das im Horizont des Autonomiebewußtseins aktualisiert werden soll.

I. Gesetz und Paraklese. Luthers Ethikkonzept aus paulinischem Geist

Es empfiehlt sich, das lutherische Ethikkonzept im engen Anschluß an W. Joest[274] zu skizzieren. Seine Darstellung der lutherischen Rezeption der paulinischen Gesetzestheologie ist bis heute unübertroffen. Nach W. Joest stellt der Reformator die christliche Ethik im Anschluß an Paulus auf zwei große Säulen: auf das Gesetz, das das öffentliche Zusammenleben regelt, und auf die Paraklese, die das persönliche Verhalten orientiert und normiert. Den Paraklesebegriff verwendet W. Joest, um die Schriftgemäßheit, d.h. die Übereinstimmung des lutherischen Ethikkonzepts mit der Gesetzestheologie des Paulus (weniger mit der konkreten Paraklese) anzudeuten. Für die exegetische Verifikation von Luthers rezeptionsgeschichtlichem Modell zieht W. Joest nicht die oben skizzierten exegetischen Ethikmodelle heran. Es erscheint aber sinnvoll, die Verifikationsmethode W. Joests zu ergänzen und das rezeptionsgeschichtliche Modell Luthers im Lichte des Paränese- und Paraklese-Modells zu beurteilen.

1. *Luthers Hermeneutik der paulinischen Gesetzestheologie*

Nach W. Joest zeichnet sich das Ethikkonzept Luthers dadurch aus, daß es aus dem Nachvollzug der paulinischen Unterscheidung von Gesetz und Evangelium[275] hervorwächst. Der Reformator sieht sich mit einer Vergesetzlichung konfrontiert, die die christliche Botschaft insgesamt und nicht bloß den sittlichen Imperativ vergesetzlicht hat. Um die Vergesetzlichung des Christentums aufzudecken und aufzuheben, greift Luther auf die gesetzestheologische Reflexion des Paulus zurück, der vom Standpunkt seines eschatologischen Christusglaubens aus das Ende des Gesetzes verkündigt hat. Indem Luther konsequent bei der Neuheit und beim Wendepunktcharakter des Evangeliums ansetzt, folgert er, daß sich der ethische Gesetzesgedanke und die Ethik überhaupt im Raum des Evangeliums völlig neu formieren und gestalten. Im Anschluß an Paulus werden vom neutestamentlichen Evangelium her der Ort, die Gestalt und die Funktion der christlichen Ethik neu ermittelt. Im Nachvollzug der paulinischen Unterscheidung von Gesetz und Evangelium gewinnt Luther den Maßstab, mit dessen Hilfe er die vorhandene, vom Gesetzesgedanken beherrschte christliche Ethik kritisch überprüfen und schriftgemäß reformieren kann. Im Grunde aktualisiert er die gleiche

---

274 Vgl. Anm. 172.

275 Vgl. Gesetz 9–12; ferner G. Heintze, Luthers Predigt von Gesetz und Evangelium (FGLP, Reihe X, Bd. XI), München 1958; H.J. Iwand, Gesetz und Evangelium (Nachgelassene Werke, Bd. 4), hrsg. von W. Kreck, München 1964; B. Klappert, Promissio und Bund. Gesetz und Evangelium bei Luther und Barth (FSÖTh 34), Göttingen 1976 (Promissio).

Reform bzw. den Neuentwurf der Ethik, wie sie einst Paulus gegen die alttestamentlich-jüdische Gesetzesethik und möglicherweise auch schon gegen entsprechende innerkirchliche Tendenzen durchgesetzt hat. Der Unterschied besteht darin, daß Luther auf einer späten Stufe der Verkündigungsgeschichte davon ausgehen muß, daß sich das Ende des Gesetzes am Evangelium wirkungsgeschichtlich nicht deutlich genug manifestiert.

Von daher stellt sich dem Reformator die hermeneutische Aufgabe, die unerträglich gewordene Vermischung von Evangeliums- und Gesetzespredigt rückgängig zu machen, d.h. zuerst die Predigt des Evangeliums ganz neu zu entwerfen und zu initiieren und dann die Predigt vom Gesetz, seinen Gestalten und Funktionen völlig neu bzw. schriftgemäß auf die Evangeliumspredigt abzustimmen. Luther lernt bei Paulus, wie die zwei entscheidenden Komponenten in der Verkündigungsgeschichte, die Predigt des Evangeliums und die Predigt des Gesetzes, neu zu ordnen sind. Es geschieht dadurch, daß die Wirkung des Evangeliums auf den von Haus aus gesetzlich denkenden Menschen und die Wirkung bzw. die Bedeutung der Gesetzesforderung für den Christen neu durchreflektiert und herausgestellt werden.

Es ist richtig, daß Luther die Größen, die Paulus immer getrennt und auseinandergehalten hat, nämlich Gesetz und Evangelium, zusammenschaut und in einer theologischen Formel zusammenfügt. Für ihn ist das eine hermeneutische Notwendigkeit in der völlig veränderten verkündigungsgeschichtlichen Situation. Für den Apostel war die Erfahrung und Unterscheidung einer Gesetzes- und einer Evangeliumsepoche in seinem Leben zum Ausgangspunkt seines theologischen Denkens geworden, gerade das zeitliche Nacheinander der beiden Epochen wird betont. Die Verkündigung des Evangeliums trägt den Epochenwechsel in das Leben jedes einzelnen Gläubigen hinein, und der Glaube an das Evangelium markiert den Umschwung vom alten zum neuen Äon, macht das Leben unter dem Gesetz zur Vergangenheit und das Leben unter dem Evangelium zur Gegenwart. Die Betonung des Nacheinander und die Unterscheidung von Gesetzes- und Evangeliumsepoche ist „so tiefgreifend, daß bei Paulus die uns geläufige Formel ‚Gesetz und Evangelium' (wie auch ‚Evangelium und Gesetz') fehlt"[276]. Luther dagegen reflektiert in seiner verkündigungsgeschichtlichen Situation nicht das Nacheinander, sondern die dialektische Gleichzeitigkeit von Gesetz und Evangelium. Selbstverständlich verkündet auch er mit seiner Grundaussage das Ende des Gesetzes am Evangelium. Der Epochenwechsel ist für Luther jedoch kein einmaliges, sondern ein punktuelles Ereignis, das im Glauben ans Evangelium je neu erfahren wird. Im Lichte des Glaubens begreift der einzelne, daß mit dem Evangelium durch Gott selbst eine neue und endgültige, im diametralen Gegensatz zum Gesetz stehende Verhältnisordnung gestiftet wurde. Der Glaubende

---

[276] E. Schlink, Gesetz und Paraklese, in: Antwort. Festschrift zum 70. Geburtstag von Karl Barth, Zürich 1956, 326–335, hier 325 (Gesetz).

begreift, daß die protologisch eingeführte Ordnung des Gesetzes[277] auf die mit dem eschatologischen Evangelium eingeführte Ordnung der Gnade zugelaufen und damit an ihr definitives Ende gekommen ist. Der paulinische Wechsel aus der Gesetzes- in die Evangeliumsepoche wird nicht im einmaligen Ereignis von Glaube und Taufe realisiert, sondern im lebenslänglichen, tagtäglichen Sprung aus der Hölle des Gesetzes in den Himmel des Glaubens.

Weil es Luther um die Reform der beiden Komponenten der Verkündigung, nämlich der Evangeliums- und der Gesetzespredigt, zu tun ist, stellt er die Doppelheit des gleichzeitig wirkenden Gotteswortes heraus. Der ganze Ernst der Gesetzesordnung muß nach Luther auch in der Epoche des Evangeliums immer wieder vor Augen gestellt werden. Luther ist gerade an der Anklage- und Verurteilungsfunktion des Gesetzes lebhaft interessiert, weil nur so der Sünder zu Christus als seinem Erlöser hingetrieben wird. Denn nur, wer sich voll unter die Forderung des Gesetzes stellt und an ihr scheitert, nur wer als Übertreter des Gesetzes Gott als seinen Ankläger und Richter erfährt, der ermißt auch das volle Ausmaß der Wende, die mit dem eschatologischen Evangelium eingetreten ist. Erst wer sich rückhaltlos mit der Forderung und mit der Anklage des Gesetzes konfrontieren läßt, in dem entsteht dann auch das Gespür für die Neuheit und Gnadenhaftigkeit der eschatologischen Gottesoffenbarung in Christus. Luther kann den vom Evangelium Angesprochenen die Predigt des Gesetzes bzw. die Konfrontation mit dem Gesetz nicht ersparen, weil sie durch die Anklage und Verurteilung des nicht erfüllten Gesetzes überhaupt erst zu Christus hingetrieben werden. Nur damit die Glaubenden bzw. die in der Gemeinschaft mit Christus Lebenden je neu und punktuell das eschatologische Ende des Gesetzes in Christus, d.h. das Ende seiner Forderung, seiner Anklage und Verurteilung erfahren, hält Luther an der Predigt des Gesetzes fest. Im Vordergrund steht der usus theologicus bzw. elenchticus legis[278], durch den die Übertreter des Gesetzes bzw. die vom Gesetz Angeklagten und Verurteilten zu Christus hingetrieben werden. Die Herausstellung des usus theologicus bzw. elenchticus legis entspringt der reformatorischen Absicht, der Predigt des Evangeliums die Dimension und Wirkung zurückzugeben, die Paulus ihm in seiner gesetzestheologischen Reflexion verleiht, und vor allem die Predigt des Gesetzes auf ihre eigentliche Zubringerfunktion festzulegen.

---

277 Vgl. dazu Luther in den Antinomerdisputationen, WA 39 I, 353, 37ff; ferner a.a.O. 361, 30: Gesetz „in natura humana". Zum Ganzen vgl. M. Schloemann, Natürliches und gepredigtes Gesetz bei Luther. Eine Studie zur Frage nach der Einheit der Gesetzesauffassung Luthers mit besonderer Berücksichtigung seiner Auseinandersetzung mit den Antinomern (TBT 4), Berlin 1961, 47ff, 97ff, 107f.

278 Vgl. dazu Luther im Großen Galaterkommentar von 1531/35, WA 40 I, 486, 13ff; ferner a.a.O. 490, 24. Zum Ganzen vgl. P. Althaus, Die Theologie Martin Luthers, Gütersloh 1963, 220–222 (Theologie); W. Joest, Gesetz 14.

Man könnte sagen, daß in der aktuellen Predigt eine theologische Hochspannung hergestellt und zur Entladung gebracht wird zwischen dem negativen Pol des Gesetzes (seiner Anklage, seiner Verurteilung, seinem Gericht) und dem positiven Pol des Evangeliums. Es scheint Luther wenig zu bekümmern, daß der ethische Gesetzesgedanke in dieser Hochspannung verglüht. Jedenfalls scheint Luther nicht mehr daran interessiert zu sein, in der radikal auf das Evangelium abgestimmten Predigt des Gesetzes noch Platz für einen positiven ethischen Gesetzesgedanken zu reservieren. Er würde die niederschmetternde Wirkung des usus elenchticus legis abschwächen bzw. aufheben, wenn er für den Gläubigen ein neues Gesetz bereithielte, auf das sich der menschliche Selbstbehauptungswille stürzen könnte. Der usus elenchticus legis darf sich nicht als der gesetzeskritische Vorspann eines positiven gesetzestheologischen Ethikkonzepts darstellen. Denn durch die systematische Ein- und Unterordnung in das größere Ganze eines neuen gesetzestheologischen Ethikkonzepts wäre er völlig um seine Wirkung gebracht. Die christliche Ethik muß sich nach Luther so formieren, daß sie sowohl der primär soteriologischen Funktion der Gesetzespredigt (dem usus theologicus bzw. elenchticus legis) wie auch dem Evangelium vom Ende des Gesetzes (als einer Verhältnisordnung) Rechnung trägt.

2. *Gesetz und Paraklese*

Nach W. Joest besteht Luthers Entwurf einer Ethik für Christen darin, daß er im Anschluß an Paulus den positiven Gesetzesgedanken nur für den staatlichen Bereich reserviert, während er ihn für den zwischenmenschlich-persönlichen Bereich durch die Paraklese ersetzt. Vom usus politicus legis ist die Paraklese dadurch unterschieden, daß man hier nicht mehr von einem tertius usus legis sprechen kann, sondern von einem Gestaltwandel des Gesetzes in die Paraklese sprechen muß[279]. Wie ist das gemeint?

a) Fortdauer des Gesetzes

Luther reduziert die Predigt des Gesetzes durchaus nicht nur auf den usus theologicus bzw. elenchticus legis, um dadurch dem einzelnen das Scheitern am Gesetz und die Erlösung durch Christus ad oculos zu demonstrieren. Der Reformator hält vielmehr an jener Schicht des Gesetzesgedankens fest, der das soziale, rechtliche und politische Leben regelt, der zum Leben in der Gemeinschaft unabdingbar hinzugehört und verhindert, daß die Welt an der Sünde und ihren Folgen vorzeitig zugrunde geht. Damit hat Luther den Gesetzesgedanken für den Lebensbereich festgehalten, der durch die Vorausproklamation des neuen Äon am wenigsten angesprochen und umgestaltet wird: für den öffentlichen, institutionellen, staatlichen Bereich.

279 Vgl. W. Joest, Gesetz 78, 99–124.

Gerade das Evangelium mit seiner eschatologischen Perspektive zwingt zum nüchternen Rechnen mit der Fortdauer der Welt, mit der Fortdauer des irdischen Lebens unter den sozialen, rechtlichen und politischen Bedingungen, die durch das Evangelium bzw. durch die Ansage des neuen Äons nicht außer Kraft gesetzt und aufgehoben werden.
Das hat Luther nicht anders gesehen als Paulus. Beide unterscheiden den Bereich, in dem sich der neue Äon, insbesondere die Liebe, wegen unüberwindlicher Schwierigkeiten, nicht inkarnieren kann, von den Bereichen, in denen die Liebe bereits derart deutlich das Sittengesetz moderiert, daß man schon gar nicht mehr im alten Sinn von einem usus ethicus legis sprechen kann. Beiden erscheint in der eschatologischen Perspektive das soziale, rechtliche und politische Gesetz nicht als eine im Gegensatz zum Evangelium stehende, aufzuhebende bzw. umzugestaltende Größe, sondern als „eine Größe, die neben und mit dem Evangelium ihr Recht behält"[280]. Weil das im Raum von Schöpfung und Geschichte vorfindliche Gesetz nicht als radikaler Gegenpol des Evangeliums erscheint, hält Luther daran im vollen Umfang fest. Paulus und Luther können im Blick auf die Fortexistenz des weltlichen Lebens und im Blick auf die weltliche Verfaßtheit des Christenlebens dieses Gesetz auch einfach neutral bzw. positiv werten, als etwas Vorläufiges zwar, aber doch als etwas Unvermeidliches[281]. Der vom Evangelium und damit vom neuen Äon ergriffene Gläubige bleibt dem Gesetz der vorläufigen bzw. auf ihr Ende zulaufenden Welt verpflichtet. Luther fordert vom Christen den Gehorsam für „das Gesetz des usus civilis, das diese Welt, indem es sie vor den letzten Konsequenzen der Sünde, vor der völligen Selbstzerfleischung bewahrt, auf den Anbruch der neuen Welt hin erhält, in der mit der Sünde auch die Gewaltordnung des Gesetzes überwunden sein wird"[282].

b) Paraklese neben dem Gesetz

Vom duplex usus legis (dem usus theologicus bzw. elenchticus legis und dem usus politicus legis) unterscheidet sich die Paraklese ganz erheblich. Luther versucht den usus elenchticus legis für den persönlich-zwischenmenschlichen Bereich mit einem Ethikkonzept zu verbinden, das kein gesetzestheologisches mehr ist. Auszugehen ist auch hier von der theologischen Urfunktion

---

280 A.a.O. 102.

281 Vgl. Luther, WA 25, 252, 7f: „Lex valet ad disciplinam carnis et ad civiles mores." Ders., WA 40 I, 595, 27f: „Dominetur lex in corpus et veterem hominem ... huic praescribat, quid facere, quid perferre, quomodo cum hominibus conversari debeat." Zum Ganzen vgl. P. Althaus, Die Ethik Martin Luthers, Gütersloh 1965, 32–42 (Ethik).

282 W. Joest, Gesetz 103. Luther bestimmt den Zwangscharakter des politisch-bürgerlichen Gesetzes dabei ganz von der theologischen Gerichtsfunktion des Gesetzes her, vgl. WA 39 I, 358, 28: „Nec politica lex ... est quidquam, nisi sit damnans et terrens peccatores."

der Gesetzespredigt, deren entscheidender Dienst darin besteht, den Sünder auf die Seite des Evangeliums zu treiben. Das Konzept setzt also einerseits die Spannung zwischen dem usus elenchticus legis und der Evangeliumspredigt und andererseits den usus politicus legis voraus, steht aber mit letzterem nicht auf einer Ebene. Es stellt den Versuch dar, das persönliche Verhalten des auf die Seite des Evangeliums getriebenen Sünders zu ordnen und zu regeln, ohne daß der Gesetzesgedanke dabei zum Zuge kommt.
Natürlich partizipiert die Paraklese an dem Sinn und Zweck des Gesetzes, das im sozialen, rechtlichen und politischen Raum die Sünde eindämmt und Ordnung schafft. Aber die Eindämmungsfunktion steht nicht im Vordergrund der Paraklese, und auch mit der Ordnungsfunktion hat sie nichts zu schaffen. Man könnte sagen, daß sie das Gesetz und seine Wirkung im staatlichen Raum voraussetzt: Sie kann ihre Wirkung im christlichen Leben nur entfalten, weil zuvor schon das Gesetz seine Eindämmungs- und Ordnungsfunktion uneingeschränkt ausübt. Dennoch ist die Paraklese nicht zum politicus usus legis gehörig, sie hat ihren eigenen Ursprung, ihre unverwechselbare Gestalt und Funktion.
Luther lehrt bekanntlich einen Gestaltwandel des Gesetzes für den Augenblick, wo der elenchticus usus legis sein Ziel erreicht, wo sich das anklagende, verurteilende und richtende Gesetz in seiner primären (niederschmetternden und zu Christus hintreibenden) Funktion erschöpft und der Glaubende auf die Seite des Evangeliums hinübertritt. Ist der Stellungswechsel im Glauben vollzogen, tritt der Gestaltwandel beim Gesetz ein: Aus dem Tyrannen und Ankläger gegenüber dem Sünder entsteht für den Gläubigen ein Freund und Tröster[283]. Für den Gläubigen bzw. Gerechtfertigten und nur für ihn tritt an die Stelle der Forderung, der Anklage und Verurteilung – alles Funktionen, die er jetzt nicht mehr nötig hat – die tröstende Anleitung zu Werken der Liebe, die im Gebot Gottes enthalten ist. Die Anklage- und Verurteilungsfunktion des Gesetzes wird abgelöst durch die parakletische Funktion. Damit hält sich Luther an die Beschreibung, die Paulus von den Funktionen des Gesetzes gegeben hat.
Es gibt einen Paraklesebegriff im engeren Sinn der gesetzestheologischen Reflexion, der vom Paraklesebegriff des paränetischen Wortfelds unterschieden werden muß. Sein Bedeutungsumfang beschränkt sich darauf, die Trostfunktion des Gesetzes gegenüber dem Gerechten zu artikulieren, d.h. das Pendant zur Verurteilungs- und Gerichtsfunktion darzustellen. Luther weiß um das parakletische Amt des Gesetzes in diesem von der gesetzestheologischen Reflexion festgelegten Sinn[284]. Nur legt er auf diese Rolle des Gesetzes gegen-

283 Vgl. Luther in den Antinomerdisputationen, WA 39 I, 474, 8f: „Lex est iam valde mitigata per iustificationem, quam habemus propter Christum, nec deberet ita terrere iustificatos... Lex ... hortetur ad bonum..." Zum Ganzen vgl. W. Joest 78.
284 Vgl. W. Joest 99–109.

über dem Vollbringer des Guten aus mehreren Gründen kein Gewicht mehr. Zum einen hält Luther am usus elenchticus legis auch gegenüber dem Gläubiggewordenen unverrückbar fest, da der homo religiosus jederzeit in ihm wiedererwachen und die Gesetzeserfüllung zur Selbsterlösung pervertieren kann. Die theologische Anthropologie Luthers enthält keinen Ansatzpunkt, von dem aus dem parakletischen Amt des Gesetzes im engeren Sinn eine größere Beachtung zuteil werden könnte. Zum anderen entsteht aber durch den ausschließlichen usus elenchticus legis und durch die Einschränkung des positiven Gesetzesgedankens auf das staatliche Gesetz für den zwischenmenschlich-privaten Bereich ein Vakuum an verbindlicher Weisung und Orientierung, das ausgefüllt sein will. Luther füllt die Lücke, indem er – ebenfalls im Anschluß an Paulus – eine Paraklese im weiteren Sinn konzipiert und dabei statt des Tröstungsmoments die Weisungs- und Orientierungsfunktion in den Vordergrund stellt.

Der Reformator spricht davon, daß mit dem zum Glauben bzw. zum Evangelium hintreibenden Amt des Gesetzes (Anklage, Verurteilung, Gericht) nicht auch schon „das unmittelbar weisende Amt"[285] des Gesetzes zum Ende kommt. An die Stelle des alten Gesetzes tritt in der Evangeliumsepoche die Paraklese, die das parakletische und paränetische Amt des Gesetzes weiterführt. Nach W. Joest denkt Luther mehr an das paränetische Amt, welches vom Gesetz nach seinem Ende oder richtiger nach seinem radikalen Gestaltwandel gegenüber dem Glaubenden übrigbleibt. W. Joest hält es nicht für notwendig, das paränetische Amt des Gesetzes vom parakletischen Amt im engeren gesetzestheologischen Sinn zu unterscheiden, da für Luther eindeutig die Fortdauer der Weisungs- und Orientierungsfunktion (und nicht die Tröstungsfunktion) des Gesetzes im Vordergrund steht.

Es kennzeichnet die Weisungs- und Orientierungsfunktion, die vom alten Gesetz fortdauert und sich in der Paraklese kristallisiert und manifestiert, daß sie ganz auf der Seite des Evangeliums steht. Sie tritt gewissermaßen in den Dienst am Evangelium. Nachdem der Dienst der Anklage und der Verurteilung gegenüber dem Sünder zu Ende ist, bleibt zurück bzw. beginnt der Dienst der konkreten Weisung und Orientierung – ein Dienst, der die Wirkungen des Evangeliums bzw. des Glaubens voll zur Entfaltung bringen will[286]. Der neue, ganz dem Evangelium zugewandte bzw. auf die Realisierung des Evangeliums abzielende Dienst verändert das, was vom Gesetz fortdauert, dergestalt, daß es mit dem alten Begriff „Gesetz" nicht mehr bezeichnet werden kann. Es könnte höchstens noch von einem parakletischen

---

285 A.a.O. 81; W. Joest nennt es auch das paränetische Amt, vgl. a.a.O. 13, 15, 16, 78 u.ö.

286 Luther betont (WA 39 I, 387, 5ff), daß das der Natur bzw. dem Gewissen eingeschriebene Gesetz durch Christus neu aufgerichtet und speziell in der Fassung des Doppelgebotes aktualisiert wird.

(= paränetischen) Amt des Gesetzes gesprochen werden, wenn man darunter den neuen Dienst versteht, den die Weltethik dem eschatologischen Evangelium bei der Inkarnierung in die Welt leistet.

Daß die lutherische Zuordnung der Paraklese zum Evangelium, die nicht von einer exegetischen Bestandsaufnahme, sondern von der gesetzestheologischen Reflexion herrührt, durch das Paraklese-Modell A. Grabner-Haiders bestätigt wird, ist ein Punkt, der hier schon festgehalten zu werden verdient. Die Parakleseforschung bestätigt Luther vor allem in der Ansicht, daß die dem Evangelium zur Seite getretene Paraklese überhaupt nicht mehr in Kontinuität zum alten Gesetz gedacht werden kann (Paraklese statt Gesetz). Denn die dem Evangelium bzw. dem christlichen Leben dienende Paraklese behält (bei Luther) keine einzige der Strukturen bei, wie sie der alten Verhältnisordnung des Gesetzes eigen waren. Die Paraklese ist weit davon entfernt, die Spontaneität des Glaubens einzuschränken, das Leistungsprinzip neu aufzurichten oder die ratio des homo religiosus zu aktivieren, die das Evangelium erneut zu einem finalen Heilsweg umformt[287]. Sie ist etwas qualitativ anderes als das alte Gesetz. Mit der Aktualisierung bzw. Institutionalisierung einer Weisungs- und Orientierungsfunktion wird kein Schritt hinter die Grenzen des alten und ans Ende gekommenen Gesetzes zurück getan. Die Paraklese schränkt die Wirkung des Evangeliums, die Spontaneität des Glaubens und die evangelische Freiheit nicht ein, sondern bringt sie zur Geltung. Die Paraklese wird für den Glaubenden und zum Gehorsam Entschlossenen zur wertvollen Waffe im Kampf gegen die Mächte des alten Äons; sie hilft beim Voranbringen und Befestigen der Kampflinien des neuen Äons.

Damit ist die Frage angeschnitten, wie Luther die Existenz einer neben das Evangelium gestellten Weisungs- und Orientierungsfunktion begründet. Er arbeitet nicht mit dem Hinweis auf die dialektische Gleichzeitigkeit zweier Gottesworte, von denen eines den Heilswillen und das andere den Weltwillen artikuliert. Die Notwendigkeit, zum Evangelium hinzu ganz konkrete Weisung und Orientierung zu geben, ergibt sich vielmehr ausschließlich aus der inneren Dialektik des Gläubigen, der als simul peccator et justus existiert[288]. Diese innermenschliche Dialektik gebietet es, den usus theologicus bzw.

---

287 Vgl. W. Joest 32–36, 113–124 mit zahlreichen Belegen.

288 Vgl. Luther, WA 39 I, 523, 3ff: „Christianus fide est liber, sed quod ad carnem est servus peccati. Haec autem ut contraria sunt, tamen reconciliata in Christiano sunt, quod idem Christianus sit sanctus et peccator, mortuus et vivus; omne peccatum et nullum, infernus et coelum..." Zum paulinischen Ursprung der Formel vgl. E. Kirchgässner, Erlösung und Sünde im Neuen Testament, Freiburg 1950; W. Joest, Paulus und das Lutherische Simul Iustus et Peccator, in: KuD 1 (1955) 230–269; R. Grosche, Simul peccator et iustus, in: Cath 3 (1935) 132–139; nach P. Stuhlmacher, Gerechtigkeit 224 Anm. 1, würde Paulus „das Simul so formulieren, daß die Christen simul iusti et tentati seien!"

elenchticus legis ganz auf die Verkündigung des Evangeliums abzustimmen. Sie allein macht es erforderlich, daß die materialethische Funktion am Evangelium nicht zu Ende kommt, sondern auf die Seite des Evangeliums hinübertritt. Aus anthropologischen Gründen ist nicht die Rede vom Ende des Gesetzes am Evangelium das letzte Wort, sondern die Rede von der fortdauernden Weisungs- und Orientierungsfunktion. Das Evangelium ist das dominierende Wort, das das Gesetz als „Lebensform" radikal destruiert, die darin enthaltene „Lebensnorm"[289] jedoch neu zur Geltung bringt.

Zusammenfassend könnte man den lutherischen Entwurf der Paraklese folgendermaßen charakterisieren: Er vermeidet jeden Eindruck, als habe man es hier – neben dem duplex usus legis: dem usus elenchticus legis und dem usus politicus legis – auch noch mit einem tertius usus legis zu tun. Wenn Luther dem eschatologischen Evangelium im gleichen Augenblick, wo das Gesetz an ihm zu Ende kommt und ein Vakuum an verbindlicher materialethischer Weisung zu entstehen droht, die Paraklese (mit ihrer Weisungs- und Orientierungsfunktion) beigesellt, hat das mit einer gesetzlichen Auffüllung des Evangeliums nichts zu tun. Es handelt sich dabei um eine Hilfestellung, die ausschließlich dem simul peccator ac justus gilt, nicht jedoch der in sich selbst mangelhaften oder gar ergänzungsbedürftigen neuen Verhältnisordnung selbst.

Luther reagiert allergisch gegen jeden Versuch, die Theonomie des Lebens, die gerade der Christ anerkennt, von neuem in eine Gesetzesgestalt zu gießen. Darin ist er Paulus gefolgt. Der Reformator unternimmt nichts, um aus dem vielschichtigen paulinischen Gesetzesgedanken eine rein ethische, positive Schicht herauszulösen, sie in ihrem rein existentiell-ethischen Bedeutungsumfang abzustecken und so für ein System christlicher Ethik praktikabel zu machen. Luther denkt nicht daran, einen rein ethischen Gesetzesgedanken durch das Ende des Gesetzes am Evangelium hindurchzuretten und damit eine auf dem Boden des Evangeliums stehende christliche Gesetzesethik aufzubauen. Weil die Gesetzesidee religiös nicht neutral sein, sondern vom homo religiosus im Gläubigen aufgegriffen und religionistisch pervertiert werden kann, scheint sie Luther für den Neuansatz einer christlichen Ethik absolut ungeeignet zu sein. Obwohl Luther die Theonomie als einzigen Weg zur Freiheit und Wesensverwirklichung bejaht, glaubt er doch auf den Gesetzesgedanken als konkrete Vermittlung des Gotteswillens verzichten zu sollen[290]. Nur so kann man die lutherische Rezeption und Aktualisierung der paulinischen Paraklese recht verstehen.

---

[289] E. Seeberg, Luthers Theologie, Bd. II. Christus, Wirklichkeit und Urbild, Tübingen 1937, 217. Zum Sachverhalt bei Paulus vgl. W. Schrage, Einzelgebote 232, 238.

[290] Nach E. Wolf, Art. Gesetz und Evangelium (dogmengeschichtlich), in: RGG II, 1519–1526, hat Luther die herrschende nomistische Synthese von Gesetz und Evangelium aufgehoben und die ursprüngliche paulinische Dialektik wiederhergestellt (1523f), ohne in die dualistische Diastase Marcions (1520f) zurückzufallen.

3. *Luthers Ethikkonzept im Lichte des Paränese- und Paraklese-Modells*

Das lutherische Ethikkonzept und die Modelle der neueren Paränese- und Parakleseforschung haben derart grundverschiedene Ursprünge und Zielsetzungen, daß man zögert, sie überhaupt miteinander zu vergleichen. Luthers Anliegen ist die Reform der zeitgenössischen christlichen Verkündigung und Ethik, die er nur durch eine Hermeneutik der paulinischen Unterscheidung von Gesetz und Evangelium erreichen zu können glaubt. Es lag völlig außerhalb seines Gesichtskreises, das aus der gesetzestheologischen Reflexion gewonnene Ethikkonzept durch eine umfassende exegetische Bestandsaufnahme des paulinischen Kerygmas und der paulinischen Paraklese zu verifizieren. W. Joest hat das nachgeholt und an entscheidenden Elementen des neutestamentlichen Kerygmas und der neutestamentlichen Paränese die Schriftgemäßheit des lutherischen Ansatzes aufgezeigt. Hätte man die exegetische Verifikation auch mit Hilfe des Paränese- und Paraklese-Modells durchführen können? Ergänzen sich das reformatorische Paraklese-Modell und die neueren exegetischen Ethikmodelle? Inwieweit verifizieren sie das lutherische Konzept, inwieweit sind sie selbst durch die lutherische Hermeneutik der paulinischen Gesetzestheologie geprägt und bestimmt?

a) Verifikation durch das Paränese- und Paraklese-Modell

Luther hat nicht danach gefragt, wie sich die Schicht der gesetzestheologischen Reflexion zu der konkreten Gestalt der paulinischen Paraklese verhält. Er hat kein Bedürfnis, die aus der gesetzestheologischen Reflexion gewonnene Ethiktheorie durch eine Bestandsaufnahme der paulinischen Praxis zu verifizieren und umgekehrt. Es geht im Folgenden nicht darum, ob Luther die Existenz solcher Zusammenhänge geahnt oder angedeutet hat. Es geht vielmehr darum, W. Joests Verifikationsmethode zu ergänzen bzw. seine Überprüfung der lutherischen Paulusrezeption zu vervollständigen. Für die Moraltheologie ist die Frage nicht unwichtig oder bedeutungslos, ob sich das Verhältnis von Evangelium und Weltethik bei Paulus nur auf der Ebene der historisch-kritischen Bestandsaufnahme (Paränese- und Paraklese-Modell) oder auch auf der Ebene der systematischen gesetzestheologischen Reflexion ermitteln und ob sich das eine durch das andere verifizieren läßt.
Die neuere Exegese fragt nach der Entstehung und Funktion der Weltethik im Zusammenhang der radikal eschatologischen Christusverkündigung, sie geht methodisch von der Bestandsaufnahme des Evangeliums und der konkreten Paränese bzw. Paraklese aus. Die von ihr erstellten Ethikmodelle sind aber durchaus mit dem aus der gesetzestheologischen Reflexion geschöpften Ethikkonzept Luthers vergleichbar. Alle drei versuchen nämlich die Frage zu klären, wie Paulus die beiden Größen Evangelium und Ethik einander zugeordnet hat. Luthers Ethikkonzept hat für die Moraltheologie den Vorteil, daß die entscheidenden theologischen Konturen und Strukturen schärfer

herausgearbeitet werden. Beim Nachvollzug der gesetzestheologischen Reflexion tritt das Zueinander der beiden Größen Evangelium und Gesetz ganz anders zutage als in der exegetischen Bestandsaufnahme. Am Evangeliumsbegriff z.B. treten ganz andere Züge und Zusammenhänge hervor, wenn man ihn im Lichte der gesetzestheologischen Reflexion betrachtet und nicht mit Hilfe der formgeschichtlichen Methode der Paräneseforschung. Es erhärtet sich, daß das Evangelium die alles beherrschende Größe im Denken des Apostels ist, und es zeigt sich, daß diese Größe auch ohne das Vorzeichen einer kalendarisch verstandenen Eschatologie und Naherwartungsproblematik ins Spiel gebracht wird. Sobald die streng innertheologische Zuordnung von Evangelium und Ethik ans Licht tritt, erweist sich die historisch-kritische These von der rein äußerlichen, formalen Ankopplung der Ethik als eines Anhängsels als einseitig und problematisch. Der Evangeliumsbegriff der gesetzestheologischen Reflexion ist nicht durch die Eschatologie belastet. Hier erscheint das Evangelium als der Motor, der den Verkünder dazu antreibt, eine von der alttestamentlich-jüdischen Gesetzesethik losgelöste, völlig neue Gestalt der christlichen Ethik zu entwickeln. Bei diesem Evangeliumsbegriff dominiert nicht der Horizont der Parusieverzögerung, sondern die kritische, dynamische Abgrenzung von überholten Ethikkonzepten.
Luther hat gespürt, daß es sich bei der gesetzestheologischen Reflexion um jene zentrale Schicht paulinischen Denkens handelt, in der zumindest in nuce die neue Gestalt der christlichen Ethik vorhanden ist. Die Unterscheidung von Gesetz und Evangelium stellt für den Reformator den entscheidenden Schlüssel zur paulinischen Theologie und Ethik dar. P. Stuhlmacher hat diese hermeneutische Feststellung Luthers neuerdings exegetisch bzw. traditionsgeschichtlich abgestützt: Er sieht das (reformatorische) Schriftauslegungsprinzip von Paulus selbst (im Galaterbrief) eingeführt und als Schlüssel zu seinem Denken angeboten[291]. Mit Hilfe der gesetzestheologischen Reflexion vermag man also Zusammenhänge aufzudecken, die einer bloß historischen äußerlichen Zuordnung von Kerygma und Paränese verborgen bleiben. Es will beachtet werden, daß aus gesetzestheologischer Perspektive die sittliche Forderung bzw. das Gesetz längst vor der Evangeliumsverkündigung in Aktion ist. Das Sittengesetz disponiert seinen Übertreter für die Annahme des Evangeliums. Im Lichte der gesetzestheologischen Reflexion erhält somit der Begriff der Weltethik Konturen, die der Formgeschichtler und Historiker als solcher nicht wahrgenommen hätte. Es erweist sich ferner als notwendig, auf jene paulinische Unterscheidung einzugehen, durch die der Gesetzesgedanke für den sozialen, rechtlichen und politischen Lebensbereich

291 Vgl. „Das Ende des Gesetzes". Über Ursprung und Ansatz der paulinischen Theologie, in: ZThK 67 (1970) 14–39, hier 24f (Ende), ähnlich: Evangelium 63–108, hier 108.

des Staates[292] festgehalten, für den persönlich-zwischenmenschlichen Bereich dagegen völlig aufgegeben und ersetzt wird. Die Frage nach dem Proprium christlicher Weltethik ist demnach unter mehreren Gesichtspunkten bzw. aus mehreren Schichten paulinischen Denkens heraus zu beantworten.
Indem die evangelische Ethik die lutherische Rezeption der paulinischen Gesetzestheologie im Grundansatz festhält, unterstreicht sie, daß die neuere Exegese mit der formgeschichtlichen Unterscheidung und Entgegensetzung von Evangelium und Weltethik noch nicht alles gesagt hat. Es zeigt sich, daß das Paränese-Modell eine rein formale Zuordnung vorgenommen hat, die inhaltlich erst noch gefüllt werden muß. Im Lichte der gesetzestheologischen Reflexion wäre es geradezu oberflächlich, wollte man das Beieinander von Evangelium und Weltethik ausschließlich auf die Hypothese von der Parusieverzögerung begründen. So werden von der paulinischen Unterscheidung von Gesetz und Evangelium, also von der Herzmitte des paulinischen Denkens her (Luther) die Aussagen des Paränese-Modells über den Ort, die Gestalt und Funktion der Weltethik im Ganzen der Verkündigung theologisch ganz anders aufgefüllt. Davon, daß es sich in den Paulusbriefen um ein unreflektiertes, durch die Parusieverzögerung aufgezwungenes Nebeneinander bzw. Miteinander von Evangelium und Weltethik handelt, kann keine Rede sein. Luther hat mit seiner Paulusrezeption die Augen dafür geöffnet, daß es sich bei der vorfindlichen Gestalt der paulinischen Paränese bzw. Paraklese um nichts anderes handelt als um eine Manifestation bzw. Artikulation des Gesetzes, das durch das Evangelium zu einem radikalen Gestaltwandel (in die Paraklese hinein) angeregt wurde.
Das Ethikkonzept, wie es Luther aus der gesetzestheologischen Reflexion heraus entwickelt hat, wird im großen und ganzen durch die beiden exegetischen Ethikmodelle verifiziert. Das Paraklese-Modell schneidet dabei besser ab als das Paränese-Modell, weil es am deutlichsten die theologischen Charakteristika herausarbeitet, die die paulinische Ethik gegenüber der alttestamentlich-jüdischen Gesetzesethik abgrenzen. Es ist erstaunlich, daß die aus der exegetischen Bestandsaufnahme ermittelten theologischen Charakteristika das gleiche Bild ergeben, das die gesetzestheologische Reflexion entwirft. Das Paraklese-Modell verifiziert vor allem die Feststellung des Reformators, daß das Evangelium selbst (aus paulinischer Sicht) keine originäre materialethische Weisungs- und Orientierungsfunktion enthält. Daß das Evangelium deshalb durch eine im wesentlichen schöpfungstheologisch konzipierte Materialethik ergänzt werden muß, gehört zwar nicht mehr zu den Aussagen des Paraklese-Modells, versteht sich für die theologische Ethik jedoch von selbst.

---

292 Vgl. U. Duchrow, Christenheit und Weltverantwortung. Traditionsgeschichtliche und systematische Struktur der Zweireichelehre (FBESG 25), Stuttgart 1970, 137–179 (Christenheit); E. Käsemann, Grundsätzliches 204–222; O. Kuss, Paulus über die staatliche Gewalt, in: ders., AuV I, 246–259; ders., Paulus 426–428 (Lit.).

Das Paraklese-Modell bestätigt die lutherische Feststellung, daß im Raum des Evangeliums so etwas wie ein paränetisches Amt des Gesetzes fortdauert, daß die Weisungs- und Orientierungsfunktion notwendig zum Evangelium hinzutritt. Es bestätigt Luther in der Annahme, daß sich das Evangelium als theologische Größe auf die Entstehung der neuen Ethik ganz beachtlich auswirkt, denn es fragt bereits viel deutlicher als das Paränese-Modell nach der theologischen Wurzel, aus der die spezifische Differenz hervorwächst, die die paulinische Paraklese von aller profanen Moral abhebt. Das Paraklese-Modell enthält neben dem Gesamtbefund der paulinischen Evangeliumsverkündigung und der eschatologisch begründeten Mahnrede bereits so etwas wie eine Strukturanalyse der paulinischen Ethik, die man beim Paränese-Modell vergebens sucht. Seine verifikatorische Kraft ist deshalb besonders groß.

b) Reformatorisches Schriftauslegungsprinzip und Exegese

Im Zentrum der Paräneseforschung steht der literaturgeschichtliche Befund, die Frage nach der Formgeschichte der kerygmatischen und paränetischen Traditionen. Auch eine Frage, wie die nach der Entstehung, dem Ort der Funktion der Weltethik im Raum des neutestamentlichen Evangeliums wird mit rein formgeschichtlicher bzw. literaturgeschichtlicher Methodik angegangen und gelöst. Vom methodischen Ansatz her erscheint es ausgeschlossen, daß die exegetischen Ergebnisse von den hermeneutischen Voraussetzungen der reformatorischen Theologie geprägt sein könnten. Die lutherische Hermeneutik der paulinischen Unterscheidung von Gesetz und Evangelium hat jedoch jahrhundertelang das evangelische Denken bestimmt, so daß die Frage nach den hermeneutischen Voraussetzungen an die vorwiegend von evangelischen Theologen betriebene Paränese- und Parakleseforschung gestellt werden muß[293].
Man darf davon ausgehen, daß die Paräneseforschung über ihre eigenen hermeneutischen Voraussetzungen wenig reflektiert hat. Daß ein Zusammenhang zwischen ihrer Definition des Paränesebegriffs und der gesetzestheologischen Reflexion des Luthertums besteht, scheint ihr nicht bewußt zu sein. Sie weist an keiner Stelle ihrer Bestandsaufnahme des neutestamentlichen Kerygmas und der neutestamentlichen Paränese darauf hin, daß sie hier zu zwei Größen Stellung nimmt, die auch in der gesetzestheologischen Reflexion einander zugeordnet werden. Man hat die Genesis und die Formgeschichte der beiden Größen Evangelium und Ethik erhellt, ohne darüber zu

293 E. Käsemann, Grundsätzliches 204–222, hier 205f, gibt offen zu, daß man innerhalb der evangelischen Exegese „aus dem hermeneutischen Schlüssel der Schrift, nämlich der Beziehung von Evangelium und Gesetz aufeinander, so etwas wie ein Aufgliederungsprinzip des Schriftinhaltes gemacht" hat, „wobei die Paränese selbstverständlich dem Gesetz zugeordnet wurde".

reflektieren, daß es eine Schicht im paulinischen Denken gibt, in welcher das Miteinander von Evangelium und Ethik streng theologisch und systemimmanent bestimmt wird. Deshalb hat man z.B. bei der Diagnose der urchristlichen Weltethik wenig beachtet, daß die gesetzestheologische Reflexion des Paulus für den staatlichen Raum die Beibehaltung, dagegen für den Raum der Gemeinde die Ablösung und Ersetzung des Gesetzesgedankens programmiert.

Um so erstaunlicher ist, daß das Paränese-Modell das lutherische Ethikkonzept weitgehend bestätigt. Es fällt auf, daß das Paränese-Modell die Verkündigung des eschatologischen Evangeliums – nicht expressis verbis, aber der Sache nach – als das opus proprium des christlichen Apostels bezeichnet, die Erteilung der weltethischen Weisung dagegen als opus alienum. Was liegt hier vor: eine eindrucksvolle Bestätigung der paulinischen Entgegensetzung von Gesetz und Evangelium durch die historisch-kritische Analyse oder eine Lenkung der historisch-kritischen Analyse durch das latent wirksame reformatorische Schriftauslegungsprinzip? Nach Luther aktualisiert die Predigt des Evangeliums das ureigene Werk (opus proprium) Gottes, die Predigt des Gesetzes bzw. der sittlichen Forderung dagegen das fremde Werk Gottes (opus alienum). Es scheint, daß diese hermeneutische Vorentscheidung die historische Beschreibung der Rollen von Evangelium und Weltethik beeinflußt hat. Der Gegensatz von Evangelium und Weltethik wird im Paränese-Modell wohl geschichtlich, mit Hilfe der These von der radikalen Eschatologie und Naherwartung, erklärt. Doch wird dadurch das eigentlich wirksame hermeneutische Schriftauslegungsprinzip nur verschleiert. Es wird jedenfalls nicht durch eine überzeugende historische Erklärung ersetzt.

Ähnlich frappierend ist die Übereinstimmung, die bezüglich der scharfen Trennung des Raumes der Evangeliumspredigt vom Raum der Findung und Statuierung weltethischer Weisungen besteht. Belegt hier die historisch-kritische Analyse des urkirchlichen Kerygmas und der urkirchlichen Ethik die lutherische Lehre von den zwei Reichen bzw. von den zwei Regimentern[294], oder spiegelt die historische Analyse bzw. Diagnose die verborgen wirksamen reformatorischen Denkvoraussetzungen wider?

Das Paränese-Modell bestätigt mit seiner Darstellung der Rezeption und Integrierung profaner Moral die aus der gesetzestheologischen Reflexion gewonnene Einsicht Luthers, daß das Evangelium die Ergänzung durch eine Weltethik nötig hat. Das rein eschatologisch-soteriologische Evangelium braucht die zusätzliche Größe der materialen Weltethik, weil es deren spezifische Inhalte und Funktionen nicht schon in sich enthält. Nach dem Par-

294 Vgl. Luther im Galaterbriefkommentar, WA 40 I, 46, 19–30; ders., a.a.O. 207, 19ff: „Sic autem discernenda sunt, ut Evangelium ponas in coelo legem in terra, ut Evangelii iustitiam apelles coelestem et divinam, legis terrenam et humanam." Näheres bei P. Althaus, Ethik 49–87.

änese-Modell verhält es sich so, daß der radikal eschatologisch und soteriologisch eingestellte Prediger des Evangeliums am profanen Weltort die weltethische Weisung und Orientierung aufgreift und aktualisiert. Handelt es sich hier um die historisch-kritische Bestätigung dessen, was der Theologe Luther intuitiv erfaßt hat, oder schlägt sich die reformatorische Hermeneutik in den exegetischen Ergebnissen nieder? Ist das gesetzestheologische Nebeneinander und Zueinander von Materialethik und Evangelium historisch verifiziert, oder müssen die analytischen Feststellungen des Paränese-Modells letztlich vom lutherischen Ethikkonzept her verstanden werden? Das Paränese-Modell ordnet der eschatologischen Evangeliumspredigt eine Ethik zu, die sich in der reinen Weisungs- und Orientierungsfunktion erschöpft. Steckt dahinter die Vorstellung vom paränetischen Amt des Gesetzes, das nach Luther im Raum des Evangeliums fortlebt und das Bedürfnis nach einer materialen Weltethik befriedigt?
Die Verifikation des lutherischen gesetzestheologischen Ethikkonzepts durch das Paränese-Modell ist eindrucksvoll. Es zeigt sich, daß die historische Bestandsaufnahme der konkreten ethischen Praxis die aus der gesetzestheologischen Reflexion hervorgehende Theorie verifiziert und umgekehrt. Die Wechselseitigkeit von Gesetzestheologie und konkreter Ethikgestalt wird bei B. Schüllers Paulusrezeption noch viel deutlicher hervortreten. Damit steht fest, daß sich die gesetzestheologischen Ethikkonzepte (Luthers und B. Schüllers) und die exegetischen Ethikmodelle trotz der sehr unterschiedlichen auslegungsgeschichtlichen Standorte und Intentionen miteinander vergleichen lassen und daß sie hinsichtlich der moraltheologischen Aktualisierung miteinander konkurrieren.

4. *Aktualisierung im Sinne des Autonomiegedankens*

Ein oberflächlicher Vergleich des lutherischen Ethikkonzepts mit dem Paränese-Modell ergibt, daß die beiden Modelle vor allem im Gedanken einer autonomen Moral übereinstimmen. Das Paränese-Modell ist wegen seines schöpfungstheologischen Defizits bereits als ungeeignet für die Grundlegung eines Autonomiekonzepts bezeichnet worden. Eignet sich das gesetzestheologische Ethikkonzept Luthers besser für die Aktualisierung im Sinne des Autonomiegedankens, weil es das Problem der schöpfungstheologischen Grundlegung der Ethik hermeneutisch gelöst hat?

a) Ansätze zu einem theologischen Autonomiegedanken

Daß der Autonomiegedanke als solcher in der hermeneutischen Situation des Reformators keine Rolle spielt, bedarf keiner weiteren Erklärung. Man wird daher bei Luther keine durchreflektierten Ansätze zu einem Autonomie-Modell suchen. Er hat allerdings aus der paulinischen Gesetzestheologie Aspekte aufgegriffen und Konsequenzen gezogen, die als Ansätze zu einem

Autonomiekonzept bezeichnet werden können. Hierher gehört z.B. die fundamentale Feststellung, daß das Evangelium eine rein soteriologische Verhältnisordnung ist, die als solche keine materiale Weltethik enthält und die deshalb um die materialethische Weisungs- und Orientierungsfunktion ergänzt werden muß. Luther teilt mit Paulus die Vorstellung, daß die Moral als etwas Eigenständiges vor der Evangeliumsverkündigung existiert, daß ihre Inhalte vom Christen am Weltort aufgegriffen und in das christliche Gottesbekenntnis integriert werden müssen. Vor allem rezipiert Luther die paulinische Aussage, daß sich der Gläubige in der Epoche des Evangeliums an der Theonomie ohne Gesetzesgestalt zu orientieren habe – eine Feststellung, die für die Entwicklung eines theologischen Autonomiegedankens bedeutsam ist.

Das ändert nichts daran, daß die Grenzen der gesetzestheologischen Reflexion des Paulus auch die Grenzen des lutherischen Ethikkonzepts geworden sind. Gemeint ist der fast völlige Ausfall der schöpfungstheologischen Reflexion des Gesetzes- wie überhaupt des Theonomiegedankens bei Paulus, der die Applikation der paulinischen Gesetzestheologie auf den Autonomiegedanken ungemein erschwert, wenn nicht in Frage stellt. Paulus teilt bezüglich der Gesetzesvorstellung den Offenbarungspositivismus des Judentums. Er hat die Theonomie ohne Gesetzesgestalt, an der sich der Christ in der Epoche des Evangeliums orientieren soll, noch keineswegs schöpfungstheologisch durchreflektiert, aus Gründen seiner radikalen Eschatologie. Luther hilft sich in der verkündigungsgeschichtlichen Situation seiner Zeit damit, daß er in die Gesetzespredigt, durch die er den Sünder für die Annahme des Evangeliums disponiert, vor allem das Gesetz des Schöpfers und Geschichtsherrn einführt. Forderung, Anklage und Verurteilung gehen bei Luther vom Gesetz des Schöpfers und nicht mehr wie bei Paulus ausschließlich vom Sinaigesetz aus. Vor allem im Bereich des usus politicus legis hat es der lutherische Christ mit dem Willen des Schöpfers und Geschichtsherrn zu tun, der das für die Welt Gute getan haben will. Auch die Paraklese, die neben dem usus politicus legis aktualisiert wird, schöpft die materialethische Weisung und Orientierung vornehmlich aus der Schöpfungsordnung, aus dem Naturgesetz. Im sozialen und individuellen Lebensbereich herrscht zwischen Christgläubigen und Nichtgläubigen weitgehende Übereinstimmung, weil die Materialethik von der menschlichen Vernunft aufgefunden und statuiert wird. Diese Ansätze, die in den Autonomiegedanken einmünden konnten, hat Luther jedoch nicht weiter verfolgt. Denn die Schwerpunkte der paulinischen Gesetzestheologie sind auch zu Schwerpunkten seines Ethikkonzepts geworden. Ihn interessiert nicht der materialethische, sondern der soteriologische Aspekt des Gesetzesgedankens.

Luther kommt es in erster Linie darauf an, daß in der neuen Verhältnisordnung des Evangeliums all das destruiert und ausgeräumt wird, was die sittliche Forderung bzw. den sittlichen Gesetzesgedanken nochmals in den Rang

einer religiösen Verhältnis- und Vergeltungsordnung erheben könnte. Daher darf auch der Forderungscharakter der Schöpfungswirklichkeit nicht mehr vergesetzlicht werden. Luther will in erster Linie vermeiden, daß die Materialethik nochmals in ein religionistisches Leistungssystem verfälscht wird, wodurch die sittliche Forderung als Werk bzw. als opus erscheint und in den Mittelpunkt des Gottesverhältnisses rückt. Es geschieht also nicht aus materialethischem Interesse, sondern im Zuge seiner Destruktion des Gesetzesgedankens, wenn Luther die Quelle der materialethischen Weisung und Orientierung unmittelbar ins Wort des Schöpfers und Geschichtsherrn selbst verlegt[295]. Die sittliche Forderung soll als absolut unverfügbares, situationsbezogenes und geschichtlich aktuelles Wort des Schöpfers und Erhalters der Welt erkannt und befolgt werden. „Während der Mensch, der unter dem Gesetze lebt, an ein starres Schema gebunden ist, das zwischen ihm und Gott in der Mitte steht und sein Gottesverhältnis regelt, ist der Christ, der im Raum des Evangeliums Gebot empfängt und dem Gebot gehorcht, ein homo sensus und opinionis flexibilis. Er ist unmittelbar zu Gott – besser: Gott ist unmittelbar zu ihm geworden. Nicht litera, sondern experientia begegnet ihm das Gebot."[296] Die in der Epoche des Evangeliums aktuelle Theonomie ist damit eindeutig schöpfungstheologisch vorgestellt. Man könnte sagen, daß Luther den Empfang der sittlichen Weisung und Orientierung unmittelbar an die protologische κλῆσις des Schöpfers und Geschichtsherrn bindet, wenn man darunter nichts Einmaliges, sondern den aktuellen geschichtlichen Anruf versteht. Die Unmittelbarkeit des Christen zum Schöpfer wird beim Reformator in Analogie zu Adam gedacht. Nach W. Joest darf es „wohl als sicher gelten, daß Luther den Urstand denkt als die Norm, die durch den Fall zerstört wurde und in der Erlösung wiederhergestellt wird."[297]
Luther deutet damit zwar an, daß der vom Evangelium erneuerte Mensch wieder ganz in die Ursprungsrelation zu Gott als Schöpfer und Geschichtsherr gestellt und zum eigenständigen Vernehmen und Artikulieren der Theonomie aufgefordert ist. Er sieht in dem im Glaubensgehorsam vorliegenden Ja zur Theonomie die Basis, von der aus der Christ sich andere, ja bessere Dekaloge geben kann[298]. Trotz dieser schöpfungstheologischen Ansätze

---

295 Vgl. dazu W. Joest, Gesetz 116f.

296 A.a.O. 117. Vgl. dazu Luther, WA 56, 445, 18ff.

297 W. Joest, Gesetz 222 Anm. 314. Das Zitat bezieht sich auf WA 39 I, 375, 4ff. Der Reformator spreche davon, daß Adam „aufs Wort gestellt" gewesen sei, auf „jenes kontingente, ganz und gar nicht im Sinne qualifizierter Leistung aufzufassende Gebot, damit er ganz und unmittelbar am Munde Gottes hängend leben sollte". Es sei für das reformatorische Denken bedeutsam, daß „jenes weisende Wort" des rufenden Schöpfers „nicht als litera gehört werden muß, sondern in viva experientia gehört werden darf." Vgl. a.a.O. 117 und 118.

298 Christus und die Apostel haben „neue Dekaloge" (WA 39 I, 47, 27) aufgestellt, und „diese Dekaloge sind klarer, heller als der Dekalog des Mose..." (WA 36 I, 47, 29).

kann das von Luther gestaltete Ethikkonzept in seiner historischen Gestalt schwerlich im Sinn des Autonomiegedankens aktualisiert werden. Denn von Ansätzen zu einem gesamttheologischen Autonomiekonzept, bei dem außer der Schöpfungstheologie auch die Soteriologie, die Christologie und Ekklesiologie auf den Autonomiegedanken appliziert werden, kann bei Luther keine Rede sein. Das ändert jedoch nichts daran, daß Luther aus der gesetzestheologischen Reflexion des Paulus Ansätze aufgegriffen und ausgebaut hat, die in späterer Zeit und unter veränderten Bedingungen im Sinne des Autonomiegedankens ausgewertet werden konnten.

b) Negative Erfahrungen

Es braucht hier nicht erörtert zu werden, wie der von I. Kant konzipierte sittliche Autonomiegedanke durch lutherische Ethiker in die theologische Ethik eingeführt wurde[299]. Unter dem Schlagwort der Autonomie beginnt sich die Ethik der Neuzeit immer stärker von Religion, Kirche und Theologie zu emanzipieren. Feststeht, daß sich der Reformator um die Anerkennung und Beibehaltung des Theonomiecharakters der Ethik noch keine Sorgen machen mußte. Daß der Staat, in dessen Regie der politicus usus legis stattfindet, einmal dezidiert säkularistisch und atheistisch sein und den Theonomiecharakter der Ordnungen leugnen könnte, lag außerhalb seines Gesichtskreises. Von daher hatte Luther der Gefahr einer absoluten immanentistischen Abkapselung der Ethik von der Religion wenig vorgebeugt. Ein Wächteramt der Kirche gegenüber einem ideologisch-atheistischen Staat zu konzipieren kam in der geschichtlichen Situation Luthers einfach nicht in Betracht. Der Reformator stand nicht vor der Notwendigkeit, die stimulierenden und kritisierenden Faktoren des christlichen Glaubens herauszuarbeiten, die beim Vorgang der autonomen Findung und Statuierung der Normen ins Spiel kommen konnten bzw. mußten. Es gab Vertreter der lutherischen Ethik, die in der Entwicklung des Autonomiegedankens die Wirkungsgeschichte der Reformation sahen. Es gab eine Richtung, die selbst dem nationalsozialistischen Staat die Alleinkompetenz zum politicus usus legis zuerkannte[300]. So kommt es, daß die verhängnisvollen Verirrungen des national-

---

Bekanntlich erklärt Luther in den Antinomerdisputationen, daß der Dekalog im Gewissen vorhanden ist, vgl. WA 39 I, 374, 2ff; ferner a.a.O. 454, 4ff.

299 Zum Ganzen vgl. W. Joest, Gesetz 222 Anm. 319; L. Ihmels, Theonomie und Autonomie im Licht der christlichen Ethik. Akademische Antrittsrede, geh. zu Leipzig am 22.XI.1902, Leipzig 1902, 25, schlägt vor, die Autonomie als die „Form der Theonomie" zu begreifen.

300 Vgl. dazu W. Joest, Gesetz 11; E. Schlink, Gesetz 335; E. Wolf, Sozialethik. Theologische Grundfragen, Göttingen 1975, 74f; ders., Kirche im Widerstand? Protestantische Opposition in der Klammer der Zwei-Reiche-Lehre, München 1965; F. Gogarten, Einheit von Evangelium und Volkstum?, Hamburg ^{2}1934; ders., Ist Volksgesetz Gottesgesetz? Eine Auseinandersetzung mit meinen Kritikern, Hamburg 1934; P. Knitter, Die Uroffenbarungslehre von Paul Althaus – Anknüpfungspunkt für den National-

sozialistischen Staates als Auswirkungen des lutherischen Ethikkonzepts deklariert werden.
Es ist die Aktualisierung des lutherischen Ethikkonzepts im Sinn des Autonomiegedankens, die K. Barth zum lebhaften Protest und zu einer umfassenden theologischen Bestandsaufnahme bewegt. Der reformierte Theologe fühlt sich dazu herausgefordert, die von Luther gelegten hermeneutischen Voraussetzungen und Grundlagen kritisch zu prüfen und eine davon abweichende neue theologische Grundlage zu schaffen, auf der eine vom Evangelium inspirierte Sozialethik und ein Wächteramt der Kirche gegenüber dem atheistischen Staat begründet werden können.

II. Paraklese als Gesetz. K. Barths Ethikkonzept aus paulinischem Geist

Eigentlich hätte sich der Streit um die Grundlagen der christlichen Ethik bzw. um das schriftgemäße Ethikkonzept am historisch-kritischen Paränese-Modell des M. Dibelius entzünden müssen. Darin war die theologische Ethik zur zeitgemäßen Aktualisierung des Rezeptions- bzw. Integrierungsgedankens aufgefordert worden. Weder die Lutheraner noch erst recht K. Barth sind darauf eingegangen. K. Barth erscheint es dringlicher, das lutherische Ethikkonzept mitsamt seinen reformatorisch-hermeneutischen Grundlagen aus den Angeln zu heben, als die Aktualisierung eines Modells zu erproben, das jeden Bezug auf die – für die reformatorische Theologie maßgebliche – gesetzestheologische Reflexion des Paulus vermissen ließ.

1. *K. Barths Alternativentwurf zu Luther*

K. Barth konstatiert das Versagen der lutherischen Kirche und Theologie gegenüber der Herausforderung durch den nationalsozialistischen Staat. Er führt es auf die spezifischen gesetzestheologischen Grundlagen des deutschen Luthertums (Gegensatz von Gesetz und Evangelium, Zwei-Reiche-Lehre, Zwei-Regimenter-Lehre) zurück, daß dieser deutsche Staat den politicus usus legis so unangefochten ausüben kann[301]. Nachdem der Bereich des

sozialismus. Eine Studie zum Verhältnis von Theologie und Ideologie, in: EvTh 33 (1973) 138–164; A. Hakamies, „Eigengesetzlichkeit" der natürlichen Ordnungen als Grundproblem der neueren Lutherdeutung. Studien zur Geschichte und Problematik der Zwei-Reiche-Lehre, Witten 1971.

301 K. Barth, Eine Schweizer Stimme 1938–1945, Zollikon–Zürich 1945, ²1953, 113 (Schweizer Stimme), spricht vom „Irrtum Martin Luthers hinsichtlich des Verhältnisses von Gesetz und Evangelium, von weltlicher und geistlicher Ordnung und Macht". Zu Barths Kampfansage gegen den autonomen Menschen vgl. D. Schellong, Bürgertum und christliche Religion. Anpassungsprobleme der Theologie seit Schleiermacher (ThEx 187), München 1975, 103 (Bürgertum).

sozialen, rechtlichen und politischen Gesetzes restlos profanisiert und säkularisiert ist, dient die theologische Sanktionierung des usus politicus legis dem im atheistischen Sinne autonomen Staat. Der Verzicht der lutherischen Theologie auf den tertius usus legis im persönlich-zwischenmenschlichen Bereich wirkt sich nach K. Barth dahin aus, daß die Kirche jegliche Wächterfunktion einbüßt. Die Predigt des Gesetzes im Raum der Kirche hat keine gesellschaftskritische Funktion, sie wirkt nicht in den sozialen, rechtlichen und politischen Raum hinein. Sie kann aber auch den Siegeszug des atheistischen Autonomiegedankens im Bereich der Individualmoral nicht aufhalten. Die Paraklese, die sich um die materialethische Orientierung und Normierung dieses Bereiches bemüht, ist längst zur reinen Persönlichkeits- bzw. Innerlichkeitsethik geworden. Gegenüber dem vom Staat praktizierten politicus usus legis und dem Siegeszug des atheistischen Autonomieverständnisses war sie zur Wirkungslosigkeit und Bedeutungslosigkeit verurteilt.
K. Barth hat eine bestimmte Richtung der Theologie vor Augen, die sich durch die lutherische Unterscheidung von Gesetz und Evangelium nicht nur berechtigt, sondern geradezu gedrängt fühlte, „dem Staat – den sie mit der Sphäre des Gesetzes schlechtweg gleichsetzte – seinen eigenen Raum neben der Christusoffenbarung zu vindizieren und seiner Eigengesetzlichkeit die theologische Weihe zu geben"[302]. Er entdeckt unter dem Zwang des Dritten Reiches den Öffentlichkeitscharakter des Evangeliums und den Öffentlichkeitsauftrag der christlichen Kirche. K. Barth ist davon überzeugt, daß die falsche Weichenstellung, die die Kirche auf das historische Abstellgleis geführt hat, in der lutherischen Rezeption der paulinischen Gesetzestheologie zu suchen ist und daß das rettende Gegenkonzept nur durch die Aktualisierung und Erweiterung des eigenen calvinischen Ansatzes gefunden werden kann. Die hermeneutische Zielsetzung K. Barths ist demnach in der kirchen- und theologiegeschichtlichen Situation begründet. Sie erfordert eine zeitbezogene Schriftauslegung und den Mut, „nicht nur über Luther, sondern auch über Calvin, und zwar auch über das beiden Gemeinsame"[303] hinauszugehen.
Von daher kommt es, daß K. Barth bei der Revision der lutherischen Lehre von Gesetz und Evangelium völlig außer acht läßt, was einmal das reformatorische Uranliegen war: die Unterscheidung, ja Entgegensetzung von Gesetz und Evangelium. Als calvinischer Theologe ist er davon überzeugt, daß

---

302 W. Joest, Gesetz 10. K. Barth, Schweizer Stimme 122, erklärt: „Das Luthertum hat dem deutschen Heidentum ... mit seiner Absonderung ... des Gesetzes vom Evangelium so etwas wie einen eigenen sakralen Raum zugewiesen."

303 E. Schlink, Gesetz 323. K. Barth, Abschied, in: Zwischen den Zeiten 11 (1933) 536–554, warnt davor, seine Position vorwiegend aus dem Gegensatz zwischen reformierter und lutherischer Theologie heraus begreifen zu wollen. Zur Auseinandersetzung mit Luther vgl. Der Götze wackelt. Zeitkritische Aufsätze, Reden und Briefe von 1930–1960, hrsg. von K. Kupisch, Berlin 1961, 53, 55, 60, 62f, 68, 114 u.ö.

sich das reformatorische Uranliegen, die Vergesetzlichung des christlichen Evangeliums rückgängig zu machen, durch die Herausstellung der inneren Einheit von Evangelium und Gesetz sogar besser erreichen läßt. Calvin war nicht, wie Luther, davon ausgegangen, daß der Gesetzespredigt primär die soteriologische Funktion zukomme, den Sünder einzukreisen, anzuklagen, zu verurteilen und dem Erlöser in die Arme zu treiben. Aus calvinischer Sicht hat Paulus das Gesetz nicht durch die Paraklese ersetzt. Die paulinische Feststellung, daß Gott selbst das Gesetz als zeitlich befristete Verhältnisordnung eingesetzt und durch das Evangelium (als neue Verhältnisordnung) endgültig abgeschafft hat, tritt merklich in den Hintergrund. Im Gegensatz zu Paulus und Luther lehrt Calvin einen tertius usus legis, und er bezeichnet ihn auch unumwunden als den usus praecipuus legis[304].
K. Barth formt die von Paulus verkündete geschichtliche Aufeinanderfolge von Gesetz und Evangelium nicht, wie Luther, um in die Lehre von der dialektischen Gleichzeitigkeit zweier Worte Gottes, die in der Gesetzes- und in der Evangeliumspredigt auf den Menschen einwirken. Er sieht die Spannung bzw. den Gegensatz zwischen Gesetz und Evangelium nicht im Handeln Gottes, sondern im Verhalten des Menschen begründet. Am eschatologischen Evangelium kommen das menschliche Mißverständnis und der menschliche Mißbrauch des Gesetzes zu ihrem Ende, nicht jedoch das Gesetz selbst. Wenn Mißverständnis und Mißbrauch zu Ende kommen, tritt die verborgene Einheit von Evangelium und Gesetz nur um so leuchtender hervor[305]. Im Evangelium erscheinen der Sinn und der Zweck des Gesetzes überhaupt erst in ihrer absolut reinen Gestalt. Die Äonenwende besteht darin, daß das von Gott intendierte Gesetz wieder in seiner Reinheit herausgestellt wird. K. Barth lehrt den Christen, daß es immer nur das eine Wort Gottes gibt, welches Verheißung und Gesetz (Altes Testament) bzw. Evangelium und Gesetz (Neues Testament) umspannt. Der Gläubige steht von Anfang an unter diesem einen, aus zwei Elementen zusammengesetzten Wort Gottes, wobei sich das Gesetz immer als die Gestalt bzw. als die Form der Gnade erweist. Luthers „Vorordnung des Gesetzes als des ‚fremden' Werkes vor das Evangelium als das ‚eigentliche' Werk Gottes"[306] wird damit ausdrücklich widerrufen. Das eine Wort Gottes umspannt grundsätzlich Indikativ und Imperativ, Evangelium und Gesetz; die Gnade ist immer Angebot und Gebot zugleich.

---

304 Vgl. Inst. II, 7, 12. Zum Ganzen vgl. F. Wendel, Calvin. Ursprung und Entwicklung seiner Theologie, Neukirchen-Vluyn 1968, 169–181.

305 Zum Ganzen vgl. K. Barth, KD II, 2, 655; ders., KD IV, 1, 654; vgl. ferner W. Joest, Gesetz 37–44; H. Gollwitzer, Zur Einheit von Gesetz und Evangelium, in: Antwort 287–309, hier 301 (Einheit).

306 W. Joest, Gesetz 10; B. Klappert, Promissio 67–69.

K. Barths Kritik an der deutschen lutherischen Ethik geht davon aus, daß sie das profane Gesetz (usus politicus legis) und die Paraklese von außerhalb aufgreift und zum Evangelium hinzufügt. Hier wird die Materialethik als etwas außerhalb der neuen Evangeliumsordnung Gewachsenes und Geformtes, d.h. als etwas Eigenständiges angesehen und integriert. K. Barth entwickelt sie aus dem Evangelium heraus und stellt sie als das Gesetz des Evangeliums der profanen Moral entgegen. Die Aufgabe besteht für ihn nicht wie bei Paulus und Luther darin, aus der von Gott selbst ausgelösten und zu Ende gebrachten Gesetzesordnung die rein materialethische Schicht bzw. die reine Orientierungsfunktion herauszulösen und sie in das Evangelium als neue und endgültige Verhältnisordnung herüberzunehmen.

a) Christologisierung des Gotteswillens

Wer sich so leidenschaftlich gegen die lutherische Anerkennung einer zweiten Offenbarung in Natur und Geschichte wendet, wie K. Barth, der kommt um die Christologisierung des Gotteswillens nicht herum. Wer wie K. Barth dagegen protestiert, „vorhandene Ordnungen als Gottesordnung, Volksnomos als Gottesgesetz und geschichtliche Eindrücke als Gottes Ruf in der Geschichte" zu verstehen und zu deuten, der muß die Kirche ausschließlich „zum Hören auf Gottes Wort in der Schrift, nämlich zu dem von der Schrift bezeugten fleischgewordenen einen Gotteswort Jesus Christus"[307] hindrängen. Es bleibt ihm nichts anderes übrig, als auch für die Materialethik die Losung sola scriptura auszugeben, wobei sola scriptura am Ende solus Christus heißt. K. Barth argumentiert: „... wenn es aber Gnade ist, daß Gottes Wort laut und hörbar wird und wenn Gnade nichts anderes heißt als Jesus Christus, dann ist es nicht nur unsicher und gefährlich, sondern verkehrt, das Gesetz Gottes aus irgendeinem Ding, aus irgendeinem Geschehen ablesen zu wollen, das verschieden ist von dem Geschehen, in welchem uns der Wille Gottes, den Schleier unserer Theorien und Deutungen zerreißend, formal und inhaltlich als Gnade sichtbar wird. Das ist aber das Geschehen des Willens Gottes zu Bethlehem, Kapernaum und Tiberias, in Gethsemane, auf Golgotha... Indem uns dieses Geschehen des Willens Gottes, also das Geschehen seiner Gnade offenbar wird, wird uns das Gesetz offenbar."[308]
Wenn das Evangelium der Ort ist, an dem das von Jesus exemplarisch gelebte und erfüllte (Bundes-)Gesetz einsichtig wird, dann sind die Glaubenden auch

---

307 E. Schlink, Gesetz 335. Vgl. die Kritik K. Barths an der bisherigen Gesetzeslehre (lex aeterna Dei, lex naturalis), KD IV, 1, 403ff, 407ff, 413ff; vgl. ferner KD IV, 2, 426f und IV, 3, 426f.

308 K. Barth, Evangelium und Gesetz (ThEx 32), München 1935, 9 (Evangelium); ähnlich ders., KD II, 2, 621.

die materialethisch Informierten. Sobald die Frage nach der Offenbartheit des Gesetzes christologisch, d.h. unter Hinweis auf das Christusevangelium gelöst wird, fällt der christlichen Kirche allein die Findung und Statuierung des Willens Gottes zu[309].

Beim Apostel Paulus war es zur Rezeption und Integrierung der Ethik nicht zuletzt deshalb gekommen, weil das Evangelium, so wie Paulus es kennt, die Ethik von Haus aus nicht enthält oder anders ausgedrückt: weil das von ihm empfangene und verkündigte Evangelium de facto keine ethisch zugespitzte Logienüberlieferung enthält. Die Systematisierung der Einheit von Evangelium und Gesetz kann K. Barth nur zustande bringen, weil er sich über das paulinische Evangelium hinaus besonders dem synoptischen Evangelium zuwendet, dem das Bild vom neuen Gesetzgeber Christus[310] nicht fremd ist. Das synoptische Christusevangelium bietet die besseren Chancen, die innere Einheit von Evangelium und Gesetz darzustellen, das christliche Proprium der Ethik zur Geltung zu bringen, die eschatologische Gottesoffenbarung in materialethische Weisung umzusetzen. Die innere Einheit von Evangelium und Gesetz läßt sich am besten an Jesus Christus veranschaulichen, der beides ist: Gnade und Gesetz, die eschatologische Erfüllung und definitive Offenbarung des Bundeswillens Gottes[311].

b) Paraklese als Gesetz

Wie man sieht, weicht K. Barth von Paulus und Luther ab: Das Gesetz ist „nicht der Gegenspieler, sondern die Form des Evangeliums, das Evangelium nicht die Durchbrechung, sondern der Inhalt des Gesetzes“[312]. Anstatt den Gesetzesgedanken aus der neuen und endgültigen Verhältnisordnung des Evangeliums zu eliminieren, wie Luther das im Anschluß an Paulus tut, renoviert K. Barth den Gesetzesgedanken innerhalb der neuen Ordnung. Es geht auf Calvins positive Wertung des Gesetzes zurück, wenn K. Barth das Gebot bzw. das Gesetz als eine andere Gestalt der Gnade theologisch aufwertet und es als die „Form des Evangeliums“ bezeichnet[313]. Selbstverständlich beruft sich K. Barth vor allem auch auf Paulus, näherhin auf das viel diskutierte Verhältnis von Indikativ und Imperativ bei Paulus. Er geht davon

---

309 Dann verkündet sie mit dem Evangelium auch die ethische Ordnung für „alle Völker“ (vgl. Mt 28, 16–20). Zur universalen Geltung vgl. KD II, 2, 787.

310 Vgl. dazu W. Trilling, Das wahre Israel. Studien zur Theologie des Matthäusevangeliums (StANT 10), München 1964, 38f, 209f; G. Strecker, Glaube 36–45. Zur Diskrepanz zwischen Mattäus und Paulus vgl. G. Eichholz, Die Theologie des Paulus im Umriß, Neukirchen 1972, 239.

311 Vgl. dazu K. Barth, Evangelium 8; ders., KD II, 2, 625; G. Wingren, Evangelium und Gesetz, in: Antwort 310–322, hier 318.

312 W. Joest, Gesetz 10.

313 Vgl. Evangelium passim; ders., KD II, 2, 564–875, hier 615: das Gebot ist „die Form ... der Gnade“; vgl. auch a.a.O. 630; ferner KD III, 4, 51–789.

aus, daß die apostolische Praxis grundsätzlich die Einheit von Indikativ und Imperativ anzeigt, denn sie ist Evangeliumsverkündigung und Mahnrede, Zusage und Forderung in einem.

Die exegetische Zuordnung des Paraklesebegriffs zum Evangeliumsbegriff wird akzeptiert, die Entgegensetzung von Evangeliums- und Gesetzesbegriff nicht. E. Schlink kritisiert, daß K. Barth das Hervorgehen der Paraklese aus dem Evangelium erkennt, dann aber in auffallender Abweichung von Paulus die Paraklese als Gesetz bezeichnet[314]. Was K. Barth veranlaßt, die paulinische Vermeidung des Gesetzesbegriffs zu überspringen und die Paraklese als Gesetz (im absoluten Sinn) zu bezeichnen, ist die calvinische Denkvoraussetzung. Der hermeneutische Schlüssel Evangelium und Gesetz fungiert auch hier als „Aufgliederungsprinzip des Schriftinhalts"[315]: Die Paraklese wird jetzt dem calvinisch verstandenen Gesetz zugeschlagen. K. Barth umgeht die von Luther gezogenen Konsequenzen, ohne näher auf den lutherisch-calvinischen Dissens bezüglich des tertius usus legis einzugehen. Für ihn kommt es entscheidend auf die innere Einheit des beibehaltenen positiven Gesetzesgedankens mit dem Evangeliumsbegriff an. Daß in Calvins kontinuierlicher Verwendung des Gesetzesbegriffs, wie überhaupt in der Herausstellung der inneren Einheit von Evangelium und Gesetz ein Gefälle zur Gesetzlichkeit und eine Gefahr der Vergesetzlichung des Evangeliums gegeben ist, ficht K. Barth – angesichts der aktuellen Frage nach dem normativen Beitrag des Christentums – wenig an.

3. *K. Barths Ethikkonzept im Lichte des Paränese- und Paraklese-Modells*

Der Gegenentwurf Barths zum lutherischen Ethikkonzept kann als typisches Beispiel für das häufige Auseinanderklaffen von systematischer Theologie und historischer, exegetischer Forschung bezeichnet werden. Die Methode einer rein spekulativen Systematisierung der Einheit von Evangelium und Gesetz muß sich jedoch durch Methodik und Ergebnis der Paränese- und Parakleseforschung in Frage stellen lassen.

a) Vergleich mit dem Paränese-Modell

Es braucht keine lange Erklärung mehr, warum die Aufforderung des M. Dibelius, aus dem Paränese-Modell nun auch in der systematischen Ethik die Konsequenzen zu ziehen, von K. Barth nicht aufgegriffen wurde. K. Barth hätte den Appell, die zeitgenössische profane Moral zu rezipieren bzw. zu integrieren, nicht als hilfreiches exegetisches Angebot angesehen, sondern als Aufforderung, auf die Aktualisierung des christlichen Evangeliums bzw.

---

314 Vgl. Gesetz 326–335. Vgl. dazu B. Klappert, Promissio 30 Anm. 17 und 237 Anm. 31.

315 Vgl. Anm. 293.

auf den christlichen Beitrag zu verzichten. Was er dem deutschen Luthertum vorhielt, war ja gerade die oberflächliche Rezeption profaner autonomer Moral bzw. die oberflächliche theologische Integrierung derselben. Das Paränese-Modell schien also nicht die Richtung anzuzeigen, in der die Lösung des zeitgenössischen Ethikproblems gesucht werden sollte. Statt eine Korrektur des Modells zu versuchen und nach der stimulierenden und kritisierenden Wirkung des Evangeliums auf die Materialethik zu fragen, wird gleich das ganze Modell abgelehnt und rein spekulativ die Einheit von Evangelium und Gesetz postuliert.

Nach dem Paränese-Modell ist die vom eschatologischen Missionar aktualisierte und in den Gelegenheitsbriefen angedeutete Weltethik eine dem profanen Weltraum zugehörige Größe. Das Evangelium vom eschatologischen Handeln Gottes artikuliert den konkreten Willen des Schöpfers und Geschichtsherrn in bezug auf diese Welt nicht. Des Apostels Hinweis auf den Staat als Wahrer der sozialen, rechtlichen und politischen Ordnungen (Röm 13,1–8), seine großzügige Rezeption und Integrierung profaner paränetischer Materialien nötigen zu der Annahme, daß in der Epoche des Evangeliums der politicus usus legis und die Paraklese mit ihrer materialethischen Weisung notwendig sind. Sie befriedigen das Bedürfnis der christlichen Gemeinden nach konkreter Anleitung zum Handeln an der Welt. Erst nachdem das Naherwartungs- bzw. Parusieverzögerungsproblem ausgestanden ist, werden der politicus usus legis und die Materialethik der Paraklese schöpfungstheologisch begründet. Mit diesen Ergebnissen hat die Paräneseforschung klar Stellung für das lutherische Ethikkonzept und gegen den Ansatz K. Barths bezogen.

Was K. Barth bewogen haben mag, an der Paräneseforschung vorbeizugehen, ist die Abkehr von der historisch-kritischen Methodik im allgemeinen und die Abwendung von der Eschatologiedebatte im besonderen. Von daher war er nicht bereit, ein Ethikmodell zu akzeptieren, das sich in der Hauptsache auf rein formgeschichtliche Beobachtungen stützte und auf einer umstrittenen Hypothese über die urkirchliche Eschatologie (Naherwartung) aufruhte. Er wendet sich der gesetzestheologischen Reflexion zu, einmal weil er sich zur Korrektur der reformatorischen Auslegungsgeschichte berufen fühlt, und zum anderen, weil er das systematisch durchreflektierte Ethikkonzept dem exegetischen Modell vorzieht.

Daß K. Barth das führende exegetische Ethikmodell ignorieren konnte, liegt vor allem aber auch daran, daß es die lutherische theologische Ethik unterlassen hat, die Ergebnisse der Paräneseforschung mit den Feststellungen der gesetzestheologischen Reflexion in Zusammenhang oder in Einklang zu bringen. Auf die historische Situation der Kontroverse gesehen, erübrigt sich die Frage, ob K. Barth die massive Infragestellung des lutherischen Ethikkonzepts überhaupt hätte betreiben können, wenn er mit der Tatsache konfrontiert worden wäre, daß die Exegese – sowohl die Paränese- als auch die

Parakleseforschung – das lutherische Konzept weitgehend verifiziert hat. Es rächt sich, wenn die Exegese bei der historisch-kritischen Erstellung eines Ethikmodells nicht an die theologische Ethik und ihre hermeneutischen Prinzipien denkt und umgekehrt, wenn die Systematik ihr eigenes Konzept nicht mit dem historisch-kritischen Modell der Exegese vergleicht. So erklärt sich das Ausbleiben einer befruchtenden Wirkung des Paränese-Modells auf das lutherische Ethikkonzept und das Ausbleiben des exegetischen Einspruchs gegen das von K. Barth projektierte Gegenkonzept.

b) Vergleich mit dem Paraklese-Modell

Der Vorwurf des Auseinanderklaffens von historischer Forschung und systematischem Denken trifft auch die Exegese, insoweit sie ihre hermeneutischen Voraussetzungen wenig reflektiert und sich an der Diskussion innerhalb der theologischen Ethik kaum beteiligt. Die Parakleseforschung zielt – wie die Päräneseforschung – auf einen Gesamtbefund von eschatologischer Evangeliumsverkündigung und konkreter Ethik. Sie wäre von daher in der Lage, die gesetzestheologische Bestimmung des Verhältnisses von Evangelium und Weltethik kritisch zu überprüfen. Aber es kümmert sie wenig, daß die theologische Ethik hauptsächlich mit der gesetzestheologischen Reflexion des Paulus arbeitet, noch weniger, daß der Schlüssel zum paulinischen Denken konfessionell kontrovers gehandhabt wird. Sie geht auf den konfessionellen Streit zwischen Lutheranern und K. Barth nicht ein und wirft ihre Ergebnisse nicht in die Waagschale. Die streitenden Parteien wiederum nehmen auf die Parakleseforschung wenig Bezug, weil diese ohne spezielle Berücksichtigung der Gesetzestheologie und unter Absehung von der unterschiedlichen reformatorischen Hermeneutik den Ort, die Gestalt und die Funktion der Ethik im Zeichen des Evangeliums bestimmen will.
K. Barth selbst läßt sich bei der Neuinterpretation der Gesetzestheologie nicht in erster Linie von der Exegese leiten. Sein Interesse an einem Neuentwurf bzw. Gegenentwurf ist ausschließlich durch die negative Wirkungsgeschichte des lutherischen Ethikkonzepts bestimmt. Insofern ist wenig Bereitschaft vorhanden, den eigenen Entwurf (die Systematisierung von Evangelium und Gesetz) der Kritik der Parakleseforschung zu unterwerfen, die den Gebrauch des Gesetzesbegriffs zumindest als terminologische Verschleierung, wenn nicht als Verfälschung der wahren paulinischen Ethikstruktur bezeichnen müßte. Denn für die Parakleseforschung besteht die ursprüngliche und bleibende Wirkung des Evangeliums auf die Ethik in der Aufhebung und Destruktion des Gesetzesgedankens. H. Schlier beschreibt die Paraklese als jene neuartige Gestalt von Ethik, die auf dem Boden des Evangeliums entstanden ist und in der ausschließlich die materialethische Weisungs- und Orientierungsfunktion des alten Gesetzes fortlebt. Weil sie ganz im Dienst des Evangeliums steht, gehört die Paraklese nicht mehr auf die Seite des negativ qualifizierten Gesetzesgedankens. Sie ist Ethik von der im Evangelium

gelösten Heilsfrage her, sie aktualisiert den sittlichen Imperativ auf der Basis der Neuschöpfung.
Aus der Parakleseforschung ergibt sich, daß die konkrete Ethikgestalt der Paraklese als die Ausführung und Realisierung jener Idee anzusprechen ist, die Paulus in seiner gesetzestheologischen Reflexion konzipiert hat. Das Paraklese-Modell ist nicht ohne die Kenntnis der gesetzestheologischen Reflexion und diese ist nicht ohne die Kenntnis der Konkretisierung bzw. der Praxis zu verstehen. Das ist für die Beurteilung der Schriftgemäßheit des umstrittenen Barthschen Ethikkonzepts bedeutsam. Es heißt, daß K. Barth die Paraklese, die von zwei Seiten her eindeutig als Ersatzform bzw. als Nachfolgeinstitution des alttestamentlich-jüdischen Gesetzes dargestellt wird, nicht einfach als Gesetz, auch nicht als neues Gesetz deklarieren darf.
Vom Paraklese-Modell her fällt auch ein kritisches Licht auf die Barthsche Bezeichnung der Paraklese als „Form" des Evangeliums. Im Gegensatz zum Paränese-Modell sagt das Paraklese-Modell zwar auch, daß die paulinischen Paraklese die Form genannt werden kann, in der das Evangelium existentiell-ethisch appliziert bzw. aktualisiert wird. Mit dieser Kennzeichnung meint es jedoch nur die Umsetzung des soteriologischen Indikativs in einen soteriologischen Imperativ, d.h. ins Heilsethos. Paulus entwickelt eine Paraklese, in der die soteriologischen Indikative des Evangeliums in soteriologische Imperative umgesetzt werden. Was die sittlichen Imperative betrifft, die das Weltethos regeln, die Anleitung zum Handeln an der Welt geben, verweist Paulus auf das im staatlichen Raum vorhandene Gesetz (Röm 13,1–8). Hier greift er auf die vorgegebene und bewährte Materialethik seiner Zeit zurück. K. Barth differenziert beim imperativischen Bestandteil des Evangeliums und der Paraklese nicht genügend zwischen Imperativen, die das Heilsethos, und Imperativen, die das Weltethos betreffen. Erstere entstehen durch die Umsetzung soteriologischer Indikative in soteriologische Imperative, letztere werden am profanen Weltort rezipiert und in den neuen soteriologischen Kontext hineingestellt. Vom imperativischen Charakter des Evangeliums als einer Verhältnisordnung ist der imperativische Charakter der Weltwirklichkeit wohl zu unterscheiden. Es wäre irreführend, anstatt beide Größen klar zu unterscheiden, den Anschein einer inneren Einheit von Evangelium und Gesetz zu erwecken. Die innere Einheit von Evangelium und Gesetz ist im strengen Sinn nur dort gegeben, wo der soteriologische Indikativ des Evangeliums unmittelbar in den soteriologischen Imperativ umgesetzt wird. Das geschieht in der Paraklese, die dem Evangelium dient, sogar vorrangig. Denn die Herstellung des eschatologisch-soteriologischen Horizonts hat bei Paulus eindeutig den Vorrang gegenüber der Suche nach den bestmöglichen materialethischen Normierungen des Handelns an der Welt. Es scheint dem Apostel primär darauf anzukommen, daß die neue Verhältnisordnung und der damit gegebene Horizont stimmt, in den das Weltethos integriert wird. Man könnte bei der paulinischen Paraklese eher

von einer Hintansetzung des weltbezogenen sittlichen Imperativs hinter den heilsbezogenen sittlichen Imperativ sprechen. Es ist aber völlig ausgeschlossen, daß Paulus den weltbezogenen sittlichen Imperativ (den er ja rezipiert hat) als Gestalt oder als Form des eschatologischen Evangeliums angesehen und bezeichnet hätte. Paulus hat den weltbezogenen sittlichen Imperativ niemals als Gestalt oder als Form der Schöpfergnade verstanden. Daran hat ihn nicht nur die offenbarungspositivistische Sicht der Theonomie (Sinaigesetzgebung), sondern auch die Eschatologie gehindert. Paulus hat sich die Frage, ob die rezipierte profane Weltethik die Theonomie des Schöpfers und Geschichtsherrn repräsentiert, nicht gestellt. Die zur Ergänzung der zweiten Dekalogtafel dringend gebrauchte und großzügig rezipierte profane Moral wird von Paulus weder durch einen offenbarungspositivistischen Hinweis auf den Sinaigesetzgeber noch durch einen schöpfungstheologischen Hinweis auf den Weltordner legitimiert, vom Hinweis auf den eschatologischen Neuschöpfer der Welt ganz zu schweigen. Bei der religiösen Integrierung wird die rezipierte profane Moral eine theologisch relevante Größe nur insofern, als es darauf ankommt, daß sie nie mehr mit dem heilsbezogenen sittlichen Imperativ verwechselt, d.h. nie mehr in eine religionistische Verhältnisordnung verfälscht wird. Paulus hat die vom Sinaigesetzgeber und Weltschöpfer ausgehende, die alte Welt betreffende Weisung aber auch nicht als opus alienum Gottes verstanden, das mit dem opus proprium der eschatologischen Neuschöpfung bzw. Neugestaltung der Welt in Spannung oder in Konflikt kommen könnte. Der Gläubige, der mit dem opus proprium, der eschatologischen Neuschöpfung von Mensch und Welt in Berührung gekommen ist, bleibt für die ganze Dauer der alten Welt an den Willen des Sinaigesetzgebers, der auch der Schöpfer und Erhalter der Welt ist, gebunden. Paulus hat nicht daran gedacht, den das Heil bzw. die Neuschöpfung betreffenden Imperativ in ein Gesetz für die alte Welt umzumünzen. Das opus proprium der eschatologischen Neuschöpfung wird nicht zum Proprium der christlichen Weltethik deklariert.

So verständlich auch das Anliegen K. Barths war, vom neutestamentlichen Evangelium her bestimmte und konkrete Weisungen zu gewinnen bzw. das Evangelium als solches normativ zu explizieren, sein Versuch muß sich durch das Paränese- und Paraklese-Modell kritisieren lassen. K. Barths Versuch, der neutestamentlichen Gemeinde einen offenbarungsbedingten Vorsprung in der Erkenntnis der sozialen, rechtlichen und politischen Ordnungen und des Sittengesetzes überhaupt, zuzubilligen, ist mit den Ergebnissen der beiden exegetischen Ethikmodelle nicht zu vereinbaren. Das Konzept einer christlichen Materialethik hat K. Barth von seinem eigenwilligen gesetzestheologischen Ansatz her rein spekulativ gewonnen. Seine Systematisierung der Einheit von Evangelium und Gesetz wird aber durch keines der exegetischen Modelle gestützt.

III. Gesetz als Paraklese. B. Schüllers Ethikkonzept aus paulinischem Geist

Auch B. Schüller[316] ist nicht beim Aufarbeiten der Paränese- oder Parakleseforschung, sondern beim Studium der paulinischen Gesetzestheologie auf den Paraklesebegriff und seine moraltheologische Relevanz aufmerksam geworden. Er stellt fest, daß die gesetzestheologische Reflexion und die ethische Praxis des Paulus im Paraklesebegriff konvergieren. Das Paraklese-Modell der Exegese interessiert ihn dabei nur insoweit, als es das für wichtiger gehaltene gesetzestheologische Paraklese-Modell verifiziert und kommentiert.

1. *B. Schüllers Hermeneutik der paulinischen Gesetzestheologie*

B. Schüller scheint zur katholischen Version des gesetzestheologischen Paraklese-Modells nicht durch W. Joests Darstellung der lutherischen Paulusrezeption angeregt worden zu sein. Immerhin geht er mit der reformatorischen Theologie insoweit konform, als auch er den Ansatz der christlichen Ethik in erster Linie in der gesetzestheologischen Reflexion des Paulus sucht. Er bezweckt mit seiner Rezeption jedoch eine Revision ganz anderer Art als Luther: die Revision des tradierten moraltheologischen Traktats vom Gesetz. Daraus resultieren der ausgesprochen moraltheologische und außerdem typisch katholische Charakter seiner Aktualisierung der Gesetzestheologie.

a) Ausgangspunkt und Ziel

Die gesetzestheologische Reflexion im Galater- und Römerbrief öffnet dem Moraltheologen die Augen dafür, wie sehr der in den Handbüchern romanischen Typs tradierte Gesetzesgedanke dem kirchenrechtlichen oder philosophischen Gesetzesgedanken gleicht und jedes moraltheologische Proprium vermissen läßt. Die tradierte Gesetzeslehre scheint B. Schüller kaum jemals vom paulinischen Denken inspiriert und geprägt worden zu sein. Insbesondere die Auffassung des Gesetzes als „eine vielgestaltige und wandlungsreiche Wirklichkeit, die den Menschen je nach seiner existentiellen Verfassung als Gottes Gnadenangebot oder Gericht, als Gottes Segen oder Fluch begegnet"[317], ist in sie überhaupt nicht eingegangen. Das Gesetz erscheint völlig unpaulinisch „wie ein ‚unbewegter Beweger', der das Leben des Menschen zwar aktiv bestimmt, aber dabei unwandelbar derselbe bleibt, in welcher sittlichen und heilsgeschichtlichen Verfassung die Menschen sich auch befinden"[318].

---

316 Gesetz und Freiheit. Eine moraltheologische Untersuchung, Düsseldorf 1966 (Gesetz).

317 A.a.O. 8. Vgl. dazu Luther, WA 39 I, 363, 19f: „Proprium officium legis est accusare et occidere, (proprium officium) Evangelii vivificare."

318 B. Schüller, Gesetz 8.

B. Schüller bemängelt am alten Traktat, daß hier das Dasein des gläubigen Menschen unter dem Gesetz in einer Weise bestimmt wird, als ob es nie die paulinische Gesetzestheologie gegeben hätte, als ob die philosophische Reflexion nicht entscheidend durch die theologische vertieft und bereichert werden könnte. Ausgerechnet die für Gläubige bestimmte existentiell-ethische Reflexion des Gesetzes ist de facto kaum vom Licht des Glaubens erleuchtet. Dabei hätte man im Licht des Glaubens den natürlichen Gesetzesgedanken sofort „deutlicher und tiefer sehen gelernt“[319], wie man ja auch „sein natürliches Menschsein“ im Licht des Glaubens „deutlicher und tiefer sehen“[320] lernt.

B. Schüller versucht zu zeigen, daß das Gesetz jene „vielgestaltige und wandlungsreiche Wirklichkeit“[321] nicht erst im Verlauf der Heilsgeschichte wurde, sondern daß es sich schon in rein schöpfungstheologischer Betrachtung „dem Menschen nacheinander in verschiedener Gestalt darstellt“[322]. Anders ausgedrückt: Die paulinische Auffassung des heilsgeschichtlichen Gesetzes als eine „vielgestaltige und wandlungsreiche Wirklichkeit“ stimuliert die philosophische Reflexion des Gesetzes, die „innere Bewegtheit“[323] als das Wesen des Gesetzes schlechthin zu erkennen und im einzelnen zu explizieren.

Es ist B. Schüllers Ziel, das Proprium des moraltheologischen Gesetzesgedankens für den heutigen Erfahrungs- und Denkhorizont herauszuarbeiten. Voraussetzung dafür ist, daß man gleichzeitig hinter den scholastischen Denkansatz und hinter die reformatorische Paulusrezeption zurückgeht und eine zeitgemäße Hermeneutik des Gesetzes entwickelt. Ausgangspunkt ist und bleibt die Gesetzestheologie, wie Paulus sie für sich und für die aus dem Judentum berufenen Gläubigen entwickelt hat. Doch ist ein freierer Gebrauch der paulinischen Begriffe unvermeidlich, wenn in die aktuelle Gesetzesreflexion die Konturen eingezeichnet werden sollen, die Paulus am heilsgeschichtlichen Gesetz aufgedeckt hat. Es gilt einen Gesetzesgedanken zu entfalten, der dem Selbst- und Wirklichkeitsverständnis des heutigen Menschen entspricht und ihn mit den wesentlichen Gehalten der paulinischen Gesetzestheologie konfrontiert. Die hermeneutische Situation B. Schüllers ist demnach grundverschieden von derjenigen Luthers und von derjenigen K. Barths. Sein Ziel, eine völlig neue Hermeneutik des grundsätzlich positiv gedachten Gesetzes zu entwerfen, drängt ihn zum Anschluß an K. Barth und zum Abrücken von Luther.

b) Grundgestalt des Gesetzes

In der verkündigungsgeschichtlichen Situation von heute kann die Vorstellung einer offenbarungsgeschichtlichen bzw. heilsgeschichtlichen Gesetzge-

---

319 Ebd.
320 Ebd.
321 Ebd.
322 Ebd.
323 Ebd.

bung Gottes nicht mehr vorausgesetzt werden. Der heutige Christ sieht sich nicht mehr mit einem heilsgeschichtlich erlassenen Bundesgesetz konfrontiert, sondern mit dem aktuellen Anspruch Gottes als des Schöpfers und Geschichtsherrn. Daß das Evangelium eine neue und endgültige Verhältnisordnung darstellt, durch die eine frühere Verhältnisordnung von Gott selbst abgelöst wird, muß dem heutigen Christen im schöpfungstheologischen Horizont verständlich gemacht werden. Die Predigt des Evangeliums setzt demnach voraus, daß der heutige Mensch auf die Existenz unter dem schöpfungstheologisch verstandenen Gesetz aufmerksam gemacht wird. Ihm kann das Gesetz nicht mehr als positives Gesetz, als verbum externum vor Augen gestellt werden. Er muß vielmehr schöpfungstheologisch auf die innere Erfahrung des Anrede-, des Anspruch-, des Wortcharakters der sittlichen Forderung bzw. des Sittengesetzes hin angesprochen werden.
B. Schüller bestimmt daher das Gesetz als eine für jeden Menschen qua Geschöpf gültige Verhältnisordnung. Er arbeitet den in der Schöpfer-Geschöpf-Relation liegenden Anspruch heraus. Er skizziert das Gesetz als die göttliche Bedingung, unter die ausnahmslos jeder Mensch als Geschöpf gestellt ist. Er definiert das Gesetz als die jedermann betreffende Form der Herrschaft des Schöpfers über sein Geschöpf. Das Gesetz ist die Herausforderung Gottes an das Geschöpf, sich in Freiheit wesensgemäß selbst zu verwirklichen. Das Gesetz ist keine vom Bundesherrn Israels gestiftete Verhältnisordnung mehr, sondern die Verhältnisordnung, in die sich der freie Mensch durch Gott, seinen Schöpfer und Gesetzgeber, gestellt sieht.
Das erste und entscheidende, das jedermann am Gesetz erkennt und anerkennt, ist der Anspruch, der Imperativ, die Herausforderung, das Wesensgemäße in freier Wahl zu realisieren und das Wesenswidrige, das Böse, unbedingt zu verwerfen. B. Schüller knüpft daher bei der Selbsterfahrung des Menschen als eines freien und über sich selbst verfügenden Wesens an. Von da aus versucht er, den Sinn und den Zweck des Betroffenwerdens durch das unbedingte Sollen zu ergründen.
Nach B. Schüller erweist sich das Zueinander von unbedingtem Sollen und der Entscheidungsfreiheit im Menschen als ein höchst dynamisches Geschehen, in dessen Verlauf zuerst die Primärgestalt der Forderung bzw. des Imperativs, dann aber auch noch andere Gestalten und Funktionen am Gesetz wahrgenommen werden. Am Anfang des spannungsgeladenen Zueinander hat das Gesetz die eben beschriebene Funktion, „den wahlfreien Menschen zu nötigen, aus seiner Unentschiedenheit herauszutreten in eine freie Entschiedenheit“[324]. Dabei wandelt sich die Freiheit von der indifferenten Wahlfreiheit zur freien Entschiedenheit. Was den Anfang des Zueinander von Gesetz und Freiheit kennzeichnet, ist das Bewußtsein, gerade bezüglich des Gebrauchs der Entscheidungsfreiheit nicht frei zu sein, denn der freie

324 A.a.O. 21.

Mensch würde seine Freiheit negieren, „wenn Unentschiedenheit eine mögliche Weise seines Selbstvollzuges wäre“[325]. Der Urappell des Gesetzes gegenüber dem wahlfreien Menschen beinhaltet die Forderung, „sein wahres Wesen ... als seine Pflicht“[326] anzunehmen, sich selbst als seine unbedingte Aufgabe anzusehen und sich in freier Selbstbestimmung in Besitz zu nehmen.

Daß es der gnadenhaft schenkende Gott ist, der gegenüber der noch unentschiedenen freien menschlichen Person zum Fordernden und Gebietenden werden muß, versteht sich für B. Schüller von selbst. Er erklärt, daß man „auch in einer rein philosophischen (theistischen) Ethik die Wirklichkeit des Sittengesetzes nicht zutreffend beschreiben“[327] kann, ohne zu bedenken, daß der lex des Schöpfers die gratia des Schöpfers vorausgeht. Letztere muß notwendig die Gestalt des Gesetzes annehmen, weil nun einmal jede Gabe für den freien Menschen zur Aufgabe wird.

Es ist leicht ersichtlich, daß B. Schüller hier auf Barthsche Gedanken zurückgreift, wenn er sie auch ganz neu artikuliert. Mit K. Barth teilt er die Überzeugung, daß die paulinische Auffassung des heilsgeschichtlichen Gesetzes nicht ohne einen vorgeordneten bzw. vorausgesetzten Gnadenbegriff zu denken sei. Das hat zur Folge, daß sowohl die Grundgestalt als auch der Gestaltwandel des Gesetzes von der grundsätzlichen Gnadenhaftigkeit des Gesetzes her verstanden und dargestellt werden. Die Abweichung von K. Barth und erst recht von Paulus besteht darin, daß B. Schüller den Gnadenbegriff gerade der schöpfungstheologischen Explikation des Gesetzes sowie seiner Gestalten und Funktionen zugrundelegt. Der Moraltheologe schließt sich bei der Hermeneutik des Gesetzes, wohlgemerkt des schöpfungstheologischen Gesetzes, mithin in einem entscheidenden Punkt an das Barthsche Verständnis des Gesetzes an. Der hermeneutische Grundsatz ist einleuchtend: Wenn Paulus – und mit ihm das Alte Testament und das ganze Judentum vor ihm – das heilsgeschichtliche Gesetz als Gestalt der Gnade begriffen haben, dann muß die Vorordnung der Gnade vor das Gesetz auch bei der schöpfungstheologischen Explikation des Gesetzes zur Geltung kommen. Wenn auch Paulus selbst den Gestaltwandel von der gratia zur lex gratiae nicht angesprochen und schon gar nicht schöpfungstheologisch durchreflektiert hat, so kommt die Moraltheologie nicht mehr daran vorbei. Daß Paulus die Gesetzestheologie nicht in den schöpfungstheologischen Horizont hineingestellt hat, stellt kein diesbezügliches Verbot dar, im Gegenteil. Die moraltheologische Hermeneutik muß den Schöpfer bereits als den gnadenhaft Schenkenden und das Gesetz als Gestalt seiner Gnade begreifen. Die Grundgestalt bzw. der Sollenssatz des Gesetzes beinhaltet demnach, „daß der Mensch das, was er ganz aus Gnaden ist, zugleich ganz kraft freier

[325] A.a.O. 17.
[326] A.a.O. 11.
[327] A.a.O. 59f.

Selbstbestimmung werde"[328].
Mit der Feststellung des Sollens bzw. des Imperativs ist aufs Ganze gesehen jedoch erst die transeunte Grundgestalt und -funktion des Gesetzes angesprochen; sie ist als ein vorübergehendes Stadium der sich innerlich wandelnden Wirklichkeit Gesetz anzusehen.

c) Gestaltwandel des Gesetzes

Die bisherige Gesetzeslehre ist nach B. Schüller bei der ersten und grundlegenden Gestalt und Funktion des Gesetzes als eines Sollenssatzes bzw. eines Imperativs stehengeblieben. Paulus weist jedoch mit Nachdruck darauf hin, „daß sich uns im Phänomen des Sollenssatzes eine Wirklichkeit darstellt, die auch noch in anderer Weise vor uns in Erscheinung tritt"[329], eine Wirklichkeit, die sich „dem Menschen nacheinander in verschiedener Gestalt darstellt"[330]. Der Gestaltwandel ist in der Natur des Gesetzes selbst angelegt. Denn der Anspruch bzw. die Herausforderung zum Vollzug der Freiheit ist von vornherein bestrebt, sich in die Gestalt des Urteilsspruchs, d.h. in die Gestalt des Gerichts und der Vergeltung hinein aufzuheben.
Daß sich die anderen Gestalten und Funktionen des Gesetzes in ihrer zeitlichen und logischen Aufeinanderfolge nur auf dem Hintergrund der Urgestalt und Urfunktion des Gesetzes einsichtig machen lassen, versteht sich von selbst. Nachdem der Anspruch, die Anrede, die Herausforderung von seiten des Gesetzes an den freien Menschen ergangen ist, wechselt es je nach dessen Entscheidung seine Gestalt. Das Gesetz wird jetzt zum Urteilsspruch über die vom freien Menschen getroffene Entscheidung, über die Annahme oder die Ablehnung des Angebots seines wahren Wesens. Daß es sich so verhält, wird durch die allgemein menschliche Erfahrung des vorausgehenden Gewissensanspruchs und des nachfolgenden Gewissensurteils eindrucksvoll bestätigt.
Paulus hat in seiner Gesetzesreflexion der Zornesgestalt viel Raum gewidmet. Der Reformator hat die in den Mittelpunkt gestellte Zornesgestalt des Gesetzes in den historischen Maßen reproduziert, wenn nicht noch verstärkt. Hier weicht B. Schüller von Luther und von Paulus ab, er verzichtet darauf, die reformatorische Zuordnung des usus theologicus bzw. elenchticus legis auf das Evangelium zur Grundlage seines gesetzestheologischen Ethikkonzepts zu machen. Er vermeidet es, angesichts des heutigen Standes der Theologie und des Glaubens, die paulinische Zornesgestalt des Gesetzes isoliert herauszustellen. Das heißt aber noch lange nicht, daß die Anklage-, die Verurteilungs- und Gerichtsfunktion des Gesetzes unterschlagen würden.

---

328 A.a.O. 43.
329 A.a.O. 14.
330 A.a.O. 8.

B. Schüller expliziert sehr eindrucksvoll die „Wirkform des Gesetzes gegenüber dem Sünder“[331], die im Offenbarmachen der Sünde und in der Verurteilung der Sünde des Sünders besteht. Indem sich das Gesetz vom Sollenssatz zur Anklage und zum Gerichtsurteil Gottes wandelt, tut es dem Sünder zwar „noch den Willen Gottes kund, aber nicht mehr als etwas zu erfüllendes, sondern als etwas, dem widersprechend er sich als Sünder betätigen muß“[332]. Der katholische Moraltheologe vergißt jedoch gerade bei der Beschreibung der Anklage- und Fluchfunktion des Gesetzes gegenüber dem Sünder nicht, was er zuvor über den Gestaltwandel von der gratia zur lex gratiae gesagt hat. Er zeigt, daß die gratia noch im Zorne Gottes verborgen anwesend bleibt, daß sie die tödliche Wirkung des Gesetzes aufhebt, eine heilspädagogische Funktion entfaltet und beim Sünder die Voraussetzungen für den Ruf der Gnade schafft. Sie erreicht das, indem sie dem Sünder die ganze Fragwürdigkeit seiner Verfassung aufdeckt. B. Schüller betont, daß die Sünde nur einen befristeten, aber keinen endgültigen Gestaltwandel der lex gratiae zur lex irae bewirken kann.
Nach B. Schüller kommt es entscheidend darauf an, daß der Forderung des Glaubens entsprochen und im Glaubensakt jene freie Entscheidung, jener Gehorsam nachgeholt wird, der ursprünglich der lex gratiae des Schöpfers gegenüber verweigert wurde. Es scheint, daß der Ruf in den Glauben das ursprüngliche, unbedingte Sollen gegenüber dem Geschöpf erneut artikuliert, damit dieses endlich zur freien Annahme und Verwirklichung des von Gott vorgegebenen Wesens gelangt. Mit dem Glauben ergreift der Mensch die Möglichkeit der freien Selbstbestimmung und verwandelt sie in eine freie Entschiedenheit für Gott. Im Glaubensgehorsam kommt es zur Aufhebung der Indifferenz und zur positiven Voreingenommenheit für Gott, zur „Gleichgestaltung des menschlichen mit dem göttlichen Willen“[333]. Damit verliert das Gesetz den Charakter eines Sollenssatzes, vor allem aber die Funktion, dem Sünder die Sünde zu offenbaren und ihn heilsam zu erschüttern. Anstatt lex irae zu sein, wird es für den in Übereinstimmung mit Gott befindlichen Menschen zur lex consolationis.

2. *Parakletische Gestalt und Funktion des Gesetzes*

Wer den Gestaltwandel von der Gnade des Schöpfers zum Gesetz des Schöpfers oder die Inexistenz der Gnade im Gesetz nicht beachtet, kann nach B. Schüller die Gestalten und Funktionen nicht verstehen, die das Wesen des

---

331 A.a.O. 147; K. Barth versteht im Gegensatz zu Luther die lex accusans aus der Bundeswirklichkeit heraus, den Zorn Gottes als Feuer der Bundesliebe, vgl. KD IV, 1, 536f; ders., KD II, 1, 407.
332 B. Schüller, Gesetz 151.
333 A.a.O. 167.

Gesetzes ausmachen. Gerade weil das rein philosophische Gesetzesdenken bisher wenig davon gesprochen und sie nicht in gleicher Schärfe und Deutlichkeit – wie die Grundgestalt – erfaßt und herausgearbeitet hat, wendet sich B. Schüller ihnen zu. Das gilt vor allem für den Paraklesebegriff, den er in der gesetzestheologischen Reflexion aufspürt und der die Gestalt und Funktion des Gesetzes gegenüber dem Glaubenden darstellt, der mit dem Willen Gottes übereinstimmt.

a) Lex consolationis

Mit der Alternativgestalt zur lex irae ist zunächst einfach die Wirkform angesprochen, die das Gesetz (als bleibende Herrschaftsform Gottes) gegenüber dem Gott gehorsamen Menschen annimmt. Selbstverständlich stammt die Idee der lex consolatrix aus der Reflexion des heilsgeschichtlichen Gesetzes, das vom alttestamentlich-jüdischen Menschen grundsätzlich als Gestalt der Gnade begriffen wurde. Wer im alttestamentlichen Bund in Übereinstimmung mit Gott lebt und seinen Willen tut, der „kann das Gesetz als Heil und Frieden, als Erquickung und Trost erfahren“[334]. Wenn der Mensch sich gegenüber dem Forderungscharakter des Gesetzes nicht mehr „in einer existentiellen und affektiven Indifferenz“[335] befindet, kann er es nur noch als lex consolatrix erleben.
B. Schüller zögert nicht, die Idee der lex consolatrix aus der heilsgeschichtlichen Gesetzesreflexion des Judentums in den Gesetzesgedanken der Moraltheologie herüberzunehmen. Nachdem die parakletische Gestalt und Funktion als Wesensbestandteil der wandelbaren Wirklichkeit „Gesetz“ erkannt ist, muß sie auch in die philosophische Gesetzesvorstellung der theistischen Ethik eingebracht werden. Es gilt, die sehr unterschiedliche Wirkform des Gesetzes gegenüber dem Gehorsamen und gegenüber dem Sünder gerade im schöpfungstheologischen Gesetzesgedanken voll zur Geltung zu bringen: Die natürliche Trostfunktion des Gesetzes und des Gewissens[336] ist von jedermann verifizierbar.
Paulus selbst hat freilich der Trostfunktion des Gesetzes den geringsten Raum in seiner gesetzestheologischen Reflexion eingeräumt. Das trifft für das heilsgeschichtlich verstandene und für das schöpfungstheologisch bloß angedeutete Gesetz (Röm 2,14) zu. Der soteriologische Argumentationszusammenhang drängt ihn jeweils dahin, der Anklage-, der Verurteilungs- und Gerichtsfunktion des Gesetzes mehr Augenmerk zu schenken als der Trostfunktion. Der Apostel deutet zwar an, daß das Gesetz Gottes nicht nur auf

334 A.a.O. 178. Zur alttestamentlichen Verhältnisbestimmung von Bund und Gebot vgl. B. Klappert, Promissio 113–118.
335 B. Schüller, Gesetz 179.
336 Vgl. a.a.O. 174. Zur bedeutsamen Anklage-, Verurteilungs- und Gerichtsfunktion des Gewissens vgl. a.a.O. 218–226.

steinernen Tafeln (2 Kor 3,7), nicht nur in litera, sondern in der experientia des natürlich-geschöpflichen Seins bzw. im Herzen existiert (Röm 2,15). Die Heiden werden aber nicht durch den Hinweis auf die Trostfunktion, sondern durch den Hinweis auf die Anklage- und Verurteilungsfunktion des Gesetzes für das Evangelium disponiert. Da Paulus vor allem das Nacheinander von Gesetzes- und Evangeliumsepoche und den Gegensatz der beiden Verhältnisordnungen bedenkt, steht für ihn die Frage, wie sich das Gesetz zum Gläubigen, d.h. zum Gehorsamen verhält, nicht im Vordergrund. Die Frage, wie sich das Gesetz zu einem Menschen verhält, der von Anfang an in freier Entschiedenheit für Gott lebt und diese Entschiedenheit auch durchhält, ist für Paulus ohnehin von rein hypothetischer Natur. Und auf die Frage, wie sich das Gesetz zum Christen verhält, der in freier Entschiedenheit für Gott lebt, antwortet Paulus mit dem Hinweis auf die parakletische Gestalt und Funktion.

B. Schüller bejaht das, was man aus lutherischer Perspektive die paränetische Funktion des Gesetzes nennen möchte. Er betont, daß das Gesetz eine gewisse Weisungs- und Orientierungsfunktion – auch gegenüber dem Gläubigen – aufrechterhält. Es hat anzuzeigen, was konkret zu tun ist. Im Raum des öffentlichen Lebens bleibt das soziale, rechtliche, politische Gesetz in Kraft, und der Staat ist sein Vollstrecker (Röm 13,1–8). In der Paraklese, die das zwischenmenschlich-persönliche Leben anspricht, gebraucht Paulus „das Gesetz Gottes als tröstende Mahnung zu Werken der Liebe"[337], als Orientierungshilfe bei der Frage, was von der spontanen Liebe im einzelnen getan werden soll. Paulus hat den jüdischen usus legis, bei dem der Forderungscharakter hervorgekehrt wurde, durch eine neue Form der Mahnrede ersetzt, die ganz der parakletischen Gestalt und Funktion des Gesetzes entspricht. Im Fall der Hinwendung des Sünders zum Glaubensgehorsam verwandelt sich nämlich der Forderungscharakter des Gesetzes in die Trost- und Orientierungsfunktion. Von daher mußte Paulus eine Gestalt der christlichen Mahnrede entwickeln und an die Stelle des Gesetzes stellen, in der vornehmlich die parakletische Gestalt und Funktion fortlebt. Der Gestaltwandel vom Gesetz zur Paraklese bzw. das Gesetz als Paraklese ist in den Paulusbriefen mit Händen zu greifen.

b) Verifikation durch das Paraklese-Modell

B. Schüller hat als erster darauf hingewiesen, daß der exegetische Befund der Parakleseforschung als Beleg und Kommentar für den gesetzestheologisch gewonnenen Paraklesebegriff (Gesetz als Paraklese) fungieren kann. W. Joest konzentrierte sich bei der exegetischen Verifikation der lutherischen Paulusrezeption begreiflicherweise ganz auf die vom Gesetz übrig gebliebene paränetische Funktion, die im rein materialethischen Sinne als Weisungs- und

337 B. Schüller, Gesetz 166.

Orientierungsfunktion begriffen wurde. Aus lutherischer Sicht überwiegt sie bei weitem die parakletische Funktion (lex consolatrix) der Paraklese im engeren Sinn der Trost- und Mahnrede. B. Schüller konzentriert sich demgegenüber auf die Gestalt und Funktion, die das Gesetz gegenüber dem Glaubenden annimmt, der auf Gottes Willen einzugehen versucht. Im Zentrum steht für ihn der Gedanke, daß die ursprüngliche lex gratiae für den Christen wieder voll und ganz zur lex consolationis geworden ist. Die völlig neuartig konzipierte Praxis der paulinischen Paraklese beweist ihm, daß es diese spezifische Struktur und Wirklichkeit des Gesetzes gibt und daß sie als Bauprinzip der Praxis zu gelten hat. Die Hauptcharakteristika der konkreten Paraklese bestätigen und kommentieren, was B. Schüller von der gesetzestheologischen Reflexion her über den Paraklesebegriff weiß. Ob man bei der gesetzestheologischen Reflexion oder beim Befund der Parakleseforschung einsteigt, ist unerheblich.

Hier wie dort erkennt man, daß Paulus sich als Vermittler der eschatologischen Gnade Gottes weiß und von daher zuerst das Evangelium der Gnade und dann die Paraklese als eine andere Gestalt des Evangeliums der Gnade aktualisiert. Die Parakleseforschung bestätigt, daß die „Herleitung des Gesetzes aus der Gnade zutrifft“[338], denn sie behandelt das Miteinander von Evangelium und Paraklese, das innere Hervorgehen der Paraklese aus dem Evangelium, die innere Zuordnung und Zusammengehörigkeit beider Größen. Die Feststellungen bezüglich Form und Struktur der paulinischen Mahnrede, die Erhebungen über den Bedeutungsumfang der Begriffe *παράκλησις* und *παρακαλεῖν* (mahnen, bitten, trösten) besagen nichts anderes, als daß das Gesetz dem Glaubenden gegenüber den Forderungs- und ganz besonders den Anklagecharakter abgelegt und die Gestalt und Funktion der Paraklese angenommen hat.

Nur dann, wenn Paulus „auch Sündern den Willen Gottes anzusagen“ hat, kann „seine Paränese ... nicht immer Predigt der lex parakleseos sein“[339]. Schließlich wechseln im Christenleben die Zeiten eines selbstverständlichen und freudigen Glaubensgehorsams mit Zeiten der Prüfung und Anfechtung. Dementsprechend begegnet der Christ dem Gesetz Gottes auf zwei verschiedenen Weisen. Für den voll und ganz mit Gott Übereinstimmenden ist jeder Hinweis auf das Gesetz bzw. den Imperativ nicht mehr Aufforderung, daß etwas getan werden soll, sondern Kundgabe und Anzeige dessen, was um der Liebe willen getan werden soll. Erst für einen schwankenden, unsicheren und angefochtenen Christen leuchtet neben dem Tröstungsmoment wieder das Forderungsmoment des Gesetzes auf, denn die „Unbedingtheit“[340] des Willens Gottes bleibt aktuell für alle. So sieht B. Schüller an allen Ecken und Enden der konkreten Paraklese die fundamentale Wahrheit bestätigt,

338 A.a.O. 49.
339 A.a.O. 179.
340 A.a.O. 179.

daß die sittliche Forderung, der Imperativ eine andere Gestalt des Indikativs der Gnade ist und daß das Gesetz dem Sünder gegenüber eine andere Gestalt und Funktion annimmt als das gegenüber dem Gläubigen der Fall ist, der in freier Entschiedenheit für Gott lebt. Letzterem gegenüber ist ,,die apostolische Paränese" nicht bloß Forderung, sondern ,,Paraklese als Ermahnung und Tröstung zugleich"[341].

3. *B. Schüllers Beitrag zur Aktualisierung paulinischer Theologie und Ethik*

B. Schüllers Rezeption und Aktualisierung des Paraklesebegriffs ist aus drei Gründen beachtenswert: Erstens stellt sie eine indirekte, aber wertvolle Ergänzung der Parakleseforschung dar; zweitens bildet sie das Herzstück eines katholischen Ethikkonzepts paulinischer Prägung, das beim Brückenschlag zu den evangelischen gesetzestheologischen Ethikkonzepten berücksichtigt werden sollte; drittens dient sie der Revision des moraltheologischen Gesetzestraktats und leistet einen Beitrag zur aktuellen Hermeneutik des Gesetzesgedankens.

a) Vergleich mit dem Paränese- und Paraklese-Modell

B. Schüller hat durch seinen Hinweis auf die sachliche und strukturelle Kongruenz von gesetzestheologischem und exegetischem Paraklese-Modell gezeigt, daß die exegetische Zuordnung von Evangelium und Paränese (Paränese-Modell) bzw. von Evangelium und Paraklese (Paraklese-Modell) für sich allein unvollständig ist und durch die eminent theologische Dimension Evangelium und Gesetz (Weltethik) ergänzt bzw. vertieft werden muß. Die Feststellung der Paräneseforschung, daß beide Größen von Paulus rein äußerlich einander zugeordnet wurden oder daß gar Unvereinbares miteinander verkoppelt wurde (eschatologisches Evangelium und weltethische Weisung) wird dadurch korrigiert, daß zwischen der konkreten Praxis der sittlichen Mahnrede und der Schicht der gesetzestheologischen Reflexion enge Verbindungen aufgezeigt werden. Die These vom bloßen Anhangscharakter der Ethik ist damit – von einer neuen Richtung her – widerlegt.
Mit seinem Hinweis auf die sachliche und strukturelle Kongruenz hat B. Schüller vor allem das Ergebnis der Parakleseforschung erhärtet. Er rückt deren Feststellung, daß sich bei Paulus Paraklese und nicht Paränese findet und daß sich Paraklese ganz eindeutig als eine andere Gestalt des Evangeliums erweist, in ein ganz neues Licht. Er unterstreicht, daß der Terminus Paraklese diejenige Praxis der Mahnrede bezeichnet, in der Glaubende existentiell-ethisch orientiert, d.h. mit der parakletischen Gestalt und Funktion des Gesetzes konfrontiert werden. Man könnte sogar sagen, daß durch den Hinweis auf die Kongruenz von gesetzestheologischem und exegetischem

---

[341] A.a.O. 184.

Paraklesebegriff der Entleerung und Entethisierung des Paraklesebegriffs ein Riegel vorgeschoben wurde. In der Exegese wird vielfach der Paraklesebegriff des existentiell-ethischen Kerns beraubt und zum Terminus technicus für eine sprachlich gewinnende, herrschaftsfreie Form der sittlichen Mahnrede deklariert. Sogar A. Grabner-Haider hat in der Rezension der Bjerkelundschen Arbeit erklärt, die Formgeschichte habe „in nie erreichter Deutlichkeit" dargetan, „daß Paraklese (die parakalô-Sätze sind ja nur ein Teil davon) nicht ethische Mahnung, also Paränese, ist"[342]. Betrachtet man den gesetzestheologischen und exegetischen Paraklesebegriff als kommunizierende Gefäße, dann ist dieser Tendenz die Spitze abgebrochen. Die Überbetonung des Formal-Sprachlichen in der Praxis der Mahnrede wird auf das rechte Maß zurückgeschraubt. Die Auflösung der parakletischen Gestalt und Funktion ins rein Sprachliche und Strukturelle wird abgewehrt. Die Paraklese ist und bleibt wesenhaft Ethik, sobald an die parakletische Gestalt und Funktion des Gesetzes in der Epoche des Evangeliums gedacht wird.

Durch den methodischen Einstieg bei der Gesetzestheologie ergibt sich die Gefahr, daß B. Schüller die Ergebnisse der Parakleseforschung nicht in ihrem vollen Eigengewicht stehen läßt. B. Schüller reduziert das Paraklese-Modell zum Wegweiser auf die Gesetzestheologie: Anstatt es als originelles und eigenständiges theologisches Ethikmodell dem Paränese-Modell gegenüberzustellen, gibt er ihm lediglich die Rolle, eine spezifische Gestalt und Funktion des Gesetzes zu verifizieren und zu veranschaulichen. Es ist verständlich und liegt wohl auch im Interesse der moraltheologischen Hermeneutik, daß B. Schüller (wie vor ihm Luther und K. Barth) die systematisch durchreflektierbare Gesetzestheologie einer Bestandsaufnahme von lauter Einzelbeobachtungen vorzieht. Das Konzept und das Proprium christlicher Ethik läßt sich mit Hilfe der theologischen Systematik leichter feststellen als mit Hilfe der exegetischen Bestandsaufnahme. Gleichwohl liegt der Aktualitätswert des exegetischen Paraklese-Modells nicht einfach in seiner Verifikationskraft. Schließlich werden die gesetzestheologischen Ethikmodelle Luthers und K. Barths durch das exegetische Paraklese-Modell in entscheidenden Punkten auch ergänzt, modifiziert und kritisiert.

b) Brückenschlag zu den evangelischen Ethikkonzepten

Es hat lange gedauert, bis sich ein Vertreter der Moraltheologie zur Rezeption und Aktualisierung der paulinischen Gesetzestheologie, insbesondere des darin enthaltenen Paraklesebegriffs, entschlossen hat. Die katholische Version ist deshalb beachtenswert, weil man sich auf den Standpunkt stellen kann, daß der ökumenische Brückenschlag nirgends so erfolgversprechend sei wie bei den Paraklese-Modellen der theologischen Ethik. Die unterschiedlichen Problemskizzierungen: Gesetz und Paraklese (Luther), Paraklese

---

342 ThRev 64 (1968) 401–402, hier 402.

als Gesetz (K. Barth), Gesetz als Paraklese (B. Schüller) sollten den Blick für mögliche Verständigungen nicht verstellen.
B. Schüller ist nicht den lutherischen Weg einer möglichst maßstabsgetreuen Reproduktion der paulinischen Unterscheidung von Gesetz und Evangelium gegangen. Die Folge ist, daß Gesetz und Paraklese bei Schüller nicht zwei wohl zu unterscheidende und nebeneinander bestehende ethische Größen sind. Er arbeitet vielmehr im Anschluß an K. Barth einen einheitlichen, durch und durch positiven Gesetzesgedanken heraus, der beides umfaßt: die Weisungs- bzw. Orientierungsfunktion und die Tröstungsfunktion im engeren gesetzestheologischen Sinne. Hat B. Schüller damit – wie K. Barth – den Paraklesebegriff dem positiven Gesetzesgedanken subsumiert? Es ist eher umgekehrt, daß B. Schüller den positiven Gesetzesgedanken K. Barths durch den Paraklesebegriff modifiziert (Gesetz als Paraklese). Im Gegensatz zur lutherischen und zur Barthschen Anthropologie betont der Moraltheologe, daß die parakletische Funktion des Gesetzes (im doppelten Sinne) das Proprium des christlichen Gesetzesgedankens ausmacht. Materialethisch gesehen, hält B. Schüller am lutherisch-paulinischen Ansatz fest, wenn er auch noch radikaler als Luther die aktuelle Theonomie nicht mehr wie Paulus in die Relation von Bundesherrn und Gottesvolk, sondern in die Urrelation von Schöpfer und Geschöpf verlegt. Der Moraltheologe erklärt, daß der in der Phase freier Entschiedenheit für Gott lebende Christ seine materialethische Weisung bzw. Orientierung aus dem aktuellen Anruf des Schöpfers und Geschichtsherrn erhält und nicht aus der Christusoffenbarung. Auf B. Schüllers These, daß es sich bei der sittlichen Verkündigung Jesu „um pädagogische (maieutische) Vermittlung sittlicher Einsicht“[343] in das jedermann zugängliche Sittengesetz handele, braucht hier nicht näher eingegangen zu werden. Es genügt die Feststellung, daß er den positiven Gesetzesgedanken mit der lex interna bzw. lex indita gleichsetzt[344] und jede positivistische, statische Gesetzesgestalt fernhält. Die lex interna muß nämlich durch die Gesellschaft bzw. den menschlichen Gesetzgeber je neu und geschichtsgerecht in konkrete Normen ausformuliert werden. B. Schüller definiert „das sogenannte menschliche Gesetz als durch Menschen zur Kenntnis gebrachtes göttliches Gesetz“[345]. Er vermeidet die lutherische dualistische Lösung, bei der der Christ im sozialen, rechtlichen und politischen Raum durch das positive Gesetz des Staates normiert wird, während er im persönlich-zwischenmenschlichen Raum unmittelbar aufs aktuelle Wort des Schöpfers gestellt wird. B. Schüller definiert den Gesetzesgedanken einheitlich für alle Lebensräume als Aufforderung des Schöpfers an das Geschöpf, das vorgegebene individuelle

---

343 Vgl. B. Schüller, Die Bedeutung des natürlichen Sittengesetzes für den Christen, in: Herausforderung 105–130, hier 118.
344 Vgl. B. Schüller, Gesetz 40f.
345 A.a.O. 37.

und soziale Wesen anzunehmen und in Freiheit zu verwirklichen. Das Wesensgesetz ist nicht etwas, was Gott erst offenbaren müßte, sei es im Rahmen der protologischen Selbstzusage als Schöpfer, sei es im Rahmen der heilsgeschichtlich-eschatologischen Selbstzusage in Jesus Christus. Vielmehr artikuliert das Gesetz bzw. der Imperativ des Schöpfers genau das, was Gott mit der Gnade bzw. dem Indikativ der Schöpfung zum Ausdruck gebracht hat. Das Gesetz bzw. der sittliche Imperativ wird ja als andere Form bzw. als andere Gestalt der Gnade oder des Schöpfungsindikativs begriffen. Damit hat B. Schüller den von K. Barth herausgestellten Gedanken der inneren Einheit von Gnade und Gesetz gegen dessen ureigene Intention auch auf die schöpfungstheologische Dimension der Offenbarung angewendet. K. Barth kommt von seinem Ansatz her um die Christologisierung des Gotteswillens nicht herum. B. Schüller dagegen vermag die innere Einheit von Gnade und Gesetz schöpfungstheologisch zu artikulieren, ohne daß das Evangelium in seiner soteriologischen Bedeutung oder gar hinsichtlich seiner soteriologischen Imperative auch nur im mindesten abgeschwächt würde.

Bei der Übertragung der paulinischen Gesetzestheologie in den schöpfungstheologischen Horizont ergibt sich für B. Schüller eine Schwierigkeit. Sobald man mit ihm im Gesetz die grundlegende Konfrontation des Geschöpfs mit seinem Schöpfer erblickt, bedeutet das, daß das Gesetz „das erste, ursprüngliche Wort Gottes an den Menschen wäre“[346], ja das eigentliche Wort, demgegenüber das Evangelium in seinem Charakter als opus proprium Gottes abgeschwächt würde. Man könnte meinen, daß das Gesetz bzw. die Forderung und nicht die Gnade das Gottesverhältnis in seinem Ursprung so maßgeblich bestimmt, daß es auch in der neuen soteriologischen Verhältnisordnung nicht fortgedacht werden kann. Das Evangelium müßte dann konsequent das Gesetz als Zentrum der Verhältnisordnung wiederherstellen. B. Schüller braucht diese Konsequenz jedoch von seinem Ansatz her nicht zu fürchten. Er kann darauf verweisen, daß das Verhältnis des Geschöpfs zum Schöpfer im Ursprung von einer bestimmten Gestalt der Gnade geprägt wird und daß eigentlich nicht die Verhältnisordnung Gesetz, sondern die im Gesetz enthaltene bzw. die dem Gesetz vorausgehende Liebe und Gnade dem sündigenden Menschen zur Anklage, zur Verurteilung und zum Gericht wird. Nicht die Unterstellung unter die volle Schärfe und Radikalität der Forderung, sondern die Erkenntnis, daß das Gesetz selbst eine Form und Gestalt der Liebe und Gnade Gottes ist, disponiert den Übertreter zur Annahme des neuen Gnadenangebots im Evangelium.

Mit dieser Lösung trägt B. Schüller dem Anliegen Luthers und K. Barths Rechnung. Luther vermag vom usus theologicus bzw. elenchticus legis her

---

346 H. Gollwitzer, Einheit 303. Nicht zuletzt deswegen betont K. Barth die bundestheologische Qualität des Gesetzes (vgl. KD III, 1, 103ff; 258ff) und wendet sich gegen jedes, vom Bund abstrahierende Natur- bzw. Schöpfungsgesetz (vgl. KD II, 2, 635).

die Individualethik nicht mehr auf den positiven Gesetzesgedanken (tertius usus legis) zu begründen. B. Schüller gründet dagegen das Gesetz und seine Funktionen (Forderung, Anklage, Verurteilung und Trost) auf die innere Einheit von Schöpfungsgnade und Schöpfungsgesetz. Damit ist die Chance eines ökumenischen Brückenschlags zum lutherischen wie zum calvinisch-reformierten Ethikkonzept K. Barths gegeben, die genutzt werden sollte.

c) Revision des Gesetzestraktats oder Autonomiekonzept?

B. Schüller geht davon aus, daß die Moraltheologie auch künftig beim Gesetzesgedanken ansetzen kann, wenn sie ihn nur mit Hilfe der paulinischen Gesetzestheologie ausbaut und theologisch vertieft. Er schätzt die historische Bedeutung und den systematischen Wert des Gesetzesgedankens so hoch ein, daß er sich die Aktualisierung paulinischer Theologie und Ethik nur auf der Basis der gesetzestheologischen Reflexion vorstellen kann. Die Moraltheologie wird gegenwärtig jedoch nicht von der Frage bedrängt, wie sich die theistische Ethik, speziell wie sich das Proprium dieser Ethik mit Hilfe der paulinischen Gesetzestheologie darstellen und aktualisieren läßt. Die entscheidende Frage lautet, ob und wie die theistische Ethik und das Proprium der theistisch-christlichen Ethik im Horizont des neuzeitlichen Autonomiegedankens artikuliert werden kann. Sollte das gesetzestheologische Ethikkonzept nicht von vornherein auf das Autonomiebewußtsein hin entworfen werden?
B. Schüllers Explikation der Grundgestalt des Gesetzes wäre ein vorzüglicher Einstieg in die Problematik der theonomen Autonomie. Man wird jedoch die Rezeptions- und Revisionsabsichten respektieren, die nicht auf die Aktualisierung paulinischer Theologie und Ethik im Sinne des Autonomiegedankens zielen. Ein entsprechender Umbau seines Konzepts würde es um die eigentliche Wirkung bringen. Gleichwohl handelt es sich bei Schüllers Ethikkonzept um eine beachtliche Aktualisierung paulinischer Theologie und Ethik, die beim endgültigen Ausbau eines moraltheologischen Ethikkonzepts aus paulinischem Geist nicht unberücksichtigt bleiben dürfte.

Zusammenfassung

Für die rezeptionsgeschichtlichen Modelle paulinischer Ethik gilt dasselbe wie für die exegetischen Ethikmodelle. Sofern sie das Verhältnis von Evangelium und Gesetz in den historischen Relationen der paulinischen Gesetzestheologie reproduzieren, kommen sie als Modelle für eine gegenwartsbezogene christliche Ethik nicht in Frage. Nun stehen die rezeptionsgeschichtlichen Versuche, die gesetzestheologische Reflexion des Paulus zu einem Ethikkonzept auszubauen, aber von vornherein in Distanz zur ursprünglichen verkündigungsgeschichtlichen Gestalt. Kein Späterer kann z.B. die ausgesprochen offenbarungspositivistische Gestalt der paulinischen Gesetzesidee einfach übernehmen, die ganz in der Vorstellungswelt der heilsgeschichtlichen Sinaigesetzgebung angesiedelt ist. Andererseits kann die schöpfungstheologische Dimension nachträglich nicht ohne weiteres eingezeichnet werden, ohne daß die historische Gestalt des paulinischen Denkens gesprengt wird. Vom Ausbau der schöpfungstheologischen Dimension bis zur schöpfungstheologischen Grundlegung des Autonomiegedankens wäre noch ein weiter Weg zurückzulegen, vor allem, wenn sich die Rekonstruktion der Schöpfungstheologie nur auf dem Boden des schöpfungstheologischen Gesetzesgedankens abspielt. Für die schöpfungstheologische Grundlegung der theonomen Autonomie wird man über den engeren Horizont der paulinischen Gesetzestheologie hinausgreifen müssen. Die Ausschließlichkeit, mit der die rezeptionsgeschichtlichen Modelle die gesetzestheologische Reflexion auswerten, schränkt ihre Aktualisierbarkeit ein. Wollte man sich allein in dieser Schicht paulinischen Denkens bewegen, könnte vor allem von einer gesamttheologischen Erhellung des Autonomiegedankens keine Rede sein. Entweder man legt Wert auf die Aktualisierung der paulinischen Gesetzestheologie (wie B. Schüller), oder man muß ganz neu ansetzen, wenn man zu einer schöpfungstheologischen Begründung und gesamttheologischen Erhellung der Autonomie aus paulinischem Geist kommen will. Im folgenden Exkurs sollen einige Anhaltspunkte für den hermeneutischen Ausgleich des schöpfungstheologischen Defizits im paulinischen Denken herausgestellt werden.

Exkurs: Anhaltspunkte für die schöpfungstheologische Grundlegung eines Ethikkonzepts aus paulinischem Geist

Das schöpfungstheologische Defizit bereitet bei der Aktualisierung der paulinischen Theologie und Ethik die größten Schwierigkeiten. Bei der Darstellung der Modelle paulinischer Ethik dürfte deutlich geworden sein, daß es die Schöpfungstheologie bei Paulus fast nur in der textlich wenig greifbaren Gestalt von Voraussetzungen, Grundlagen und Implikationen seiner Theologie und Ethik gibt. Immerhin können einige beachtliche Anhaltspunkte aufgezeigt werden, auf die sich die schöpfungstheologische Grundlegung eines Ethikkonzepts, speziell eines Autonomiekonzepts aus paulinischem Geist stützen kann.

1. Schöpfungstheologische Voraussetzungen bei der Rezeption und Aktualisierung der Weltethik

Rein exegetisch gesehen, scheint das paränetische Ethikkonzept der Urkirche ohne, wenn nicht gegen jede Schöpfungstheologie zustande gekommen zu sein. Die Moraltheologie muß jedoch auch auf das achten, was die Paräneseforschung bei den formgeschichtlichen bzw. literaturgeschichtlichen Textvergleichen völlig ausklammert. Es gehört nicht mehr in die methodische Kompetenz der Exegese, festzustellen, daß die von Paulus rezipierten paränetischen Materialien de facto einen naturrechtlichen Horizont voraussetzen, der seinerseits wiederum auf schöpfungstheologischen Grundlagen und Voraussetzungen aufruht. Die Feststellung der Paränese- und Parakleseforschung, daß der Ansatz der paulinischen Weltethik ein schöpfungstheologisches Defizit aufweist, ist zweifellos richtig. Sie trifft zu, soweit der Mangel an einschlägigen schöpfungstheologischen Texten herausgestellt oder die Texte auf die unmittelbaren schöpfungstheologischen Implikationen hin untersucht werden. Die Moraltheologie aber denkt über die bloße Formgeschichte oder die sprachliche Eigenart eines paränetischen Textes hinaus an die allgemeinmenschliche Verifizierbarkeit einer sittlichen Forderung. Für sie steht fest, daß der vom Paränese-Modell beschriebene Rezeptions- und Integrierungsvorgang ohne massive schöpfungstheologische Voraussetzungen im weitesten Sinn zwecklos und erfolglos gewesen wäre.

Die in den Horizont der Naherwartung hinein aktualisierte eschatologisch begründete Mahnrede schließt das Vorhandensein eines schöpfungstheologischen Erfahrungshorizonts nicht aus, sondern ein. Das gilt ganz grundsätzlich hinsichtlich der permanenten Unterscheidung von Gut und Böse und hinsichtlich der eindeutigen Kritik am Fehlverhalten von Christen und Nichtchristen. Reflektiert man die Kriterien der Unterscheidung bzw. der Kritik, die in den Tugend- und Lasterkatalogen gegebenen Maßstäbe, so stößt man auf das allgemeine Wissen bzw. die sittlichen Ideale der Zeit[347] und das, was im sozialen, rechtlichen und staatlichen Bereich als Ordnung und Gerechtigkeit gilt. Das Material, der Verständnishorizont und die Sachlogik der sittlichen Argumentation hat also mit den Schöpfungsordnungsvorstellungen der Zeit im weitesten Sinne zu tun.

Die schöpfungstheologische Grundperspektive prägt auch den eschatologischen Gerechtigkeits- und Gerichtsgedanken des Apostels. „Paulus geht es, trotz seiner Naherwartung und seiner enthusiastischen, apokalyptisch motivierten Missionsfahrt in die Mittelmeerwelt in seiner Eschatologie nur noch darum, daß Gott zu seiner Zeit zu seinem Recht komme. Dem Recht Gottes aber, seiner Schöpfertreue, entspricht nur eine neue Welt."[348] Im Hinblick auf das Recht Gottes und die menschliche Verwirklichung der Gottesgerechtigkeit[349]

---

347 Zum Ganzen vgl. W. Schrage, Einzelgebote 189–197, 201–203, 209.

348 P. Stuhlmacher, Gerechtigkeit 206.

349 Vgl. dazu E. Käsemann, Gottesgerechtigkeit bei Paulus, in: ders., EVB II, 181–193, hier 187 (Gottesgerechtigkeit); Chr. Haufe, Die sittliche Rechtfertigungslehre des Paulus, Halle 1957; K. Kertelge, Rechtfertigung bei Paulus als Heilswirklichkeit und Heilsverwirklichung, in: BiLe 8 (1967) 83–93; H. Conzelmann, Die Rechtfertigungslehre des Paulus: Theologie oder Anthropologie?, in: EvTh 28 (1968) 389–404, hier

hält Paulus auch am Gericht nach den Werken fest[350]. Er knüpft damit an den schöpfungstheologisch geprägten Horizont der Adressaten an, er gebraucht die Logik, die dem „weisheitlich-rechtlich-schöpfungsmäßigen Tat-Ergehen-Zusammenhang"[351] innewohnt.
Selbstverständlich färben die aufgezeigten schöpfungstheologischen Voraussetzungen und Implikationen den weltethischen Ansatz des Paulus als solchen nicht schöpfungstheologisch ein.
Auf keinen Fall aber darf die exegetische Feststellung des schöpfungstheologischen Schweigens als Ausfall des schöpfungstheologischen Horizonts mißverstanden werden. Gerade die schöpfungstheologischen Voraussetzungen, die der Rezeption und Aktualisierung der Weltethik bei Paulus zugrunde liegen, sind ein wichtiger Anhaltspunkt für die schöpfungstheologische Grundlegung einer Ethik aus paulinischem Geist.

2. *Schöpfungstheologische Implikationen der paulinischen Gesetzestheologie*

Rein exegetisch gesehen, enthält die paulinische Gesetzestheologie keine schöpfungstheologische Dimension. Dennoch gibt es auch hier beachtliche schöpfungstheologische Implikationen, die herausgearbeitet zu werden verdienen. Sie sind bei den Versuchen, die paulinische Lehre vom Funktions- und Gestaltwandel des Gesetzes zu aktualisieren (Luther, B. Schüller) bereits zutage getreten. Der schöpfungstheologische Horizont ist demnach auch in dieser Schicht des paulinischen Denkens stärker vorhanden, als bisher angenommen wurde.
Bei der Aktualisierung der Lehre vom Gestalt- und Funktionswandel des Gesetzes zeigt sich, daß Paulus mit der Konzeption des anklagenden, verurteilenden und verfluchenden Gesetzes ganz zwangsläufig, wenn auch unreflektiert am schöpfungstheologisch geprägten Erfahrungshorizont seiner Adressaten anknüpft. Die Exegese trifft die Feststellung, daß sich die gesamte gesetzestheologische Reflexion des Paulus auf die Sinaigesetzgebung und nicht auf die Schöpfungsgesetzgebung – ausgenommen Röm 2,14 – be-

---

402 (Rechtfertigungslehre); J. Cobb, Die christliche Existenz. Eine vergleichende Studie der Existenzstrukturen in verschiedenen Religionen, München 1970, 142f (Existenz).

350 Zum Ganzen vgl. E. Jüngel, Ein paulinischer Chiasmus. Zum Verständnis der Vorstellung vom Gericht nach den Werken in Röm 2,2–11, in: ders., Unterwegs 173–178; H. Braun, Gerichtsgedanke und Rechtfertigungslehre bei Paulus (UNT 19), Leipzig 1930, 76–98 (Gerichtsgedanke). Zum „tiefen Unterschied im Pathos und Tenor der Gerichtsparänese bei Paulus und im Spätjudentum" vgl. H. Braun, Gerichtsgedanke 68–76, hier 76.

351 H.H. Schmid, Schöpfung, Gerechtigkeit und Heil. „Schöpfungstheologie" als Gesamthorizont biblischer Theologie, in: ZThK 70 (1973) 1–19, hier 7 (Schöpfung).

zieht. Der Moraltheologie ist mit dem historisch-kritischen Befund allein nicht gedient, sie muß sich vor allem auch um die Verifizierung der Gesetzeslehre durch den Adressaten kümmern. Paulus mag voraussetzen, daß seine Adressaten die Erfahrung der Anklage, der Verurteilung und des Fluchs, die sich mit der Übertretung des Gesetzes notwendig einstellen, im heilsgeschichtlich geprägten Horizont verifizieren. Die Erfahrung des anklagenden Gesetzes und des verurteilenden Gewissens ist jedoch eine allgemeinmenschliche Sache, die auch außerhalb des offenbarungspositivistischen, heilsgeschichtlichen Horizonts verifiziert wird. Die Einsicht, daß sich „der Zusammenhang von Tat und Ergehen gleichsam automatisch, aus innerer Notwendigkeit"[352] vollzieht oder daß er von der Gottheit vollstreckt wird, bildet sich im schöpfungstheologischen Erfahrungshorizont. Mit der Lehre vom Gestalt- und Funktionswandel des Gesetzes artikuliert Paulus also letztlich eine schöpfungstheologisch gewonnene und verifizierbare Einsicht, die die gesamte Menschheit mit dem alttestamentlich-jüdischen Menschen teilt. Daß man im offenbarungsgeschichtlichen Raum die Gestalten bzw. Funktionen des Gesetzes auf den heilsgeschichtlich, von oben und außen empfangenen Gotteswillen bezieht, ändert nichts daran, daß auch hier die Reflexion über Segen und Fluch des Gesetzes „im Horizont des schöpfungsmäßigen Tat-Ergehen-Zusammenhangs"[353] gewonnen und artikuliert wird.
Das allgemeine schöpfungstheologische Denkschema von Tat und Ergehen ist gerade dort vorausgesetzt, wo Paulus die Heiden in seine gesetzestheologische Reflexion einbezieht. Sie, die den Sinaigesetzgeber nicht kennen, unterstehen der Anklage-, Verurteilungs- und Verfluchungsfunktion des Gesetzes, das ihnen ins Herz geschrieben wurde (Röm 2,15) bzw. das sie sich selber sind (Röm 2,14). Sie erfahren im schöpfungstheologischen Horizont, daß ihnen die Erfüllung der Lebensordnungen Segen, die Übertretung dagegen Fluch bringt. Natürlich reflektiert Paulus deswegen das Faktum des Gestalt- und Funktionswandels des Gesetzes nicht auch schon im schöpfungstheologischen Horizont. Sein Hinweis auf die Anklage- und Fluchfunktion des übertretenen Gesetzes ist ja kein Selbstzweck. Sie dient ausschließlich dazu, den Übertreter zur Annahme des Evangeliums der Gottesgerechtigkeit, der Kreuzesweisheit zu bewegen.
Der schöpfungstheologische Horizont der gesetzestheologischen Reflexion wird auch noch unter einem anderen Blickwinkel deutlich. Paulus stellt zwar nachdrücklich fest, daß die irdische Gerechtigkeit das Heil nicht bewirkt, aber er verbindet damit nicht die geringste Abwertung der irdischen Gerechtigkeit. Weil die vorfindliche Weltordnung nicht als Heilsordnung fungieren kann, wird sie noch lange nicht abqualifiziert. Vom Gesetz behält Paulus für die Epoche des Evangeliums die materialethische Weisungs- und Orientierungsfunktion bei. Wenn er sie nicht schöpfungstheologisch expli-

---

352 A.a.O. 5.

353 A.a.O. 7.

ziert, so liegt das an seinem Offenbarungspositivismus und an seiner Eschatologie. Sein Evangelium bezweckt aber durchaus ein neues Halten der Gebote, seien sie nun heilsgeschichtlichen oder schöpfungstheologischen Ursprungs. Die Destruktion des Heilswegcharakters des Gesetzes geht Hand in Hand mit der Einschärfung der Theonomie und mit dem Appell zur irdischen Gerechtigkeit. Ob Paulus (den Tat-Ergehen-Zusammenhang voraussetzend) über Fluch und Segen des menschlichen Handelns nachsinnt, ob er ätiologisch über die Erstübertretung des Gotteswillens und ihre Folgen reflektiert, ob er das eschatologische Bild einer in der Gottesgerechtigkeit existierenden heilen Welt entwirft, immer hat man es mit jener soteriologisch motivierten Schöpfungstheologie zu tun, in deren Tradition er schon als Jude steht[354].

Die Moraltheologie kann bei der Aktualisierung der paulinischen Gesetzestheologie von den schöpfungstheologischen Grundlagen und Implikationen keinesfalls abstrahieren.

3. *Schöpfungstheologische Aktualisierung des jüdisch-paulinischen Gesetzesgedankens*

Rein exegetisch gesehen, ist das Dekalogverständnis des Paulus vom alttestamentlich-jüdischen Offenbarungspositivismus geprägt. Schon die nachapostolische Zeit sieht sich aber gezwungen, die Christen primär mit dem Schöpfungsgesetzgeber zu konfrontieren, und sie beruft sich dafür immer auch auf Paulus (Röm 2,14)[355]. Luther hat den Dekalog eindeutig schöpfungstheologisch aktualisiert. Das gleiche trifft auf B. Schüller zu. Ihr Vorgehen wird durch die alttestamentliche Exegese, speziell durch die Dekalogforschung[356], umfassend legitimiert. Letztere hat gezeigt, daß dem Dekalog der Vorgang der autonomen Findung und Statuierung zugrunde liegt und daß es sich beim Dekalog, genauer bei der zweiten Tafel, um das früheste und wichtigste Beispiel für die religiöse Integrierung autonomer Moral handelt[357]. Es ist unbestritten, daß der Dekalog „das natürliche Sittenge-

---

354 Zum Ganzen vgl. H. Küng, Rechtfertigung. Die Lehre Karl Barths und eine katholische Besinnung (Horizonte 2), Einsiedeln 1957, 138–150; G. Lindeskog, Studien zum neutestamentlichen Schöpfungsgedanken (UUÅ 11), Uppsala/Wiesbaden 1952, 131–251 (Schöpfungsgedanke); W. Kern, Die Schöpfung als bleibender Ursprung des Heils, in: MystSal II, 441–545; K.H. Schelkle, Theologie I, 15–25, 33–36, 65–72.

355 Vgl. dazu K.H. Schelkle, Paulus Lehrer der Väter. Die altkirchliche Auslegung von Römer 1–11, Düsseldorf ²1959; ders., Staat und Kirche in der patristischen Auslegung von Röm 13,1–7, in: ZNW 44 (1952/53) 223–236.

356 Vgl. J. Schreiner, Die zehn Gebote im Leben des Gottesvolkes. Dekalogforschung und Verkündigung (BHB 3), München 1966.

357 Vgl. N. Lohfink, Bibelauslegung im Wandel. Ein Exeget ortet seine Wissenschaft, Frankfurt 1967.

setz"[358] widerspiegelt. Von daher ist die Moraltheologie legitimiert, den jüdisch-paulinischen Gesetzesgedanken schöpfungstheologisch zu aktualisieren.

Dasselbe ist zum paulinischen *ἅπαξ λεγόμενον* vom „Sich-selbst-Gesetz-Sein" der Heiden (Röm 2,14) zu sagen.

Die Moraltheologie darf dieser Formulierung in der völlig veränderten bewußtseinsgeschichtlichen Situation von heute einen größeren Stellenwert und einen anderen, nämlich schöpfungstheologischen Bedeutungsumfang zuerkennen, als das Paulus und die ganze bisherige Paulusauslegung getan haben. Die historisch-kritische Exegese muß kategorisch verneinen, daß die ganz in die soteriologische Argumentation eingebettete und aufs Ganze gesehen beiläufige schöpfungstheologische Reflexion in Röm 1,18–21[359] und Röm 2,12–16 im Sinne einer eigenständigen Schöpfungstheologie und außerdem im Sinne des neuzeitlichen Autonomiegedankens verstanden werden darf. Das kann die Moraltheologie jedoch nicht hindern, darin einen wichtigen Anhaltspunkt zu sehen, der ihr hilft, das schöpfungstheologische Defizit der gesetzestheologischen Reflexion hermeneutisch auszugleichen. Die Formel vom „Sich-selbst-Gesetz-Sein" der Heiden stellt als solche kein paulinisches Autonomiekonzept dar, ist aber ein wichtiger Anhaltspunkt bei der schöpfungstheologischen Grundlegung der Autonomie aus paulinischem Geiste. Das *ἅπαξ λεγόμενον* muß heute schöpfungstheologisch hinterfragt und es darf im Sinne des Autonomiegedankens expliziert werden, obwohl dabei keine genuin paulinischen Linien ausgezogen werden können. Selbstverständlich kann das schöpfungstheologisch verstandene „Sich-selbst-Gesetz-Sein" der Heiden aufgrund der menschlichen Zurückweisung des Herrschaftsanspruchs Gottes (Theonomie) nicht als fragloser Besitz gewertet werden. Eine Moraltheologie aus paulinischem Geiste wird den Begriff des prälapsarischen „Sich-selbst-Gesetz-Seins" von vornherein nur unter der soteriologischen Perspektive der Wiederherstellung überhaupt ins Auge fassen. Sie wird die paulinische Formel aufgreifen, dabei aber sofort die Modalität der immanentistisch abgekapselten Autonomie von der Materialität der prälapsarischen Autonomie abheben und das Hauptinteresse den Auswirkungen der Erlösung auf die Autonomie zuwenden. Es zeichnet sich schon jetzt ab, daß das theonome „Sich-selbst-Gesetz-Sein" als der Urstand bzw. als die Norm begriffen wird, die durch die Sünde pervertiert und durch

---

358 A.a.O. 140.

359 Vgl. dazu H.U. von Balthasar, Karl Barth. Darstellung und Deutung seiner Theologie, Köln [2]1962, 278–335; D. Lührmann, Das Offenbarungsverständnis bei Paulus und in den paulinischen Gemeinden (WMANT 16), Neukirchen-Vluyn 1965, 21–26 (Offenbarungsverständnis); W. Pannenberg, Grundfragen systematischer Theologie. Gesammelte Aufsätze, Göttingen 1967, 284–290; S. Schulz, Die Anklage in Röm 1, 18–32, in: ThLZ 14 (1958) 161–173; P. Tillich, Systematische Theologie I. Vernunft und Offenbarung, Stuttgart [3]1968, 145–147.

den eschatologischen Herrschaftsantritt Christi wiederhergestellt wird.
Die nachapostolische Zeit hat einst das paränetische bzw. parakletische Ethikkonzept der Urkirche durch eine schöpfungstheologisch bzw. gesetzestheologisch konzipierte, statische Ordnungsethik abgelöst[360]. Heute kann die paulinische Gesetzestheologie nicht mehr nach Art der rezeptionsgeschichtlichen Modelle aktualisiert werden. Sie könnte aber durchaus in der schöpfungstheologischen Begründung und gesamttheologischen Erhellung der Autonomie weiterleben.

4. *Schöpfungstheologie als Gesamthorizont paulinischer Theologie*

Es steht fest, daß gerade bei den Texten, für die das schöpfungstheologische Defizit nachgewiesen zu sein scheint, der schöpfungstheologische Horizont insgesamt eine beachtliche Rolle spielt. Dies trifft nicht nur auf die gesetzestheologische Reflexion und auf die rezipierte profane Moral, sondern auch auf andere Felder zu. Gegenwärtig bezeichnen führende Exegeten die Schöpfungstheologie als den Gesamthorizont, aus dem heraus die paulinische Theologie, insbesondere die Eschatologie ausgelegt werden müsse. E. Käsemann und P. Stuhlmacher betonen mit Nachdruck, daß das Wesen der paulinischen Theologie nicht länger in der Anthropologie gesehen werden kann[361], weil die paulinische Theologie in „Kontinuität zur Apokalyptik"[362] steht, für die der weite Geschichtshorizont[363] und der Weltbezug kennzeichnend sind.
Nach E. Käsemann denkt Paulus bei den entscheidenden Inhalten seiner eschatologischen Verkündigung unausgesetzt „an jene Treue, welche der Schöpfer über den Abfall der Geschöpfe hinweg seinem Werk der Schöpfung hält und mit der er seine Herrschaft über seine Schöpfung wahrt und neu begründet"[364]. P. Stuhlmacher bezeichnet den Begriff der Gottesgerechtigkeit „als Signatur und Abbreviatur der paulinischen Theologie"[365]
Er versteht darunter „das die Äone überspannende, schöpferische, im Anbruch befindliche, als Wort sich heute ereignende und im Christus personifi-

360 Vgl. dazu H. Schulze, Kriterien 191.
361 Vgl. dazu E. Käsemann, Gottesgerechtigkeit 188; P. Stuhlmacher, Gerechtigkeit 206 Anm. 2.
362 Gerechtigkeit 187; E. Käsemann, Apokalyptik 126 Anm. 20; vgl. ferner J. Baumgarten, Paulus und die Apokalyptik. Studien zur Tradition und Interpretation urchristlicher Apokalyptik bei Paulus (WMANT 44), Neukirchen-Vluyn 1975; K. Kertelge, Apokalyptische Vorstellungs- und Begriffswelt im Neuen Testament, in: BiKi 4 (1974) 116–121, hier 119.
363 Vgl. W. Harnisch, Das Geschichtsverständnis der Apokalyptik, in: BiKi 4 (1974) 121–126.
364 Gottesgerechtigkeit 192. Vgl. ferner P. Stuhlmacher, Gerechtigkeit 74–101, 203–236.
365 Gerechtigkeit 203.

zierte befreiende Recht des Schöpfers an und über seiner Schöpfung"[366]. Beim Durchblick durch die Eschatologie, Christologie, Ekklesiologie und Rechtfertigungslehre stellt P. Stuhlmacher fest, daß die so verstandene Gottesgerechtigkeit überall „der Leitbegriff"[367] ist. Die genannten „Sachkomplexe" erweisen sich als die Interpretationsmodi der schöpfungstheologisch verstandenen eschatologischen Gottesgerechtigkeit.

Das Bezeichnende an der vielgestaltigen eschatologischen Explikation der Gottesgerechtigkeit ist, daß Paulus damit auf die allgemeinmenschliche, d.h. im schöpfungstheologischen Horizont gestellte Frage „der heilen Welt und des heilen Verhältnisses zwischen Gott und Welt"[368] eingeht. Das Judentum löst „die Frage der rechten Stellung, der richtigen ‚Gerechtigkeit' des Menschen vor Gott", die „Frage nach der heilen Weltordnung"[369] von recht unterschiedlichen Standpunkten „mit weisheitlichem apokalyptischen oder nomistischen Schwerpunkt"[370]. Paulus beantwortet die im schöpfungstheologischen Horizont gestellte Frage aufgrund der Offenbarung Christi (Gal 1,15) neu mit Hilfe des Evangeliums, genauer: Im eschatologischen Evangelium befaßt sich der Schöpfer selbst neu und endgültig mit seiner Schöpfung[371]. „Evangelium meint bei Paulus die verborgene, aus dem Eschaton vor-laufende Epiphanie Gottes im Wort..."[372] Evangelium ist „der Ruf des Schöpfers in den alten Äon hinein in der verhüllenden Gestalt des Wortes"[373], es hat Schöpfereigenschaft und ist auf die endzeitliche Wandlung des ganzen Kosmos bezogen.

Den radikalen Weltbezug des eschatologischen Evangeliums hat die Paräneseforschung nicht wahrgenommen. Sie unterstellt Paulus eine Gottesvorstellung, die völlig weltlos und weltfremd ist. Sie spricht im Hinblick auf die vorherrschende Eschatologie vom schöpfungstheologischen Defizit. Diese Feststellungen sind inzwischen nahezu in ihr Gegenteil verkehrt worden. Der Vorwurf des schöpfungstheologischen Defizits fällt auf einmal nicht mehr auf Paulus, sondern auf seine Ausleger zurück. Es versteht sich von selbst, daß bei Zugrundelegung des Eschatologieverständnisses von E. Käsemann und P. Stuhlmacher die maßgeblichen Komponenten des Paränese-Modells theologisch anders akzentuiert werden müßten. Die paulinischen Grundlagen des Weltethos sehen anders aus, wenn man den radikalen Weltbezug der Eschatologie, Christologie, Ekklesiologie usw. in Rechnung stellt. Freilich setzt auch das neue Eschatologieverständnis die These über die paulinische Naherwartung oder über das Parusieverzögerungsproblem nicht einfach außer Kraft. Die Feststellungen des Paränese-Modells in bezug auf den Ort und die Funktion der rezipierten profanen Ethik sind dadurch nicht

---

366 A.a.O. 98.
367 A.a.O. 203.
368 H. Schmid, Schöpfung 13.
369 A.a.O. 12.
370 Ebd.
371 Vgl. P. Stuhlmacher, Gerechtigkeit 79.
372 A.a.O. 79 Anm. 1.
373 A.a.O. 81.

entwertet. Immerhin aber treten auf einmal an der paulinischen Eschatologie deutliche schöpfungstheologische Wasserzeichen bzw. Imprägnierungen hervor. Auch wenn die Rezeption und Aktualisierung der Weltethik im Horizont von Naherwartung und Parusieverzögerung erfolgt, teilt sich ihr doch der Schöpfungsbezug des eschatologischen Evangeliums und des Gottesgerechtigkeitsgedankens mit. Die Rede von der Weltlosigkeit, Weltabgewandtheit des eschatologischen Evangeliums und vom Anhangscharakter und Passivismus der Weltethik bedarf der Korrektur.
Es zeigt sich, daß die paulinische Verkündigung der Gottesgerechtigkeit eine Verhältnisordnung stiftet, durch die die Frage nach der irdischen Gerechtigkeit nicht verflüchtigt, sondern neu gestellt wird. Jedenfalls erzeugt oder duldet die Verkündigung der Gottesgerechtigkeit kein Vakuum an irdischer Gerechtigkeit. Die mit der Naherwartung und Parusieverzögerung verbundenen Probleme mögen verhindert haben, daß es zur Zuordnung von Gottesgerechtigkeit und irdischer Gerechtigkeit, von Evangelium und Schöpfungsgesetz, von Kreuzesweisheit und Schöpfungsweisheit kam. Paulus schließt mit seiner Betonung der Kreuzesweisheit nicht aus, daß jedermann Zugang zur Schöpfungsweisheit, zur Weltordnung, zur irdischen Gerechtigkeit hat. Durch die Kreuzesweisheit wird das Heilsethos, durch die Schöpfungsweisheit das Weltethos normiert. Mit der Verkündigung der Kreuzesweisheit und Gottesgerechtigkeit wird nicht der Anspruch verbunden, das konkrete, weltbezogene Handeln zu normieren. Dafür wird der Christ auf die Anforderungen der Wirklichkeit (Gesetz, Gerechtigkeit) verwiesen. Die Gottesgerechtigkeit wird auf Unheilssignaturen bezogen, die von jedermann verifiziert werden können. Daher sollte auch die Moraltheologie bei der allgemeinmenschlichen Erfahrung des Scheiterns aller irdischen Gerechtigkeit ansetzen[374]. Das weltbezogene und mehr Gerechtigkeit initiierende Evangelium von der Gottesgerechtigkeit muß im schöpfungstheologischen Horizont aktualisiert werden[375].
Die Herausarbeitung der schöpfungstheologischen Transparenz aller paulinischen Grundbegriffe mag exegetisch umstritten bleiben, was den traditionsgeschichtlichen Nachweis der urchristlichen Apokalyptik (E. Käsemann, P.

---

374 E. Schillebeeckx betont, daß die negative Kontrasterfahrung als universales Vorverständnis für die Schriftauslegung gelten kann, vgl. ders., Glaubensinterpretation 70, 96–98; ders., Gott – Die Zukunft des Menschen, Mainz 1969, 119–141.

375 Wenn später der 1. Klemensbrief erklärt, daß Paulus den ganzen Kosmos Gerechtigkeit gelehrt habe (1 Klem 5,7), so handelt es sich hier weniger um eine moralistische Reduktion paulinischer Verkündigung als vielmehr um den „Versuch, von einem zentralen Thema antiker Lebensgestaltung her die christliche Botschaft auszulegen". Vgl. P. Stockmeier, Christlicher Glaube und antikes Ethos, in: Begegnung 433–446, hier 439. Zum Ganzen vgl. a.a.O. 436–439.

Stuhlmacher) betrifft[376]. Doch selbst wenn sich die neue Hermeneutik in der Exegese nicht durchsetzen sollte, kann man nicht mehr hinter die Entdeckung des schöpfungstheologischen Gesamthorizonts der paulinischen Theologie zurück.

Zusammenfassend kann gesagt werden, daß es eine ganze Reihe von Anhaltspunkten gibt, auf die sich die Moraltheologie bei der schöpfungstheologischen Grundlegung der Ethik aus paulinischem Geist stützen könnte. Im Folgenden gilt es, den eschatologischen Begriff ausfindig zu machen und vorzustellen, bei dem die Transparenz und Offenheit für die Schöpfungstheologie noch deutlicher gegeben ist als beim Gesetzes-, Evangeliums- und Gerechtigkeitsbegriff, und der deshalb für die Grundlegung eines Autonomie-Modells aus paulinischem Geist in Frage kommt.

---

376 Vgl. E. Grässers Rezension von P. Stuhlmacher, Gerechtigkeit, in: ThLZ 93 (1968) 32–36.

Zweiter Teil

BEITRÄGE ZU EINEM AUTONOMIE-MODELL AUS PAULINISCHEM GEIST

Methodische Vorbemerkungen

Im 2. Teil soll ein Modell entwickelt werden, das eine gesamttheologische Erhellung der Autonomie aus paulinischem Geist zu leisten vermag. Methode und Thesen werden in den Prolegomena vorgestellt. Zur wissenschaftstheoretischen Qualität des Modells sei bemerkt, daß sie nicht in historisch-kritischer Einzelexegese, sondern in der hermeneutischen Reflexion und Applikation paulinischer Theologie gründet. Man bewegt sich bei der Erstellung eines solchen Modells zwangsläufig in der hermeneutischen Grauzone, die zwischen der historisch-kritischen Exegese und der systematischen Theologie liegt. Darin stoßen die Sachzwänge einer historisch orientierten Einzelexegese und die Notwendigkeiten hermeneutisch-systematischer Explikation hart aufeinander. Exegetisches und systematisches Interesse sind nicht zur Deckung zu bringen. Daß man die Applikation paulinischer Theologie auf das Phänomen der Autonomie hermeneutisch für legitim erachtet, ändert daran nichts. Exegetisches und systematisches Denken sind nach Ansatz und Zielsetzung zu verschieden, als daß über den hier vorgelegten Aktualisierungsversuch Einigkeit erzielt werden könnte. Ganz abgesehen davon kann auch die Hermeneutik verschiedene Wege einer Aktualisierung paulinischer Theologie und Ethik einschlagen. Nicht zu vergessen ist schließlich auch, daß die hier beabsichtigte bibeltheologische Grundlegung noch weit von einer moraltheologischen Ausarbeitung eines Autonomiekonzepts entfernt ist.

1. Kapitel

GRUNDLEGUNG DES AUTONOMIE-MODELLS DURCH AUSBAU DER PAULINISCHEN κλῆσις-REFLEXION

Wie in der Einleitung angekündigt, soll die Grundlegung des Autonomie-Modells durch den Ausbau der paulinischen κλῆσις-Reflexion erfolgen. Von diesem überwiegend im heilsgeschichtlich-eschatologischen Sinn verwendeten Begriff existiert eine (einzige) schöpfungstheologische Variante (Röm 4,17), die hermeneutisch aktualisiert, d.h. zur Rekonstruktion des protologischen κλῆσις-Gedankens genutzt werden kann. Mit seiner Hilfe soll das schöpfungstheologische Defizit ausgeglichen werden, das sich als die große Aporie der exegetischen Ethikmodelle und als das Hauptproblem eines Autonomie-Modells aus paulinischem Geist erweist. Der κλῆσις-Begriff mit seiner heilsgeschichtlich-soteriologischen und schöpfungstheologischen Komponente, lädt den Systematiker ein, ein Instrumentar zu schaffen, das zur gesamttheologischen Erhellung der Autonomie dienen kann.

I. Prolegomena zum Ausbau der Schöpgungstheologischen Komponente des κλῆσις-Begriffs

In den Prolegomena sollen die Schlüsselfunktion sowie der Bedeutungsumfang des paulinischen κλῆσις-Begriffs kurz angedeutet und der Ausbau der schöpfungstheologischen Komponente (Röm 4,17) skizziert werden.

1. *Schlüsselfunktion und Bedeutungsumfang des κλῆσις-Begriffs*

Von sehr beachtlichen exegetischen Arbeiten wird einhellig festgestellt, daß dem paulinischem κλῆσις-Begriff ein höherer theologischer und hermeneutischer Stellenwert zukommt, als man bisher angenommen hat[1]. Signifikant dafür ist der Vorschlag, das tradierte Schema von der Bekehrung durch das Schema der Berufung zu ersetzen[2], d.h. das Selbstzeugnis des Apostels

---

[1] Vgl. neben den in Anm. 12 genannten Arbeiten: P. Stuhlmacher, Erwägungen zum ontologischen Charakter der *καινὴ κτίσις* bei Paulus, in: EvTh 27 (1967) 1–35, hier 28 (Charakter); ders., Ende 19, 20; G. Delling, Partizipiale Gottesprädikationen in den Briefen des Neuen Testaments, in: StTh 17 (1963) 1–59 (Gottesprädikationen); J. Blank, Paulus und Jesus. Eine theologische Grundlegung (StANT 18), München 1968, 185–248 (Paulus).

[2] Vgl. J. Blank, Paulus 196, 208–214.

(Gal 1,15) endlich über die lukanische Paulustradition zu stellen[3]. M. Dibelius' Bemerkung, daß „Paulus die eigene Erfahrung auswertet, um zu einer grundsätzlichen Darstellung des Christseins zu gelangen"[4], scheint auch auf den *κλῆσις*-Begriff zuzutreffen. Paulus hat jedenfalls nicht nur den einmaligen Eingriff bzw. das gnädige Handeln Gottes in seinem Leben als *κλῆσις* durch Gott bezeichnet[5], sondern auch die anderen Christen angeleitet, das Kerygma bzw. das Evangelium als das gnädige Handeln bzw. als die *κλῆσις* Gottes in ihrem Leben zu verstehen. Letzteres wird dadurch erhärtet, daß man den *κλῆσις*-Begriff als den eigentlichen Kern des paulinischen Evangeliumsbegriffs herausschälen[6] kann.

Mit *κλῆσις* bezeichnet Paulus die überraschende Erfahrung, daß Gott im Eschaton in absoluter Souveränität, d.h. unabhängig von allem menschlichen Tun, ihn den Apostel und die vielen anderen aus Judentum und Heidentum in ein neues und „besonderes Verhältnis zu sich"[7] selbst versetzt. Jedenfalls bezieht Paulus den *κλῆσις*-Begriff immer „auf das heilsame Handeln Gottes"[8] am Menschen. Die im *κλῆσις*-Begriff ausgedrückte Souveränität meint ausschließlich das eschatologische Heilsschaffen Gottes, wie es sich in der voraussetzungslosen Rechtfertigung des Sünders ereignet[9]. Bei der soteriologischen Verwendung mag der Gedanke an das allmächtige und voraussetzungslose Schöpfungswerk durch das Wort mitschwingen, es gibt aber nur eine Stelle, an der der Begriff auf das ursprüngliche Schaffen des Schöpfers verweist (Röm 4,17)[10].

Der Bedeutungsumfang des heilsgeschichtlich-eschatologischen *κλῆσις*-Begriffs kann durch drei Gesichtspunkte näher bezeichnet werden: Heilsberufung, Neuschöpfung, Heraus- und Hineinrufung. In der Berufungstheologie D. Wiederkehrs dominiert der Gesichtspunkt der Heilsberufung. Es kann jedoch gezeigt werden, daß damit der *κλῆσις*-Begriff noch nicht voll ausgeschöpft ist. Vor allem scheint der spezifisch kainologische und christologische Inhalt damit noch nicht hinreichend erfaßt und verdeutlicht zu sein. Neben der streng theozentrischen Formel vom Ruf in die *βασιλεία* und *δόξα* (1 Thess 2,12) findet sich nämlich noch eine breit gefächerte christo-

---

3 Vgl. a.a.O. 238–248; vgl. ferner P. Stuhlmacher, Evangelium 72–74.

4 Glaube und Mystik 100.

5 Vgl. G. Delling, Gottesprädikationen 29.

6 Vgl. dazu P. Stuhlmacher, Gerechtigkeit 79 Anm. 1; ders., Evangelium 82, 107f, 289; E. Grässer, Das eine Evangelium. Hermeneutische Erwägungen zu Gal 1,6–10, in: ZThK 66 (1969) 306–344, hier 321 und 338 (Evangelium); A. Grabner-Haider, Paraklese 34–41, 96.

7 G. Delling, Gottesprädikationen 31.

8 A.a.O. 28.

9 Zum Verbum *καλεῖν* als Rechtfertigungs- bzw. als Schöpfungsterminus vgl. P. Stuhlmacher, Gerechtigkeit 187, 221, 233.

10 Vgl. dazu G. Delling, Gottesprädikationen 31; D. Wiederkehr, Berufung 149–152; W. Bieder, Berufung 62f.

zentrische Explikation der κλῆσις. Es ist die Rede vom Ruf in die Gemeinschaft des Sohnes (1 Kor 1,9), in die Gnade (Gal 1,6) und in die Freiheit Christi (Gal 5,13). Es läßt sich leicht der Doppelsinn der Heraus- und Hineinrufung aus dem paulinischen κλῆσις-Begriff eruieren, desgleichen auch ein Neuschöpfungssinn, alles Gesichtspunkte, die bisher wenig beachtet wurden.
Es ist davon auszugehen, daß die eschatologische κλῆσις unter den genannten Gesichtspunkten expliziert werden kann, ohne daß dabei die schöpfungstheologische Dimension des Begriffs mitschwingt. Sie ist nur an einer einzigen Stelle (Röm 4,17) angesprochen. Es stellt sich daher die Frage nach dem Ort, der Funktion und dem Stellenwert, den die einmalige Formulierung des protologischen κλῆσις-Gedankens im großen Ganzen der paulinischen κλῆσις-Reflexion einnimmt. Liegt hier die geeignetste Stelle vor, an der das schöpfungstheologische Defizit ausgeglichen und die schöpfungstheologische Grundlegung des Ethikkonzepts vorgenommen werden kann?

2. *Schöpfungstheologische Komponente des κλῆσις-Begriffs (Röm 4,17)*

Das Besondere an der singulären schöpfungstheologischen Komponente des κλῆσις-Begriffs (Röm 4,17) ist, daß sie als eine für das Judentum typische schöpfungstheologische Prädikation Gottes zu einem sehr jüdisch geprägten Zeugnis des eschatologischen Auferweckungsglaubens gehört. Nachdem Paulus schon den eschatologischen Auferwecker mit dem schöpfungstheologisch eingefärbten Terminus „Lebendigmacher der Toten" bezeichnet, fügt er die im Judentum, z.B. bei Philon gegebene Schöpferprädikation „der das Nichtseiende ins Dasein ruft" (Röm 4,17) hinzu[11]. Es ist evident, daß die schöpfungstheologische Gottesprädikation hier als Interpretationshilfe herangezogen wird. Das schöpfungstheologische Schweigen bricht der Apostel also just in dem Moment, wo er das zentrale eschatologische Heilsgeschehen der Totenauferweckung verdeutlichen will. Auferweckung läßt sich offensichtlich nur dadurch verdeutlichen, daß Paulus sie blitzlichtartig in das Licht des Schöpfungsglaubens stellt. Röm 4,17 ist ein Beleg dafür, daß der schöpfungstheologische Horizont beim Hauptgegenstand der eschatologischen Heilsverkündigung präsent ist und mitschwingt[12].
Zugegeben: die präsentische, allgemeingültige Aussage, daß Gott Schöpfer ist, der das Nichtseiende ins Dasein ruft, steht nur an dieser einzigen Stelle. Sie scheint der Verkündigung des eschatologischen Heilsgeschehens der To-

---

[11] Vgl. G. Delling, Gottesprädikationen 31.
[12] Vgl. D. Wiederkehr, Berufung 149, 152; W. Bieder, Berufung 62f; H. Schwantes, Schöpfung der Endzeit. Ein Beitrag zum Verständnis der Auferweckung bei Paulus (ATh I, 12), Stuttgart 1962, 76 Anm. 10 (Schöpfung).

tenauferweckung völlig ein- und untergeordnet. Der Hinweis auf den Schöpfergott scheint aber aufzutauchen wie die Spitze eines Eisbergs. Der Eindruck des schöpfungstheologischen Schweigens entsteht demnach dadurch, daß die Schöpfungstheologie völlig in der Verkündigung der eschatologischen Neuschöpfung[13] bzw. in der Kainologie[14] aufgegangen ist. Die wenigen schöpfungstheologischen Hinweise beanspruchen deshalb kein Eigengewicht mehr, weil die Schöpfungstheologie zum Interpretament der Soteriologie bzw. Kainologie geworden ist. Sie sind der alles beherrschenden eschatologischen Heilsverkündigung derart zu-, ein- und untergeordnet, daß man sie schon eigens aus paulinischem Geiste rekonstruieren muß, wenn man eine Vorstellung von der paulinischen Schöpfungstheologie gewinnen will. Immerhin ist Röm 4,17 ein Beleg dafür, daß auch Paulus das souveräne Schaffen Gottes durch das Wort (vgl. Jes 48,13) mit dem Terminus technicus *καλεῖν* = rufen bezeichnet. Für die Moraltheologie ist das *ἅπαξ λεγόμενον* Röm 4,17 Legitimation genug, um den protologischen *κλῆσις*-Gedanken zu rekonstruieren und ihm sein volles schöpfungstheologisches Eigengewicht zurückzugeben. Die Frage ist nur, welche methodischen Schritte gegangen werden müssen, damit sich der rekonstruierte protologische *κλῆσις*-Gedanke nachträglich reibungslos in den soteriologischen Bedeutungsgehalt des *κλῆσις*-Begriffs einfügt.

3. *Ausbau der κλῆσις-Reflexion zur Hermeneutik der κλῆσις Gottes*

Folgt man der Logik des *κλῆσις*-geschichtlichen Denkens, wird man das Koordinatensystem nicht von der schöpfungstheologischen, sondern von der heilsgeschichtlichen Komponente des *κλῆσις*-Begriffs her aufbauen. Der Duktus des paulinischen Denkens erfordert es, den protologischen *κλῆσις*-Gedanken nur im Kontext der paulinischen Explikation der heilsgeschichtlich-eschatologischen *κλῆσις* zu entwickeln. Zuerst wird daher die in sich recht geschlossene Darstellung des Heilsberufungssinnes der *κλῆσις* (D. Wiederkehr) als Einstiegsort gewählt. Von der Gegebenheit der Heilsberufung wird ausgegangen, sie wird nach dem protologischen *κλῆσις*-Gedanken hinterfragt, sie wird dadurch entscheidend ergänzt und vervollständigt. Dasselbe gilt für die Gesichtspunkte der Neuschöpfung, der Heraus- und Hineinrufung. Zuerst werden die Umrisse einer Hermeneutik der heilsgeschichtlich-eschatologischen *κλῆσις* herausgearbeitet, dann erst wird die jüdisch-paulinische Prädikation des Schöpfers, „der das Nichtseiende ins Dasein ruft"

---

13 Vgl. dazu H. Schwantes, a.a.O. 56–94.

14 Nach A. Grabner-Haider, Paraklese 152, wäre es „Paulus angemessener, von einer Kainologie, als von einer Eschatologie, zu sprechen, denn der Logos des Neuen, der auch Vollendung und Endzeit umgreift, unterscheidet den Apostel gerade grundlegend von der Eschatologie, etwa der jüdischen Apokalyptik".

(Röm 4,17) im soteriologischen Kontext aktualisiert. Daß die schöpfungstheologische Prädikation nicht nur auf das eschatologische Heilshandeln der Totenauferweckung bezogen, sondern vor allem auch der rechtfertigenden Neuschöpfung des Menschen zugeordnet[15] ist, versteht sich von selbst. Die schöpfungstheologische Prädikation dient der Verdeutlichung des eschatologischen Heilshandelns im weitesten Sinne. Das volle schöpfungstheologische Eigengewicht erhält das Wort vom rufenden Schöpfer in der theologischen Kosmologie und Anthropologie aus paulinischem Geist.
Der skizzierte Entwurf einer Hermeneutik der κλῆσις Gottes folgt nicht einem von Paulus selbst vorgezeichneten Weg, sondern stellt eine hermeneutische Konstruktion dar. Sie ist eine Hermeneutik, die die menschliche Existenz zuerst und hauptsächlich ins Scheinwerferlicht der heilsgeschichtlich-eschatologischen κλῆσις rückt, bevor sie sie auch in den Lichtkegel der protologischen κλῆσις stellt. Darin bleibt sie der paulinischen Denkform treu.

4. *Thesen zur κλῆσις-geschichtlichen, hamartiologischen und christologischen Erhellung der Autonomie*

Der Ausbau der paulinischen κλῆσις-Reflexion zur umfassenden Hermeneutik der κλῆσις Gottes führt zur ersten These. Sie besagt, daß die paulinische Theologie – als einzige von allen neutestamentlichen Theologien – die κλῆσις-geschichtliche Erhellung der Autonomie ermöglicht. Und zwar leuchtet die heilsgeschichtlich-eschatologische Komponente des κλῆσις-Begriffs das Phänomen der immanentistisch gegenüber Gott abgekapselten Autonomie aus, die protologisch-schöpfungstheologische Komponente dagegen die ursprüngliche prälapsare Gestalt der theonomen Autonomie. Daß die in der protologischen κλῆσις gründende prälapsare Gestalt einzig und allein im Zusammenhang der soteriologischen Erhellung der immanentistischen Gestalt legitim eruiert und dargestellt werden kann, versteht sich von selbst. Aus rein moraltheologischem Interesse heraus wird der Schwerpunkt der κλῆσις-geschichtlichen Erhellung auf die kosmologische und anthropologische Explikation der protologischen κλῆσις gelegt.
Es ist hermeneutisch erforderlich und legitim, die Hermeneutik der κλῆσις Gottes, speziell der protologischen κλῆσις, mit einer Hermeneutik des menschlichen Nein zu verbinden. Die (zweite) hamartiologische These zeigt auf, daß der ins Dasein bzw. in die theonome Autonomie gerufene Mensch von Anfang an und permanent die Äonsmächte *σάρξ* und *ἁμαρτία* über sich aufrichtet. Sie repräsentieren die theologisch negative Zielrichtung der Autonomie und können als die Exponenten der immanentistischen Abkapselung gegenüber Gott bezeichnet werden.

---

[15] Vgl. E. Jüngel, Die Welt als Möglichkeit und Wirklichkeit, in: ders., Unterwegs, 217, 224 (Möglichkeit).

Die dritte These versucht, den eschatologischen Herrschaftswechsel-Gedanken auf das Ereignis der immanentistischen Abkapselung zu beziehen. Die Wirkung der Christus- bzw. der Geistesherrschaft wird in der Überwindung der Fremdbestimmung durch die Äonsmächte und in der Wiederherstellung der theonomen Autonomie, d.h. in der Ermöglichung einer *αἰών*-kritischen Autonomie gesehen. Es zeigt sich, daß die Herausrufung aus der Mächteherrschaft und die Hineinrufung in die Christus-*κοινωνία* für den Menschen weder eine spezifisch christozentrische Normierung oder ein Gesetz Christi noch eine normative Geistesunmittelbarkeit zur Folge hat. Die Christus-*κοινωνία* bzw. die *ἐκκλησία* werden als Ermöglichungsgrund für die *αἰών*-kritische bzw. *αἰών*-überwindende Ausübung der Autonomie verstanden. Im Hinblick darauf, daß die Christologie eine personbezogene Kainologie enthält (Aufhebung der Fremdbestimmung, Erneuerung des *νοῦς*, Ermöglichung der *αἰών*-kritischen Ausübung der Autonomie) könnte man auch von einer kainologischen Erhellung der Autonomie sprechen. Dann wäre jedoch noch zu klären, ob die paulinische Theologie neben der personbezogenen auch noch eine weltbezogene, normative Kainologie kennt. Die Frage ist, ob die *αἰών*-kritische Ausübung der Autonomie von einer kainologischen Orientierung begleitet, ergänzt oder gar überboten wird.

II. Ausbau der *κλῆσις*-Reflexion unter dem Gesichtspunkt der „Heilsberufung“ (D. Wiederkehr)

Das über die Schlüsselfunktion, den Bedeutungsumfang und die Ausbaufähigkeit der *κλῆσις*-Reflexion Gesagte soll zuerst unter dem Gesichtspunkt der „Heilsberufung“ verifiziert werden. Der historisch bedingte Ansatz der paulinischen Ethik in der Berufungstheologie wird dabei deutlich vom Versuch einer aktuellen Erweiterung und Aktualisierung der paulinischen *κλῆσις*-Reflexion abgehoben.

1. *„Hauptgrund für die Bevorzugung des Berufungsbegriffs“*

Warum betrachtet sich Paulus als von Gott berufen? Warum sollen sich die Christen durch das Kerygma bzw. das Evangelium von Gott ausgesondert und berufen sehen? Aus welcher Denktradition lebt und spricht Paulus? Neben der alttestamentlich-jüdischen Denktradition ist nach D. Wiederkehr die innerkirchliche Situation der „Hauptgrund für die Bevorzugung des Berufungsbegriffs“[16]. Paulus führt den Impuls und die Sendung zur Heidenmission auf die ihm zuteil gewordene Offenbarung Christi (Gal 1,15) zurück.

[16] D. Wiederkehr, Berufung 280.

Er sieht sich „von Gott selbst hineinberufen in das Missionswerk der bereits vor Paulus die Abrogation der Tora vollziehenden hellenistischen Gemeinde, ein Missionswerk, das ebenfalls vor Paulus ausgerichtet war auf die Welt der Heiden"[17]. Er erblickt „die theologische und heilsgeschichtliche Bedeutung und Funktion seiner missionarischen Glaubensverkündigung" darin, „bei den Heiden den Ruf Gottes auszurichten"[18]. Demnach ist Paulus durch die ἀποκάλυψις Christi zu der Erkenntnis geführt worden, daß Gott ihn, als Prediger des gesetzesfreien Evangeliums, primär zu den Heiden sendet. Paulus versteht, daß Gott die noch nicht berufenen Heiden erstmals, und zwar durch sein gesetzesfreies Evangelium beruft. In Gal 1,15 ist nichts anderes gesagt, als daß die heilsgeschichtliche κλῆσις des Gottes des Abraham, des Mose und der Propheten, jetzt im Eschaton ihn erreicht hat und ihn bewegt, die κλῆσις Gottes den Heiden auszurichten. Nach D. Wiederkehr ist „die vorwiegende Heidenmission ... der Grund, weshalb gerade Paulus so häufig von der Berufung spricht"[19]. Der eschatologische Missionar aktualisiert „den Ruf Gottes an die noch nicht berufenen, aber noch zu berufenden Heiden"[20].

D. Wiederkehr geht davon aus, daß Paulus längst vor seiner Christusoffenbarung die alte, κλῆσις-geschichtliche Sprache gelernt hat: Er schält aus den κλῆσις-Stellen der Briefe eine Berufungstheologie im klassischen Sinne heraus. Von der Erfahrung einer eigenen, direkten κλῆσις Gottes ist in Gal 1,15 nicht die Rede[21]. Aus rein didaktischen Gründen übernimmt der Missionar die alttestamentlich-biblische κλῆσις-Reflexion, um sie gegenüber den Heidenchristen zu aktualisieren. So verdeutlich er z.B. „Gottes Gesinnungen und Motive bei der Berufung"[22] in der herkömmlichen Weise. Gleichwohl will beachtet sein, daß Paulus das κλῆσις-geschichtliche Denken als derjenige reproduziert und aktualisiert, der die ἀποκάλυψις Christi erfahren hat. Aufgrund der ererbten missionarischen Grundeinstellung[23] und der lebendigen Erfahrung der Christusoffenbarung gelangt er zu der Überzeugung, daß die Heilsberufung im Eschaton weit über Israel hinaus zu den Heiden getragen werden soll.

---

17 P. Stuhlmacher, Evangelium 74.

18 D. Wiederkehr, Berufung 280. Zum Ganzen vgl. J. Gnilka, Paulus und seine Vermittlung des urchristlichen Kerygmas an die Heiden, in: Gestalt und Anspruch des Neuen Testaments 41–54; D. Zeller, Juden und Heiden in der Mission des Paulus. Studien zum Römerbrief, Stuttgart 1973.

19 D. Wiederkehr, Berufung 267.

20 A.a.O.

21 Vgl. a.a.O. 280.

22 A.a.O. 241.

23 Vgl. K. Pieper, Paulus. Seine missionarische Persönlichkeit und Wirksamkeit (NTA XII, 1–2), Münster 2/3 1929, 57–80; J. Blank, Paulus 228.

2. *Κλῆσις als „Berufungstat" Gottes*

D. Wiederkehr hat beim paulinischen κλῆσις-Begriff den Aspekt der „Berufungstat" deutlich vom Aspekt des „Berufungsgeschehens"[24] unterschieden. Er betont, daß Paulus bei der Reflexion der „Berufungstat" grundsätzlich an das Gottesbild anknüpft, wie man es aus dem κλῆσις-geschichtlichen Denken Israels kennt.

a) „Gottes Gesinnungen und Motive bei der Berufung"

Es ist die Logik der überkommenen Glaubenssprache, die Paulus dazu drängt, die initiativen Akte der Aussonderung und der Berufung allein Gott zuzuschreiben. Paulus kann sich seine eigene Berufung durchaus nach dem Schema der „verborgene(n) Berufung" des Gottesknechts vorgestellt haben, den Gott schon vom Mutterschoß an bei seinem Namen gerufen hat (Jes 49,1)[25]. Dort, wo Paulus über die κλῆσις der Adressaten reflektiert und diese als die „geschichtlich-konkrete Realisierung der Erwählung"[26] versteht, klingen eindeutig die Züge des altvertrauten Gottesbildes an. Ja, die „Eigenschaften und Motive Gottes, die in der Berufung sichtbar und wirksam werden"[27], scheinen bis in die eschatologische Berufung hinein konstant geblieben zu sein. Im einzelnen ist es die souveräne Freiheit des berufenden Gottes (Röm 9,12f), der grundsätzlich an keine Voraussetzungen anknüpft[28]. Es ist der Ruf des heiligen Gottes, der in die Sphäre seiner Heiligkeit versetzt (1 Thess 4,7; 1 Kor 7,14ff). Paulus betont vor allem die „effektive, tätige Treue"[29], die das in der eschatologischen Berufung eingeleitete Geschehen gegen alle Widrigkeiten zum Ziel führt. Und es ist der Friede (1 Kor 7,14) und die Liebe Gottes (Röm 9,12), welche als Grundgesinnung hinter der eschatologischen Berufungstat stehen, sie auslösen und tragen.

b) Theozentrische Auswirkungen

Paulus hat die Ausführung der κλῆσις rein theozentrisch beschrieben. Genauso definiert er auch die Auswirkungen der Berufungstat. Welches sind die „vielfachen Auswirkungen", die überall dort eintreten, „wo die Menschen Gottes Ruf gläubig aufnehmen und sich von ihm in das Heilsgeschehen hineinnehmen lassen..."?[30] Durch die κλῆσις werden „die vorher Ent-

---

[24] Berufung 34.

[25] A.a.O. 86. Vgl. neben T. Holtz, Zum Selbstverständnis des Apostels Paulus, in: ThLZ 91 (1966) 321–330, hier 325, ferner O. Haas, Berufung und Sendung Pauli nach Gal 1, in: ZMR 46 (1962) 81–92; L. Cerfaux, Saint Paul et le „Serviteur de Dieu" d'Isaie, in: Recueil Lucien Cerfaux II (Editions Duculot), Gembloux 1954, 439–454.

[26] D. Wiederkehr, Berufung 86.

[27] A.a.O. 248.

[28] Vgl. ebd.

[29] A.a.O. 249.

[30] A.a.O. 259.

fremdeten (vor allem die Heiden)" jetzt „Gottes eigenes und geliebtes Volk" (Röm 9,23–25), die vorher nicht Heiligen werden durch die κλῆσις religiös-sittlich geheiligt (1 Kor 1,2; 7,14)[31].
Wer im Eschaton berufen wird, empfängt von Gott die Gerechtigkeit und die Erlösung in Christus (Röm 8,30; 1 Kor 1,30; Phil 3,9), Anteil an der Sohnschaft (1 Kor 1,9) und am Erbe (Eph 1,18)[32]. Paulus definiert die gegenwärtige Auswirkung der eschatologischen Berufungstat also rein theozentrisch und christozentrisch; höchstens noch ekklesiozentrisch, insofern die Berufenen die eschatologische Gemeinde Gottes (Gal 1,13) bilden.

3. Κλῆσις *als „Berufungsgeschehen"*

Nach D. Wiederkehr sieht Paulus in seinem Evangelium bzw. Kerygma an die Nichtberufenen (Heiden) den Gott der Berufung am Werke[33]. Ihnen verdeutlicht er, welche „Gesinnungen und Motive"[34] Gott bei der „Berufungstat" hat. Vor allen Dingen aber verdeutlicht Paulus auch, wie sich das „Berufungsgeschehen" im menschlichen Leben näherhin auswirkt. Nur auf diesem Hintergrund wird dann auch der Ansatz der paulinischen Ethik verständlich.

a) Soteriologische Bewegung

D. Wiederkehr legt Wert auf die Feststellung, daß Paulus mit dem Substantiv κλῆσις fast immer das Geschehen bezeichnet, in dem der Ruf Gottes ergeht und weniger das durch den Ruf Zustandegekommene, „das Berufen-Sein" bzw. „das durch Gottes Ruf Gewirkte"[35]. Natürlich bezeichnet das Substantiv auch „die schon geschehene Tat des rufenden Gottes"[36], es meint jedoch niemals das Abgeschlossene bzw. das Gewordene, sondern immer das in Gang gekommene und zielgerichtete Geschehen. Berufung bezeichnet also „die Tat des Rufens Gottes, den Ruf selber und das von diesem aktiven Tun bestimmte Geschehen an den Menschen, ihr Berufenwerden"[37]. Wie ist das durch Gott von oben und außen eingeleitete Geschehen näher zu charakterisieren?
D. Wiederkehr gewinnt aus der Analyse der κλῆσις-Stellen zunächst vor allem die Vorstellung der „Bewegung". „Im Begriff der Berufung liegt die Vorstellung der Bewegung von einem frühern Standort auf ein von der Berufung neu gestecktes Ziel hin."[38] Näherhin handelt es sich um eine „Heilsberufung..., welche die Berufenen dem Unheil entreißt und ins Heil birgt"[39]. Nicht zufällig erinnere Paulus des öfteren „an den Bereich und den Zu-

---

[31] Ebd.
[32] Vgl. a.a.O. 260.
[33] Vgl. a.a.O. 34.
[34] A.a.O. 241.
[35] A.a.O. 34.
[36] Ebd.
[37] A.a.O. 35.
[38] A.a.O. 251; ferner 279.
[39] A.a.O. 251.

stand, in dem sie vor der Berufung waren, worin sie von Gottes Ruf angetroffen wurden“[40]. Dabei wird die Unheilssituation keineswegs im Hinblick auf ihre weltliche Existenz, sondern – gut theozentrisch – im Blick auf ihre Gottlosigkeit festgestellt. Bevor sie von Gottes Ruf erreicht und erfaßt wurden, waren sie im Unheil. Der Ruf Gottes bewegt sie ins Heil und verheißt ihnen einen weiteren Ruf bzw. die Fortsetzung des Rufes, welche das proleptische Heil dann vollendet[41]. Der Ruf versetzt den Menschen also in eine soteriologische Bewegung vom Unheilsstand in den Heilsstand, wobei Unheil und Heil rein theozentrisch bestimmt werden.

b) Individualgeschehen

Für D. Wiederkehr ist die *κλῆσις* wohl eine Bewegung auf Dauer, aber sie ist für ihn eine ausgesprochen individuelle Größe. Sie überführt die einzelnen Berufenen „von einem frühern zu einem neuen Standort oder Zustand“[42], aber sie ist kein Geschehen, das die Menschheit der Endzeit in eine universale Bewegung hineinnimmt. Nach D. Wiederkehr hat der Heidenmissionar die „Berufungstat“ Gottes lediglich beim Einzelnen als ein Geschehen auf Dauer begriffen. Damit ist nicht gesagt, daß Paulus die individuelle Dimension des Heils auf Kosten der sozialen herausgestellt hat. Dagegen spricht seine Betonung der Gemeinschaft bzw. der Gemeinde. Der Apostel fordert auch von der eschatologischen *ἐκκλησία*, daß sie die soteriologische Bewegung aus dem Unheil ins Heil als ein unabgeschlossenes und weitergehendes Geschehen begreift, das erst in der Zukunft zum Abschluß gebracht wird. Aber der Begriff der *κλῆσις* erschöpft sich eben darin, eschatologische Heilsberufung zu sein und mehr nicht.
Zum Schluß erhebt sich die Frage, ob Paulus, der das Kerygma bzw. das Evangelium für Juden und Heiden als die eschatologische *κλῆσις* Gottes begreift, in der *κλῆσις* nicht auch eine universale Komponente bzw. ein universales Geschehen gegeben sieht. Wenn feststeht, daß Paulus im apokalyptischen Welt- und Geschichtshorizont denkt, dann ist die eschatologische *κλῆσις* ein Geschehen, das Menschheit und Welt umgreift. Sie wäre als jenes universale Dauergeschehen darzustellen, das mit der apostolischen Vermittlung der *κλῆσις* beginnt und mit der Gott allein vorbehaltenen Herausrufung aus der Todesmacht endet. Es ist nicht auszuschließen, daß Paulus die ihm und allen Christen zuteil gewordene *κλῆσις* als den Auftakt eines universalen *κλῆσις*-Geschehens betrachtet hat, das rasch zur Vollendung gebracht wird. Schließlich sieht Paulus sich und die Berufenen in die *κοινωνία* dessen versetzt, den Gott aus der letzten Äonsmacht, der Todesmacht bereits herausgerufen und erhöht hat. Von daher konnte in ihm durchaus die Vorstellung entstehen, die soteriologische Bewegung aus dem Unheil ins Heil gelange

---

[40] Ebd.

[41] Vgl. a.a.O. 251 Anm. 2.

[42] A.a.O. 279.

in einer einzigen Generation ans Ziel. Die eschatologische κλῆσις ist demnach ein Dauergeschehen mit einer individuellen und universalen Dimension.

4. *Ansatz der Ethik in der Berufungstheologie*

D. Wiederkehr skizziert absichtlich zuerst die „Gesinnungen" und „Motive Gottes" sowie den soteriologischen Bewegungs- und Dauercharakter bei der Berufung. Denn der Ort der paulinischen Mahnrede kommt erst dann in Sicht, wenn nach der menschlichen Reaktion auf die Aktion der κλῆσις Gottes gefragt wird. Die Ethik befaßt sich mit dem menschlichen Part im „Berufungsgeschehen" bzw. mit dem existentiell-ethischen Vollzug der κλῆσις.

a) Aneignung im Glauben

Nach D. Wiederkehr geht Paulus davon aus, daß die eschatologische κλῆσις Gottes, gerade weil sie in der Form des alles überbietenden Christusevangeliums ergeht, vom Menschen nicht nur vernommen, sondern auch angenommen wird. Es ist für das Denken des Missionars charakteristisch, daß er mit der Sieghaftigkeit und dem Erfolg der eschatologischen κλῆσις Gottes rechnet[43]. Die Möglichkeit des Versagens, der Effekt- und Erfolgslosigkeit wird daher ausschließlich in den Fehlern und Mängeln der menschlichen Reaktion gesehen. Das ist im Horizont des κλῆσις-geschichtlichen Denkens nicht anders vorstellbar. Schließlich charakterisiert Paulus das eschatologische Heilsgeschehen wesenhaft als Berufung, bei der Gott die Initiative, die Durchführung und die Vollendung hat.
Wie aber erreicht die κλῆσις den Menschen? Woher erhält er Kenntnis über die „gegenwärtige Wirkung wie die eschatologische Vollendung" der Bewegung aus dem Unheil ins Heil? Beides muß von dem Apostel als Ziel „eines hörbaren, anrufenden und im Glauben vernommenen Rufes und Anspruches Gottes"[44] dargestellt werden. Durch seine mündliche und briefliche Tätigkeit können die Berufenen „um diese Wirkungen und Zielsetzungen wissen, sie sich im Glauben aneignen und in entsprechendem Wandel mitvollziehen und miterstreben"[45]. D. Wiederkehr hält die immer wieder erneuerte mündliche oder briefliche κλῆσις-Reflexion für das Mittel, durch das die Berufung Gottes verlängert und je neu aktiviert wird.
Zuerst muß die eschatologische Aktion Gottes in ihrer Fortdauer gegenüber den Menschen gesichert werden. Vor allem aber muß sie von diesen als soteriologisches Ereignis begriffen und festgehalten werden. „Weil sie nur durch die Berufung dem Verderben entnommen und entronnen sind, müssen

---

43 Vgl. a.a.O. 256, 250, 251, 269.
44 A.a.O. 273
45 Ebd.

sie sich immer neu an den fortdauernden Ruf halten; nur so können sie im eröffneten Heil bleiben."[46]

Mit der Aktualisierung der eschatologischen κλῆσις als eines Dauergeschehens verbindet sich a priori das Ringen um die menschliche Antwort: Diese muß der göttlichen κλῆσις adäquat sein. Paulus muß mitten in der Aktivität, welche die Verlängerung der Aktion Gottes zum Ziel hat, immer auch die Reaktion des Berufenen im Auge behalten. Zuallererst geht es ihm um die Einsicht in das „Berufungsgeschehen" als göttliche eschatologische „Berufungstat". Im zweiten Schritt erfolgt dann die Anleitung zum konkreten, existentiell-ethischen Mitvollzug. Die vom Apostel vermittelte eschatologische κλῆσις „hat bei den Berufenen eine aktive, subjektive Entsprechung: den Glauben. So werden die schon gegenwärtigen Wirkungen des wirksamen Rufes möglich, die sie als Berufene und als Glaubende erfahren."[47]

b) Positive Explikation des κλῆσις-Vollzugs

Auf die eschatologische κλῆσις Gottes antwortet der Mensch nicht nur mit dem Glaubensbekenntnis oder dem Christusbekenntnis. Sie will ja als soteriologische Bewegung aus dem Unheil ins Heil vom ganzen Menschen mitvollzogen werden. Also entspricht ihr vor allen Dingen die existentiell-ethische Realisiation[48]. Hier liegen auch die menschlichen Fehlerquellen, die Paulus immer wieder zur Reflexion der κλῆσις veranlassen[49]. D. Wiederkehr betont allerdings, daß die paulinische Mahnrede insgesamt weniger auf Mängel und Versagen bezogen sei; „weit häufiger als in Warnungen werden die Berufenen in väterlichem Zuspruch und eindringlicher Mahnung aufgefordert, auf die Berufung einzutreten und ihr gemäß zu handeln."[50] Damit ist festgestellt, daß die positive Explikation des κλῆσις-Vollzugs den Vorrang vor jeder bloßen Korrektur hat[51]. Wollte man den Duktus der paulinischen Mahnrede charakterisieren, so könnte man sagen, daß sie vornehmlich dem positiven Vollzug der sieghaften und erfolgreichen eschatologischen κλῆσις dient. Sie zielt primär auf das existentiell-ethische Durchhalten der Bewegung aus dem Unheil ins Heil. Sie beschäftigt sich mit der Verifikation bzw. Sichtbarmachung dieser Bewegung durch den Menschen. Sie zielt hauptsächlich darauf, die verborgene Antizipation des Heils zu verdeutlichen.[52]

---

46 A.a.O. 253.

47 A.a.O. 242.

48 Vgl. a.a.O. 256 Anm. 2.

49 Vgl. a.a.O. 269.

50 A.a.O. 270.

51 Vgl. a.a.O. 242, 270f. Zum Ganzen vgl. R. Schnackenburg, Christliche Freiheit nach Paulus, in: ders., ChrEx II, 33–49; ders., Die „Mündigkeit" des Christen nach Paulus, a.a.O. 51–74.

52 Vgl. D. Wiederkehr, Berufung 271.

c) Schöpfungstheologisches Defizit in der κλῆσις-Reflexion

Wie sich das weltethisch auswirkt, verdeutlicht Paulus in 1 Kor 7. Hier verfügt der Apostel „für die äußern Umstände in allen Kirchen die Beibehaltung des vorher schon Bestehenden"[53]. Den christlichen Sklaven wird gesagt: „Gerade durch das Verbleiben im weltlichen und beruflichen Stand bezeugen sie deutlich den unvergleichlichen Wert des Rufes, der in dieser nur noch kurzfristigen und vorläufigen Welt die neue Schöpfung und den nahen kommenden Aeon ankündigt."[54] Niemand kann so gut wie sie die alles entscheidende Tatsache signalisieren, daß mitten im alten Äon, mitten in der Welt, verborgen in ihrer Person der Keim der Neuschöpfung bzw. der Grundstock eines qualitativ neuen Seins, gelegt wurde. Für die Sklaven gehört zum κλῆσις-Vollzug das Desinteresse an ihrer weltlichen Stellung, nicht das Desinteresse daran, wie sie ihren Platz ausfüllen. An einem aktiven Weltverhalten der ἐκκλησία, an einer Veränderung innerweltlicher Verhältnisse ist Paulus – aus Gründen der exemplarischen Darstellung des Heilsethos – nicht gelegen. Passives Weltverhalten gilt als Prüfstein für die Echtheit der eschatologischen κλῆσις.

Die κλῆσις-Reflexion in 1 Kor 7 bestätigt demnach, daß die konkrete Weltethik dem eschatologischen Missionar durch die Parusieverzögerung aufgenötigt wird. Seine weltethischen Weisungen tragen den Stempel des Passivismus, sie sind frei von jedem Interesse an aktiver Weltgestaltung. Sie „lauten fast geschlossen darauf, daß die Christen an dem konkreten Ort, an dem sie sich befinden, den ihnen aufgetragenen Gehorsam bewähren und sich in solchem Gehorsam auf das Ende der Welt rüsten sollen"[55]. Die Christen werden derart radikal auf die bevorstehende βασιλεία und δόξα (1 Thess 2,12) als eigentliches Berufungsziel ausgerichtet, daß sie von sich aus gar nicht auf die schöpfungstheologische Dimension des κλῆσις-Gedankens stoßen können. Es ist einfach Tatsache, daß Paulus die Mahnrede grundsätzlich auf die eschatologische κλῆσις bezieht. Es wird kein einziges Mal die protologische κλῆσις des Schöpfers in Betracht gezogen. Auch die Verwalter seines Erbes, die bereits deutlicher auf die Schöpfungstheologie, z.B. auf den biblischen Ebenbildgedanken (Kol 3,9f) rekurrieren, verankern die christliche Lebensordnung (Kol 3,18f) nicht im protologischen κλῆσις-Gedanken[56].

Es kann somit kaum bestritten werden, daß die paulinische κλῆσις-Reflexion das von M. Dibelius skizzierte paränetische Ethikkonzept verifiziert und umgekehrt. Bedeutet das, daß die paulinische κλῆσις-Reflexion auch heute noch in ihrer historischen Gestalt reproduziert werden muß? Die Fra-

53 A.a.O. 272. 54 Ebd.

55 P. Stuhlmacher, Christliche Verantwortung bei Paulus und seinen Schülern, in: EvTh 28 (1968) 165–186, hier 169 (Verantwortung).

56 Vgl. dazu a.a.O. 176–181.

ge stellen, heißt sie verneinen. Eine Ethik, die sich ausschließlich auf die Heilsberufung konzentriert und darüber die schöpfungstheologische κλῆσις außer acht läßt, kann nicht einfach übernommen werden. Das heißt, daß in die vorhandene Hermeneutik der eschatologischen κλῆσις nachträglich noch eine solche der protologischen κλῆσις eingebaut werden muß.

5. *Einbau einer Hermeneutik der protologischen κλῆσις*

Die Moraltheologie kann von der paulinischen Explikation des κλῆσις-Vollzugs viel lernen. Die soteriologischen Grundstrukturen sind von bleibender Aktualität und müssen festgehalten werden. Die Christen sind demnach primär daraufhin anzusprechen, was Gott im Geschehen der eschatologischen κλῆσις an ihnen wirkt. Daß die Heilsberufungstat bei aller Souveränität und Freiheit Gottes doch den Charakter der Grundlegung und Dauer hat, muß betont werden. Was von Gott her in der eschatologischen κλῆσις geschieht, soll grundsätzlich als etwas Unabgeschlossenes und Unvollendetes begriffen werden. Gott wird das Begonnene in einem ihm vorbehaltenen Schlußakt vollenden. Der Christ hat das von Gott Angefangene auf diesen Schlußakt hin durchzuhalten. „Gott ist in seinem Verhältnis zur Heilsgemeinde schlechthin gekennzeichnet als der sie zum Heil Berufende, d.h. als der, der sie in das Heilsgeschehen hineingenommen hat.“[57] Von daher bleibt es sinnvoll, das die Bewegung aus dem Unheil ins Heil auslösende und durchtragende Tun Gottes sehr deutlich vom Tun des Menschen bzw. der Gemeinde zu unterscheiden, das die Zeit der Erwartung und der Hoffnung ausfüllt.

Paulus und seine Christen stehen als die gläubigen Empfänger der eschatologischen κλῆσις in der Welt. Sie bekommen im Zusammenhang ihres κλῆσις-Vollzugs die Glaubenswahrheit der protologischen κλῆσις des Schöpfers nicht zu Gesicht. Die Erfahrung und Aufarbeitung der Parusieverzögerung bringt sie nicht dahin, diese gedankliche Verbindung innerhalb des κλῆσις-Gedankens herzustellen. Sie sehen sich durch die eschatologische κλῆσις nicht in das ursprüngliche κλῆσις-Verhältnis zum Schöpfer zurückversetzt. Durch die Nichtbeachtung der protologischen κλῆσις fehlt der entscheidende Impuls, sich der Welt zuzuwenden und das für ihren Fortgang Nötige zu tun.

Die Moraltheologie kann die eschatologische κλῆσις nicht mehr explizieren, ohne dabei auf die stillschweigend vorausgesetzte protologische κλῆσις aufmerksam zu machen. Sie muß klarstellen, daß der Unheilsstand, aus welchem der Mensch herausbewegt wird, gerade durch die negative Reaktion auf die κλῆσις des Schöpfers entstanden ist. Nach D. Wiederkehr definiert Paulus das Unheil vornehmlich mit räumlichen Kategorien wie z.B. „Stand-

---

[57] G. Delling, Gottesprädikationen 29.

ort"[58], „Bereich und ... Zustand"[59], entsprechend dem Zweiäonenschema. Diese mit der Bewegungsstruktur verbundene räumliche Sicht bedarf der Ergänzung durch die personale, dialogische Kategorie des Verhältnisses zu Gott. Denn das Unheil entsteht letztlich durch die Verneinung der Urrelation zum rufenden Schöpfer. Will man die Entstehung des Unheilsstandes im paulinischen Sinne vollständig beschreiben, muß man die Verneinung der protologischen κλῆσις des Schöpfers mit einbeziehen. Der Ruf aus dem Unheil ins Heil ist eine sanatio in radice.

Die Moraltheologie muß vor allem herausarbeiten, daß die soteriologische Bewegung aus dem Unheil ins Heil sich notwendig auch in einem neuen Weltverhalten auswirkt. In der eschatologischen κλῆσις setzt Gott den Menschen nicht nur in ein neues Verhältnis zu sich als Neuschöpfer, sondern auch zu sich als Schöpfer und Erhalter der Welt. Insofern die eschatologische κλῆσις die protologische κλῆσις ins Licht rückt, schafft sie die Grundlage für ein originäres und konsekutives Weltethos. Das Halten der Gebote, einschließlich der Schöpfungsordnungen, lag für Paulus noch ausschließlich in der Konsequenz der Heilsberufung[60]. Heute müssen die Konsequenzen aus der κλῆσις des Schöpfers freigelegt werden: Sie bestehen nicht mehr im Gehorsam gegenüber statischen Ordnungen, sondern in der geschichtsbewußten Aktualisierung der theonomen Autonomie. Weil Paulus sich auf das Heilsethos konzentrierte, konnte er betonen, daß der Mensch dem, was Gott in der eschatologischen κλῆσις getan hat, „nichts mehr hinzuzufügen"[61] habe. Heute muß der Empfänger der eschatologischen κλῆσις vor allem auf die protologische κλῆσις hingewiesen werden, die er neu zu realisieren hat in der Praxis der gottgewollten Autonomie.

III. Ausbau der κλῆσις-Reflexion unter dem Gesichtspunkt der Neuschöpfung

Neben dem Heilsberufungssinn (D. Wiederkehr) soll im Folgenden der Neuschöpfungssinn stärker beachtet und die κλῆσις als eschatologische Neuschöpfungstat und als eschatologisches Neuschöpfungsgeschehen dargestellt werden. So ergibt sich eine weitere Möglichkeit, die κλῆσις des Neuschöpfers auf die κλῆσις des Schöpfers und die darin implizierte theonome Autonomie zu hinterfragen.

---

58 A.a.O. 251, 279.

59 A.a.O. 251.

60 Vgl. a.a.O. 132.

61 E. Jüngel, Erwägungen 241.

1. Κλῆσις als δευτέρα γένεσις im Rabbinentum

Von den Arbeiten zum κλῆσις-Begriff, aber auch von den Arbeiten zum Neuschöpfungsbegriff[62] ist bisher ein Aspekt zu wenig berücksichtigt worden, der eigens herausgestellt zu werden verdient. Gemeint ist die Verbindung des κλῆσις-Begriffs mit dem Neuschöpfungsgedanken. Diese war zunächst dadurch gegeben, daß das Rabbinentum die κλῆσις Abrahams (Gen 12,2)[63] und die κλῆσις des Mose (Ex 3,15)[64] als δευτέρα γένεσις bzw. als Neuschöpfung auffaßte und darstellte. Paulus hat über diesen Begriff der rabbinischen Schulsprache nirgends reflektiert. Dennoch darf dieser Gesichtspunkt der κλῆσις auch für ihn als bekannt vorausgesetzt werden. Zumindest kann nicht abgestritten werden, daß dieser Aspekt der δευτέρα γένεσις anklingt oder mitschwingt. Auch ist nicht anzunehmen, daß Paulus den Neuschöpfungssinn auf das gnädige Handeln Gottes in seinem Leben, d.h. allein auf seine κλῆσις (Gal 1,15) beschränkt. Wahrscheinlich hat der Apostel alle Adressaten angeleitet, mit dem κλῆσις-Bewußtsein auch den Neuschöpfungssinn zu assoziieren. Wenn Paulus z.B. die Galater fragt, ob sie sich vom Gott ihrer κλῆσις, genauer von Gott, der sie in die Gnade (Gal 1,6; 5,6) und in die Freiheit (Gal 5,13) hineingerufen hat, entfernen wollen, dann heißt das im tiefsten und letzten, ob sie die Neuschöpfung ihrer Existenz (Gal 6,16) aufheben wollen.

Wahrscheinlich hat Paulus das rabbinische Theologumenon von der κλῆσις-bedingten δευτέρα γένεσις einzelner besonders erwählter Werkzeuge auf alle bezogen, die im Eschaton erwählt und berufen werden. Damit soll nicht gesagt sein, daß Paulus nur vom rabbinischen Theologumenon her den Neuschöpfungssinn mit dem κλῆσις-Begriff verbindet. Zunächst bleibt jedoch festzuhalten, daß es nach rabbinischem Verständnis ein Neuschöpfertum Gottes gab, das den jeweiligen Berufenen im Akt der κλῆσις zu einer δευτέρα γένεσις machte. Paulus mag durchaus auch an dieses Neuschöpfer-

---

62 Vgl. die Ableitung aus dem spätjüdischen Denken bei E. Sjöberg, Wiedergeburt und Neuschöpfung im palästinensischen Judentum, in: StTh 4 (1950) 44–85, hier 84 (Judentum); ders., Neuschöpfung in den Toten-Meer-Rollen, in: StTh 9 (1955) 131–136 (Totes-Meer-Rollen). Zur Ableitung aus dem alttestamentlichen Denken vgl. G. Schneider, Καινὴ κτίσις. Die Idee der Neuschöpfung beim Apostel Paulus und ihr religionsgeschichtlicher Hintergrund, Trier 1959; ders., Die Idee der Neuschöpfung beim Apostel Paulus und ihr religionsgeschichtlicher Hintergrund, in: TrThZ 68 (1959) 257–270; ders., Neuschöpfung oder Wiederkehr. Eine Untersuchung zum Geschichtsbild der Bibel, Düsseldorf 1961, 87 (Neuschöpfung). Unabhängig von diesen Ableitungsversuchen argumentiert H. Schwantes, Schöpfung 93.

63 Vgl. dazu E. Sjöberg, Judentum 61–62.

64 Vgl. aaO. 60–61; vgl. ferner die Belege für die Anwendung des Begriffs der δευτέρα γένεσις auf Mose im jüdischen Schrifttum bei P. Stuhlmacher, Charakter 17; zum Ganzen vgl. L. Perlitt, Mose als Prophet, in EvTh 31 (1971) 588–608.

tum denken, wenn er vom sichtbaren Eingreifen bzw. vom „Willen Gottes" (1 Kor 1,1; 2 Kor 1,1) spricht, der ihn zum κλητὸς ἀπόστολος geformt hat. Es wird gleich deutlich werden, daß Paulus den Neuschöpfungssinn des κλῆσις-Gedankens auch noch aus anderen Quellen schöpft.

2. Κλῆσις *als Neuschöpfungstat und als Neuschöpfungsgeschehen*

Das Verständnis der κλῆσις als Neuschöpfungstat und als Neuschöpfungsgeschehen setzt sich aus mehreren Komponenten zusammen. Die entscheidende Prägung erfährt die paulinische Vorstellung vom rufenden Neuschöpfer zweifellos im apokalyptischen Denkhorizont. Hier wird die κλῆσις als die Neuschöpfungstat der Rechtfertigung verstanden, aber auch als die endzeitliche Schöpfungstat der Auferweckung von den Toten.

a) Neuschöpfung des einzelnen und der ἐκκλησία

Mehrere Motive bewegen den Apostel, wenn er den mit dem κλῆσις-Gedanken verbundenen Neuschöpfungssinn auf die Christwerdung des Einzelnen und auf die ἐκκλησία als Ganze anwendet. Paulus erachtet sich und die Gemeinde in einer ganz anderen Weise als Neuschöpfung (Gal 6,15; 2 Kor 5,17), als das im Rabbinentum der Fall war. Als Jude gehörte man von Geburt an zum Gottesvolk, das unter der heilsgeschichtlichen κλῆσις Gottes stand. Die Zugehörigkeit wurde durch die Beschneidung, die ein Zeichen des Bundes war, lediglich bestätigt. Es versteht sich, daß die Beschneidung für den Juden als Angehörigen des Bundesvolkes keine Neuschöpfung bedeutete. Beim Proselyten war das anders, weil hier die heidnische Vergangenheit gelöscht werden mußte[65].
Es mag sein, daß die Neuschöpfungsidee von hier auf die Christwerdung übertragen wurde. Auch in Qumran ist der Eintritt in die eschatologische Sekte als Neuschöpfung betrachtet worden. Damit liegen aber noch keine ausgesprochenen Parallelen zu der paulinischen Auffassung vor, daß beim Eintritt in die eschatologische ἐκκλησία die Neuschöpfung des Menschen geschieht[66]. Denn die Gründe, die das Rabbinentum dazu berechtigten oder verpflichteten, beim einzelnen oder beim ganzen Volke von δευτέρα γένεσις zu sprechen, stehen bei Paulus nicht mehr im Vordergrund[67]. Er sieht sie auf Grund des eschatologischen Handelns Gottes in und an Christus

---

65 Vgl. dazu E. Sjöberg, Judentum 68.
66 Vgl. dazu E. Sjöberg, a.a.O. 78–80; ders., Totes-Meer-Rollen 131–136. Zum Ganzen vgl. P. Stuhlmacher, Charakter 27–35, und G. Schneider, Neuschöpfung 25–32, hier 20.
67 Vgl. dazu E. Sjöberg, Judentum 45–50, 53, 56, 57–58, 59, 67–69. Zum Ganzen vgl. auch G. Schneider, Neuschöpfung 35–51.

offensichtlich sämtlich überboten[68] bzw. erfüllt. Das Rabbinentum vermutete z.B., daß der von den Menschen veranstaltete Versöhnungstag[69] die δευτέρα γένεσις des Volkes bewirke. Paulus ist davon überzeugt, daß nur die von Gott selbst initiierte und in seinem Christus ausgeführte Versöhnung der Welt die Neuschöpfung der ἐκκλησία bewirkt[70]; sie wird im Akt des Hineingerufen- und Hineingetauftwerden in die Christus-κοινωνία den Gläubigen übereignet. Die paulinische κλῆσις ist ein Initiationsakt, der erst in der Taufe zum Abschluß kommt und der nach Planung und Ausführung im tiefsten und letzten die Sache Gottes selber ist. Durch Wort und Sakrament – die beiden Momente der κλῆσις – bewirkt Gott die Neuschöpfung des einzelnen und konstituiert die ἐκκλησία als Neuschöpfung. Paulus hebt daher für seine Gemeinden die kultische Aktualisierung des Neuschöpfungsgeschehens auf. Für sie ist der Ausblick auf die eschatologische Neuschöpfung, der das Neujahrs- und das Laubhüttenfest beherrscht[71], überflüssig geworden, denn die Neuschöpfung ist bereits antizipiert. Das Bewußtsein, Neuschöpfung zu sein, ist für sie untrennbar an das κλῆσις-Bewußtsein gebunden. Paulus aktualisiert das Neuschöpfungsbewußtsein nicht mehr in einer kultischen Feier, sondern durch die beständige Reflexion der eschatologischen κλῆσις.

b) Einbeziehung in das Schöpfungsereignis der Endzeit

Es ist kein Zufall, daß Paulus die κλῆσις Gottes an das Ereignis der Offenbarung Christi (Gal 1,15) knüpft: die κλῆσις ist die Tat des rufenden Schöpfers, der ihn mit dem endzeitlichen Schöpfungsereignis schlechthin konfrontiert, nämlich mit der Auferweckung des Gekreuzigten von den Toten. Ähnlich verhält es sich dann auch mit der κλῆσις, die den Gläubigen zuteil wird: sie wird durch das paulinische Kerygma vom Auferweckungshandeln Gottes an Christus vermittelt, und sie stellt die Gemeinschaft mit dem auferweckten Christus her. Κλῆσις heißt von daher: Einbeziehung in das Schöpfungsereignis der Endzeit, das mit der Auferweckung Christi begonnen hat. Hineinrufung in Christus, der das personale Zentrum der Neuschöpfung ist. Κλῆσις heißt zunächst Konfrontation mit der endzeitlichen Neuschöpfung des Leibes, es heißt aber auch proleptische Neuschöpfung des Menschen in der Christus-κοινωνία.

H. Schwantes betont, daß Paulus das ihm geoffenbarte Auferweckungshandeln Gottes als das endzeitliche Schöpferhandeln ansieht. Für die Identifizie-

---

68 Zur „Überbietung des Alten durch das Neue" (Jes 65,17f) vgl. G. Schneider, Neuschöpfung 20.

69 Vgl. dazu E. Sjöberg, Judentum 58.

70 Näheres dazu bei P. Stuhlmacher, Gerechtigkeit 210–217; Chr. Müller, Gottes Gerechtigkeit und Gottes Volk. Eine Untersuchung zu Römer 9–11 (FRLANT 86), Göttingen 1964, 98–102 (Gottes Volk); H. Schlier, Ekklesiologie des Neuen Testaments, in: Myst Sal IV, 1. 101–214, hier 163–169, 208–209.

71 Vgl. E. Sjöberg, Judentum 66.

rung des Auferstehungsgedankens mit dem Schöpfungsgedanken sei Paulus disponiert gewesen. Bereits das Spätjudentum habe den Auferstehungsgedanken „in die Nähe des Schöpfungsglaubens gerückt"[72]. Daran hat Paulus angeknüpft und konsequent in sein Auferweckungskerygma dann auch das Schöpfervokabular *καλεῖν* (Röm 4,17), *ζωοποιεῖν* (Röm 8,11) eingeführt[73]. Er bezeichnet die Auferweckung Christi zwar nicht expressis verbis als Neuschöpfung, aber er identifiziert doch die Auferweckung von den Toten mit der Schöpfung der Endzeit. Er hat mit „dieser radikalen Gleichsetzung ein(n) für die damalige jüdische Welt völlig neue(n) Gedanke(n)"[74] entwickelt.

Von daher erklärt sich die eschatologische Aktualität des *κλῆσις*-Gedankens. Die vom Pharisäismus für die Zukunft erwartete Auferweckung der Toten ist für Paulus kein reines Hoffnungsgut mehr, sondern in Christus bereits Wirklichkeit geworden. Das Auferweckungshandeln Gottes an Christus wird als das entscheidende Heilsereignis verkündet. Sooft ein Mensch durch Kerygma bzw. Evangelium und Taufe in die *κοινωνία* mit dem Erstling der Auferwekkung versetzt wird, liegt die *κλῆσις* Gottes vor, handelt der rufende Schöpfer an seinem Geschöpf. Es ist unverkennbar, daß die eschatologische *κλῆσις* von hier aus einen ausgesprochen leib- und kosmosbezogenen Neuschöpfungssinn empfängt, der weit über die rabbinische Anschauung von der *δευτέρα γένεσις* hinausgeht. Der rufende Gott offenbart sich als der Schöpfer der Endzeit, der Christus von den Toten auferweckt hat und nun den Einzelnen und die *ἐκκλησία* in das Schöpfungshandeln der Auferweckung einbezieht.

Die eschatologische *κλῆσις* konfrontiert mit dem Schöpfer als Totenerwekker (Röm 4,17) und verweist auf die leibhafte Vollendung des Heils in der Zukunft. Die gleiche *κλῆσις* bewirkt jedoch auch schon die verborgene Heraufführung der neuen Welt im Neuschöpfungsgeschehen der Rechtfertigung. Die eschatologische Aktualität der *κλῆσις* oszilliert zwischen der Antizipation der Neuschöpfung in der Rechtfertigung und dem Abschluß der Neuschöpfung in der Totenauferweckung.

c) Antizipation der Neuschöpfung vor Auferweckung und Endgericht

Die grundstürzende Erfahrung bei der Offenbarung Christi besteht darin, daß der für die Zukunft erwarteten Auferweckung der Toten und dem nahe geglaubten Endgericht die verborgene Antizipation des Neuschöpfungswerkes vorausgeht[75]. Der Jude Paulus erlebt und begreift, daß Gott an ihm und allen in die *κοινωνία* des *πνεῦμα*-Christus Hineingerufenen die Rechtfertigung, d.h. die Neuschöpfung antizipiert. Damit rückt die Gegenwartsdimen-

---

[72] H. Schwantes, Schöpfung 63; ferner 57 Anm. 5.
[73] Vgl. a.a.O. 56, 63. [74] A.a.O. 92.
[75] Vgl. a.a.O. 83–84.

sion der Neuschöpfung in den Vordergrund, ohne daß dadurch der Gedanke an die Auferweckung und an das Endgericht nach den Werken abgeschwächt würde. Die Christen werden der Rechtfertigung bzw. der Neuschöpfung teilhaftig und antizipieren sie, aber sie stehen gleichwohl erst in der Erwartung des Kommenden.

H. Schwantes hat das Neuschöpfertum Gottes fast ausschließlich auf die Leiblichkeit bezogen[76] und die existentiell-ethische Dimension der proleptischen Neuschöpfung vernachlässigt[77]. Er berücksichtigt zu wenig, daß der Apostel zwischen das Perfekt der Auferweckung Christi und das Futur der Auferweckung der Christen eine, wenn auch noch so kurze Epoche eingeschoben sieht, in der die Neuschöpfung antizipiert und existentiell-ethisch verifiziert werden soll. Der apokalyptische Welt- und Geschichtshorizont wirkt sich nicht nur im Kerygma von der Totenauferweckung und von der Neuschöpfung des Alls (Röm 8,18–23) aus. Nach P. Stuhlmacher hat Paulus „es als vorzügliche Wirkung des schaffenden Gotteswortes betrachtet..., Glaubende zu Gliedern der neuen Gotteswelt zu berufen, d.h. sie zu rechtfertigen"[78]. H. Schwantes entgeht, daß Paulus den Schöpfungsterminus *καλεῖν* nicht nur auf die Leiblichkeit (Röm 4,17), sondern auch auf die Rechtfertigung[79] bezieht. Die rechtfertigende *κλῆσις* stellt den Menschen hier und jetzt auf eine völlig neue Existenzgrundlage, sie ist als solche schon Neuschöpfungsgeschehen. E. Jüngel erklärt, „daß der gerechtfertigte Mensch mit sich selbst als Sünder durch nichts als durch das schöpferische Wort Gottes verbunden ist. Abgesehen von diesem Wort waltet zwischen dem homo peccator und dem homo justus das Nichts. Ja, in dieses Nichts muß der homo peccator vergehen, wenn und indem Gottes Wort einen Menschen gerecht spricht"[80]. Wenn der Terminus *καλεῖν* im Zusammenhang mit der Rechtfertigung gebraucht wird, dann ist das eine Anspielung darauf, daß sich hier creatio ex nihilo ereignet. Denn die eschatologische *κλῆσις* ist der protologischen in dem entscheidenden Punkt gleich, daß Gott aus dem Nichtsein ins Dasein ruft. Der Urschöpfer ruft aus dem Nichtsein ins Dasein, der proleptische Neuschöpfer aus dem Totsein der Sünde ins Gerechtsein und der eschatologische Neuschöpfer aus dem Totsein schlechthin ins ewige Leben.

Die *κλῆσις* als Einbeziehung des Menschen ins eschatologische Heilsgeschehen erschöpft sich also keineswegs in der Konfrontation mit dem Auferweckungshandeln Gottes bzw. in der Verheißung der leiblichen und kosmischen Neuschöpfung. Gaben wie Geist und Leben erschöpfen sich nicht darin, bloß Angeld der endzeitlich-ontischen Lebens- und Geistesgabe zu sein[81]. Die *κλῆσις* ist Rechtfertigung und stellt schon jetzt radikale Neu-

---

76 Vgl. a.a.O. 56–91.

77 Vgl. a.a.O. 27f.

78 Gerechtigkeit 79.

79 Vgl. zum Ganzen a.a.O. 79, 217–236.

80 E. Jüngel, Möglichkeit 217.

81 Vgl. H. Schwantes, Schöpfung 57–58.

schöpfung dar, die existentiell-ethisch verifiziert werden soll. Der Heilsberufungssinn der eschatologischen κλῆσις (D. Wiederkehr) wird demnach ergänzt und vertieft durch den Neuschöpfungssinn, bei dem die Neuschöpfung der Person, genauer des „inneren Menschen"[82] im Zentrum steht. In der Mehrzahl der κλῆσις-Stellen wird dieser Neuschöpfungssinn der eschatologischen κλῆσις angesprochen. Ein zweiter wichtiger Gesichtspunkt, unter dem der Ansatz der paulinischen Ethik herauszuarbeiten und zu aktualisieren ist.

3. *Ansatz der Ethik bei Neuschöpfungsgedanken*

Für D. Wiederkehr steht der Heidenmissionar mit seinem Evangelium im Dienst an der eschatologischen Heilsberufung. Seine apostolische Mahnrede bezweckt den Mitvollzug der Bewegung aus dem Unheil ins Heil. Daß der Heilsberufungssinn den Neuschöpfungssinn nicht ausschließt, versteht sich von selbst. Dennoch will beachtet sein, daß sich Paulus bei der Aktualisierung der κλῆσις vor allem im Dienst des eschatologischen Neuschöpfers sieht. Für den ethischen Ansatz ist die Feststellung bedeutsam, daß Evangelium oder κλῆσις grundsätzlich als Neuschöpfungstat Gottes und als Neuschöpfungsgeschehen am Einzelnen bzw. an der Gemeinde[83] anzusehen sind.

Aus apokalyptischer Perspektive ist die große prospektive Reflexion der Propheten und des Spätjudentums in Erfüllung gegangen: Gott ist in der Endzeit noch einmal in seiner Schöpfereigenschaft hervorgetreten. Paulus schiebt den zentralen jüdischen Gedanken der Entsprechung von Urschöpfung und Endschöpfung[84] nicht beiseite. Die Schöpfung der Endzeit besteht jedoch nicht nur in der Auferweckung Christi und in der Auferweckung der Christen, die Paulus – so H. Schwantes[85] – als ein einziges Geschehen der resurrectio continua begreift. Im Auferweckungshandeln Gottes offenbart sich der umfassende Anspruch des Schöpfers auf die Neuschöpfung des Menschen, der aus Adams Stand gefallen ist (Röm 5,12f). Der eschatologischen Neuschöpfung der Leiblichkeit geht voraus die existentiell-ethische Neu-

---

[82] G. Schneider, Neuschöpfung 86; vgl. ferner A. Kolping, Neuschöpfung und Gnadenstand, Bonn 1946; W.J. Phytian-Adams, The Mystery of the New Creation, in: ChQR 142 (1946) 61–77; N.A. Dahl, Christ, Creation and the Church, in: The Background of the New Testament and its Eschatology, In honor of C.H. Dodd, Cambridge 1956, 422–443.

[83] Vgl. dazu Chr. Müller, Gottes Volk 99.

[84] Vgl. dazu H. Gunkel, Schöpfung und Chaos in Urzeit und Endzeit, Göttingen 1895 (Neudruck 1921); E.L. Dietrich, Schub schebut. Die endzeitliche Wiederherstellung bei den Propheten (BZNW 40), Gießen 1925; G. van der Leeuw, Urzeit und Endzeit, in: Eranos-Jahrbuch 17 (1949) 11–51; G. von Rad, Typologische Auslegung des Alten Testaments, in: EvTh 12 (1952/53) 17–33.

[85] Schöpfung 88, 91.

schöpfung des Menschen[86]. Im Hinblick auf die creatio continua der Endzeit, in der die Personalität (Rechtfertigung) und Leiblichkeit des Menschen (Auferweckung) je neu aus dem Nichts geschaffen wird, kann man mit Recht die proleptische Neuschöpfungstat und das proleptische Neuschöpfungsgeschehen als das Woraufhin der paulinischen Mahnrede bezeichnen. Die Treue des Schöpfers zu seinem Geschöpf, wie sie in der Neuschöpfung zum Ausdruck kommt, ist wegen der Naherwartung der Totenaufweckung und der kosmischen Vollendung nicht mehr zur Grundlage einer Ethik für die alte Welt geworden. Doch zeichnet sich ab, daß die eschatologische κλῆσις als Neuschöpfungstat und Neuschöpfungsgeschehen transparent ist auf die protologische κλῆσις hin. Unter dem Gesichtspunkt der Neuschöpfung kann der Gedanke der protologischen κλῆσις, vor allem das darin implizierte „Sich-selbst-Gesetz-Sein" des Menschen leicht aktualisiert werden.

4. *Einbau einer Hermeneutik der protologischen* κλῆσις

Auf den ersten Blick macht es wenig Unterschied, ob man vom Heilsberufungssinn (D. Wiederkehr) oder vom Neuschöpfungssinn ausgeht und die eschatologische κλῆσις nach der protologischen κλῆσις hinterfragt. Doch bietet das schöpfungstheologisch eingefärbte καλεῖν der Auferweckungs- und Rechtfertigungsbotschaft (Röm 4,17; 8,30; 9,12.24) den besseren Ansatz zur Rekonstruktion des protologischen κλῆσις-Gedankens. Bei der Explikation des Heilsberufungssinns tritt die Sorge um das Heilsethos derart beherrschend in den Vordergrund, daß die Existenz und Relevanz der protologischen κλῆσις völlig unbeachtet bleibt.
Selbstverständlich hat Paulus auch bei der Aktualisierung der eschatologischen κλῆσις als Neuschöpfungstat keinen Anlaß gesehen, das protologische κλῆσις-Verhältnis aufzudecken und als Anknüpfungspunkt vor Augen zu stellen. Zwar muß durch die eschatologische κλῆσις die Vergangenheit seiner heidnischen Adressaten gelöscht werden, die darin besteht, daß der Heide die protologische κλῆσις des Schöpfers verneint. Der sich dem rufenden Schöpfer gegenüber abkapselnde Mensch muß neu für den rufenden Gott geöffnet und gewonnen werden. Nicht umsonst spricht Paulus von der „Erneuerung des Geistes" (Röm 12,2) und setzt dabei die selbstverschuldete Verfinsterung des Geistes (Röm 1,21; 8,20) voraus. Er führt den Nachweis für die Heilsnotwendigkeit der eschatologischen κλῆσις, indem er darauf hinweist, daß das Verhältnis zwischen dem rufenden Schöpfer und dem Menschen von Anfang an gestört ist (Röm 1,17–3,21). Aus seiner Sicht kann nur der die eschatologische κλῆσις Gottes akzeptieren, der eingesehen hat,

---

86 Zum Ganzen vgl. F. Hahn, „Siehe, jetzt ist der Tag des Heils", Neuschöpfung und Versöhnung nach 2 Korinther 5,14–6,2, in: EvTh 33 (1973) 244–252.

daß er sich durch das Nein gegenüber dem rufenden Schöpfer im tiefsten Unheil befindet. Paulus arbeitet heraus, daß den Nein sagenden Menschen niemand anders aus der Selbstabkapselung und ihren Folgen herausrufen und ins Heil bringen kann als der rufende Gott selbst. Dennoch hat Paulus das protologische κλῆσις-Verhältnis als solches nicht deutlicher ins Bewußtsein gehoben. Er hat die eschatologische κλῆσις de facto im schöpfungstheologischen Erfahrungshorizont des Menschen aktualisiert, aber er hat dabei das vorausgesetzte protologische κλῆσις-Verhältnis nicht als solches ins Licht gehoben. Das ist der moraltheologischen Hermeneutik aufgegeben, die das Ereignis der Neuschöpfung a priori nur noch in einem schöpfungstheologischen Horizont verdeutlichen kann. Der Ausbau der κλῆσις-Reflexion unter dem Gesichtspunkt der Neuschöpfung hat in Röm 4,17 seinen entscheidenden Anhaltspunkt: an ihm kann sich die unaufschiebbar gewordene kosmologische und anthropologische Explikation der protologischen κλῆσις orientieren.

IV. Ausbau der κλῆσις-Reflexion unter dem Gesichtspunkt der Heraus-und Hineinrufung

Im Folgenden wird gefragt, ob der Begriff der eschatologischen κλῆσις neben dem Heilsberufungs- und Neuschöpfungssinn auch noch den Doppelsinn der Heraus- und Hineinrufung[87] enthält und wie derselbe expliziert werden kann. Ein letzter wichtiger Gesichtspunkt, unter dem die eschatologische κλῆσις nach dem protologischen κλῆσις- und Autonomiegedanken hinterfragt werden soll.

1. *Κλῆσις als Herausrufung*

Der Herausrufungsgedanke ist beim Apostel Paulus sprachlich nicht belegbar. Das heißt aber nicht, daß er nicht der Sache nach verifizierbar wäre[88]. Der textliche Befund und der zeitliche Abstand zu Paulus verhindern den Entwurf einer Hermeneutik der Herausrufung und Hineinrufung nicht von vornherein. Nach H.G. Gadamer läßt gerade der zeitliche Abstand „den wahren Sinn, der in einer Sache liegt, erst voll herauskommen. ...es entspringen stets neue Quellen des Verständnisses, die ungeahnte Sinnbezüge offenbaren"[89].

---

[87] Statt „Ruf aus" oder „Ruf in" wurde die stärkere, sprachlich ungewohnte Formulierung Heraus- und Hineinrufung gewählt.

[88] Vgl. Art. ἐκ bei H. Schmoller, Handkonkordanz 151–152; und W. Bauer, Wörterbuch 387–391; D. Wiederkehr, Berufung 282.

[89] Wahrheit und Methode. Grundzüge einer philosophischen Hermeneutik, Tübingen ^{2}1965, 282 (Wahrheit).

a) Herkunft des Herausrufungsgedankens

Herkunft und Ausprägung des Herausrufungsgedankens hängen mit der Erfahrung und Aufarbeitung der grundstürzenden Wende im Leben des Apostels zusammen. Paulus spricht vom Ende seines Lebens unter dem Gesetz bzw. für das Gesetz und vom Anfang seines Lebens für das gesetzesfreie Evangelium[90]. Das schlägt sich im Herausrufungs- und Hineinrufungsgedanken nieder. Auch das apokalyptische Zweiäonen-Schema, das D. Lührmann als den eigentlichen Schlüssel zum paulinischen Denken ansieht[91], kommt als Quellgrund für diese Doppelstruktur in Frage. Man könnte sagen, daß Paulus die eschatologische *κλῆσις* als Herausgerufenwerden aus der „gegenwärtigen bösen Weltzeit" (Gal 1,4) und als Hineingerufenwerden in die Gnade (Gal 1,6) und in die Freiheit Christi (Gal 5,13) begreift und daß er die eschatologische *κλῆσις* im Sinne des Äonenwechsels aktualisiert.

b) Gesichtspunkte der Herausrufung

D. Wiederkehr hat bei seiner Darstellung der paulinischen Berufungstheologie den Doppelsinn des *κλῆσις*-Begriffs nicht weiter verfolgt. Dennoch kann er als Kronzeuge für das Vorhandensein des Herausrufungsgedankens angeführt werden. „Paulus redet zwar nie von *καλεῖν ἐκ*, doch ist in anderer Form oder in der positiven Richtungsangabe der Ausgangsort oft insinuiert..."[92] Nach D. Wiederkehr führt die Heilsberufung „aus der frühern Unheilssituation heraus und bezieht die Berufenen in das zentrale Heilsgeschehen in Christus hinein, gibt ihnen daran Anteil und Gemeinschaft; zugleich leitet sie die Bewegung und Hinführung auf die eschatologische Heilsvollendung hin ein"[93]. Damit ist eindeutig festgestellt, daß die „Berufungstat" bzw. das „Berufungsgeschehen" die Dimensionen der Heraus- und der Hineinrufung hat. Als Mangel erweist sich, daß D. Wiederkehr von der Unheilssituation meist nur in einem sehr allgemeinen Sinn spricht und den Begriff der Äonsmächte weitgehend unberücksichtigt läßt. Dabei konzentriert sich die eschatologische Bewegung ganz auf die menschliche Person, und die Unheilssituation, aus welcher der Mensch herausgerufen wird, wird mit *σάρξ*, *ἁμαρτία* und *νόμος* bezeichnet. Der Weltort wird von Paulus nur insoweit als Unheilssituation verstanden, als sich hier die von Menschen aufgerichtete Herrschaft der Äonsmächte ganz besonders verdichtet und auswirkt.

Auf die paulinische Vorstellung vom Exodus des Gläubigen aus der Herrschaft der Äonsmächte wird bei der hamartiologischen Erhellung der Autonomie näher eingegangen. In der historischen Verkündigungssituation wird

---

90 Vgl. P. Stuhlmacher, Ende 25–34.

91 Offenbarungsverständnis 78.

92 D. Wiederkehr, Berufung 279.

93 A.a.O. 282.

der Herausrufungsgedanke besonders dazu benutzt, die Intentionen der dualistischen Gnosis und der ekstatischen Religiosität zu entlarven und abzuwehren. Sie suggerieren, aus dem Weltort als solchem oder aus der leiblichen Existenz als solcher auszusteigen[94]. Anders als in Qumran schließt sich aber die paulinische ἐκκλησία nicht gegenüber der Welt ab; sie bleibt vielmehr am Weltort und übt Weltmission. ,,Durch die stets gegenwärtige Erinnerung an die Vergangenheit, die ja nur dank dem Ruf Gottes Vergangenheit ist, wird in der Gemeinde ein pharisäisches exklusives Berufungsbewußtsein vermieden. Ihr neuer Standort und ihr neues Sein in Christus geben ihnen keinen Grund, sich anders zu rühmen denn im Herrn (1 Kor 1,24–31).“[95]
Die eschatologische Hineinrufung in Christus füllt das Bewußtsein des Paulus und seiner Gemeinden noch viel stärker aus. Die Hineinrufungsstruktur läßt sich jedoch nach Tiefendimension und Dynamik am besten verstehen, wenn man zuvor ihre unabtrennbare Kehrseite bedenkt.

2. Κλῆσις *als Hineinrufung in Christus*

Mit der phänomenologischen Bestandsaufnahme des Hineinrufungsgedankens wird der letzte entscheidende Aspekt der eschatologischen κλῆσις dargestellt. Herauskommt der Herrschaftswechsel-Gedanke, der für die hamartiologische und christologische Erhellung des Autonomiegedankens von besonderer Wichtigkeit ist.

a) Entwicklung im Hineinrufungsgedanken

D. Wiederkehr hat auf den streng theozentrischen Begriff der κλῆσις in die βασιλεία und δόξα im ersten Paulusbrief (1 Thess 2,12) hingewiesen. Davon hat er den im Galaterbrief auftretenden christozentrischen Begriff der Hineinrufung deutlich abgehoben. Er hat daraus geschlossen, daß zum Zeitpunkt des 1. Thessalonicherbriefs Christus noch keinerlei ,,Stellung“[96] im Berufungsgeschehen habe, und die Möglichkeit eingeräumt, daß hier eine Entwicklung im paulinischen Denken vorliege[97]. Was D. Wiederkehr auffällt, ist eine „Verschiebung von der betont eschatologischen zur gegenwärtigen Stellung Christi“[98]. In 1 Thess beschreibt der Missionar die eschatologische Stellung noch weitgehend mit Hilfe des apokalyptischen Vorstellungsmaterials (Wiederkunft, Herrentag); ab dem Galaterbrief dominiert dann der Gedanke der Hineinrufung in Christus, wird mit Hilfe der Hineinrufungsstrukturen die gegenwärtige Stellung Christi hervorgehoben. Von da an könne man von einer präsentischen Stellung Christi im Berufungsgeschehen

---

[94] Vgl. dazu W. Schmithals, Die Gnosis in Korinth. Eine Untersuchung zu den Korintherbriefen (FRLANT 48), Göttingen ²1965, 146 (Gnosis).
[95] D. Wiederkehr, Berufung 254.
[96] A.a.O. 281.
[97] Vgl. a.a.O. 281.
[98] Ebd.

sprechen. Aber läßt sich aus der Tatsache, daß 1 Thess noch keine Hineinrufungsstruktur kennt, die die präsentische Funktion des *πνεῦμα*-Christus kündet, wirklich schließen, daß es sie am Anfang überhaupt nicht gab? Sollte die Christologisierung der *κλῆσις*-Reflexion erst unter dem Druck der Parusieverzögerung entstanden sein? Wahrscheinlich ist, daß Paulus die *κλῆσις* Gottes nach dem Ereignis der Auferweckung und Erhöhung Christi gar nicht mehr anders als in der Weise der Heraus- und Hineinrufung aktualisieren konnte.

Durch die Hineinrufung vermittelt Paulus das, was er selbst in der Offenbarung Christi (Gal 1,15) erfahren hat. Hier wird nicht nur eine Gnosis Christi weitergegeben, sondern der Kontakt mit dem lebendigen Kyrios hergestellt. Denn für Paulus ist das offenbarungsgeschichtliche Novum nicht mehr die Theophanie[99], sondern die Tatsache, daß Gott seinen Sohn offenbart und daß er in die *κοινωνία* des Sohnes hineinruft (1 Kor 1,9)[100].

b) Gesichtspunkte der Hineinrufung

Es ist davon auszugehen, daß für Paulus die Offenbarung Jesu Christi als des Sohnes (Gal 1,15) und die Hineinrufung in die *κοινωνία* des Sohnes (1 Kor 1,9) ein und dasselbe sind. Das prägt sich darin aus, daß sich Hineinrufung in Christus und Vermittlung der Gnosis Christi gegenseitig bedingen und erhellen. Sie bezeichnen die beiden Seiten ein und derselben Aktivität Gottes. Gott ist und bleibt das Subjekt, das durch den Apostel und durch sein Wort und Sakrament in die Christus-*κοινωνία* hineinruft und hineintauft[101].

Die von Paulus aktualisierte Hineinrufung in die *κοινωνία* Christi ist freilich nicht mehr von einer Epiphanie des Osterchristus begleitet oder getragen. Bei ihr findet zwar auch eine Enthüllung Christi statt, doch ist diese mit der Ankunft der *πίστις* im Leben der Adressaten (Gal 3,23) gleichzusetzen[102]. Bei der Aktualisierung der Hineinrufung in die Christus-*κοινωνία* werden von Paulus bezeichnenderweise niemals perikopische Christusdarstellungen vorgetragen. Es wird niemals in eine Gleichzeitigkeit mit dem historischen Jesus eingebracht, sondern in das neu geschaffene und offenbarte Christuszentrum hineingerufen und hineingetauft[103].

Die Hineinrufungsstruktur zeichnet sich dabei durch eine beachtliche inhaltliche Auffächerung aus. Fertigt man eine Synopse der Hineinrufungsformeln an, dann sieht man, daß immer die mit der Hineinrufung verbundene Wir-

---

99 Zum Ganzen vgl. D. Lührmann, Offenbarungsverständnis 67–97; P. Stuhlmacher, Evangelium 63–108; ders., Gerechtigkeit 203–236.

100 Zum Ganzen vgl. J. Blank, Paulus 258–278.

101 Zur Verbindung beider Elemente durch das Verbum *καλεῖν* vgl. P. Stuhlmacher, Charakter 28; ders., Gerechtigkeit 187.

102 Vgl. dazu D. Lührmann, Offenbarungsverständnis 79f.

103 Vgl. dazu R. Schnackenburg, Das Heilsgeschehen bei der Taufe nach dem Apostel Paulus (MüThS 1), München 1959, 145–149 (Heilsgeschehen).

kung auf den Gläubigen expliziert wird. Paulus spricht von der Hineinrufung in die Gnade (Gal 1,6)[104] und in die Freiheit des Christus (Gal 5,13), von der Hineinrufung in die Gemeinschaft mit dem Sohne (1 Kor 1,9)[105] sowie in den Christusfrieden (1 Kor 7,15; Kol 3,15). Paulus spricht vom Ruf in die Zugehörigkeit zum Sohne (Röm 1,6)[106] sowie in die Gerechtigkeit in Christus (Röm 8,30) und schließlich auch noch vom Ruf in die Gleichgestaltung mit diesem (Röm 8,29). Es ist auffallend, daß Paulus dabei zwar den Eindruck der Christussphäre erweckt, jedoch weit entfernt bleibt von der Raumvorstellung, wie sie in der spätjüdischen Zwei-Äonen-Lehre und in der griechischen Äonenlehre ausgeprägt ist[107]. Die Hineinrufung stellt den Gläubigen in den neuen Christusäon und nimmt ihn aus dem alten Äon des *νόμος* heraus. Paulus aktualisiert diese Äonenwende und verdeutlicht dem Berufenen gleichzeitig, wie sie sich für ihn persönlich auswirkt.

c) Präsentische Wirkung und zukünftige Vollendung

Nach D. Wiederkehr hat Paulus den Begriff der *κλῆσις* aus zwei Gründen aufgegriffen: einmal um seine Heidenmission theologisch zu interpretieren, dann aber auch, weil der Begriff „die Einführung und den Eintritt des einzelnen in die Heilswirklichkeit genetisch und kausal beschreibt durch die hinführende und hineinversetzende Tätigkeit Gottes“[108]. Wohl gemerkt: „die hinführende und hineinversetzende Tätigkeit Gottes“ wird vom *κλῆσις*-Begriff als solchem ausgesagt. D. Wiederkehr interpretiert ihn nämlich vom Grundschema der Bewegung aus dem Unheil ins Heil. *Κλῆσις* bewirkt grundsätzlich die Versetzung aus der Unheilssituation in das in Christus eröffnete Heil. „In die in ihm zuvor geschaffene, vorausliegende neue Heilswirklichkeit hinein werden die übrigen Menschen durch dic Heilsberufung versetzt.“[109] In der soteriologisch bedeutsamen Richtungsangabe *εἰς*[110], die beim verbalen *κλῆσις*-Moment anders akzentuiert erscheint als beim sakramentalen[111], erblickt D. Wiederkehr offenbar nur eine zusätzliche Bestätigung bzw. Verdeutlichung des im *κλῆσις*-Begriff angelegten Bewegungssinnes[112].

---

104 Nach D. Wiederkehr, Berufung 79, kennt Paulus „die Gnade als Standort, Lebensraum und Kraftbereich, in den die Glaubenden hineinversetzt sind...“ Vgl. vor allem die Auslegung von Gal 1,6 bei E. Grässer, Evangelium 322–332.

105 Vgl. D. Wiederkehr, Berufung 115.

106 Vgl. a.a.O. 146–148.

107 Vgl. dazu F.J. Schierse, Art. Äon, Äonenlehre, in: LThK I, 680–683, hier 683.

108 Berufung 282f.

109 A.a.O. 245.

110 Vgl. dazu A. Oepke, Art. *εἰς*, in: ThWNT II, 418–432; D. Wiederkehr, Berufung 42: „Dem Ruf wohnt eine Richtung inne, er will die Berufenen zum Heil führen, *εἰς* bezeichnet die soteriologische göttliche Bestimmung.“

111 Zur Übereignungsformel *εἰς τὸ ὄνομα* (1 Kor 1,13) und zur Wendung *βαπτίζειν εἰς Χριστόν* (Röm 6,3; Gal 3,27) vgl. R. Schnackenburg, Heilsgeschehen 15 und 18.

112 Zur Zielangabe *ἐπ'* (Gal 5,13) vgl. D. Wiederkehr, Berufung 94f, zur standortlich

Das Entscheidende ist für D. Wiederkehr, daß die präsentische Wirkung beachtet wird, ob man nun einfach von der „Heilsberufung" oder explizit von der Hineinrufung in Christus spricht. Die Offenbarung Christi kann nämlich nur den einen Inhalt gehabt haben: „Er selber ist schon an sein Ziel gelangt; durch die Berufung zu ihm hin sollen die Menschen in dasselbe Geschehen einbezogen und in ihm der eigenen Heilsvollendung entgegengeführt werden."[113]

D. Wiederkehr bezeichnet es als die Eigentümlichkeit der neutestamentlichen Berufung, daß sie „nicht mehr nur auf eine zukünftige eschatologische Vollendung hin" erfolgt, wie im Alten Testament, sondern „immer schon von der eschatologischen Erfüllung" herkommt, „die in Jesus Christus bereits Gegenwart ist. Gott beruft in und durch Jesus Christus und auf ihn hin zur Teilnahme an dem in ihm verwirklichten Heil, zur Gnade in ihm (Röm 1,6; Gal 1,6; Phil 3,14)."[114] Man muß jedoch auch an den Stellenwert denken, den die In-Christus-Formeln im paulinischen Denken einnehmen. Von daher scheint es legitim und konsequent zu sein, wenn man den Bewegungs- und Richtungssinn des *κλῆσις*-Begriffs deutlicher als D. Wiederkehr expliziert und von der Hineinrufung in die Christus-*κοινωνία* spricht. Vermutlich bringt diese Formel „die Stellung Christi im Berufungsgeschehen"[115] am klarsten zum Ausdruck. Man merkt es ihr an, daß Paulus „das Zweiäonenschema gesprengt" hat, daß „er ‚dieser Welt' nicht eine ‚kommende' entgegenhält u. so das Jetzt in der Erwartung des Einst entwertet"[116]. Schließlich sind die in Christus Hineingerufenen jetzt schon all der eschatologischen Güter wie z.B. Gnade (Gal 1,6), Freiheit (Gal 5,13), Gemeinschaft (1 Kor 1,9), Frieden (1 Kor 7,15; Kol 3,15), Gerechtigkeit (Röm 8,30) teilhaftig. Paulus legt Wert darauf, daß die mit der Hineinrufung verbundenen eschatologischen Heilsgüter allesamt als eschatologische Gegenwart erfahren und ergriffen werden.

Für den vom *κλῆσις*-Geschehen beherrschten Apostel kann „das christliche Endgeschehen ... nicht unvermittelt, überwältigend und überraschend hereinbrechen wie ein kosmisches Ereignis, sondern Gott leitet dieses Geschehen schon jetzt ein, wenn er im Ruf die Kirche sammelt, um sie auf diese Verherrlichung hin zu bereiten"[117]. Der Schlußakt kann für Paulus in Anbetracht des Dauergeschehens der eschatologischen *κλῆσις* bzw. der Hineinrufung in die Gnade, die Freiheit, den Frieden usw. nur noch darin bestehen, all diese Heilsgüter zu vollenden bzw. zu vervollständigen und sie auch auf

---

gedachten Präposition ἐν (1 Thess 4,7; Gal 1,6; 1 Kor 7,15.20.24) vgl. a.a.O. 49, 79, 127, (145), 133, (138), zum εἰς (1 Thess 2,12; 2 Thess 2,13f; 1 Kor 1,9; Kol 3,15) vgl. a.a.O. 42f, 69, 71, 115, 195.

113 D. Wiederkehr, Berufung 259.

114 A.a.O. 254.

115 A.a.O. 245.

116 F. Schierse, Art. Äon, Äonenlehre 682.

117 D. Wiederkehr, Berufung 263.

den Kosmos auszudehnen[118]. Die Herausrufung aus der Todesmacht besiegelt die Vollendung der eschatologischen Heilsgüter. Der Apostel läßt die Frage offen, inwieweit dem Handeln Gottes eine Epoche kirchlicher Aktualisierung und Durchsetzung solcher Güter wie Frieden[119] und Freiheit[120] in der Welt vorausgehen muß. Er beschränkt sich auf die Feststellung, daß Gott alle Heilsgüter bestätigt und universal ausdehnt, die in der *κοινωνία* des *πνεῦμα*-Christus antizipiert werden. Gott führt jedenfalls die Vollendung des Heils unter den genannten Gesichtspunkten (Gemeinschaft, Frieden, Freiheit) herauf. Man könnte sagen, daß das *κλῆσις*-Geschehen unter allen für es kennzeichnenden Perspektiven vollendet wird: Heilsbewegung, Neuschöpfung, Heraus- und Hineinrufung. Erwähnt sei noch, daß die Formel von der Hineinrufung in Christus mit der Idee der Gleichgestaltung mit Christus (Röm 8,29) verbunden ist[121]. Diese beginnt in der Christus-*κοινωνία* zunächst auf existentiell-ethischer Ebene. Im Akt der Auferweckung schreitet der Neuschöpfer dann zur vollen pneumatischen Gleichgestaltung der Berufenen mit dem Ebenbild Gottes, welches Christus ist.

3. *Ansatz der Ethik beim Heraus- und Hineinrufungsgedanken*

Geht man davon aus, daß die eschatologische *κλῆσις* in der Doppelstruktur der Heraus- und Hineinrufung aktualisiert wird, muß beides, die Herausrufung aus der Herrschaft der Äonsmächte und die Hineinrufung in die Christus-*κοινωνία* über den Zeitpunkt der gläubigen Annahme hinaus unausgesetzt verlängert werden. Die paulinische Paraklese zielt darauf ab, das rechte Verständnis dieses Dauergeschehens sicherzustellen und zum existentiell-ethischen Mitvollzug anzuleiten. Man hat bisher wenig beachtet, daß die paulinische Christozentrik im Horizont des eschatologischen Heraus- und Hineinrufungsgedankens dargestellt sein will. Dieses Versäumnis hat zu einer isolierten, statischen Darstellung der Christozentrik, der Christusherrschaft, der Christusmystik[122] geführt. Wohl hat man bei der Darstellung der Chri-

---

118 Vgl. ebd.; ferner a.a.O. 242.

119 Vgl. dazu P. Stuhlmacher, Der Begriff des Friedens im Neuen Testament und seine Konsequenzen, in: Historische Beiträge zur Friedensforschung, hrsg. von W. Huber (StzF 4), Stuttgart/München 1970, 21–69, hier 28–46; J. Rabas, Friedenserziehung in christlicher Gemeinde, in: Funktion und Struktur christlicher Gemeinde 135–151, hier 136f; E. Biser, Die Idee des Friedens in den paulinischen Gefangenschaftsbriefen, in: GuL 27 (1954) 165–170.

120 Vgl. dazu V. Eid, Die Verbindlichkeit der paulinischen Freiheitsbotschaft für die christliche Lebensgestaltung, in: Herausforderung 184–205; R. Schnackenburg, Christliche Freiheit nach Paulus, in: ChrEx II, 33–49; K.H. Schelkle, Theologie III, 143–150.

121 Vgl. dazu R. Schnackenburg, Heilsgeschehen 154; ders., Todes- und Lebensgemeinschaft mit Christus, in: ders., Schriften 361–391.

122 Vgl. neben den in Anm. 73 (1. Teil) genannten Arbeiten A. Schweitzer, Die My-

stusmystik die Gefahr einer Identitätsmystik vermieden: Eins in Christus sind die Hineingerufenen und -getauften noch lange nicht Christus selbst (Gal 3,27; 1 Kor 12). Auch hat man trotz aller Betonung der mystischen unio mit Christus den Ansatz zur Ethik nicht verfehlt[123]. Zu scharf hatte Paulus die Dimensionen der eschatologischen Gegenwart und Zukunft herausgearbeitet und das ethische Durchhalten dieser Spannung gefordert. Vor allem erwies sich die paulinische Praxis der Hineinrufung in Christus frei von aller Mystagogik und Erlebnistechnik. Die nüchterne, durch Wort und Sakrament[124] geschehende Versetzung in die Christus-*κοινωνία* entpuppt sich als ein einziger großer Appell, sich in der Christussphäre existentiell-ethisch umwandeln zu lassen und neue Schöpfung zu werden. Obwohl der Ansatz der Ethik beim Heraus- und Hineinrufungsgedanken interessante, zeitlose Aspekte bietet, kann auch er nicht mehr einfach in der historischen Ausprägung reproduziert werden. Ob man beim Heilsberufungssinn, beim Neuschöpfungssinn oder beim Heraus- und Hineinrufungssinn der *κλῆσις* anknüpft, immer erweist sich der historische Ansatz wegen der fehlenden Brücke zur Schöpfungstheologie als nicht aktualisierbar.

4. *Einbau einer Hermeneutik der protologischen κλῆσις*

Eine zeitgemäße Aktualisierung der Doppelstruktur der *κλῆσις* liegt dann vor, wenn die von Paulus unterlassene schöpfungstheologische Explikation des *κλῆσις*-Gedankens nachgeholt und die protologische *κλῆσις* mit dem Autonomie-Gedanken verbunden wird. Konkret heißt das, daß der Gedanke der proleptischen Heraus- und Hineinrufung auf das Phänomen einer gegenüber Gott abgekapselten Autonomie bezogen werden muß. Selbstverständlich findet man bei Paulus selbst keinen Hinweis darauf, daß die eschatologische Heraus- und Hineinrufung den Menschen aus dem Nein gegenüber der protologischen *κλῆσις* herausholt und in die ursprüngliche theonome Autonomie zurückführt. Doch kann der eschatologische Herrschaftswechsel-Gedanke durchaus auf den Autonomiegedanken bezogen werden. Es leuchtet ein, daß die Heraus- und Hineinrufung den Menschen im Status des Neinsagens bzw. bei der Aufrichtung der Äonsmächte antrifft und daß sie als Aufhebung der immanentistischen Selbstabkapselung und als Wiederherstellung des theonomen „Sich-selbst-Gesetz-Seins" interpretiert werden kann.

---

stik des Apostels Paulus, Tübingen ^{2}1954; A. Wikenhauser, Die Christusmystik des Apostels Paulus, Freiburg ^{2}1956; F. Neugebauer, In Christus. Eine Untersuchung zum paulinischen Glaubensverständnis, Göttingen 1961; F. Neirynk, Bericht über die paulinische Lehre „Christus in uns" und „Wir in Christus", in: Conc 5 (1969) 790–795.

123 Vgl. dazu W. Matthias, Der alte und neue Mensch in der Anthropologie des Paulus, in: EvTh 17 (1957) 385–397, hier 387 (Mensch).

124 Vgl. dazu R. Schnackenburg, Heilsgeschehen passim; ders., Die Taufe in biblischer Sicht, in: ders., Schriften 459–478.

Selbstverständlich wird man bei der christologischen Erhellung der Autonomie über den eben skizzierten Horizont der Hineinrufungsstellen hinausgreifen und die übrige paulinische Christozentrik sowie die Pneumatozentrik mit heranziehen. Die Christologie der κλῆσις-Reflexion ist eine bisher zu wenig beachtete Schicht, aber sie ist eben auch nur eine Schicht, nur ein Ausschnitt aus dem weitverzweigten Ganzen der paulinischen Christologie. Man kann die Tatsache der sittlichen Autonomie auch dadurch herausarbeiten, daß man den paulinischen Verzicht auf jede direkte christozentrische oder pneumatozentrische Normierung aufzeigt. Es ist sehr bedeutsam, daß der in die κοινωνία des Sohnes Hineingerufene weder in einer normativen noch in einer mystischen Christozentrik verharrt, sondern in eine neue Sohnesstellung gegenüber Gott zurückkehrt. Daß die Christus-κοινωνία grundsätzlich auf Theozentrik und Theonomie ausrichtet, weist in die Richtung der theonomen Autonomie. Selbstverständlich ist die in der paulinischen Christozentrik angelegte Theozentrik und Theonomie von ausgesprochen heilsgeschichtlicher Struktur. Paulus hat die dem Christen eröffnete neue Theozentrik und Theonomie noch nicht schöpfungstheologisch definiert. Er hat weder eine Konfrontation mit dem Schöpfungsgesetzgeber noch das Phänomen einer in der protologischen κλῆσις verankerten Autonomie vor Augen. Das hindert nicht, die Zusammenhänge zwischen Christozentrik und Theozentrik heute im schöpfungstheologischen Horizont zu entfalten und nach der Auswirkung der Christus- und Geistesherrschaft auf die immanentistisch gelebte Autonomie zu fragen.

Der Moraltheologe muß das schöpfungstheologische Schweigen des Apostels brechen und die eschatologische κλῆσις unter der Doppelstruktur der Heraus- und Hineinrufung nach dem protologischen κλῆσις-Gedanken hinterfragen. Der historisch-kritische Exeget wird keine Hermeneutik der eschatologischen κλῆσις akzeptieren, bei der der protologische κλῆσις-Gedanke nachträglich ergänzt bzw. eingefügt wird. Er wird sich auf den radikal eschatologischen Erfahrungs- und Sinnhorizont beschränken, in dem Paulus die κλῆσις Gottes reflektiert und aktualisiert. Der Moraltheologe dagegen kann nicht beim zeitbedingten Horizont der paulinischen κλῆσις-Reflexion stehen bleiben und die entscheidende schöpfungstheologische Dimension weiterhin ausklammern. Für ihn ist es hermeneutisch legitim, die von Paulus selbst angedeutete schöpfungstheologische Komponente des κλῆσις-Begriffs (Röm 4,17) zu verselbständigen, sie zu einem eigenständigen protologischen κλῆσις-Gedanken auszubauen und das Ganze in die Hermeneutik der eschatologischen κλῆσις einzubringen.

5. *Aktualisierbarkeit der paulinischen κλῆσις-Reflexion im Sinne des Autonomiegedankens?*

Wie die dreifache Explikation des paulinischen κλῆσις-Gedankens zeigt, hat Paulus den tradierten heilsgeschichtlichen κλῆσις-Begriff entsprechend der eschatologischen Offenbarung Christi (Gal 1,15) zeitgerecht und situationsbezogen aktualisiert. Sein heilsgeschichtlich-eschatologisches Verständnis der κλῆσις ist vielschichtig und umfaßt Heilsberufung, Neuschöpfung, Heraus- und Hineinrufung. Es ist eine Hermeneutik, die die κλῆσις als rein soteriologisches Ereignis auffaßt, das unter den genannten Gesichtspunkten in der Gegenwart antizipiert und dessen Vollendung in der nahen Zukunft erwartet wird. Es ergibt sich die Vorstellung von einem Dauergeschehen, das mit der gläubigen Annahme der κλῆσις beginnt und mit dem Schlußwort der vocatio novissima Gottes endet. Die präsentische Kainologie betrifft den existentiell-ethischen Vollzug, die futurische Eschatologie, die Gott vorbehaltene ontische Vollendung. Das κλῆσις-Geschehen ist sowohl in der Dimension der eschatologischen Gegenwart als auch in der Dimension der eschatologischen Zukunft auf die κλῆσις des Schöpfers hin transparent. Doch steht der schöpfungstheologische κλῆσις-Gedanke ganz im Dienst der Soteriologie und Eschatologie. Der protologische κλῆσις-Gedanke ist implizit vorhanden, erfährt aber keine eigenständige schöpfungstheologische Explikation (ausgenommen Röm 4,17), er dient ausschließlich der Identifizierung des Neuschöpfers mit dem Schöpfer. In der Rechtfertigungsbotschaft identifiziert Paulus den Neuschöpfer mit dem Schöpfer, insofern dieser auf der existentiell-ethischen Ebene die creatio ex nihilo wiederholt und aus dem Sünder ein neues Geschöpf macht. In Heilsberufung, Neuschöpfung, Heraus- und Hineinrufung setzt der Schöpfer das Werk fort, das er mit der ursprünglichen Herausrufung der Geschöpfe aus dem Nichtsein ins Dasein (Röm 4,17) begonnen hat. Durch die immanentistische Selbstabkapselung des Menschen bzw. durch die Aufrichtung der Äonsmächte sieht sich der rufende Schöpfer herausgefordert, auf neuer, heilsgeschichtlicher Ebene das ureigene Werk der Herausrufung aus dem Nichts fortzusetzen und den Sünder aus seinem Nein bzw. aus der Mächteherrschaft herauszurufen.

Am deutlichsten markiert Paulus die Transparenz auf den rufenden Schöpfer in der Auferweckungsbotschaft. Aber auch hier werden die Verbindungen und Zusammenhänge zwischen protologischer κλῆσις und vocatio novissima nur angedeutet, nicht begrifflich ausdifferenziert. Zieht man die Linien aus, erscheint die vocatio novissima der Totenauferweckung als Fortsetzung und Aufgipfelung der protologischen und der heilsgeschichtlichen κλῆσις. Das Werk der Schöpfung und das Werk der Heilsberufung, Neuschöpfung, Heraus- und Hineinrufung werden durch sie vollendet. Mit der Aufhebung der Todesmacht wird die Fremdbestimmung des Geschöpfs

endgültig aufgehoben und die Theozentrik endgültig hergestellt. Durch die Herausforderung aus der Todesmacht wird deutlich, was das Sinnziel der protologischen Herausrufung der Geschöpfe aus dem Nichts und das Sinnziel der proleptischen Herausrufung der Gläubigen aus der Mächteherrschaft war: die ewige Theozentrik des Geschöpfs.
Beim systematischen Ausbau der paulinischen κλῆσις-Reflexion werden theologische Verbindungslinien und Zusammenhänge herausgearbeitet, die von Paulus so nicht expliziert wurden. Der eschatologische Missionar hat nicht daran gedacht, dem protologischen κλῆσις-Gedanken ein Eigenrecht zu geben, ihn im Sinne des Schöpfer-Geschöpf-Verhältnisses zu explizieren und ihn als die Denkvoraussetzung des heilsgeschichtlich-eschatologischen κλῆσις-Verhältnisses ins Bewußtsein zu rücken. Daran kommt das heutige Christentum nicht mehr vorbei. Es muß die vorhandene paulinische κλῆσις-Reflexion systematisch explizieren und den bloß angedeuteten protologischen κλῆσις-Gedanken ausbauen zu einer Schöpfungstheologie aus paulinischem Geist.
In erster Linie muß der protologische κλῆσις-Gedanke kosmologisch expliziert werden. Welt, Zeit und Geschichte, die Paulus als eschatologischer Missionar aus dem protologischen κλῆσις-Gedanken ausgeklammert hat, müssen heute eingefügt werden. Vor allem aber muß die menschliche Existenz und speziell das neuzeitliche Autonomiebewußtsein im protologischen κλῆσις-Gedanken verankert werden. Die kosmologische und anthropologische Explikation wird zeigen, daß der protologische κλῆσις-Gedanke mit dem neuzeitlichen Autonomiegedanken verbunden werden kann.
Es versteht sich von selbst, daß die eben skizzierte, zeitgebundene Gestalt der paulinischen κλῆσις-Reflexion und der Versuch, sie zu hinterfragen, noch keinen Ansatz eines aktuellen moraltheologischen Autonomiekonzepts darstellen. Das κλῆσις-geschichtliche Denken für sich allein kann die gesamttheologische Erhellung der Autonomie nicht vollbringen. Dazu muß man über die Schicht der κλῆσις-Reflexion im engeren Sinn hinausgreifen und die paulinische Hamartiologie und Christologie heranziehen.

2. *Kapitel*

Κλῆσις-GESCHICHTLICHE ERHELLUNG DER AUTONOMIE

Methodische Vorbemerkungen

Versetzt die historisch-kritische Exegese den heutigen Menschen in die Zeitgenossenschaft mit den Adressaten des Paulus, so versucht die Moraltheologie den Apostel Paulus als Wegbegleiter für die Gegenwart und die Zukunft zu gewinnen. Daher konzentriert sie sich auch nicht auf die Zeitgenossenschaft mit dem κλῆσις-geschichtlichen, inclusive schöpfungstheologischen Denken des Paulus, sondern auf die Aktualisierung dieses Denkens im Horizont des heutigen Autonomiebewußtseins. Nach O. Kuss stellt gerade der früheste neutestamentliche Autor eine „niemals bewältigte Aufgabe des kirchlichen Denkens"[125] dar. „Die Aneignung der in der Theologie des Paulus enthaltenen, für alle späteren Zeiten bestimmten Wahrheits- und Heilselemente kann nie unmittelbar erfolgen, durch einfache Übernahme, durch ‚Rezitieren', Aufsagen des paulinischen Wortlauts, sie kann immer nur durch Interpretation erreicht werden, durch Transponieren in ein neues, eben in das jeweilige für den Interpretierenden maßgebliche Milieu."[126]

I. KOSMOLOGISCHE EXPLIKATION DES PROTOLOGISCHEN κλῆσις-GEDANKENS

Die kosmologische Explikation des schöpfungstheologischen κλῆσις-Begriffs Röm 4,17 ist weit davon entfernt, Rezitation oder Übernahme der paulinischen Kosmologie zu sein, sie versucht vielmehr Rekonstruktion und Transposition in einem. Bei der Rekonstruktion der paulinischen Kosmologie[127] kann man davon ausgehen, daß ihre Grundlagen und Strukturen alttestamentlich-jüdischer, d.h. κλῆσις-geschichtlicher Natur sind und mit Hilfe des protologischen κλῆσις-Gedankens approximativ dargestellt werden

---

125 Paulus 452.

126 Ebd.

127 Vgl. R. Löwe, Kosmos und Aion. Zur heilsgeschichtlichen Dialektik des urchristlichen Weltverständnisses (NtlF 5), Gütersloh 1955; H. Hommel, Schöpfer und Erhalter, Berlin 1956; G.W.H. Lampe, Die neutestamentliche Lehre von der κτίσις, in: KuD 11 (1965) 21–32; G. Lindeskog, Schöpfungsgedanke; H.M. Biedermann, Die Erlösung der Schöpfung beim Apostel Paulus, Würzburg 1940; B.W. Anderson, The Earth is the Lord's. An Essay on the Biblical Doctrine of Creation, in: Interpretation 9 (1955) 3–20; A. Vögtle, Das Neue Testament und die Zukunft des Kosmos, Düsseldorf 1970 (Kosmos).

können. Die Transposition der Kosmologie in den Horizont des neuzeitlichen Autonomiegedankens kann nur angedeutet werden.

1. Κλῆσις-*geschichtliche Schöpfer- und Schöpfungsvorstellung*

Aus der eschatologischen Aktualisierung des *κλῆσις*-Begriffs geht hervor, daß sich Paulus den Schöpfer der Welt als einen rufenden Gott vorstellt. Der Terminus „rufen" = *καλεῖν* war im Anschluß an Jes 48,13 zum spezifischen Ausdruck für Gottes souveränes Schaffen durch das Wort geworden. Daß das Alte Testament beim Bekenntnis des Schöpferglaubens auch andere Termini[128] gebraucht, ändert nichts daran, daß der Kosmos auf das Befehlswort Gottes zurückgeführt wird. Die Vorstellung, daß die Geschöpfe durch das Wort hervorgebracht und erhalten werden, gehört zum festen Bestandteil alttestamentlich-jüdischen Denkens. Paulus reflektiert nicht darüber, daß das schöpfungstheologische *κλῆσις*-Modell der wirkungsgeschichtliche Niederschlag des prophetischen *κλῆσις*-Modells sein könnte. Es ist eine Erkenntnis neueren Datums, daß Israel zur Annahme der protologischen *κλῆσις* des Schöpfers gegenüber dem Geschöpf nur durch die Aktualisierung des prophetischen *κλῆσις*-Modells gekommen ist[129]. Paulus ist also keinesfalls – wie etwa der Prophet Jeremia – erst durch die Erfahrung und Aufarbeitung der eigenen *κλῆσις* zur Einsicht geführt worden, daß der rufende Gott ihn – damit er die eschatologische Heilsberufung empfinge und verkünde – zuvor aus dem Nichtsein ins Dasein gerufen haben mußte[130]. Das *ἅπαξ λεγόμενον* über Gott, der „das Nichtseiende ins Dasein ruft" (Röm 4,17), ist keine eigene schöpferische Prägung, sondern Paulus vorgegeben, wie eine beinahe gleichlautende Formulierung bei Philon beweist[131]. Der Apostel teilt diese Vorstellung mit dem Spätjudentum.

---

128 Zum Schöpfungsterminus bārā vgl. G. Schneider, Neuschöpfung 15; P. Humbert, Emploi et portée du verbe bārā (créer) dans l'AT, in: ThZ 3 (1947) 401–422; W. Foerster, Art. *κτίζω*, in: ThWNT III, 999–1034; H. Braun, Art. *πλάσσω*, in: ThWNT VI, 257–263; ders., Art. *ποιέω*, in: ThWNT VI, 456–483. Zur Schöpferterminologie *καλεῖν* (Röm 4,17), *εἰπεῖν* (2 Kor 4,6), *κτίζειν* (1 Kor 11,9); vgl. H. Schwantes, Schöpfung 9–10, 56–57; ferner G. Lindeskog, Schöpfungsgedanke 183–187; G. Westermann, Genesis (BK 1,1), Neukirchen 1967.

129 Vgl. dazu H.J. Kraus, Menschliche Existenz unter der Herrschaft Gottes. Zum biblischen Verständnis der Person, in: Ekklesia und Res publica, K.D. Schmidt zum 65. Geburtstag, hrsg. von G. Kretschmar und B. Lohse, Göttingen 1961, 11–25, hier 11–23 (Existenz).

130 Vgl. F. Leist, Nicht der Gott der Philosophen, Freiburg/Basel/Wien 1966, 198.

131 Vgl. die Formulierung Philons: De spec. leg. IV, 187: *τὰ μὴ ὄντα ἐκάλεσεν εἰς τὸ εἶναι*; ferner syr. Baruch 48.8: „Durch ein Wort rufst du ins Leben, was nicht ist, und beherrschest das, was noch nicht eingetreten ist, mit großer Kraft." Übersetzt von E. Kautsch, Die Apokryphen und Pseudepigraphen des Alten Testaments II, Nachdruck Hildesheim 1962, 428.

Es ist hier nicht der Ort, die Kosmologie des hellenistischen und palästinensischen Judentums[132] vorzustellen. Feststeht, daß Paulus der Erbe des κλῆσις-geschichtlichen Denkens ist und den protologischen κλῆσις-Gedanken weder im Zusammenhang seiner Reflexion der eschatologischen κλῆσις wiederentdeckt noch zum Verständnis von Mensch und Kosmos neu eingeführt[133] hat. Es leuchtet ein, daß der eschatologische Missionar, der hauptsächlich die eschatologische κλῆσις (als Heilsberufung, Neuschöpfung, Heraus- und Hineinrufung) aktualisiert, den biblischen Schöpfungsbericht und das biblisch-spätjüdische Bild vom rufenden Schöpfer nicht mehr in den Mittelpunkt stellt[134]. Der rein zahlenmäßige Vergleich der Neuschöpfungs- und Auferweckungs- mit den Schöpfungsaussagen deutet darauf hin, daß der spätjüdische Schöpferglaube bei Paulus fast ganz in die Verkündigung der (präsentischen) Neuschöpfung bzw. Rechtfertigung und der (futurischen) Totenauferweckung übergegangen ist. Er spielt deshalb in der alten, überkommenen Gestalt nurmehr eine kleine Nebenrolle[135].
Der Moraltheologe ist legitimiert, den protologischen κλῆσις-Gedanken aus paulinischem Geist zu rekonstruieren und kosmologisch zu explizieren. Die Tatsache, daß Paulus die Existenz des rufenden Schöpfers im alttestamentlich-jüdischen Sinne kennt und bekennt (Röm 4,17), reicht als Legitimation völlig aus. Ohne eine Kosmologie oder eine Schöpfungstheologie zu intendieren, hat Paulus damit doch den Grundstein dafür gelegt[136]. Die Welt ist für ihn keine Gegebenheit an sich, kein Gegenstand der Kosmologie, sondern des κλῆσις-geschichtlichen Denkens. Welche Grundstrukturen hat der Weltbegriff, der daraus hervorgeht? Wie kann die auf dem protologischen

---

132 Vgl. dazu H.F. Weiss, Untersuchungen zur Kosmologie des hellenistischen und palästinensischen Judentums, Berlin 1966. Zum alttestamentlichen Schöpfungsverständnis vgl. G. von Rad, Das theologische Problem des alttestamentlichen Schöpfungsglaubens, in: Werden und Wesen des Alten Testaments (BZAW 66), Berlin 1936, 138–147; A. Deissler, Gottes Selbstoffenbarung im Alten Testament, in: Myst Sal II, 226–271, hier 226–240; H.J. Kraus, Psalmen (BK XV), Neukirchen 1958, 236f, 263.

133 Nach K.H. Schelkle, Theologie I, 33 Anm. 11, bezieht sich Paulus „über Zwischenglieder gängiger Formulierungen auf die Schöpfungsgeschichte Gen 1.“ Zum Ganzen vgl. R. Albertz, Weltschöpfung und Menschenschöpfung. Untersucht bei Deuterojesaja, Hiob und in den Psalmen (CThM 2), Calw 1974; L. Vosberg, Studien zur Rede vom Schöpfer in den Psalmen (BEvTh 69), München 1975.

134 Vgl. G. Bornkamm, Art. Paulus 178.

135 Nach H. Schwantes, Schöpfung 94, laufen die traditionellen Schöpferaussagen „der eigentlichen paulinischen Schöpferbotschaft, dem Auferweckungskerygma, stets nur nebenher, ohne mit ihm verbunden oder darin eingegliedert zu sein, stehen immer nur in seinem Schatten, in zweitrangiger Position.“ Vgl. ferner a.a.O. 93.

136 Vgl. dazu G. Bornkamm, Art. Paulus 177–179; K.H. Schelkle, Theologie I, 33–49; G. Lambert, La creation dans la Bible, in: NRTh 75 (1953) 252–281; G. Lindeskog, Schöpfungsgedanke 163–265.

κλῆσις-Gedanken gegründete Kosmologie im Horizont des Autonomiegedankens aktualisiert werden?

2. *Kosmologie im Horizont des Autonomiegedankens*

Übersetzt man das paulinische ἅπαξ λεγόμενον von Gott, „der das Nichtseiende ins Dasein ruft" (Röm 4,17) in den heutigen Verständnishorizont, dann heißt das, daß die protologische κλῆσις das Nichtseiende in ein relativ autonomes Dasein stellt. Bedeutet die Hervorhebung des κλῆσις-Verhältnisses nicht, daß Selbstand, Eigenwert und Autonomie der Geschöpfe geschmälert oder aufgehoben werden? Das Gegenteil ist der Fall: Die protologische κλῆσις distanziert die Schöpfung von Gott und begründet im Adressaten bzw. Empfänger die Selbständigkeit gegenüber dem Mitteilenden[137]. Außerhalb des rufenden Gottes entsteht etwas Neues, das zur relativen Selbständigkeit freigelassen wird. Der Schöpfer betrachtet das Geschaffene nicht als Mittel für sich, sondern läßt es Selbstzweck sein. Erschaffung durchs Wort heißt, daß Gott die Welt zu ihrem Eigensein kommen läßt, daß er sie dazu ermächtigt, sich in ihrem eigenen endlichen Sein selbst zu konstituieren und zu entwickeln. Anders ausgedrückt: Die protologische κλῆσις ermächtigt die Schöpfung, sich selbst zu begründen und sich selbst Gesetz zu sein. Mit der Herausrufung aus dem Nichtsein ist der Welt die relative Autonomie anerschaffen bzw. eingestiftet. Ins Dasein rufen, heißt aber nicht, die Autonomie in Bewegung setzen und sich daraufhin zurückziehen. Das protologische κλῆσις-Verhältnis bedeutet nicht ständige materiale Neuerschaffung und Gesetzgebung, sondern ständiges Von-Gott-her-Sein der autonomen Geschöpfe. Weil die Welt ihr Sein, ihr Wesen und ihren Sinn für dauernd bzw. kontinuierlich aus der κλῆσις empfängt, ist sie relativ autonom. Kraft der dauernden Relation ist sie aber auch selbständiges, substantielles Seinszentrum. Auf jeder Entwicklungsstufe gehört die autonome Welt ganz Gott und ganz sich selbst. Sie vollzieht ihr Werden eigentätig und existiert dabei doch immer als Antwort auf den Ruf Gottes. Die protologische κλῆσις und der Selbstvollzug der Schöpfung sind ein einheitliches Geschehen, ohne daß sich der Abgrund bzw. der qualitative Unterschied zwischen dem göttlichen und geschöpflichen Sein jemals aufhebt. Gott gibt der Schöpfung das Sein zum Selbstbesitz und das „Sich-selbst-Gesetz-sein" zur Grundlage der Selbstentfaltung.

Worthaftigkeit und κλῆσις-Struktur eignen der ganzen Schöpfung, nicht

---

[137] Zum Ganzen vgl. H.E. Hengstenberg, Das Band zwischen Gott und Schöpfung, Regensburg ²1948; ders., Sein und Ursprünglichkeit. Zur philosophischen Grundlegung der Schöpfungslehre, München/Salzburg/Köln 1958 (Sein).

nur dem Menschen, „wenn sie bei ihm auch die höchste, personale Form“[138] annehmen. Im Hinblick auf die Sonderstellung des Menschen braucht nicht näher erörtert zu werden, „wie die ungeistige, untermenschliche Schöpfung den responsorialen Charakter ihres Seins“[139] und ihre relative Autonomie beweist und auswirkt. Entscheidend ist der Mensch, der den Auftrag zur Sinnverwirklichung hat und dadurch „Gottes Schöpfung nach Gottes Willen vollenden soll. Der Mensch ist adjutor Domini in der Schöpfung.“[140] Er hat als Sinnurheber auf die Ordnungen, Gesetze und Werte in der Schöpfung einzugehen und der Versuchung zu widerstehen, autonom im Sinne der Gottgleichheit sein zu wollen.

II. Anthropologische Explikation des protologischen κλῆσις-Gedankens

Befaßt sich die kosmologische Explikation der κλῆσις mit der relativen Autonomie der Welt, so erhellt die anthropologische Explikation die theonome Autonomie des Menschen, der als Mandatar Gottes in Welt und Geschichte fungiert. Dabei muß berücksichtigt werden, daß das protologische κλῆσις-Verhältnis nur im Lichte der eschatologischen κλῆσις überhaupt erfaßt werden kann. Das bedeutet, daß die menschliche Person als Träger und die Grundkräfte καρδία, νοῦς und συνείδησις als Organe der Autonomie grundsätzlich im doppelten Licht der heilsgeschichtlichen und protologischen κλῆσις betrachtet werden. Die prälapsare muß von der postlapsaren und erneuerten Gestalt der Autonomie abgehoben werden. Da die κλῆσις-Reflexion bisher wenig ausgewertet wurde, ist in den Darstellungen der paulinischen Anthropologie[141] das κλῆσις-geschichtliche Menschenverständnis wenig beachtet worden, von der κλῆσις-geschichtlichen Erhellung der Autonomie ganz zu schweigen.

---

138 L. Scheffczyk, Von der Heilsmacht des Wortes. Grundzüge einer Theologie des Wortes, München 1966, 123 (Heilsmacht).

139 A.a.O.

140 H.E. Hengstenberg, Sein 45.

141 Vgl. W. Gutbrod, Die paulinische Anthropologie (BWANT 4. Folge, 15), Stuttgart 1934; R. Bultmann, Der alte und der neue Mensch in der Theologie des Apostels Paulus (Libelli XCVIII), Darmstadt 1964; R. Scroggs, The last Adam. A Study in Pauline Anthropology, Oxford 1966; W.D. Stacey, The Pauline View of Man, London 1956; H. Mehl-Koehnlein, L'homme selon l'Apôtre Paul, Neuchatel/Paris 1951; B. Rey, L'homme nouveau d'apres s. Paul, in: RSc PhTh 48 (1964) 603–629; XLIX (1965) 161–195; R. Jewett, The Pauline Anthropological Terms. Their Use in the Struggle against early Christian Heresy, Diss. Tübingen 1966; E. Käsemann, Zur paulinischen Anthropologie, in: ders., PP 9–90; H. Conzelmann, Grundriß der Theologie des Neuen Testaments, München 1967, 195–206 (Grundriß); K.H. Schelkle, Theologie I, 92–169; R. Schnackenburg, Christliche Existenz nach dem Neuen Testament I/II, München 1967 und 1968; ders., Der Mensch vor Gott. Zum Menschenbild der Bibel, in: BiLe 4 (1963) 79–95.

1. Κλῆσις-*geschichtliches Mensch- und Personverständnis*

Paulus teilt mit jedem Leser des biblischen Schöpfungsberichts die Anschauung, daß Adam gleichzeitig mit der Herausrufung aus dem Nichtsein ins Dasein für dauernd in ein *κλῆσις*-Verhältnis zum Schöpfer gestellt ist[142]. Daß die Begründung der personalen Existenz und des Dialogs mit Gott ursprünglich der heilsgeschichtlichen *κλῆσις* zugeschrieben und von hier aus dann erst in das protologische *κλῆσις*-Verhältnis zurückprojiziert wird, ist sich der Apostel nicht bewußt. Für ihn ist die protologische *κλῆσις* – soweit man das überhaupt rekonstruieren kann – beides zugleich: schöpferisches Wort, das das Nichtseiende ins Dasein ruft (Röm 4,17) und zum Dialog bzw. zur Verantwortung rufendes Wort, das den Menschen im Herzen, in der Vernunft und im Gewissen trifft und fordert. Die Antwort des Menschen auf die protologische *κλῆσις* geht jedenfalls weit über den bloß responsorialen Charakter des materiellen Seins hinaus, denn er ist das Wesen, das Gott „zu personaler Responsorialität aufrief“[143]. Die anthropologische Explikation wird sich daher vor allem mit der Grundlegung der dialogischen Existenz und mit den Organen der theonomen Autonomie befassen.

Da Paulus wie kein anderer neutestamentlicher Theologie das *κλῆσις*-geschichtliche Denken erneuert, gilt für seine Adressaten: „das sich selbst erschließende, Israel und in Israel den Menschen ansprechende Ich Gottes“ wird von neuem „zur schlechthin bestimmenden Mitte des Nachdenkens. Gott selbst ist das souveräne, personale Ich, von dem her und auf das hin der Mensch in seinem Ursprung, in seinem Weg und in seiner Bestimmung sich selbst verstehen lernt.“[144] Gewiß hat die von Paulus im Eschaton aktualisierte *κλῆσις* ganz andere Konturen und Inhalte (Heilsberufung, Neuschöpfung, Heraus- und Hineinrufung) als die heilsgeschichtliche *κλῆσις* für Israel. Das Mensch- und Personverständnis, das dadurch wieder neu ins Bewußtsein gerückt wird, ist jedoch hier wie dort dasselbe. Demnach hat der Mensch sein eigentliches Wesen nicht in den anthropologisch aufweisbaren und beschreibbaren Anlagen *καρδία*, *νοῦς* und *συνείδησις*, sondern im Angesprochenwerden durch Gott, im *κλῆσις*-Verhältnis, durch das er als Person und Ebenbild Gottes konstituiert wird. Das Grunddatum einer *κλῆσις*-geschichtlichen Anthropologie ist die Personalität[145].

---

142 Vgl. H.J. Kraus, Existenz 12, 14.

143 L. Scheffczyk, Heilsmacht 78.

144 H.J. Kraus, Existenz 17.

145 Beachtenswert ist der theologische Personbegriff des dialogischen Denkens. Vgl. A. Edmaier, Dialogische Ethik. Perspektiven-Prinzipien (EiSt NF 3), Kevelaer 1969, 219–220; B. Welte, Zum Begriff der Person, in: Die Frage nach dem Menschen. Aufriß einer philosophischen Anthropologie. Festschrift für Max Müller zum 60. Geburtstag, hrsg. von H. Rombach, Freiburg/München 1966, 11–22; B. Langemeyer, Der dialogische Personalismus in der evangelischen und katholischen Theologie der Gegenwart (KKSt 8), Paderborn 1963, 81–89, 124–128, 208–222 (Personalismus).

Paulus interessiert sich nicht für eine Anthropologie an sich, weil er den Menschen, sein Person-sein, seine dialogische Existenz nicht weltimmanent, sondern nur κλῆσις-geschichtlich versteht. Eine formale und materiale Bestimmung der Personalität, bei der die κλῆσις-geschichtliche Struktur ausgeklammert würde, wäre in seinen Augen bereits Ausdruck und Folge der immanentistischen Selbstabkapselung gegenüber dem rufenden Gott. Deshalb ist auf die „grenzsetzende, Gott und Geschöpf distanzierende Bedeutung"[146] der protologischen κλῆσις zu achten. Ohne Anerkennung des radikalen, seinsmäßigen Unterschieds zwischen Schöpfer und Geschöpf ist die menschliche Personalität nicht zu definieren. Distanzierung bedeutet Selbstand bzw. Eigenständigkeit des Menschen, begründet aber auch Verbindung und Kommunikation. Der in Distanz gesetzte Mensch soll zu Gott in Beziehung treten auf der Grundlage des κλῆσις-Verhältnisses. Der Mensch verwirklicht sein Menschsein als Antwort auf die protologische κλῆσις: in ständiger Abhängigkeit und Eigenständigkeit (Freiheit), in ständiger Transzendenzbezogenheit, Verantwortung und Entscheidung. Die κλῆσις-Struktur der Person und ihrer Organe tritt noch deutlicher hervor, wenn nach dem Inhalt der protologischen κλῆσις gefragt wird, vor der der Mensch sich verantworten und entscheiden soll.

2. *Καρδία und νοῦς: Organe der Gottbegegnung und der theonomen Autonomie*

Wenn im Personsein bereits die Bezogenheit auf Gott und die Verantwortlichkeit gegenüber Gott gegeben ist, dann versteht es sich von selbst, daß καρδία und νοῦς primär Organe der Gottbegegnung bzw. der Gotteserkenntnis sind. Im κλῆσις-geschichtlichen Horizont ist es nicht anders denkbar, als daß sich die Aktivitäten von καρδία und νοῦς auf das protologische κλῆσις-Verhältnis beziehen, das zwischen dem rufenden Schöpfer und dem ins Dasein gerufenen Geschöpf besteht. Mit Hilfe von καρδία und νοῦς vermag die Person die Präsenz (Röm 1,19–20) und den Herrschaftsanspruch (Röm 2, 14–15) des Schöpfers existentiell zu erkennen und anzuerkennen[147]. Das

146 L. Scheffczyk, Heilsmacht 110.

147 Nach P. Althaus, Der Brief an die Römer (NTD 6), Göttingen ⁹1959, 18 (Römer), nimmt Paulus nicht bloß im historischen, sondern im präsentischen Sinne eine „natürliche Offenbarung" an, „denn diese Ur-Offenbarung ist Gegenwart". Analog: „So ist auch der Ur-Abfall Gegenwart." Zum Ganzen vgl. J. Quirmbach, Die Lehre des hl. Paulus von der natürlichen Gotteserkenntnis und dem natürlichen Sittengesetz (StrThS VII, 4), Freiburg i.Br. 1906; R. Bultmann, Anknüpfung und Widerspruch, in: R. Bultmann, Glauben und Verstehen. Gesammelte Aufsätze II, Tübingen 1952, 117–132; H. Bietenhard, Natürliche Gotteserkenntnis der Heiden, in: ThZ 12 (1956) 275–288; A. Feuillet, La connaisance naturelle de Dieu par les hommes d'après Rom I, 18–23, in: Lumière et Vie 14 (1954) 63–80; St. Lyonnet, De naturali Dei cognitione (Rom I,

Offenbarsein des Schöpfers in den Werken der Schöpfung ermöglicht es jedermann, den Schöpfer in seiner göttlichen Majestät (Röm 1,20), in seiner Gerechtigkeit und Weisheit (Röm 2,15; 1 Kor 1,21) zu erkennen. Die Erkennbarkeit ist gegeben, „weil Gott sich zeigt. Dem Menschen wird hier gesagt, daß er begreifen kann, was Gott ihn wissen läßt"[148].

Es gibt keine paulinische Reflexion darüber, daß schon die protologische *κλῆσις* eine gnadenhafte Beziehung zwischen Gott und dem Menschen stiftet. Es ist nicht gesagt, daß der Mensch zu einer Antwort aufgerufen ist, die über das Schöpfungsverhältnis hinausgeht und auf das göttliche Innenleben zielt. Im Horizont des Römerbriefs genügt die Feststellung, daß die Gott betreffenden Aktivitäten von *καρδία* und *νοῦς* um geschöpfliche Belange kreisen. Das Offenbarsein des Schöpfers, seine Erkennbarkeit aus den Werken, die Fähigkeiten von *καρδία* und *νοῦς* erwähnt Paulus nur, weil er hervorkehren will, daß sie von Anfang an in ihrer entscheidenden theozentrischen Funktion versagen und die heilsgeschichtliche Gottesoffenbarung notwendig machen. Von daher ist das protologische *κλῆσις*-Verhältnis nichts Paradiesisches und Verlorengegangenes, sondern etwas Gegenwärtiges. *Καρδία* und *νοῦς* sind der präsentischen *κλῆσις* des Schöpfers zugeordnet, damit der Mensch hier und jetzt des Versagens überführt und angeklagt werden kann. Die Verweigerung des Gottesdienstes ist der Rechtsgrund für das Gottesgericht, das den Schuldigen bei seinen Taten behaftet und ihn ihren Auswirkungen (Röm 1,24.26.28) überläßt.

Angesichts der heilsgeschichtlich-eschatologischen *κλῆσις* erübrigt sich für Paulus die Frage, was *καρδία* und *νοῦς* als Organe der Gotteserkenntnis im prälapsaren und postlapsaren Zustand leisten können. Er postuliert die Selbstevidenz des rufenden Schöpfers unabhängig von der heilsgeschichtlichen *κλῆσις* nur, um die universale menschliche Verweigerung deutlich herauszustellen. Die Erkenntnis der Schöpfungsoffenbarung wird nicht an das Ja zur heilsgeschichtlichen *κλῆσις* gebunden. Schließlich drückt der rufende Gott der Schöpfung von vornherein den Stempel der Worthaftigkeit auf, ist alles ins Dasein Gerufene Offenbarung und Selbstmitteilung des rufenden Schöpfers. Andererseits wird derselbe im Erfahrungshorizont der heilsgeschichtlichen *κλῆσις* viel intensiver erfaßt als außerhalb dieses Horizonts. Erkenntnis und Anerkennung der protologischen *κλῆσις* sind de facto doch

---

18–23), in: Quaestiones in epistolam ad Romanos I, Rom 1955, 68–108; G. Kuhlmann, Theologia naturalis bei Philon und bei Paulus. Eine Studie zur Grundlegung der paulinischen Anthropologie (NtlF I, 7), Gütersloh 1930; W. Eltester, Schöpfungsoffenbarung und Natürliche Theologie im frühen Christentum. In: NTS 3 (1956/57) 93–114; B. Reicke, Natürliche Theologie nach Paulus, in: Svensk Exegetisk Arsbok 22–23 (1958) 154–167; H.P. Owen, The Scope of Natural Revelation in Rom I and Acts XVII, in: NTS 5 (1958/59) 133–143; F. Kuhr, Röm 2,14f und die Verheißung bei Jeremia 31, 31ff, in: ZNW 55 (1964) 243–261.

148 H. Conzelmann, Grundriß 203.

die Konsequenz des Glaubens an die heilsgeschichtliche κλῆσις: Im rufenden Neuschöpfer wird der rufende Schöpfer wiedererkannt.
Weil die protologische κλῆσις nicht als eine für sich laufende, eigenständige Gottesoffenbarung gedacht wird, muß auch der Rekonstruktionsversuch den Eindruck vermeiden, daß durch die protologische κλῆσις die heilsgeschichtliche abgewertet werden könnte. Dennoch gilt es herauszuarbeiten, was in der protologischen κλῆσις zur Entscheidung stand. Es ging um die Erkenntnis der Theozentrik menschlicher Existenz bzw. um die Anerkennung der Theonomie[149] auf dem Grunde der Autonomie, nicht mehr und nicht weniger.
Καρδία und νοῦς bekommen mehr als nur eine formale Gottbezogenheit zugesprochen. Es wird ihnen ein aktuelles Wissen um Gott und seinen Herrschaftsanspruch zuerkannt. Sie werden auf die cognitio legalis des Schöpfers und Gesetzgebers[150] festgelegt, damit die Schuld und ihre Folgen voll zugerechnet werden können.
Καρδία und νοῦς der Heiden haben aber nicht nur eine theozentrische Funktion, sondern auch die Autonomiefunktion (Röm 2,14). In moraltheologischer Interpretation heißt das, daß der natürliche Mensch kraft der protologischen κλῆσις relativ autonom ist und daß καρδία und νοῦς die Organe der Selbstgesetzgebung sind. Jedenfalls sind sie nicht bloße Empfangsorgane einer direkten, persönlichen Willenskundgebung Gottes. Schöpfung und eigentätige Autonomie sind ein einheitliches Geschehen, das sich mit Hilfe des metaphysischen Denkmodells von der causa prima und den causae secundae[151] verdeutlichen läßt. Die geschöpflichen Aktivitäten werden demnach „nicht teils von Gott und teils vom Geschöpf hervorgebracht", sondern „ganz von der causa prima" getragen „und zugleich ganz in der Ordnung des Geschöpfs von diesem verursacht..."[152]

---

149 P. Tillich, Art. Theonomie, in: RGG², hrsg. von H. Gunkel und L. Zscharnack, Bd. V, Tübingen 1931, 1128–1129, hier 1128; ders., Kirche und Kultur (SGV 111), Tübingen ²1924; zur Kritik des Begriffs Theonomie vgl. G. Kuhlmann, Brunstäd und P. Tillich, Zum Problem einer Theonomie der Kultur, Tübingen 1929; H. Thielicke, Theologische Ethik II, 2, Tübingen 1958, 237–246; H. Blumenberg, Art. Autonomie und Theonomie, in: RGG I, 788–792; ders., Kant und die Frage nach dem „gnädigen Gott", in: Studium Generale 7 (1954) 554–570; ders., Marginalien zur theologischen Logik R. Bultmanns, in: PhR 2 (1954/55) 121–140; R. Otto, Freiheit und Notwendigkeit. Ein Geprach mit N. Hartmann über Autonomie und Theonomie der Werte. Mit einem Nachwort hrsg. von Th. Siegfried, Tübingen 1940; P.A. Borgolte, Zur Grundlegung der Lehre von der Beziehung des Sittlichen zum Religiösen im Anschluß an die Ethik Nic. Hartmanns, Würzburg 1938 (Beziehung des Sittlichen).

150 Vgl. dazu O. Kuss, Die Heiden und die Werke des Gesetzes (nach Röm 2,14–16), in: ders., AuV I, 222–232 (Die Heiden); H. Schlier, Über die Erkenntnis Gottes bei den Heiden (nach dem NT), in: EvTh 2 (1935) 9–26.

151 Vgl. dazu B. Lakebrink, Klassische Metaphysik. Auseinandersetzung mit der existentialen Anthropozentrik, Freiburg 1967, 191 (Metaphysik).

152 F. Böckle, Theonomie und Autonomie der Vernunft, in: Fortschritt wohin? Zum

Das ἅπαξ λεγόμενον vom „Sich-selbst-Gesetz-Sein" (Röm 2,14) bezieht sich im Römerbrief auf die Heiden. Es darf dementsprechend auf den natürlichen Menschen übertragen und im schöpfungstheologischen Horizont aktualisiert werden. Der Schöpfer hat den Menschen in den Selbstand und damit auch in seine eigene Verantwortung gestellt. Diese nimmt notwendig die Form des „Sich-selbst-Gesetz-Seins" an. Auch vom Ebenbildgedanken her erhält der Ruf zur Autonomie eine beachtliche Stütze. Nach L. Scheffczyk legt es die Ebenbildvorstellung (Gen 1,26) nahe, daß der Mensch „als Werk eines Spruches Gottes die Entsprechung dieses Spruches sein, d.h. das Tatwort Gottes in endlicher Weise darstellen, das Bild des schaffenden Gottes sein" soll: „In der konkreten Schöpfung verwirklicht der Mensch dieses sein Gott ‚entsprechendes Sein' dadurch, daß er als Hoheitsträger, als Mandatar Gottes in der Welt fungiert."[153] Der Sachverhalt der relativen Autonomie wird durch den Ebenbildgedanken eindrucksvoll belegt und kommentiert.
Daß Paulus im Hinblick auf die Heiden nicht an den prälapsaren, sondern an den postlapsaren Zustand des „Sich-selbst-Gesetz-Seins" denkt, versteht sich von selbst. Adam und seine Nachkommen haben ihren Selbstand und ihre Autonomie im Sinne der Gottgleichheit verabsolutiert, anstatt sie als Antwort auf den Ruf Gottes zu realisieren. Der Mensch hat sich als Sinnurheber und als Schaffender absolut gesetzt, anstatt sich in ständiger Bejahung von Theozentrik und Theonomie zu betätigen. Der Sünder baut seine Existenz zu einer immanentistischen Bastion gegen Gott aus, weil die protologische κλῆσις (vocatio continua) auch den Neinsagenden noch am Leben erhält. Der Mensch lebt vom κλῆσις-Verhältnis und kann doch zur Wesensoffenbarung und insbesondere zum Herrschaftsanspruch des Schöpfers nein sagen. Durch die immanentistische Selbstabkapselung wird die Basis nicht zerstört, die Erkenntnisfähigkeit von καρδία und νοῦς aber eingeschränkt. Die Verabsolutierung des eigenen Ich, der eigenen σάρξ führt aus paulinischer Sicht zu dem verworfenen νοῦς, zum ἀδόκιμος νοῦς (Röm 1,28), zu den verworfenen διαλογισμοί (Röm 1,21)[154] bzw. νοήματα (2 Kor 2,11; 3,14; 4,4). Durch die Ablehnung des Herrschaftsanspruchs Gottes und der Theonomie der eigenen Existenz, d.h. durch die Verweigerung des geschuldeten Gottesdienstes (Röm 1,21) ziehen καρδία und νοῦς die Anklage, das Gericht und den Fluch Gottes auf sich. Gott läßt den Menschen in seiner immanentistischen Autonomie scheitern und die συνείδησις dieses Scheitern bezeugen.

Problem der Normenfindung in der pluralen Gesellschaft, hrsg. von W. Oelmüller, Düsseldorf 1972, 63–76, hier 78.
[153] L. Scheffczyk, Heilsmacht 111.
[154] G. Schrenk, Art. διαλογισμός, in: ThWNT II, 96–98, hier 97, betont, „daß besonders im Gebiete des Denkens die Gebundenheit, das Durchdrungenseins des Herzens mit sündigem Wesen, tief empfunden wird."

3. Συνείδησις: Zeugin der gescheiterten Autonomie

Man würde den Beitrag der *συνείδησις*[155] zur sittlichen Autonomie verzeichnen, wollte man sie als Empfangsorgan der protologischen *κλῆσις* darstellen und dabei an den aktuellen, punktuellen Empfang der göttlichen Willensoffenbarung denken. Obwohl Paulus selbst die konzertierte Aktion von *καρδία, νοῦς* und *συνείδησις* zur Autonomie nicht beschrieben hat, darf doch von einer solchen gesprochen werden. Er skizziert die *συνείδησις* als Zeugin, die die Heiden (Röm 2,15) ins Gericht Gottes begleitet und die das Gericht Gottes über sie begründet und rechtfertigt. Daraus kann man folgern, daß die *συνείδησις* die Zeugin für das Scheitern der immanentistisch gelebten Autonomie ist. Sie ist, moraltheologisch gesehen, die Anklägerin des natürlichen Menschen, der das von *καρδία* und *νοῦς* erkannte Gute nicht tut.

Paulus unterscheidet nicht die prälapsare und die postlapsare Situation. In der postlapsaren Situation führt die *συνείδησις* weder als zur Tat hinführende noch als der Tat nachfolgende Bewußtheit den Menschen unmittelbar vor Gott. Der Apostel schreibt der *συνείδησις* jedenfalls keine theozentrische Funktion zu, wenn er die Heiden auf die natürliche Gotteserkenntnis festlegt (Röm 1,20f). Die protologische *κλῆσις* zu erkennen, ist – auch im postlapsaren Zustand – Sache der *καρδία* und des *νοῦς*, nicht der *συνείδησις*. Sie führt auch als Zeugin und Anklägerin der gescheiterten Autonomie nicht direkt vor Gott, denn sie bezeugt nicht Gott, sondern die Verantwortlichkeit und das Verpflichtetsein ganz allgemein. Die *συνείδησις* ist auch nicht die Herstellerin und Trägerin der ethischen Bindungen, Verpflichtungen und Imperative. Diese Funktion schreibt Paulus vornehmlich dem Herzen zu, in dem er – auch bei den Heiden – die Forderungen der Tora eingeschrieben[156] findet. Demnach bezeugt die *συνείδησις* beim Heiden lediglich, daß im Herzen die Kenntnis des Gesetzes existiert (Röm 2,15). Verallgemeinert heißt das: Die *συνείδησις* bezeugt dem natürlichen Menschen, daß in seinem Herzen die cognitio legalis und das Verantwortungs- und Verpflichtungsgefühl seinen Platz hat. Sie bezeugt die Unbedingtheit der Forderungen, auf die der *νοῦς* in der „Natur" (Röm 1,26; 2,14)[157] bzw. beim „natürlichen Ge-

---

155 Zum Ganzen vgl. U. Duchrow, Christenheit 109–118; W. Schrage, Einzelgebote 163–174; J. Stelzenberger, Syneidesis im Neuen Testament (AMT 1), Paderborn 1961 (Syneidesis).

156 Vgl. F. Kuhr, Römer 2,14f und die Verheißung bei Jeremia 31,31ff, in: ZNW 55 (1964) 243–261; W. Kranz, Das Gesetz des Herzens, in: Rheinisches Museum für Philologie 94 (1951) 222–241; H. Schlier, Das Menschenherz nach dem Apostel Paulus, in: ders., Das Ende der Zeit, Freiburg 1971, 184–200.

157 Vgl. G. Bornkamm, Gesetz und Natur, Römer 2,14–16, in: ders., Studien zu Antike und Christentum, Gesammelte Aufsätze II (BEvTh 28), München 1959, 93–118; F. Heinimann, Nomos und Physis, Herkunft und Bedeutung einer Antithese im

brauch“ (Röm 1,26) der Dinge gestoßen ist. Verantwortlichkeit, Verbindlichkeit und Verpflichtung werden unerbittlich angezeigt, ohne dabei zu artikulieren, daß dahinter im tiefsten und letzten der Herrschaftsanspruch Gottes steht. Die postlapsare Funktion der συνείδησις konzentriert sich darauf, sofort zu reagieren, wenn der Mensch gegen die Gesetzeskenntnis und gegen seine Verantwortlichkeit verstößt.

Aus κλῆσις-geschichtlicher Sicht betont Paulus bei der Beschreibung des allgemeinmenschlichen Phänomens der συνείδησις (Röm 2,15) vor allem die Anklage- und Verurteilungsfunktion. Mit dem Hinweis auf die untereinander sich anklagenden und verteidigenden Gedanken (der Heiden) beschreibt er die eigentliche Gewissensfunktion, den Menschen anzuklagen und zu verurteilen, weil er das als richtig Erkannte nicht tut. Wohlgemerkt: die συνείδησις konstatiert nicht, daß der natürliche Mensch die Autonomie insgesamt in einer theologisch negativen Zielrichtung aktualisiert. Sie tritt nicht in Aktion, um den Menschen der immanentistischen Selbstabkapselung anzuklagen, sondern um das Handeln gegen das erkannte und statuierte Gesetz zu verurteilen. Die συνείδησις konzentriert sich auf die Nichterfüllung des Gesetzes, auf das Scheitern der immanentistisch gelebten Autonomie. Paulus deutet nicht an, daß die Fähigkeit, sich selbst zu kennen und sich selbst Gesetz zu sein, durch das menschliche Nein gegenüber Gott aufgehoben ist, im Gegenteil. Die συνείδησις zeigt an, daß trotz der immanentistischen Abkapselung gegenüber Gott die Gabe und Aufgabe der Autonomie weiterbesteht. Mit Nachdruck stellt sie heraus, daß die Autonomie am Nichttun des erkannten Guten und am Selbstwiderspruch des Menschen scheitert.

4. Συνείδησις: Instanz in Fragen des Heilsethos und Weltethos

Es muß festgehalten werden, daß der συνείδησις-Begriff einen verschiedenen Bedeutungsgehalt hat, je nachdem Paulus ihn auf die Christen (Heilsethos) oder auf die Heiden (Weltethos) bezieht. Nur für einen Augenblick scheint Paulus in Röm 2,15 den ethischen Offenbarungspositivismus zurückzustellen, wenn nicht zu relativieren. Nur in einem Seitenblick stellt Paulus fest, daß der Mensch nicht nur als Empfänger und Träger des Sinaigesetzes, sondern auch als Träger theonomer Autonomie existiert. Doch die Tatsache, daß der Schöpfer dem natürlichen Menschen die Fähigkeit gegeben hat, um sich selbst zu wissen und „sich selbst Gesetz“ zu sein, steht nicht im Vordergrund seines Interesses.

Es versteht sich von selbst, daß sich der Vermittler der heilsgeschichtlich-

---

griechischen Denken des 5. Jahrhunderts, Basel 1945; F. Böckle, Natur als Norm in der Moraltheologie, in: Naturgesetz und christliche Ethik (MASt 55), München 1970, 77–90. Zum Ganzen vgl. auch W. Korff, Norm und Sittlichkeit. Untersuchungen zur Logik der normativen Vernunft (TTS 1), Mainz 1973, hier 42–61.

eschatologischen κλῆσις mehr mit der συνείδησις der Christen als der Heiden beschäftigt. Paulus hat das Selbstwahrnehmungs- und Selbstbeurteilungsorgan des Menschen, der die protologische κλῆσις verneint, nicht näher untersucht, obwohl es doch eigentlich den Anknüpfungspunkt für seine Verkündigung bildet. Das „neutrale, rein menschliche, subjektive Bewußtsein im Sinne von Bewußtheit“[158] kennzeichnet den συνείδησις-Begriff der Antike. Doch für Paulus ist das „erkennende und handelnde Selbstbewußtsein“[159] des Menschen, der Gott nicht kennt, kein Thema. Er entwickelt vielmehr einen συνείδησις-Begriff, der die Information des „erkennenden und handelnden Selbstbewußtseins“ (Ch. Maurer) durch die heilsgeschichtliche κλῆσις in Rechnung stellt. Er spricht in seinen Briefen mit Vorzug von der συνείδησις, die das Ereignis der heilsgeschichtlichen κλῆσις Gottes erfahren hat und bejaht. Wenn Paulus an die συνείδησις seiner Leser appelliert, dann meint er nicht die Gewissensanlage im Sinne des „Wissen(s) um das eigene Verhalten angesichts einer für dieses Verhalten bestehenden Forderung“, nicht das „Wissen um Gut und Böse und um das diesem entsprechende Verhalten“[160], sondern einfach das durch die heilsgeschichtliche κλῆσις geprägte Selbstbewußtsein. So beruft sich der Apostel z.B. auf die Bewußtheit vor Gott als Zeugin für die Wahrheit seiner Worte und weniger seiner Wahrhaftigkeit (Röm 9,1), als Zeugin für seine Orthodoxie und weniger seiner Orthopraxie (2 Kor 1,12).
Die meisten συνείδησις-Stellen (8 von 14) findet man in der Auseinandersetzung mit den Christen, deren συνείδησις noch unter derartiger Äonsbefangenheit steht, daß sie am Essen des Götzenopferfleisches Anstoß nehmen. Bei ihnen ist das Selbstbewußtsein noch nicht davon durchdrungen, daß der rufende Gott die Mächteherrschaft aufgehoben und alle den Äonsmächten reservierten Dinge den Christen zum Gebrauch freigegeben hat. Die eschatologische κλῆσις hat ihre Zweifel und Bedenken hinsichtlich der Freiheit von den religionistischen Tabus noch nicht überwinden können. Die heilsgeschichtliche κλῆσις hat sich noch nicht voll als Herausrufung aus der Mächteherrschaft, und die Hineinrufung in Christus (1 Kor 1,9) hat sich noch nicht voll als theozentrische Ausrichtung ausgewirkt. Es hängt ganz von der γνῶσις (1 Kor 8,7) über die bestehende religiöse Bindung ab, ob das religiös-sittliche Urteilsvermögen als „stark“ oder „schwach“ (1 Kor 8,7. 10.12; 10,25. 27–29) zu bezeichnen ist. „Stark“ nennt Paulus das Selbstbewußtsein, das sich in den Fragen des Heilsethos theonom orientiert, „schwach“ ist das Selbstbewußtsein, das die Befreiung von den Äonsmächten und ihren Sanktionen noch nicht vollzieht. Συνείδησις bezeichnet an

158 J. Stelzenberger, Syneidesis 84.
159 Ch. Maurer, Art. σύνοιδα συνείδησις, in: ThWNT VII, 897–918, hier 913.
160 R. Bultmann, Theologie des Neuen Testaments, Tübingen ⁵1965, 217 (Theologie).

all diesen Stellen (vgl. auch 2 Kor 4,2; 5,11) „Urteilskraft über das Mensch-Gott-Verhältnis“[161], wobei die Entscheidungsinstanz in Fragen des Heilsethos eindeutig durch die heilsgeschichtliche κλῆσις informiert ist.
Daß durch die Erfahrung der heilsgeschichtlichen κλῆσις das „erkennende und handelnde Selbstbewußtsein“ (Ch. Maurer) auch schöpfungstheologisch vertieft wird, zeigt Paulus, wo er die Frage des Gehorsams gegenüber dem heidnischen Staat (Röm 13,1–7) behandelt. Hier, wo nicht mehr eine Frage des Heilsethos, sondern des Weltethos erörtert wird, tritt die συνείδησις wieder mehr in ihrer Funktion als Zeugin der theonomen Autonomie ins Blickfeld. Die dem heidnischen Staat gegenüber kritische Gemeinde wird aufgefordert, sich der staatlichen Gewalt „nicht bloß wegen des Zornes (Strafgericht), sondern wegen der syneidesis“ (Röm 13,5, übersetzt von J. Stelzenberger) zu beugen. Unter συνείδησις wird hier also die Bewußtheit verstanden, die – geschärft durch die heilsgeschichtliche κλῆσις – die Verantwortlichkeit gegenüber der staatlichen Gewalt aus der protologischen κλῆσις herleitet. Das Organ, das den Ursprung der staatlichen Autonomie aus der protologischen κλῆσις wahrnimmt, ist der νοῦς. Der συνείδησις als dem „erkennenden und handelnden Selbstbewußtsein“ (Ch. Maurer) wird die Funktion zugeschrieben, die göttliche Naturordnung oder die natürliche Gottesordnung zu bezeugen. Die durch die heilsgeschichtliche κλῆσις auf die protologische κλῆσις aufmerksam gewordene συνείδησις merkt und signalisiert, daß Gott nicht nur als Schöpfer hinter natürlichen Strukturen, sondern auch als Geschichtsherr hinter gesellschaftlichen Institutionen steht, die staatliche Autonomie also in der Theonomie ihren letzten Grund hat. Der Gehorsam der Christen soll daher „aus dem Mitwissen um die letzten Zusammenhänge des Staates mit Gottes Willen“[162] geleistet werden. Versteht Paulus in Röm 13,5 unter συνείδησις „das verantwortliche Mitwissen um die letzten in Gott bestehenden Grundlagen sowohl des eigenen Seins wie auch des konkreten Staates“[163], dann liegt hier eine schöpfungstheologische Einsicht vor, die durch die heilsgeschichtliche κλῆσις zutage gefördert wurde. Die συνείδησις fungiert unter der Einwirkung der heilsgeschichtlichen κλῆσις leichter als Zeugin der theonomen Autonomie als ohne dieselbe: Sie signalisiert die Gottesdimension der Verantwortlichkeit und des Gehorsams, die ihr ohne das κλῆσις-geschichtliche Denken verborgen bliebe. Die reaktivierte συνείδησις macht die Unbedingtheit und Sanktionskraft der Forderungen auf den rufenden Schöpfer hin transparent.
Zusammenfassend läßt sich sagen, daß Paulus die συνείδησις der Christen auf das Heilsethos, die συνείδησις der Heiden auf das Weltethos bezieht, ohne die Gewissensfunktion in Fragen des Weltethos für die Christen in Zweifel ziehen zu wollen. Normalerweise kreist das κλῆσις-geschichtliche Denken des

---

161 J. Stelzenberger, Syneidesis 70.
162 Ch. Maurer, Art. σύνοιδα 915.
163 Ebd.

Apostels um das Ereignis der heilsgeschichtlich-eschatologischen κλῆσις, stehen Fragen des Heilsethos im Vordergrund: dann versteht Paulus unter *συνείδησις* das Organ, das die Information der heilsgeschichtlichen κλῆσις speichert, verarbeitet und existentiell-ethisch auswertet. Sobald das κλῆσις-geschichtliche Denken sich dem protologischen κλῆσις-Verhältnis zuwendet, versteht Paulus unter *συνείδησις* die Anlage der menschlichen Natur, aufgrund deren sich der einzelne seiner selbst bewußt ist und den Einklang oder den Widerspruch des Wollens und Handelns mit dem als richtig Erkannten feststellt und bewertet. Die *συνείδησις* erscheint dann mehr als Zeugin, die in erster Linie das Scheitern der immanentistisch gelebten Autonomie anzeigt.

III. Immanentistische Autonomie – Theonome Autonomie

Die Person existiert nicht nur im κλῆσις-Verhältnis und in Verantwortlichkeit, sie hat in der *συνείδησις* auch ein eigenes Bewußtsein der Verantwortlichkeit. Das Bewußtsein der Verantwortung wird notwendig zum Bewußtsein der verfehlten Verantwortung, des Widerspruchs zur Ordnung, des Scheiterns der Autonomie. Weil die *συνείδησις* als Zeugin und Anklägerin der gescheiterten Autonomie fungiert, wird sie auch zum Adressaten der heilsgeschichtlichen κλῆσις, in der Gott den Schuldiggesprochenen rechtfertigt und neu zur Ausübung einer *αἰών*-kritischen Autonomie befähigt. Im Raum der *συνείδησις* knüpft die heilsgeschichtliche κλῆσις Gottes an das Zeugnis, die Anklage und Verurteilung des Gewissens an: hier wird die Umkehr von der immanentistisch gelebten zur theonom gelebten Autonomie herbeigeführt. Wie hat man sich diese Wendung vorzustellen? Wirkt sie sich auf die sittliche Autonomie im engeren Sinne aus oder nicht?

1. *Συνείδησις: Anknüpfungspunkt für die heilsgeschichtliche κλῆσις*

Καρδία und *νοῦς* vereinen bei der cognitio legalis das Sittliche und das Religiöse, die Autonomie und die Theozentrik. Aber sie trennen sie im Augenblick der immanentistischen Abkapselung voneinander, indem sie die Verankerung der Existenz in der Theozentrik und die Verankerung der Autonomie in der Theonomie lösen bzw. aufheben. Dadurch, daß sich die Person mit ihren entscheidenden Grundkräften gegenüber Gott abschirmt, kann auch die *συνείδησις* nurmehr eine anonyme Verantwortlichkeit und einen anonymen Schuldspruch artikulieren. Die heilsgeschichtliche κλῆσις knüpft daran an, indem sie den Schleier der Anonymität lüftet. Gott bezieht sich auf heilsgeschichtlicher Ebene offen auf den anonymen Ruf zur Verantwortung, auf die anonyme Anklage und den anonymen Schuldspruch. Der Schöpfer, Gesetzgeber und Richter tritt in der heilsgeschichtlichen κλῆσις aus der Anonymität heraus und betätigt sich als Neuschöpfer des Menschen und als Renovator der theonomen Autonomie. Auf keinen Fall ist die *συνείδησις* selbst schon das Medium, durch das der Mensch zur Umkehr aus der immanentistisch gelebten Autonomie gerufen wird. Der Aufruf zur *μετάνοια* erfolgt nicht im Rahmen des protologischen *κλῆσις*-Verhältnisses, sondern auf heilsgeschichtlicher Ebene.

Es versteht sich von selbst, daß die heilsgeschichtliche *κλῆσις* dabei an die Anklage und Verurteilung durch die *συνείδησις* anknüpft[164], indem sie sie als Anklage des Gesetzgebers und als Urteil des Gerichtsherrn transparent macht. Sie bringt das Zeugnis der *συνείδησις* wider den Menschen zum Schweigen und bewirkt die Heilsberufung, die Neuschöpfung, die Heraus- und Hineinrufung des Menschen. Sie knüpft dort an, wo das Gericht und der Schuldspruch ergeht, wo der Widerspruch zur Ordnung und die daraus resultierenden Folgen aufgedeckt werden. Nur der Glaube an die heilsgeschichtliche *κλῆσις* überwindet das Zeugnis und die Verurteilung der *συνείδησις*. Nur durch den Glauben an die heilsgeschichtliche *κλῆσις* kommt es zur Umkehr des immanentistisch abgekapselten Menschen zu Gott. Dabei wandelt sich die abgekapselte Bewußtheit zur religiösen bzw. theozentrischen Bewußtheit.

Es ist festzuhalten, daß die *συνείδησις* selbst noch nicht die *κλῆσις* Gottes (die Stimme Gottes) ist, weil sie nicht von Gott redet, sondern vom übertretenen Gesetz. Bliebe der abgekapselte Mensch in seinem Wissen um Gott auf die Kundgebungen der *συνείδησις* angewiesen, hätte er es nur mit einem anonymen Ruf zu tun. Auch im bösen Gewissen begegnete dem Menschen nur der deus absconditus. Denn wo die *συνείδησις* anklagt, verurteilt und richtet, beschränkt sie sich darauf, die Zornes- und Fluchgestalt des übertretenen Gesetzes zur Wirkung zu bringen[165]. Die Kundgebungen der *συνείδησις* vermitteln keine inhaltliche Gotteserkenntnis, die über die cognitio legalis von *καρδία* und *νοῦς* hinausgeht. Sie überschreitet den Kreis der immanenten religiösen Möglichkeiten von *καρδία* und *νοῦς* nicht. Im Zustand der Abkapselung ist die *συνείδησις* außerstande, die religiöse Dimension der Verantwortlichkeit zu aktualisieren und die Abweichung von der Ordnung religiös zu qualifizieren. Nicht durch die *συνείδησις*, sondern durch die heilsgeschichtliche *κλῆσις* wird der Mensch zur Einsicht geführt, daß der Zustand der Entfremdung auf die Emanzipation von Gott zurückzuführen ist. Die heilsgeschichtliche *κλῆσις* reaktiviert die theozentrische Funktion von *καρδία*, *νοῦς* und *συνείδησις*: sie bewirkt die Wiederherstellung des Menschen als Person-für-Gott.

---

164 Vgl. die Diskussion des Anknüpfungspunktes bei H. Leipold, Missionarische Theologie. Emil Brunners Weg zur theologischen Anthropologie (FSÖTh 29), Göttingen 1974, 151–290.

165 Vgl. dazu B. Schüller, Gesetz 8–25; ferner B. Klappert, Promissio 241–242.

Die anthropologische Explikation erhellt die κλῆσις-Struktur der menschlichen Person und ihrer Grundkräfte καρδία und νοῦς. Sie zeigt, daß die von der protologischen κλῆσις gesetzte Eigenständigkeit in sich ambivalent ist, wie jede andere Gabe auch. Die Person kann mit Hilfe von καρδία und νοῦς die Autonomie in theologisch positiver oder negativer Zielrichtung aktualisieren. Καρδία und νοῦς wissen um Gott, indem sie die cognitio legalis bzw. das „Sich-selbst-Gesetz-Sein" (Röm 2,14) vollziehen. Sie sollen die cognitio legalis (das moralische Wissen) mit der Erkenntnis des Schöpfers und Gesetzgebers (dem religiösen Wissen) zur Einheit der theonomen Autonomie verbinden. Sie versagen jedoch genau im entscheidenden Moment, wo sie die sittliche Autonomie aus der erkannten Theozentrik und Theonomie heraus zu gestalten haben. Die συνείδησις, die die Verantwortlichkeit des relativ autonomen Menschen überwachen und die Realisierung des erkannten Guten einfordern soll, wird durch die Abkapselung genauso getroffen wie καρδία und νοῦς auch. Wie wirkt sich die Einschränkung der Aktivitäten von καρδία, νοῦς und συνείδησις bei der konzertierten Aktion der Autonomie aus? Die aktive Entfremdung von Gott hat einen Entfremdungszustand zur Folge, in dem der Mensch das erkannte Gute nicht tut und mit dem Anspruch auf Autonomie scheitert. Die Mängel bzw. das Versagen bei der theozentrischen Funktion wirken sich weniger auf die Erkenntnis von Gut und Böse als vielmehr auf die Einheit von Erkennen und Wollen aus.

Darum setzt die heilsgeschichtliche κλῆσις auch den Hebel im Religiösen und nicht im Ethischen an. Ihr geht es um die Wiederherstellung des Menschen als Person-für-Gott, nicht um die Aufhebung der Autonomie als der Wurzel des Unheils. Καρδία, νοῦς und συνείδησις bleiben in ihren Autonomiefunktionen konstant. Sie sind für das κλῆσις-geschichtliche Denken freilich nicht konstant im Sinne eines anthropologisch aufweisbaren gleichbleibenden Wesenskerns, den man völlig unabhängig vom protologischen und heilsgeschichtlichen κλῆσις-Geschehen beschreiben könnte. Aus paulinischer Sicht besteht die Kontinuität zwischen dem immanentistischen und dem theozentrischen Menschen nicht in der durchhaltenden Personalität, nicht in καρδία, νοῦς und συνείδησις als den Organen der Autonomie. Die Kontinuität kommt vielmehr einzig und allein durch das κλῆσις-Geschehen zustande, in dem ein und derselbe rufende Gott den alten und neuen Menschen trägt und aus dem alten den neuen Menschen schafft. Zuerst geht es um die Grundlegung, dann um die Wiederherstellung der theonomen Autonomie: sie, die durch καρδία und νοῦς gewährleistet und von der συνείδηις bezeugt wird, ist das Kontinuum, das im Sterben des alten Menschen nicht untergeht, sondern wesenhaft zu seiner Neuschöpfung gehört. Die Identität des Subjekts, die näher definiert werden muß, wenn vom alten und vom neuen Menschen gesprochen werden soll, liegt in der theonomen Autonomie.

Sie gehört ins Zentrum des natürlichen und des gläubigen Selbstverständnisses, wie es von der protologischen und der heilsgeschichtlichen *κλῆσις* konstituiert wird. *Καρδία*, *νοῦς* und *συνείδησις* verbinden den alten und neuen Menschen daher nicht wie leere Gefäße, die jeweils mit einem völlig neuen Inhalt gefüllt werden[166]. Das natürliche Wissen um die theonome Autonomie geht vielmehr in das gläubige Selbstverständnis ein, zumal die heilsgeschichtliche *κλῆσις* die Aktivitäten von *καρδία*, *νοῦς* und *συνείδησις* voraussetzt, bestätigt und reaktiviert.

Die Wurzel allen Unheils ist die Entfremdung des Menschen von Gott und mit sich selbst, das Auseinanderklaffen von Erkennen und Wollen (Röm 7,14–24). Die Autonomie scheitert wegen der Verneinung von Theozentrik und Theonomie, wegen der Loslösung des Ethischen vom Religiösen. Weil dieselbe nicht mit rein ethischen Mitteln behoben werden kann, kommt der Erneuerung der theozentrischen Funktion bei *καρδία*, *νοῦς* und *συνείδησις* durch die heilsgeschichtliche *κλῆσις* allergrößte Bedeutung zu. Bei der Wiederherstellung des Menschen als Person-für-Gott wird mit dem Widerspruch zu Gott auch der Selbstwiderspruch, die Verabsolutierung der eigenen *σάρξ* und *ἁμαρτία*, die Kluft zwischen Erkennen und Wollen aufgehoben, die den Menschen daran hindern, gut zu sein[167].

In *κλῆσις*-geschichtlicher Schau hängt die Heilung der Autonomie von der heilsgeschichtlich-eschatologischen *κλῆσις* ab. Sie bedeutet das Wiederhervortreten des Schöpfers, die Anknüpfung an die protologische *κλῆσις*. Schon für die heilsgeschichtliche *κλῆσις* an die Adresse Israels gilt, daß in ihr die Wesensoffenbarung wiederauflebt, die zuvor im protologischen *κλῆσις*-Verhältnis abgewiesen wurde. Der abgelehnte Schöpfer wirbt neu um das Ja des Menschen. Auch die eschatologische *κλῆσις* knüpft an die Wesensoffenbarung Gottes an, die in der protologischen *κλῆσις* und *ἀποκάλυψις* verneint wurde.

Die heilsgeschichtliche *κλῆσις* bringt dem Sünder zum Bewußtsein, daß er sich in seinem Selbstand wohl abkapseln, aber eigentlich nicht vom rufenden Gott loslösen kann. Gott gibt zu erkennen, daß er die Beziehung nicht abbricht, weil dadurch die dialogische Existenz zerstört, der Wortcharakter aufgehoben und die relative Autonomie vernichtet würde. Die personale Beziehung wird aufrechterhalten, wenn sich der Gnadenzuspruch der protolo-

---

[166] Zur Unterscheidung eines vorchristlichen und christlichen *νοῦς* bei Paulus vgl. P. Stuhlmacher, Glauben und Verstehen bei Paulus, in: EvTh 22 (1962) 337–348, hier 337 Anm. 1. Vgl. ferner: C. von Bormann, Die Theologisierung der Vernunft, in: Studium Generale 22 (1969) 753–770; M. Honecker, Liebe und Vernunft, in: ZThK 68 (1971) 227–259, hier 256; U. Duchrow, Christenheit 92–118; W. Schrage, Einzelgebote 163–174.

[167] Zum Ganzen vgl. U. Duchrow, Christenheit 92–109; W. Schrage, Einzelgebote 163–174; G. Ebeling, Die Evidenz des Ethischen und die Theologie, in: ZThK 57 (1960) 318–356, hier 340 (Evidenz).

gischen κλῆσις auch in ein Gerichtsurteil verwandelt. Sünde und Gottesleugnung sind keine Auflösung des protologischen κλῆσις-Verhältnisses und bedeuten keinen Ausbau einer von Gott wirklich unabhängigen Existenz, sondern Kontradiktion. „Jede Kontradiktion aber setzt das Verneinte voraus, lebt geradezu von seiner seinshaften Anerkennung, obgleich sie diese Anerkennung geltungshaft aufhebt."[168] Heilsgeschichtliche und eschatologische κλῆσις bewirken demnach die Heilung der menschlichen Einstellung zum κλῆσις-Verhältnis in der Wurzel. Sie renovieren und restaurieren die im Menschenleben angelegte, unauflösliche worthafte Korrespondenz. Sie erneuern die Responsorialität und Theozentrik, die durch das menschliche Nein „geltungshaft" aufgehoben wurde. In der heilsgeschichtlichen und eschatologischen κλῆσις verhält sich Gott zu seinem Geschöpf wie der Renovator bzw. Restaurator[169] zu seinem Werk: Gott erneuert die einseitig aufgekündigte und durch die Abkapselung pervertierte κλῆσις-Struktur des Menschen. Durch die gläubige Annahme der Wesensoffenbarung und der Gottesherrschaft wird das menschliche Nein mit allen Folgen der Gottesferne und des Unheils aufgehoben. Die eschatologische κλῆσις wird von Paulus eindeutig als nicht-richtendes, sondern das Gerichtsurteil der συνείδησις aufhebendes, rechtfertigendes, erlösendes Ja Gottes zum Sünder[170] aktualisiert. Die Selbsterschließung des rufenden Schöpfers geschieht im Eschaton in Jesus Christus[171]. Nicht zufällig artikuliert Paulus die eschatologische κλῆσις in der Form der Hineinrufung in Christus. Denn in der κοινωνία des Sohnes (1 Kor 1,9) wird der Mensch aus der Selbstisolierung herausgeführt und für die Theozentrik geöffnet. Heilsgeschichtliche und eschatologische κλῆσις zielen auf die μετάνοια des Menschen: Sie wandeln die immanentistisch in sich geschlossene Autonomie in die theonome, zumindest aber in eine αἰών-kritische Autonomie um.

---

168 L. Scheffczyk, Heilsmacht 128.

169 In der mittelalterlichen Theologie hat vor allem Bonaventura die Erlösung als reparatio, restauratio, redintegratio und reductio verstanden, wie H. Mercker, Schriftauslegung als Weltauslegung. Untersuchungen zur Stellung der Schrift in der Theologie Bonaventuras (VGI NF 15), Paderborn 1971, 211 (Schriftauslegung), gezeigt hat: „Nichts anderes will nach ihm die Schrift sein, als Wiederherstellung der ursprünglichen Schöpfungsaussage... Schriftaussage ist kein anderes Sprechen nach dem Sprechen durch die Schöpfung, sondern die Schrift ist erneutes Zur-Sprache-Bringen der Schöpfungsaussage."

170 Vgl. neben den in Anm. 349 genannten Arbeiten: K. Kertelge, „Rechtfertigung" bei Paulus. Studien zur Struktur und zum Bedeutungsgehalt des paulinischen Rechtfertigungsbegriffs (NTA NF 3), Münster 1967; E. Käsemann, Rechtfertigung und Heilsgeschichte im Römerbrief, in: ders., PP 108–139; E. Lohse, Taufe und Rechtfertigung bei Paulus, in: KuD 11 (1965) 308–324; R. Hermann, Gegenwartsbedeutung der Rechtfertigungslehre, in: ZsystTh 19 (1942) 150–170.

171 Vgl. P. Stuhlmacher, Gerechtigkeit 207–210.

Wenn Paulus die Notwendigkeit der Neuschöpfung bzw. Erneuerung von *καρδία*, *νοῦς* und *συνείδησις* (Röm 9,1) ins Auge faßt, dann betrifft das die religiöse Tiefendimension der Ethik, nicht die Materialethik im engeren Sinn[172]. Zwar enthält die dem Paulus zuteil gewordene eschatologische *κλῆσις* die endgültige Wesensoffenbarung Gottes in seinem Sohn und eine entsprechende Kundgabe seines Herrschaftsanspruchs. Letztere bedeutet aber nicht, daß der Christ der direkten Gesetzgebung des Sohnes oder Gottes selbst unterstellt würde. Die konzertierte Aktion von *καρδία*, *νοῦς* und *συνείδησις* zur Autonomie wird nicht eingestellt, sondern reaktiviert. *Καρδία* und *νοῦς* haben das für die Selbstentfaltung und das Zusammenleben Notwendige zu erkennen und anzuzeigen, was zu tun ist[173]. Sie haben aufzuspüren, welche Anforderungen die eigene und die außermenschliche Wirklichkeit[174] enthält, die aus der vocatio continua bzw. creatio continua[175] Gottes hervorgeht. *Καρδία* und *νοῦς* vermitteln die in der Personalität, Sozialität und Materialität liegenden Ansprüche. Mit dem moralischen Wissen wird das religiöse Wissen verbunden, daß die sittlichen Forderungen lauter mit Zeitindex versehene Imperative Gottes sind. Die *συνείδησις* fungiert als Zeugin der Autonomie: Sie sagt nicht, wer der Mensch ist und was er im einzelnen tun soll, sondern sie überwacht die Ausführung der von *καρδία* und *νοῦς* statuierten Imperative.

Der Unterschied zwischen dem immanentistischen und dem theozentrischen Menschen besteht darin, daß der Mensch unter der *κλῆσις* die Anforderungen der Wirklichkeit wieder als den Willen Gottes wahrnimmt und erfüllt, weil er sich und die Dingwelt in der Relation zum rufenden Schöpfer stehen sieht. Die Sachgesetzlichkeit wird als Schöpferwort[176] entgegengenommen,

---

[172] Vgl. dazu O. Knoch, Der Geist Gottes und der neue Mensch. Der heilige Geist als Grundkraft und Norm des christlichen Lebens in Kirche und Welt nach dem Zeugnis des Apostels Paulus, Stuttgart 1975.

[173] G. Ebeling, Die Evidenz des Ethischen und die Theologie, in: ZThK 57 (1960) 318–356, hier 329, spricht von „Verstehensnötigungen in bezug auf das sittliche Gefordertsein“. Vgl. ferner a.a.O. 336 (Evidenz); ders., Luther. Einführung in sein Denken, Tübingen ²1965, 295.

[174] Vgl. dazu de Vries, Art. Wirklichkeit, in: Philosophisches Wörterbuch, hrsg. von W. Brugger, Freiburg/Basel/Wien ¹³1967, 451–452; K.E. Løgstrup, Ethik und Ontologie, in: ZThK 57 (1960) 357–391; J. Pieper, Die Wirklichkeit und das Gute, München ⁵1949; Ph. Schmitz, Die Wirklichkeit fassen. Zur induktiven Normenfindung einer „Neuen Moral“ (FThSt 8), Frankfurt 1972; A. Auer, Autonome Moral 32–54. Weitere Arbeiten in Anm. 418 und 420.

[175] Vgl. dazu L. Scheffczyk, Heilsmacht 108–126. Zur philosophischen Darstellung der creatio-continua-Lehre vgl. H.E. Hengstenberg, Freiheit und Seinsordnung, Stuttgart 1961, 155, 190 (Freiheit).

[176] H. Kaufmann unterstreicht A. Auers Theonomiegedanken, wenn sie erklärt, die

denn für einen, der die protologische κλῆσις bejaht, sind die Sachgesetze kein Zwang, der lediglich von der Wirklichkeit oder gar nur vom Faktischen[177] ausgeht. Καρδία und νοῦς erhalten durch die heilsgeschichtliche κλῆσις wieder den Blick für den Rufcharakter der Dinge zurück: Sie wissen wieder um deren Gegründet- und Verankertsein im Schöpferwort. Dadurch verliert die Natur ihren Immanenzcharakter, ihre Stummheit und Sprachlosigkeit. Die Beschäftigung mit ihr stellt wieder eine Korrespondenz mit der κλῆσις des Schöpfers dar. Bleibt noch zu klären, wie sich die heilsgeschichtlich-eschatologische κλῆσις auf die Grundkraft der Liebe auswirkt.

4. Bindung des menschlichen an den göttlichen Willen in der Liebe

Anders als mit καρδία, νοῦς und συνείδησις verhält es sich mit der Grundkraft Liebe. Paulus sagt zwar nicht, inwieweit das Liebesvermögen durch die immanentistische Selbstabkapselung von Gott auf das eigene Ego umgelenkt wird. Doch steht fest, daß auch die Liebe beim menschlichen Nein gegenüber der κλῆσις des Schöpfers und bei der Aufrichtung von σάρξ und ἁμαρτία beteiligt ist. Dementsprechend spielt die Liebe bei der Herausrufung des Menschen aus der Verabsolutierung des eigenen Ich durch die heilsgeschichtliche κλῆσις eine große Rolle. D. Wiederkehr betont, daß Paulus die heilsgeschichtlich-eschatologische κλῆσις als Initiative und Ausdruck der Liebe Gottes begreift[178]. Als Apostel aktualisiert er die Liebestat der κλῆσις, die nichts anderes ist als die Heimholung des Menschen in die Theozentrik. So wichtig die Erneuerung von καρδία, νοῦς und συνείδησις auch ist, der verschlossene Mensch kann letztlich nur durch die Erfahrung der Gottesliebe wieder für die Theozentrik gewonnen werden. Im Nein zur protologischen κλῆσις entzieht das Geschöpf dem Schöpfer die geschuldete Liebe und konzentriert sie auf das eigene Ich oder die Welt. Der Mensch wird auch in der Liebe im immanentistischen Sinn autonom, d.h. er bestimmt sie inhaltlich, wie er will, und er orientiert sie, woran er will. Paulus hat sich weder über die prälapsare oder die postlapsare Gestalt der Liebe noch über den ordo amoris beim gefallenen oder erneuerten Menschen geäußert[179]. Doch kann

---

von den Profanwissenschaften aufgefundenen Gesetze seien „theologisch gesehen – Erkenntnisse des Schöpfungswortes". In: BiKi 4 (1972) 126–127, hier 127.

177 Vgl. die weiterführende Reflexion bei A. Auer, Die normative Kraft des Faktischen. Zum Begriff der Sachlichkeit vgl. H.E. Hengstenberg, Freiheit 215–223; ders., Grundlegung der Ethik, Stuttgart/Berlin/Köln/Mainz 1969, 33–96 (Ethik).

178 Vgl. Berufung 249f, 268; ferner K. Rahner, Art. Liebe, in: Sacramentum Mundi. Theologisches Lexikon für die Praxis III, Freiburg/Basel/Wien 1969, 234–252, hier 243–246.

179 Vgl. M. Paeslack, Zur Bedeutungsgeschichte der Wörter φιλεῖν ‚lieben', φιλία ‚Liebe', ‚Freundschaft', φίλος ‚Freund' in der Septuaginta und im Neuen Testament (unter Berücksichtigung ihrer Beziehungen zu ἀγαπᾶν, ἀγάπη, ἀγαπητος), in: ThViat 5 (1953/54) 51–142; vgl. ferner H.M. Müller, Das christliche Liebesgebot und die lex naturae,

gesagt werden, daß der Mensch nicht nur über *καρδία* und *νοῦς*, sondern vor allem über die Liebe, verstanden als Willenskraft, aus der Immanentisierung seiner Existenz herausgerufen wird. Erfahrung und Annahme der heilsgeschichtlich-eschatologischen *κλῆσις* als Liebestat Gottes führen zur Übereinstimmung des menschlichen mit dem göttlichen Willen. In der Willensübereinstimmung liegt die Besonderheit der Liebe gegenüber *καρδία*, *νοῦς* und *συνείδησις*. Die *ἀγάπη* signalisiert, daß sich das von Gott abgewandte Geschöpf wieder ganz der heilsamen Führung und Leitung durch den rufenden Gott unterstellt. Sie besiegelt als Bindung des menschlichen Willens an den göttlichen Heilswillen die Verankerung des geschöpflichen Ich in Theozentrik und Theonomie. Der in die *ἀγάπη* eingetauchte menschliche Wille wird befreit von der Fehlorientierung an *σάρξ* und *ἁμαρτία* und befähigt zur theonom orientierten Liebe des eigenen Selbst[180], des Nächsten und der Welt. Eine die Zeit verändernde oder die Welt gestaltende Macht hat Paulus ihr nicht zugeschrieben, „hatte doch zu seinen Lebzeiten das Ethos der Agape eben erst die Bühne der menschlichen Gesellschaftsgeschichte betreten"[181].

Die Moraltheologie konzentriert sich auf die Rolle, die die Liebe bei der Rückführung der immanentistischen Autonomie in die Theozentrik spielt. Sie kann das schöpfungstheologische Schweigen des Apostels bei der Darstellung der Liebe nicht nachvollziehen. Der eschatologische Missionar entwirft keine Liebesethik, in der die Liebe des theozentrischen Menschen mit der Liebe des natürlichen Menschen verglichen[182] wird. Die paulinische Sicht scheint der Betrachtungsweise des neueren dialogischen Denkens entgegengesetzt zu sein[183]. Es kann aber nicht verwehrt sein, die Liebe, nach Art des dialogischen Denkens, von unter her bzw. im schöpfungstheologischen Horizont zu erhellen. Letzteres geht (ausschließlich) davon aus, daß die „Liebeserklärung" des Schöpfers „das Prinzip der Nächstenliebe" ist, „weil der Liebesruf Gottes sich dem jeweiligen geistigen Selbst ja stets über die Liebe

in: ZThK 9 (1928) 161–183; M. Honecker, Liebe und Vernunft, in: ZThK 68 (1971) 227–259; G. Teichtweier, Liebe als Grundlage und Ziel der christlichen Ethik, in: Prinzip Liebe. Perspektiven der Theologie. Mit Beiträgen von E. Biser, A. Ganoczy, R. Schnackenburg, G. Teichtweier, R. Zerfaß, Freiburg/Basel/Wien 1975, 104–119.

180 Vgl. dazu R. Völkl, Die Selbstliebe in der Heiligen Schrift und bei Thomas von Aquin (MüThSt 12), München 1956, 84–124.

181 H.D. Wendland, Ethik 61.

182 In diesem Sinne fragt J. Cobb, Existenz 153: „Sollte christliche Liebe dasselbe sein wie ein allgemein verbreitetes menschliches Phänomen, das wiederum in Kontinuität steht mit jener Zuneigung, die Tiere füreinander und für Menschen haben? Oder besitzt christliche Liebe überhaupt keine Kontinuität mit all diesen anderen Formen von Liebe, so daß wir sogar ein neues Wort dafür brauchten?" Zur Problematik vgl. den instruktiven Aufsatz von H. Lindiger, Gott ist die Liebe. Ein Beitrag zum tiefenpsychologischen und theologischen Verständnis von Eros und Agape, in: EvTh 33 (1973) 164–181.

183 Vgl. dazu A. Edmaier, Dialogische Ethik 201–209.

eines Mitmenschen mitteilt"[184]. Die Theologie bejaht, daß sich der Anruf des liebenden Gottes und die menschliche Erwiderung der Liebe Gottes im zwischenmenschlichen Horizont ereignen[185]. Sie betont, daß die Liebe „nicht in doppelter, sondern nur in einer einzigen Weise" existiert und daß „ihr zweifacher Adressat ... in Wirklichkeit nicht ganz auseinandergehalten werden" kann, sondern „in der einen Tat der Liebe ... beide Adressaten gleichzeitig erreicht"[186] werden. Doch genügt die Erklärung, daß „in jeder logischen und ethischen Existenz über den jeweiligen Anderen die göttliche Urliebe wirksam geworden ist"[187], nicht. Schließlich ist die heilsgeschichtliche bzw. eschatologische Offenbarung der Liebe Gottes in Christus der Grund, der die Umwandlung des immanentistischen in einen theozentrischen Menschen in Gang bringt. Die Erfahrung und Anschauung des in Christus handelnden Gottes beeindruckt vor allem die Liebeskraft des Menschen. Durch die Liebe wird er dazu bewegt, seinen Willen an den göttlichen Willen zu binden und als autonomer Mensch in die Theozentrik zurückzukehren. Die *ἀγάπη* besiegelt demnach die theozentrische Funktion von *καρδία*, *νοῦς* und *συνείδησις*, aber auch deren Autonomiefunktion. Die Liebe verankert den Menschen mitsamt seinen Grundkräften *καρδία*, *νοῦς* und *συνείδησις* in Theozentrik und Theonomie und ermöglicht dadurch das wahre „Sich-selbst-Gesetz-Sein".

Zusammenfassung

Nach H. Thielicke ist es die Aufgabe der gegenwärtigen Theologie, „zu beobachten, wie die biblische Relation zwischen Gott, Ich und Welt aussieht, und dann der Frage standzuhalten, ob uns diese Relation als Grund einer Neuorientierung dienen könne"[188]. Die Neuorientierung des heutigen Denkens am paulinischen Denken ist jedoch nicht leicht, weil bei Paulus z.B. die schöpfungstheologische „Relation zwischen Gott, Ich und Welt" nicht offen zutage liegt, sondern erst rekonstruiert und außerdem auf das Autonomiebewußtsein des modernen Menschen bezogen werden muß. Orientierung an der „biblischen Relation" setzt voraus, daß der heilsgeschichtlich-eschatolo-

---

184 A. Edmaier, Dialogische Ethik 221; vgl. a.a.O. 44–50, 219–221.

185 Vgl. K. Rahner, Erlösungswirklichkeit in der Schöpfungswirklichkeit, in: ders., Sendung und Gnade. Beiträge zur Pastoraltheologie, Innsbruck/Wien/München 1959, 51–88, hier 65; ders., Über die Einheit von Nächstenliebe und Gottesliebe, in: ders., Schriften zur Theologie VI, Einsiedeln/Zürich/Köln 1965, 277–298.

186 C. Spicq, Der Christ, wie Paulus ihn sieht. Das sittliche Leben des Christen im Zeichen der Dreifaltigkeit (Eine paulinische Moral), Luzern und München 1966, 87.

187 A. Edmaier, Dialogische Ethik 221.

188 Können sich Strukturen bekehren?, in: ZThK 66 (1969) 98–114, hier 110 (Strukturen).

gische κλῆσις-Gedanke des Paulus nach dem protologischen κλῆσις-Gedanken hinterfragt und der rekonstruierte Begriff dann kosmologisch und anthropologisch im Horizont des Autonomiegedankens expliziert wird. Dürfte die Moraltheologie dabei nicht von vornherein über den Sinnhorizont des von Paulus angedeuteten protologischen κλῆσις-Begriffs (Röm 4,17) oder über den Sinnhorizont des von Paulus angedeuteten Autonomiegedankens (Röm 2,14) hinausgehen, erübrigten sich Rekonstruktion und Explikation. Einer hermeneutischen Grundregel zufolge, braucht sich jedoch der Sinnhorizont heutigen Verstehens „weder durch das, was der Verfasser ursprünglich im Sinne hatte, schlechthin begrenzen lassen, noch durch den Horizont der Adressaten, für die der Text ursprünglich geschrieben war“[189]. Die Hermeneutik der paulinischen Formulierungen Röm 4,17 und Röm 2,14 im Sinne des neuzeitlichen Autonomiebewußtseins ist demnach legitim, auch wenn sich bei Paulus und seinen Adressaten keine Ansätze dafür finden lassen. Entscheidend ist, daß in dem von Paulus abgesteckten, soteriologischen Rahmen vorgegangen wird. Dann wird das Phänomen der Autonomie vom Ereignis der Wiederherstellung her angegangen. Von daher kommt die protologische κλῆσις in Sicht, die den Menschen als Person konstituiert und καρδία, νοῦς und συνείδησις zur Ausübung der Autonomie bestimmt. Die prälapsare und die postlapsare Gestalt muß herausgearbeitet werden, weil sonst die hamartiologische Erhellung den Ursprung und das Ausmaß der Entfremdung und die christologische Erhellung die Weise und den Erfolg der Wiederherstellung nicht anzugeben vermögen.

---

189 H.G. Gadamer, Wahrheit 372.

3. Kapitel

HAMARTIOLOGISCHE ERHELLUNG DER AUTONOMIE

Methodische Vorbemerkungen

Methodisch gesehen handelt es sich im folgenden um die hamartiologische Ergänzung und Vervollständigung des eben rekonstruierten protologischen κλῆσις-Verhältnisses, inhaltlich gesehen um die Erhellung der durch das menschliche Nein negativ qualifizierten Autonomie. Obwohl Paulus das menschliche Nein nicht expressis verbis auf die protologische κλῆσις bezieht (Röm 1,18–32), spricht vieles dafür, die Hermeneutik des menschlichen Nein mit der Hermeneutik der protologischen κλῆσις Gottes zu verbinden. Sie kann als Erhellung der immanentistischen Abkapselung gegenüber dem rufenden Schöpfer konzipiert werden.
Dabei ist besonders zu beachten, daß Paulus das Nein Adams und seiner Nachkommen gegenüber dem rufenden Gott mehrdimensional auffächert und als Aufrichtung einer vielfachen Mächteherrschaft versteht. Dementsprechend wird gefragt, wie sich die Aufrichtung der Äonsmächte σάρξ, ἁμαρτία und νόμος auf die sittliche Autonomie auswirkt, ob sie dieselbe einschränkt oder nicht. Auch muß vorgeklärt werden, worin die „Erneuerung des Geistes" (Röm 12,2) besteht, die durch die eschatologische Überwindung der Äonsmächte zustande kommt und wie sich die Erneuerung konkret auswirkt.

I. AUFRICHTUNG DER σάρξ-MACHT

Zuerst soll der paulinische σάρξ-Begriff im schöpfungstheologischen Horizont, d.h. im Horizont des Nein gegenüber der protologischen κλῆσις ausgelegt werden. Im Nein wendet sich der Mensch gegen die Theozentrik und Theonomie seiner Existenz und richtet statt dessen die Herrschaft seines eigenen Ich, seiner σάρξ (und ἁμαρτία) über sich auf (Herrschaftswechsel). Die Hermeneutik des Nein deckt somit die Wurzel der immanentistischen Autonomie auf. Sie zeigt, daß durch den Anspruch auf eine absolute und immanentistisch in sich geschlossene Autonomie die κλῆσις-bedingte relative Autonomie aufgekündigt wird.

1. *Relative Autonomie der σάρξ-Existenz*

Ziel und Ende der Wortschöpfung ist die leibliche Existenz. Die κλῆσις des Schöpfers ist aus spätjüdisch-paulinischer Sicht wesenhaft Herausrufung aus dem Nichtsein ins Dasein (Röm 4,17)[190]. Im Falle des Menschen, der Ebenbild Gottes ist, begründet die κλῆσις eine relative Autonomie als eines Mandatars Gottes in der Welt. Der Mensch ist „sich selbst Gesetz" in allen Fragen der Lebens- und Weltgestaltung; er kann auch dann noch autonom sein und handeln, wenn er sich nicht mehr als Ebenbild Gottes und im κλῆσις-Verhältnis stehend betrachtet. Paulus sieht die Verneinung der κλῆσις jedenfalls nicht darin grundgelegt, daß der Mensch als σάρξ existiert. Er wertet die leibliche Existenz des Menschen sowie die Stofflichkeit der Welt positiv. Als Fleisch bzw. im Fleisch ist der Mensch ein Gerufener; als solcher – und nicht etwa nur als Seele oder Geist[191] – hat er aus der relativen Autonomie heraus auf die κλῆσις des Schöpfers und seinen Anspruch Antwort zu geben.

2. *Negative Selbstbestimmung der σάρξ-Existenz*

Die negative Qualifikation der eigenen Existenz wird keineswegs durch die σάρξ als solche bestimmt. Sie tritt erst in dem Moment ein, wo die leibhaftige Person auf die κλῆσις des Schöpfers nicht eingeht, sondern mit einem Nein antwortet[192]. Dieses Nein zur Theonomie der eigenen Existenz beruht auf der Einsicht in die relative Autonomie, aber es verabsolutiert die eigene σάρξ und die eigene Mächtigkeit. Von dem Augenblick an, wo sich die leibhaftige Person gegenüber dem rufenden Gott abkapselt und in ihr Ego einschließt, bezeichnet σάρξ[193] nicht mehr den „Unterschied" der Kreatur, sondern ihren „Gegensatz und Widerspruch zu Gott oder dem (göttlichen) Geist"[194]. Dieses menschliche Nein, in welchem sich die eigene σάρξ (und ἁμαρτία) gegen Gott aufrichtet, wird von Paulus keineswegs als einmaliges, sondern als ein permanentes Ereignis verstanden. In der unausgesetzten pro-

---

190 Vgl. dazu K.A. Bauer, Leiblichkeit – das Ende aller Werke Gottes, Gütersloh 1971, 183–189 (Leiblichkeit); H.J. Kraus, Der lebendige Gott, in: EvTh 27 (1967) 169–200; E. Käsemann, Zur paulinischen Anthropologie, in: ders., PP 36–46; E. Schweizer, Art. σῶμα, in: ThWNT VII, 1024–1091, hier 1057f; ders., Die Leiblichkeit des Menschen. Leben – Tod – Auferstehung, in: EvTh 29 (1969) 40–55.

191 Zum Ganzen vgl. H. Conzelmann, Grundriß 198; G. Bornkamm, Art. Paulus 180.

192 Vgl. dazu H. Conzelmann, Grundriß 200.

193 Vgl. dazu E. Schweizer, F. Baumgärtel, R. Meyer, Art. σάρξ, in: ThWNT VII, 98–151; A. Sand, Der Begriff „Fleisch" in den paulinischen Hauptbriefen (BU 2), Regensburg 1967; P. Stuhlmacher, Gerechtigkeit 228–233.

194 G. Bornkamm, Art. Paulus 182.

tologischen κλῆσις (creatio continua) gibt es immer wieder das Nein des Menschen, m.a.W. die Umkehrung des Herrschaftsanspruchs.

3. Wesen der σάρξ-Existenz

Was bedeutet der Sprung aus der positiven bzw. neutralen σάρξ-Existenz (Röm 3,20; 9,8; 1 Kor 10,18; 15,50) in die eindeutig negativ qualifizierte σάρξ-Existenz? Zunächst ist zu sagen, daß der Sprung bei Adam und seinen Nachkommen auf der Ebene des protologischen κλῆσις-Verhältnisses geschieht; das Wesen und die Folgen desselben müssen also im Horizont des κλῆσις-Gedankens bestimmt werden. Demnach aber hat die negative Qualifikation des Menschen als „Fleisch" bzw. σάρξ bei Paulus überhaupt nichts mit einem Fall in die Materie[195] zu tun. Eine apriorische Abwertung des Leiblichen gegenüber dem Geist ist schon aufgrund des κλῆσις-Gedankens ausgeschlossen[196]. Die moraltheologische Hermeneutik sieht daher mit Recht die leibliche Existenz, ihren Selbstand und Eigenwert von der κλῆσις des Schöpfers getragen. Der Mensch kann die ihm gewährte relative Autonomie zwar verneinen, aber er kann sie als solche nicht ungeschehen machen oder aufheben. Die negative Reaktion auf die κλῆσις des Schöpfers und den in ihr enthaltenen Herrschaftsanspruch führt jedoch zu einem Verfallensein der σάρξ an die Egozentrik.

Σάρξ ist Tat des Menschen. Sie bezeichnet die Verweigerung des Ja gegenüber der κλῆσις, die Verneinung der Theonomie der eigenen und fremden Wirklichkeit, die immanentistische Abkapselung der eigenen Autonomie. Das Ich vertauscht den Schöpfer mit sich selbst oder den anderen Geschöpfen[197] bzw. Weltelementen. Der Mensch verabsolutiert die σάρξ-Existenz, die er der κλῆσις des Schöpfers verdankt, zentriert sich mit seinem νοῦς bzw. πνεῦμα auf sich selbst, ohne dadurch jedoch die Offenheit gegenüber dem rufenden Gott zu verlieren[198]. Das die eigene Existenz und Autonomie begründende κλῆσις-Verhältnis bleibt von Gott her gegeben, wird jedoch durch die Nichtrealisierung der Offenheit und des Dialoges seines Sinnes beraubt. Kennzeichen dafür, daß mit dem menschlichen Nein der Schöpfer

---

195 Zum Gegensatz zwischen paulinischem Menschenbild und gnostischer Anthropologie vgl. W. Schmithals, Gnosis 158. Anm. 1.

196 Zum Ganzen vgl. L. Schottroff, Der Glaubende und die feindliche Welt. Beobachtungen zum gnostischen Dualismus und seiner Bedeutung für Paulus und das Johannesevangelium (WMANT 37), Neukirchen 1971; K.A. Bauer, Leiblichkeit 67–181; H. Braun, Qumran und das Neue Testament II, Tübingen 1966, 250–265.

197 Vgl. dazu H. Rondet, Bemerkungen zu einer Theologie der Sünde, in: GuL 28 (1955) 28–44, 106–116, hier 112–116.

198 Nach W. Thüsing ist gerade „das Pneuma – in der Bibel und vor allem bei Paulus – als Ermöglichung der Offenheit für Gott" anzusehen; vgl. K. Rahner / W. Thüsing, Christologie – systematisch und exegetisch (QD 55), Freiburg 1972, 153; zum Ganzen vgl. a.a.O. 100–101, 153–156.

und sein Anspruch völlig aus dem Blickfeld verschwinden, ist die Selbstrühmung[199], bei der sich der Mensch auf sich und seinesgleichen konzentriert (Phil 3,3: „Vertrauen auf das Fleisch setzen"). Der Verlust bzw. die Preisgabe der Theonomie äußert sich nicht in einer Gesetzlosigkeit, sondern im Versuch, sich mit allen Mitteln selbst zu erlösen.
Gerade bei der sittlichen Selbstgesetzgebung äußert sich die Einbuße der Theonomie weniger im Verfehlen materialethischer Normen, sondern in der Verweigerung der schuldigen Anerkennung Gottes. Die Verwerfung der Theonomie aller Wirklichkeit verursacht in der Ethik den Verlust des Gottesgehorsams. Der Dienst gegenüber Menschen und Welt ist kein Gottesdienst mehr, sondern Heilsweg, Versuch der Selbsterlösung. Anstelle der zurückgewiesenen Beziehung zu Gott macht die menschliche Person die Beziehung zu sich selbst und vor allem die vorgezogenen und verabsolutierten zwischenmenschlichen Beziehungen zum Mittelpunkt ihres Sinnens und Trachtens. Anstelle des göttlichen Du wird das eigene Ich oder auch die Sozialität oder Materialität zum Lebensinhalt und zum Gegenstand der Rühmung. Das alles signalisiert und besiegelt die Zerstörung des *κλῆσις*-Verhältnisses, die Auslöschung der Gottesdimension. Selbstverständlich wird die *σάρξ* aufgerichtet im Raum der Intersubjektivität bzw. auf dem Boden der dialogischen Existenz. Sie ist also etwas, was von vornherein nicht nur zwischen dem menschlichen und dem transzendenten Ich Gottes, sondern zwischen den Menschen selbst steht[200]. Sie stört und zerstört Kommunikation und Einheit hier wie dort. Das Wesen der *σάρξ*-Existenz prägt sich also gerade auch in den zwischenmenschlichen Beziehungen aus, die durch Abkapselung, Egozentrik, Selbstrühmung deformiert bzw. pervertiert werden.
Die *σάρξ* prägt sich in allen Schichten der menschlichen Existenz, in der Personalität, Sozialität und Materialität[201] aus. Ihre Spitze freilich ist und bleibt gegen Gott selbst gerichtet. Die Aufrichtung der *σάρξ*-Macht ändert nichts an der Autonomie im technischen Sinne, sie verändert jedoch grundlegend die Beziehungen des Menschen zum Menschen. Hier liegt der Grund, warum die Moraltheologie der Aufhebung der menschlichen Entfremdung mit Gott und mit sich selbst den Primat und die Priorität vor aller Materialethik zuerkennt.

---

[199] Vgl. R. Bultmann, Art. *καυχάομαι*, in: ThWNT III, 646–654, hier 648–650; J. Gnilka, Der Philipperbrief (HThK X, 3), Freiburg/Basel/Wien 1968, 187.

[200] Vgl. dazu L. Scheffczyk, Heilsmacht 126–132; A. Edmaier, Dialogische Ethik 81–86; B. Casper, Das dialogische Denken. Eine Untersuchung der religionsphilosophischen Bedeutung Franz Rosenzweigs, Ferdinand Ebners und Martin Bubers, Freiburg/Basel/Wien 1967, 322 (Denken).

[201] Vgl. A. Auer, Autonome Moral 19–20; ders., Weltoffener Christ 109–122.

4. *Personifikation der σάρξ-Macht*

Mit dem Begriff *σάρξ* ist zunächst eine Aktivität, nämlich die menschliche Reaktion auf die *κλῆσις* des Schöpfers gemeint[202]. Da die *σάρξ* im Zuge der Vertauschung aber die Stelle des personalen göttlichen Ich einnimmt, kann Paulus sie auch wie eine personifizierte Macht beschreiben, die anstelle Gottes den Menschen anfordert und beansprucht, ihm ihren Willen aufzwingt und ihn zu ihrem Sklaven macht. Dieser Doppelaspekt erklärt sich aus dem Vorgang, daß der Mensch einerseits als Subjekt handelt, indem er sich und seinesgleichen oder auch die Weltelemente verabsolutiert und in den Rang einer Macht erhebt. Andererseits erscheint die an die Stelle Gottes gerückte *σάρξ* als eine Macht, welche das jeweilige menschliche Ich bis ins letzte besetzt und gewissermaßen als Über-Ich tyrannisiert. Die paulinische Kennzeichnung[203] entspringt der Sicht eines Menschen, der den eschatologischen Herrschaftswechsel in seinem Leben erfahren und als Christ die Entthronung der *σάρξ* realisiert hat. Die Übersetzung in den modernen Verständnishorizont stößt daher auf keine besonderen Schwierigkeiten. Paulus weiß um die große Bedeutung des „Zwischen", eine Kategorie, die durch die Einsichten des neueren dialogischen Denkens eine immer größere Beachtung erhält. Paulus siedelt die Aufrichtung der *σάρξ*-Macht, aber auch der übrigen Mächte, in diesem „Zwischen" an und kennzeichnet sie damit als der Anthropozentrik zugehörig. Gleichzeitig läßt Paulus die menschliche Aufrichtung eines absoluten Immanentismus gegenüber Gott als eine Macht erscheinen, welche die rein anthropologische Dimension übersteigt und eine eigene Gestalt, ja Personifikation annimmt.

Für einen Theologen wie Paulus ist es selbstverständlich, daß die mit der Aufrichtung der *σάρξ*-Macht entstandene Dimension des Unheils nur durch einen Herrschaftswechsel von oben und außen verändert oder aufgehoben werden kann. Er bezeugt, daß dieser im Eschaton von Gott selbst eingeleitet und von seinem Christus ausgeführt worden ist. Der eschatologische Herrschaftswechsel, den der Missionar im Evangelium bzw. im Kerygma aktualisiert, bewirkt die Überwindung der *σάρξ*-Herrschaft im Leben des einzelnen und der *ἐκκλησία*, jedoch nicht gleichermaßen auch im Kosmos[204].

---

202 Vgl. H.D. Wendland, Ethik 58f; ferner J. Schreiner, Durch die Sünde kehrt sich der Mensch von Gott ab, in: Conc 5 (1969) 742–748.

203 Vgl. dazu R. Jewett, The Pauline Anthropological Terms. Their Use in the Struggle Against Early Christian Heresy. Diss. Tübingen 1966; W. Schauf, Sarx. Der Begriff „Fleisch" beim Apostel Paulus unter besonderer Berücksichtigung seiner Erlösungslehre (NTA 11, 1–2), Münster 1924.

204 Nach E. Käsemann, Apokalyptik 122, „konnte dieser Entwurf sich der Bestätigung durch die Erfahrung rühmen. Man sah ja täglich mit Augen, wie Christi Herrschaftsgebiet weltweit sich ausdehnte und Sklaven der Dämonen befreite Menschen wurden."

Es leuchtet ein, daß die eschatologische Destruktion der *σάρξ*-Aufrichtung und der *σάρξ*-Herrschaft für die Heimkehr in der Theozentrik von fundamentaler Wichtigkeit ist. Bei der Überwindung der *σάρξ*-Existenz muß der Hebel ansetzen; nur hier kann das Nein gegenüber der *κλῆσις*, der falsche Anspruch auf absolute und immanentistisch geschlossene Autonomie aus den Angeln gehoben und die Kehre in die Theozentrik angebahnt werden. Von daher versteht es sich, daß Paulus mit allem Nachdruck gegen den Rückfall derer, die durch die eschatologische *κλῆσις* der *σάρξ* entnommen und zum „Dienen in Liebe“ (Gal 5,13) befreit sind, ankämpft[205]. Von der Durchsetzung des eschatologischen Herrschaftswechsels im Menschenleben hängt zwar nicht der Wiedereintritt in die Autonomie als solche ab. Die Überwindung und Ausschaltung der *σάρξ* ändert an der Technik autonomer Findung und Statuierung der sittlichen Normen nichts, trägt aber doch zum besseren Gelingen bei. Vor allem erhält die menschliche Selbstgesetzlichkeit die alles entscheidende Tiefendimension, nämlich die Theonomie zurück. Die „Erneuerung des Geistes“ (Röm 12,2), durch die der Dienst gegenüber Menschen und Welt wieder zum „geistigen Gottesdienst“ (Röm 12,2) wird, kann nicht ohne das Moment der Befreiung von der *σάρξ* gedacht werden.

II. Aufrichtung der *ἁμαρτία*-Macht

Genauso aktualisiert die Hermeneutik des Nein das paulinische Verständnis der *ἁμαρτία*. Wiederum wird die Aufrichtung der *ἁμαρτία*-Herrschaft, d.h. die Preisgabe der Theozentrik (aversio a deo) von der von Paulus bevorzugten heilsgeschichtlichen Ebene auf die heute im Vordergrund stehende schöpfungstheologische Ebene transponiert und in die Vorstellung vom protologischen *κλῆσις*-Verhältnis eingezeichnet. Das menschliche Nein gegenüber der *κλῆσις* des Schöpfers wird mehrdimensional als Aufrichtung der *σάρξ* und *ἁμαρτία* verstanden; erst so wird es in seinem ganzen Ausmaß begriffen. Erst so wird auch das Ausmaß an Selbstentfremdung und Versklavung, die mit dem menschlichen Nein heraufbeschworen werden, voll verständlich gemacht werden können.

1. Σάρξ und ἁμαρτία

Die Struktur der eschatologischen Herausrufung aus der *ἁμαρτία* ist bereits als die Kehrseite der Hineinrufungsstruktur bezeichnet worden. Zugrunde liegt die Reflexion, daß Gott im Eschaton durch die Sendung, das Werk und den Kreuzestod seines Christus die Herrschaft der *ἁμαρτία* gebrochen und den eschatologischen Missionar mit der Aktualisierung dieses Geschehens

---

205 Vgl. dazu P. Stuhlmacher, Gerechtigkeit 229.

betraut hat. Die Verkündigung erweist sich auch hier als Anlaß und Einstieg in die retrospektive Erhellung der allgemeinen Aufrichtung der ἁμαρτία-Macht durch Adam und seine Nachkommen. Dabei denkt Paulus das σάρξ-Werden des Menschen und das Anheimfallen an die Sünde (Röm 7,14) zusammen. Nicht zufällig stellt der Apostel den geschichtlichen Anfang der menschlichen Existenz bei Adam unter das Vorzeichen von σάρξ und ἁμαρτία (Röm 5,12–19). Doch es fällt auf, daß nicht die Adamsreflexion[206] der Ort ist, wo Paulus die permanente Aufrichtung der ἁμαρτία durch den Menschen beschreibt. Er stellt die Aufrichtung der Sünde durch Adam (Röm 5,12–19) fest. Aber er will dieselbe letztlich doch als das Werk eines jeden einzelnen ins Dasein gerufenen Menschen verstanden wissen[207]. Neben die viel diskutierte Idee der Erbsünde bei Paulus[208] wird man den Gedanken der permanenten Aufrichtung von σάρξ und ἁμαρτία im Rahmen des κλῆσις-Verhältnisses setzen müssen (Röm 3,9f). Die Definition der Sünde im Horizont der schöpfungstheologischen κλῆσις läuft auf die hamartiologische Erhellung der Autonomie hinaus.

2. *Wesen der ἁμαρτία*

Paulus beschreibt in Röm 1,18–32 – wenn auch nur beiläufig – die ἁμαρτία des Menschen als Abwendung vom (rufenden) Schöpfer und als ungeordnete Hinwendung zu den Geschöpfen. Das ist genau die Definition des Herrschaftswechsels, wie er sich im Menschen ereignet, wenn dieser seine eigene σάρξ verabsolutiert und an die Stelle Gottes setzt. Am Ende verdrängt die Macht der ἁμαρτία die Macht Gottes[209]. Paulus definiert nicht ohne Absicht die ἁμαρτία schöpfungstheologisch. Auch erscheint die ἁμαρτία nicht zufällig auf den Weltort und die Weltdinge bezogen, denn

---

206 Vgl. dazu O. Kuss, Die Adam-Christus-Parallele exegetisch und biblisch-theologisch untersucht, Breslau 1930; P. Lengsfeld, Adam und Christus. Die Adam-Christus-Typologie im Neuen Testament und ihre dogmatische Verwendung bei J.M. Scheeben und K. Barth (Koinonia 3), Essen 1965.

207 Vgl. dazu W.G. Kümmel, Die Theologie des Neuen Testaments Göttingen 1969, 160 (Theologie).

208 Vgl. dazu J. Freundorfer, Erbsünde und Erbtod beim Apostel Paulus, Münster 1927; O. Kuss, Der Römerbrief. 1. Lieferung, Regensburg 1957, 241–275; J. Becker, Das Heil Gottes. Heils- und Sündenbegriffe in den Qumrantexten und im Neuen Testament, Göttingen 1964; P. Schoonenberg, Der Mensch in der Sünde, in: MystSal II, 845–941; P. Knauer, Erbsünde als Todverfallenheit. Eine Deutung von Röm 5,12 aus dem Vergleich mit Hebr 2,14f, in: ThGl 58 (1968) 153–158; J. Gross, Die paulinische Adam-Christus-Typologie und die Erbsündenlehre, in: ZRGG 19 (1967) 298–307.

209 Vgl. G. Quell, G. Bertram, G. Stählin, W. Grundmann, K.H. Rengstorff, Art. ἁμαρτία, in: ThWNT I, 267–339. Zur Rolle der Zwei-Mächte-Vorstellung im paulinischen Denken vgl. K.G. Kuhn, Πειρασμός – ἁμαρτία – σάρξ im Neuen Testament und die damit zusammenhängenden Vorstellungen, in: ZThK 49 (1952) 200–222, hier 212. Zum paulinischen Machtbegriff vgl. E. Käsemann, Gottesgerechtigkeit 185–193.

sie ist Vertauschung des Schöpfers mit dem Geschöpf.
Genauso wie die *σάρξ* wird die *ἁμαρτία* im Raum der Intersubjektivität bzw. der dialogischen Existenz aufgerichtet. Die moraltheologische Hermeneutik trifft bestimmt ein paulinisches Anliegen, wenn sie das rekonstruierte protologische *κλῆσις*-Verhältnis als ein streng theozentrisches Ich-Du-Verhältnis begreift, bei dem der Mensch für die Aufrichtung der *ἁμαρτία* die volle Verantwortung trägt. Doch wie die Aufrichtung der *σάρξ* und die immanentistische Abkapselung des eigenen Ich nicht außerhalb des Verhältnisses zum Mitmenschen und zur Welt gedacht werden kann, so ist es auch mit der *ἁμαρτία*. Die Verneinung der *κλῆσις* und des Anspruchs Gottes, die Verweigerung des geschuldeten Gottesdienstes, die Vertauschung des transzendenten göttlichen Ichs mit einem Ersatz, das alles spielt sich nicht in der reinen Innerlichkeit ab, im Gegenteil. Das Gegen-Gott-gerichtet-Sein der *ἁμαρτία* entfaltet sich im zwischenmenschlichen Bereich, nicht zuletzt in der ethischen Wirklichkeit. Es besteht darin, daß jede Präsenz Gottes und der Theonomie für diese Räume geleugnet werden. Wie die Liebe des Schöpfers den Menschen nur in der Übersetzung durch die zwischenmenschliche Liebe erreicht, so nimmt auch die Aufrichtung der *ἁμαρτία* gegen Gott den zwischenmenschlichen Raum in Beschlag. Hier nimmt sie die vielfältigsten Gestalten an. Wie die *σάρξ* durchzieht auch die *ἁμαρτία* alle Schichten der menschlichen Existenz: Personalität, Sozialität und Materialität. Bereits hier wird sichtbar, daß die eschatologische Befreiung von *σάρξ* und *ἁμαρτία* nicht rein religiös interpretiert werden darf; sie muß vielmehr im Kontext der Mitmenschlichkeit, des Weltethos und des Ethischen im weitesten Sinne ausgelegt und verifiziert werden. *Σάρξ* und *ἁμαρτία* heben zwar die Autonomie des Sittlichen nicht auf, enthüllen sich jedoch als Mächte einer diabolischen[210] Weltanschauung und Daseinsgestaltung.

3. *Personifikation der ἁμαρτία*

Auch *ἁμαρτία* ist und bleibt für Paulus zunächst ein nomen actionis. Es bezeichnet die permanente Verweigerung der *κλῆσις* des Schöpfers durch Adam und seine Nachkommen. Darin liegt die Universalität der Sünde (Röm 3,23; Gal 3,22) begründet. Mehr noch als die *σάρξ* erscheint jedoch die *ἁμαρτία* als die personifizierte Macht, die die Stelle des abgewiesenen Ichs Gottes einnimmt und so den Menschen in einem destruktiven Sinn beherrscht. Paulus spricht relativ selten von der *ἁμαρτία* als sündiger Tat (Röm 7,5; 1 Kor 15,17; Gal 1,4), weil er die Sklavendienste, die der Mensch

---

210 Nach H. Mercker, Schriftauslegung 211, prägt Bonaventura die Begriffe der „Dia"-bolik und der „Symbolik", skizziert den Typus „des auf sich selbst zurückgeworfenen ... und ... verblendeten, Gott und die Welt auseinanderreißenden Denkens" und entwirft eine „Theologie der ‚Symbolik', welche die Welt wieder auf Gott hin durchlässig macht".

gegenüber der ἁμαρτία leistet, als Gesamtheit wertet. Er schreibt einerseits dem Menschen die volle Verantwortlichkeit für die ἁμαρτία zu. Andererseits erklärt er, daß der Mensch als σάρξ unter die ἁμαρτία verkauft ist (Röm 7,14) und die ἁμαρτία wie ein Sklavenhalter über den Menschen herrscht und verfügt[211].

4. Ἁμαρτία und θάνατος

Es trifft zwar nicht dem Wortlaut, aber der Sache nach zu, wenn man die Aufrichtung der ἁμαρτία als ein Ereignis kennzeichnet, das sich auf der Ebene des protologischen κλῆσις-Verhältnisses abspielt. Von daher ist die paulinische Schlußfolgerung gerechtfertigt, daß die Sünde als Sold den Tod auszahlt (Röm 6,23)[212]. Der Tod erscheint als der unausweichliche Gerichtsspruch Gottes über den Sünder (2 Kor 3,6f). Mit der Verweigerung der schuldigen Antwort gegenüber der κλῆσις des Schöpfers hat der Sünder das Lebensrecht verwirkt. Der Mensch wendet sich in seinem Nein von seinem Existenzgrund ab und hat damit auch den Existenzgrund verloren[213], den er nicht in sich selbst hat, sondern einzig und allein in der κλῆσις des rufenden Gottes. Der in sich selbst verschlossene Mensch wird im Tod an die Grenzen seines Autonomieanspruchs geführt. Die Verheißung der zukünftigen Herausrufung aus der Macht des Todes läßt dem Menschen die Theonomie seiner vorläufigen und zukünftigen Existenz eindringlich bewußt werden.

5. Ἁμαρτία des Bundesvolkes

Um die allgemeine Erlösungsbedürftigkeit herauszustellen, spricht Paulus von der Verweigerung des Gehorsams gegenüber der heilsgeschichtlichen κλῆσις durch das auserwählte Volk[214] und von der Verneinung des (rufenden) Schöpfers durch das Heidentum. Die Sünde des Heidentums liegt im „Raub an der Ehre Gottes als des Schöpfers, der durch die Verehrung des Geschöpfes geschieht"[215]. In der ἁμαρτία scheinen Heidentum und Judentum gleich zu sein, weil sie sich beide der κλῆσις Gottes und dem darin enthaltenen Anspruch widersetzen. Dennoch besteht ein Unterschied: Das auserwählte Volk weist eine κλῆσις ab, die auf einer neuen, nämlich der heilsgeschichtlichen Ebene artikuliert wurde. Die Sünde des Bundesvolkes liegt in der Zurückweisung des heilsgeschichtlichen Angebotes Gottes, das durch

---

211 Vgl. G. Bornkamm, Art. Paulus 181.

212 Vgl. dazu R. Schnackenburg, Christliche Freiheit nach Paulus 38f. Zum Ganzen vgl. H. Schunack, Das hermeneutische Problem des Todes im Horizont von Röm 5 untersucht (HUTh 7), Tübingen 1967.

213 Vgl. dazu H. Küng, Rechtfertigung 150–168.

214 Vgl. dazu O. Kuss, Die Heiden 226–232.

215 G. Delling, Gottesprädikationen 10.

σάρξ und ἁμαρτία gestörte ursprüngliche κλῆσις-Verhältnis zu heilen. Bei der Abweisung des Bundesangebots handelt es sich um die Verschärfung des menschlichen Nein gegenüber dem rufenden Gott[216]. Die ἁμαρτία entzieht daher erst recht den Angehörigen des Bundesvolkes jede Existenzberechtigung; sie überliefert sie dem Zorne Gottes, d.h. dem Strafurteil des Todes[217].

Die Sünde des Bundesvolkes besteht aber vor allem darin, daß es den Primat der soteriologischen κλῆσις Gottes nicht respektiert, sondern den Imperativ Gottes als Mittel der Selbstrechtfertigung mißbraucht. Paulus entlarvt die optimistische Sicht des Spätjudentums, daß es nur des guten Triebes und des göttlichen Gesetzes bedürfe, um den bösen Trieb[218] zu überwinden und dadurch mit Gott in Übereinstimmung zu sein, als Ausdruck der ἁμαρτία. Er trennt sich radikal von dieser Anschauung, in der man über die Erfüllung des Gotteswillens allzu naiv denkt, weil man das Ausmaß der Entfremdung von Gott nicht berücksichtigt. Die rabbinische Anschauung von der Sünde ist Paulus nicht radikal genug. Was hilft es, wenn nach jüdischem Verständnis die Sündenvergebung das laufende Schuldkonto löscht? Entscheidend ist allein der eschatologische Exodus aus dem grundlegenden Nein und aus der Herrschaft bzw. Knechtschaft der ἁμαρτία-Macht[219].

6. Religiöse Dimension der ἁμαρτία-Überwindung

Als eschatologischer Missionar verkündet Paulus der ἐκκλησία aus Juden und Heiden den Sieg Christi vor allem unter dem Gesichtspunkt der Überwindung der ἁμαρτία. Er betont, daß die ἁμαρτία in die Welt gekommen ist, dort herrscht (Röm 5,12.21; 6,12) und den Menschen versklavt (Röm 6,6. 17.20). Der Akzent seiner Verkündigung liegt darauf, daß Christus die Macht der Sünde über den Menschen gebrochen hat. Sein Tod hat „gegenüber der Sündenmacht eine neue Weltzeit" eingeleitet; es muß jedoch beachtet werden, „daß der alte Äon noch nicht vergangen und die Sündenmacht noch nicht vernichtet ist"[220]. Der Apostel denkt dabei aber in erster Linie gar nicht an die Befreiung von den sittlichen Folgen der ἁμαρτία. Das erstaunt, wo er doch die durch das menschliche Nein entstandene Heillosig-

216 Vgl. dazu L. Scheffczyk, Heilsmacht 126–156; J. Schreiner, Die bleibende Bedeutung der sittlichen Forderung des Alten Testaments, in: Herausforderung 166–168 (Bedeutung).

217 Vgl. dazu H. Küng, Rechtfertigung 150–168; G. Bornkamm, Die Offenbarung des Zornes Gottes (Röm 1–3), in: ders., Das Ende 9–33; E. Jüngel, Das Gesetz zwischen Adam und Christus, in: ders., Unterwegs 144–172, hier 151, 155.

218 Vgl. dazu H. Strack / P. Billerbeck, Kommentar zum Neuen Testament aus Talmud und Midrasch IV, 2, München 1928, 466–483; E. Sjöberg, Judentum 68–69.

219 Vgl. dazu R. Schnackenburg, Christliche Freiheit nach Paulus, in: ChrEx II, 35–40f.

220 W.G. Kümmel, Theologie 172.

keit auch mit sittlichen Kategorien beschrieben hat; sie zeigt sich nämlich als Verrat an der gegebenen Schöpfungsordnung und als Einbuße der intakten sittlichen Existenz (Röm 1,18–32).

Paulus stellt heraus, daß die von Christus heraufgeführte Überwindung der *ἁμαρτία* in erster Linie die Heilung des *κλῆσις*-Verhältnisses betrifft. Wenn der Mensch auf die *κλῆσις* angemessen reagiert, die immanentistische Selbstabkapselung gegenüber Gott überwindet und die Aufrichtung von *σάρξ*, *ἁμαρτία* und *νόμος* einstellt, dann ist das Entscheidende geschehen. Die Selbstzerstörung des Menschen ist verhindert, die Chance der „Erneuerung des Geistes" (Röm 12,2) und der Neuschöpfung ist gegeben.

Paulus beschäftigt sich mit der Heilung des einzelnen und der Gemeinschaft durch die eschatologische *κλῆσις* Gottes. Er begreift, daß die Heilung im Eschaton alles überbietet, was der rufende Gott dem Menschen im alten Bund an Heilung gewährt hat. Schon die Selbstmitteilung Gottes in Christus geht weit über die Selbstmitteilung in der heilsgeschichtlichen *κλῆσις* gegenüber Israel hinaus[221]. Mit der eschatologischen Ermöglichung der Partnerschaft und des Dialoges verhält es sich genauso. Darin liegt der uneinholbare Abstand und Unterschied zwischen der eschatologischen *ἐκκλησία* und dem Israel des Alten Bundes. Die Auszeichnung der eschatologischen *ἐκκλησία* liegt primär darin, daß Gott jetzt das menschliche Nein bzw. die Aufrichtung der *σάρξ* und der *ἁμαρτία* durch seinen eigenen Sohn – also in einer überbietenden Weise – aufhebt.

Die Überwindung der *σάρξ* und der *ἁμαρτία* durch Christus zielt dabei durchaus auf eine neue Theozentrik des Menschen ab. Paulus denkt dabei jedoch in erster Linie nicht an eine neue inhaltliche Offenbarung oder Aufwertung des göttlichen Imperativs als solchen. Denn durch die Aufrichtung der *ἁμαρτία* sieht Paulus mehr entstanden als nur ein moralisches Übel, mehr als einen Defekt in der ethischen Existenz, zumal von einem Verlust der Schöpfungsordnungen und ihrer wohltätigen Wirkung auf den Menschen keine Rede sein kann. Die Aufrichtung von *σάρξ*, *ἁμαρτία* und *νόμος* ist vielmehr gleichbedeutend mit dem Zwang, sich selbst immanentistisch einzuschließen, sich als Person-gegen-Gott zu etablieren und durch diese selbstverschuldete Entfremdung die eigene Person zu korrumpieren. Von daher leuchtet es ein, daß Paulus den Eintritt in die eschatologische *ἐκκλησία* als Neuschöpfung des Menschen insgesamt versteht.

7. *Exodus aus der ἁμαρτία und neue Theozentrik*

Zuerst mußte der Primat der religiösen Dimension des *κλῆσις*-Verhältnisses gebührend hervorgehoben werden. Nachdem dies geschehen ist, kann festge-

---

221 Vgl. dazu G. Kittel, Erwählung und Gericht. Ein Vergleich prophetischer und paulinischer Gotteserkenntnis, Diss. Marburg 1967.

stellt werden, daß der Exodus aus der ἁμαρτία sich auch in der ethischen Dimension deutlich auswirkt. Die Überwindung der ἁμαρτία durch den Christus Gottes beendet die Vertauschung des Schöpfers mit dem eigenen Ich oder mit den Weltelementen[222]. Sie enthebt den Menschen dem Zwang, sich selbst und das Gesetz in den Mittelpunkt zu stellen und sich mit seiner Hilfe selbst rechtfertigen zu müssen. Aber es wird nicht nur der soteriologische Anspruch Gottes erfüllt. Gleichzeitig kommt dem Menschen auch die protologische *κλῆσις* und die damit gegebene Theonomie der Wirklichkeit zum Bewußtsein. Das Verhältnis des *νοῦς* zu den vorfindlichen Gesetzen wandelt sich, weil der Mensch die innerweltliche Wirklichkeit auf die *κλῆσις* Gottes hin transzendiert. Aus einer bloßen Bindung an Sachgesetze wird ein lebendiger Gehorsam gegenüber dem rufenden Gott. An der autonomen Auffindung und Statuierung der Ordnungen als solcher ändert sich nichts[223]. Gleichwohl steht der Berufene, der von *σάρξ* und *ἁμαρτία*, d.h. vom Zwang zur immanentistischen Autonomie befreit ist, auch als sittlicher Mensch in einer neuen Theozentrik. Insofern sie die Wirkung der eschatologischen *κλῆσις* ist, könnte man sie als eine konsekutive Theozentrik bezeichnen.

Von einer christozentrischen Neuordnung des Lebens in der Welt kann nur in dem Sinn gesprochen werden, daß der von der Mächteherrschaft befreite *νοῦς* durch Christus wieder theozentrisch ausgerichtet wird. Die Christusherrschaft reinigt den *νοῦς* als Erkenntnisprinzip des theonomen Verhaltens. Die Frage ist nicht leicht zu beantworten, wie sich die Aufhebung der *σάρξ* und der *ἁμαρτία* auf den Vorgang der autonomen Findung und Statuierung der sittlichen Normen auswirkt. Von der negativen Auswirkung der *ἁμαρτία* auf die Erkenntnis der Schöpferordnungen hat man in der evangelischen Ethik deutlicher gesprochen als in der katholischen Moraltheologie[224]. Man wird jedoch auch die positive Auswirkung des eschatologischen Herrschaftswechsels auf die autonome Findung der Normen bedenken müssen. Der Umschwung von der immanentistischen zur theonomen Autonomie ist jedenfalls ohne die Überwindung der *ἁμαρτία* nicht denkbar. Dennoch ist mit der Aufdeckung der theonomen Autonomie nicht ohne weiteres auch eine ethische Erkenntnistheorie des neuen Menschen gegeben. Dies wird im folgenden Abschnitt deutlicher.

---

222 Vgl. dazu P. Tachau, „Einst" und „Jetzt" im Neuen Testament. Beobachtungen zu einem urchristlichen Predigtschema in der neutestamentlichen Briefliteratur und zu seiner Vorgeschichte (FRLANT 105), Göttingen 1972, 110.

223 Vgl. dazu P. Althaus, Römer 18.

224 Vgl. dazu T. Herr, Zur Frage nach dem Naturrecht im deutschen Protestantismus der Gegenwart (AzS 4), München/Paderborn/Wien 1972, 104–121; ders., Naturrecht 137–270.

Die Aufrichtung von σάρξ und ἁμαρτία läßt sich leicht in den Rahmen des protologischen κλῆσις-Verhältnisses einzeichnen, denn das wird vom Menschen schlechthin ausgesagt. Schwieriger ist es beim νόμος-Begriff, weil Paulus dabei ausschließlich an das Verhältnis des Bundesvolkes zum Gesetz denkt. Die Entstehung der gottfeindlichen νόμος-Haltung, die sich zur Äonsmacht verdichtet, wird jedenfalls nur auf diesem speziellen Hintergrund verdeutlicht. Es liegt jedoch auf der Hand, daß es die νόμος-Einstellung bei jedem Menschen gibt und daß sie auch in den Horizont des schöpfungstheologischen Gesetzesgedankens eingezeichnet werden muß.

1. *Theonomiebewußtsein in Israel*

Das jüdische Volk sieht sich als einziges dazu auserwählt, im heilsgeschichtlichen Verhältnis zum rufenden Gott zu stehen. Es hat sein Volksgesetz wie jedes andere völlig autonom entwickelt. Aber, weil es seine völkische Existenz und sein völkisches Handeln ganz aus dem Horizont der heilsgeschichtlichen κλῆσις Gottes heraus versteht, hat es seinen νόμος ausdrücklich zum Gottesgesetz deklariert. Aus Gründen der Doxologie und der Glaubenssprache hat Israel seinen eigenen menschlichen Part bei der Gesetzgebung niemals ins Licht gehoben, sondern hintangestellt. Am Ende erblickt Israel seine Auszeichnung weniger darin, daß Gott ihm den Indikativ des Bundesangebots machte, als darin, daß Gott ihm seinen Imperativ explizit offenbarte.

Israel bekennt sich nicht nur zur Heilsverheißung, die aus der heilsgeschichtlichen κλῆσις Gottes hervorgeht. Es bezeugt aller Welt, von Gott selbst die Theonomie seines völkischen Lebens in der Gestalt eines Gesetzes vorgelegt bekommen zu haben. Die Formulierung und Kodifizierung von Sitte und Recht in Israel wird nicht als die Erfüllung eines vom Schöpfer erteilten Auftrages begriffen.

Sie wird vielmehr der heilsgeschichtlichen κλῆσις Gottes zugeschrieben. Die Gesetzgebung wird nicht als Menschenwerk, sondern als die Gabe der Sinaiepiphanie Gottes dargestellt. Die Aktivität des Menschen wird auf das Empfangen der Theonomie reduziert, und selbst hierfür wird ein besonderer Gesetzesmittler angenommen[225]. Auf all das braucht hier nicht weiter einge-

---

[225] Vgl. dazu E. Zenger, Die Sinaitheophanie. Untersuchungen zum jahwistischen und elohistischen Geschichtswerk (FzB 3), Würzburg 1971; C.J. Botterweck, Form- und überlieferungsgeschichtliche Studie zum Dekalog, in: Conc 1 (1965) 392–401; J.L'Hour, Die Ethik der Bundestradition im Alten Testament (StBSt 14), Stuttgart 1967, 62–122; J. Hempel, Das Ethos des Alten Testaments (BZAW 67), Berlin 1938, 156–162; A. van Dülmen, Die Theologie des Gesetzes bei Paulus (SBM 5), Stuttgart 1968; O. Kuss, Nomos bei Paulus, in: MüThZ 17 (1966) 173–227.

gangen zu werden; die alttestamentliche Exegese hat dieses Phänomen umfassend untersucht.
Der Moraltheologe setzt das alttestamentlich-jüdische Gesetzesdenken bei Paulus voraus. Das ist bei der Darstellung der gesetzestheologischen Reflexion bereits deutlich geworden. Hier geht es um die paulinische Sicht der Entstehung der gottfeindlichen *νόμος*-Haltung und ihrer Verdichtung zur *νόμος*-Macht.

2. *Aufrichtung der νόμος-Macht*

Paulus weiß sich selbst nicht nur aus der Herrschaft der Mächte *σάρξ* und *ἁμαρτία*, sondern vor allem auch aus der Macht des *νόμος* herausgerufen. Für P. Stuhlmacher liegt gerade in dieser Erfahrung der entscheidende Wendepunkt im Leben des Juden Paulus. Er stellt fest, „daß das jüdische Gesetz in seiner pharisäischen Interpretation und das Christusevangelium die zwei das Leben des Paulus bestimmenden Mächte waren. Bezeichnet Paulus sich selbst für seine vorchristliche Zeit als fanatischen Eiferer für das Gesetz (Gal 1,14; Phil 3,5f), so empfindet er sich als Apostel nach 1 Kor 9,16 an das Christusevangelium als an eine ihn bestimmende Schicksalsmacht ausgeliefert... Die zwei für die Existenz des Paulus offenbar bestimmenden theologischen Mächte heißen Gesetz und Evangelium."[226] Seinem eigenen Volke tritt Paulus von daher als der Missionar der eschatologischen Herausrufung aus der Macht des Gesetzes gegenüber.
Paulus reflektiert ebensowenig wie das Volk Israel darüber, wie der menschliche Anteil an der Gesetzgebung zu bestimmen sei. Auf Grund seines alttestamentlich-jüdischen Denkhorizonts kommt für ihn ein „Sich-selbst-Gesetz-Sein" (Röm 2,14) des Menschen gar nicht in Frage. Davon wird im Blick auf die Heiden nur ganz beiläufig gesprochen, um auch sie mit der Anklage-, Verurteilungs- und Fluchfunktion des Gesetzes zu konfrontieren. Er verbindet damit nicht etwa den Gedanken, daß das Heidentum bei seiner Selbstgesetzgebung die Theonomie aus der *κλῆσις* des Schöpfers herleitet. Ihn beschäftigt ausschließlich die Frage, warum der Mensch das als Gottes Sache erkannte und anerkannte Gesetz auf einmal soteriologisch qualifiziert, über die Heilsverheißung stellt und zum Heilsweg erhebt.
Paulus rechnet damit, daß *σάρξ* und *ἁμαρτία* den Menschen dazu verleiten, das Gesetz zur Selbstrechtfertigung zu mißbrauchen. Wie konnte es aber beim jüdischen Menschen dahin kommen? Der Empfänger und Vermittler des eschatologischen Rufes in die Rechtfertigung kann es sich nicht anders erklären, als daß das Bundesvolk aus der *σάρξ*-Einstellung heraus den heilsgeschichtlich artikulierten Imperativ über den heilsgeschichtlichen Ruf in die Rechtfertigung bzw. über die Heilsverheißung Gottes stellt. Paulus erklärt

226 P. Stuhlmacher, Ende 24f; ähnlich ders., Evangelium 63–108.

es so, daß das Gesetz de facto in den Dienst der *σάρξ*- und der *ἁμαρτία*-Macht getreten ist; letzten Endes fungiert es sogar als Zulieferer für die Todesmacht.
Die Christen sollen erkennen, daß an der zentralen Stellung der theonomen Ethik im Judentum eigentlich nichts auszusetzen wäre[227], wenn die Position des Gesetzes nicht durch die Hintanstellung der soteriologischen *κλῆσις* erkauft worden wäre. Nichts gegen die Herausstellung der Theonomie der menschlichen Existenz und des sittlichen Handelns, solange sie nicht über die heilsgeschichtliche *κλῆσις* des Bundesgottes gestellt wird. Gefährlich wird die Ethik dann, wenn die Rechtfertigung bzw. die Heilsverheißung bedeutungslos werden, weil die *σάρξ* den Versuch der Selbsterlösung unternimmt – mit Hilfe des Gesetzesweges. Es war das faktische Nein des Judentums zur heilsgeschichtlichen *κλῆσις*, welche die Gesetzeserfüllung ins Zentrum rücken, aber gleichzeitig zur Larve werden ließ, hinter der sich der Zwang zur Selbstrechtfertigung nur mühsam verbarg. *Σάρξ* und *ἁμαρτία* können gerade eine positivistische Gestalt der Theonomie aushöhlen; sie lassen dann die sittliche und religiöse Aktivität nicht mehr um Gottes Willen, sondern um das eigene Ich, die eigene *σάρξ* kreisen. Wie hat der Apostel das Wesen der *νόμος*-Existenz näher bestimmt?

3. Wesen der νόμος-Existenz

Paulus denkt zunächst an das Wesen der *νόμος*-Existenz im Judentum; am meisten beschäftigt ihn freilich das Wesen der *νόμος*-Existenz auf dem Boden der christlichen Gemeinden. Aus seiner Sicht hatte schon Israel als Bundesvolk das Angebot, die Gerechtigkeitsforderung auf der Basis der göttlichen Rechtfertigung aus Gnade zu realisieren. Die heilsgeschichtliche *κλῆσις* eröffnete ihm die Möglichkeit, frei von jedem Zwang zur Selbstrechtfertigung die in eine objektive Gesetzesgestalt gegossene Theonomie zu erfüllen. Das Gesetz ist als „heilig, gerecht und gut", ja als „geistlich" (Röm 7,12.14) anzusehen, solange Priorität und Suprematie der rechtfertigenden *κλῆσις* Gottes beachtet werden. Es muß aber als Angriff auf den Kern der heilsgeschichtlichen *κλῆσις* angesehen werden, wenn Israel aus einer *σάρξ*-Haltung heraus, d.h. um der Selbstrechtfertigung willen dem Gesetz den Vorzug gibt und es als den eigentlichen Heilsweg betrachtet.
Es beginnt mit der gottwidrigen *νόμος*-Einstellung; diese besetzt den ganzen Raum zwischen dem Menschen und Gott; am Ende verdichtet sich die *νόμος*-Einstellung zur Äonsmacht, die das gesamte menschliche Denken und Trachten beherrscht. So gesehen, wächst aus der jüdischen *σάρξ*- und

---

227 Vgl. dazu M. Limbeck, Die Ordnung des Heils. Untersuchungen zum Gesetzesverständnis des Frühjudentums, Düsseldorf 1971; ders., Von der Ohnmacht des Rechts. Untersuchungen zur Gesetzeskritik des Neuen Testaments, Düsseldorf 1972.

ἁμαρτία-Haltung am Ende auch die νόμος-Haltung hervor. Es handelt sich dabei um den Rückfall des durch die heilsgeschichtliche κλῆσις bereits theozentrisch ausgerichteten Menschen in die Egozentrik. Die νόμος-Einstellung muß sogar als der Gipfel der Anthropozentrik und des Immanentismus bezeichnet werden, weil sie selbst den Gottesdienst noch anthropozentrisch verfälscht und umbiegt. Die Unterstellung unter die Theonomie und der Dienst des Gesetzes ist nämlich nur noch ein Vorwand, durch den der Versuch der Selbsterlösung verdeckt werden soll. Das allgemeinmenschliche Wissen um Ordnung und Gerechtigkeit ist zum Selbstzweck, mehr noch, zum Heilsweg geworden. Das κλῆσις-bedingte „Sich-selbst-Gesetz-Sein" hat sich aus der entscheidenden Verankerung in der Religion bzw. in der Theonomie losgerissen; aus der Selbstgesetzgebung ist der Versuch bzw. der Anspruch der Selbsterlösung geworden. Das Tun irdischer Gerechtigkeit soll den vor Gott gerechten Menschen hervorbringen. Priorität und Primat der heilsgeschichtlichen κλῆσις, durch die Gott den vom Gesetz angeklagten und verurteilten Übertreter rechtfertigt bzw. auf eine neue Grundlage stellt, werden nicht akzeptiert; statt dessen wird die vom Schöpfer legitimierte Selbstgesetzgebung zum Weg der Selbstrechtfertigung umfunktioniert.
In der Auseinandersetzung mit den galatischen Christen deutet Paulus an, daß er die Aufrichtung der νόμος-Macht nicht nur beim Judentum, sondern auch beim Heidentum gegeben sieht. Der Apostel zeigt sich zutiefst betroffen, daß es ihm nicht gelungen ist, mit der Hineinrufung der Galater in die Gnade und in die Freiheit Christi (Gal 1,6; 5,13) auch schon ihre theozentrische Ausrichtung sicherzustellen. Er fragt, ob sie den Gott ihrer κλῆσις und den vom Christus Gottes gewirkten Exodus aus der Herrschaft der Äonsmächte σάρξ, ἁμαρτία und νόμος preisgeben wollen. Das bedeutete ja die Zurückrufung des νόμος und der Weltelemente, die doch allesamt schon überwunden zu sein schienen. Paulus ruft den zum Nein gegenüber der soteriologischen κλῆσις Entschlossenen nochmals eindringlich die Unheilssituation ins Gedächtnis zurück, der sie eben erst entrissen worden waren.
Ihr Unheil bestand doch darin, daß sie als Heiden vor dem Empfang der eschatologischen κλῆσις de facto keine Kenntnis Gottes (Gal 4,8) hatten. Es ist nicht illegitim, hier an das protologische κλῆσις-Verhältnis zu denken und zu sagen: Sie lebten im Nein zur κλῆσις des Schöpfers und hatten damit Götter über sich aufgerichtet, „die ihrer Natur nach gar keine sind" (Gal 4,8). Treffender könnte die skizzierte Hermeneutik des menschlichen Nein und der Aufrichtung der Mächte durch Paulus gar nicht bestätigt werden. Es zeigt sich, daß das menschliche Nein als Aufrichtung einer vielfältigen Mächteherrschaft interpretiert werden muß. Paulus erklärt den Galatern, was sie als Heiden taten, bevor Gott mit seiner heilsgeschichtlichen bzw. eschatologischen κλῆσις vor sie hintrat und durch seinen Apostel den „Gehorsam des Glaubens" (Gal 3,2) von ihnen forderte. „Damals", da sie weder die heilsgeschichtliche κλῆσις gegenüber Israel noch die von Paulus vermittelte escha-

tologische κλῆσις Gottes kannten, erhoben sie die Kosmoskräfte zu Göttern. Wie alle Welt es bei der Verneinung des Herrschaftsanspruchs Gottes tut, setzten sie Weltelemente als Herrscher über sich ein. Aufgrund der Aktivität der *σάρξ* und der *ἁμαρτία* schufen sie sich als Ersatz der Gottesrelation die religionistische Relation zu den Kosmoselementen, „die das Gottsein nur in Anspruch nahmen und denen man es in der Unkenntnis des wirklichen Gottes und in dem unstillbaren Verlangen des Menschen nach einem Gott zugab und zusagte"[228].

Das Interessante an dieser paulinischen Schilderung ist, daß der ehemalige Jude, d.h. der Angehörige des Bundesvolkes den Galatern als ehemaligen Heiden eingesteht, daß sie beide vor der eschatologischen κλῆσις in einer völlig gleichartigen Unheilssituation waren. Er, der ehemalige Jude Paulus, spricht von der gemeinsamen Knechtschaft unter den Weltelementen (Gal 4,3), wobei er an den *νόμος* denkt. Es will etwas heißen, daß Paulus seine persönliche Zeit unter dem jüdischen *νόμος* als seine Knechtschaft unter den *στοιχεῖα τοῦ κόσμου* bezeichnet. Damit hat Paulus neben den Gesichtspunkt der *νόμος*-Aufrichtung auch noch den Gesichtspunkt der Auswirkung der personifizierten *νόμος*-Macht gestellt. Das Wesen der *νόμος*-Existenz wird als Sklaverei des Menschen unter der Herrschaft personifizierter Mächte beschrieben.

Paulus markiert den Fluch, der über dem Gesetzesdienst bzw. Elementendienst liegt. „Man darf den Radikalismus der paulinischen Aussage vom verfluchten Leben aus den Werken nicht abschwächen, so wenig damit Werke an sich verwerflich sind, wie sich an den gebotenen Werken der Liebe in Gal 5,13ff zeigen wird. Aber das auf den Leistungen gegenüber dem Nomos basierende Leben des Menschen sieht Paulus als ein eben dadurch dem Tode verfallenes Leben an... Denn alle seine Taten und Werke, die ihm das verborgene oder offenbare Gesetz herausfordert, realisieren nurmehr das eigensüchtige, selbstbegehrliche Dasein und damit den Tod... Die Galater kehren also, wenn sie wieder das Leben von ihrer Erfüllung des Gesetzes erwarten und den Glauben als das wirkliche und einzige principium vitae verlassen, zum Tod zurück und unter die Macht des auf dem adamitischen Leben lastenden Fluches."[229]

4. *Exodus aus der νόμος-Macht und neue Theozentrik*

Im Bild vom Sklavenloskauf (Gal 3,13f) veranschaulicht Paulus den Herrschaftswechsel, der im christlichen Leben stattfindet, den Exodus aus dem Elementendienst. Paulus verdeutlicht der *ἐκκλησία*, daß der jüdische *νόμος*

---

228 H. Schlier, Der Brief an die Galater (MeyerK VII), Göttingen ¹²1962, 201f (Galater).

229 A.a.O. 135.

ein Weltverhalten und einen Weltgebrauch von ihm forderte, der seinem neuen Wirklichkeitsverständnis zuwiderläuft.

Als Christ hält er die für den jüdischen νόμος fundamentale Unterscheidung von rein und unrein nicht mehr für gerechtfertigt, denn er steht – nach dem Auszug aus der Mächteherrschaft – ganz neu vor der Schöpfung. Er tritt aus dem religionistischen „Tabusystem"[230] heraus und entwickelt ein neues Verhältnis zu den Gütern der Welt. Als Christ untersteht er nicht mehr – wie Juden und Heiden – den vielfältigen religionistischen Anforderungen der Weltelemente (Gal 4,3).

Daraus darf die moraltheologische Hermeneutik schließen, daß Juden wie Heiden erst aufgrund der Überwindung des νόμος durch Christus zur Begegnung mit der κλῆσις des Schöpfers befähigt werden, die „das Nichtseiende ins Dasein ruft" (Röm 4,17). Erst durch die Entthronung der νόμος-Macht, die das gesamte Denken beherrschte, wird überhaupt der Blick wieder frei für die protologische κλῆσις bzw. für das gottgewollte Sich-selbst-Gesetz-Sein. Eindringlich verweist Paulus die Galater auf die Nichtigkeit der Weltelemente (Gal 4,9) und erklärt, „daß es keinen Götzen in der Welt gibt und daß es keinen anderen Gott gibt als den einen" (1 Kor 8,4). Nur wo die Bindung des menschlichen νοῦς an den νόμος gelöst wird, wird überhaupt wieder die Sicht frei für das aktuelle Schöpfertum Gottes und für die Theonomie aller Wirklichkeit. Jetzt erst wird die Existenz und Präsenz der protologischen κλῆσις bei all den Dingen transparent, die bisher vom religionistischen νόμος besetzt waren. Die Christen erkennen und anerkennen als Herausgerufene: „dem Herrn gehört die Erde und ihre ganze Fülle" (1 Kor 10,26). Dementsprechend nehmen sie dann auch die Schöpfungsgegebenheiten neu in Gebrauch (1 Kor 10,25).

Schon bei Paulus zeichnet sich ab, daß die radikale Kritik und Überwindung des νόμος in der überlieferten jüdischen und heidnischen Gestalt, die christlichen Gemeinden auf die Dauer zu einem neuen und vertieften Schöpferglauben und zu einem entsprechend neuen Weltverhalten führt.

Der bisherige religionistische Pflichtenkreis mit seinem Heilswegcharakter fällt weg. Die erneuerte Vernunft vermag darin nicht länger den wahren Anspruch der Wirklichkeit zu erkennen. Durch die Ankunft der πίστις (Gal 3,23)[231] werden die an den Elementendienst gebundenen Kräfte für den irdischen Pflichtenkreis frei. Charakterisiert man den eschatologischen Herr-

---

230 Näheres dazu bei J. Cobb, Existenz 122.

231 Vgl. dazu O. Kuss, Der Glaube nach den paulinischen Hauptbriefen, in: O. Kuss, AuV I, 187–212; H. Ljungman, Pistis. A Study of its presuppositions and its meaning in Pauline use (Acta regiae societatis humanorum litterarum Lundunensis LXIV), Lund 1964; G.M. Taylor, The function of πίστις Χριστοῦ in Galatians, in: JBL 85 (1966) 58–76; Ph. Seidensticker, Die neue Existenz des Gläubigen in der Sicht des Paulus, in: Gestalt und Anspruch des Neuen Testaments, hrsg. von J. Schreiner, Würzburg 1969, 55–71.

schaftswechsel durch die Größen *νόμος* und *πίστις*, dann kann man sagen, daß die *πίστις* den Glaubenden aus dem Religionismus herausführt. Der irdische Pflichtenkreis erlangt keine inhaltliche Erweiterung, aber er erhält insgesamt eine neue Positivität, Vordringlichkeit und Prädominanz, weil der Dienst gegenüber Mensch und Welt als Gottesdienst erkannt und gelebt wird. Die bestehenden Bindungen durch die Anforderungen der Wirklichkeit erlangen eine neue Intensität und Qualität, weil das nüchterne Alltagsethos auf einmal als Gottesgehorsam aktualisiert wird. Die *πίστις* zeigt dem Berufenen keine neuen Anforderungen, aber sie leitet ihn auf weite Sicht dazu an, alle Anforderungen und Gesetze in der *κλῆσις* des Schöpfers begründet zu sehen. Der Glaube bewirkt, daß der Gottesgehorsam gar nicht anders denn als Sachgehorsam vollzogen werden kann.

Gegenüber den Judenchristen verhält sich die christliche *πίστις* ähnlich: Sie bewirkt den Exodus aus der *νόμος*-Macht und eine neue Theozentrik. Was die Gläubigen vom Judentum abhebt, ist der Exodus aus der *σάρξ*-, *ἁμαρτία*- und *νόμος*-Einstellung und die neue Offenheit für Gott bzw. das Ja zur Theonomie ohne Gesetzesgestalt.

Was Paulus unter allen Umständen ausschließen möchte ist, daß die neutestamentliche Gemeinde noch einmal die Theonomie zu einer Größe verdichtet und verabsolutiert, die die Tatsache und den Primat der soteriologischen *κλῆσις* verdeckt. Die Gerechtigkeitsforderung darf nicht nochmals zum Heilsweg deklariert werden und den Ruf in die Rechtfertigung völlig übertönen. Die Theonomie darf nicht nochmals in der Gestalt eines Gesetzes beherrschend in den Vordergrund treten und zum Versuch der Selbstrechtfertigung anreizen. *Σάρξ* und *ἁμαρτία* dürfen nicht noch einmal – wie das im Alten Bund der Fall war – die Gesetzesgestalt der Autonomie und sei es eine theonom legitimierte Gesetzesgestalt, in einen Heilsweg umfunktionieren. Es muß ausgeschlossen werden, daß die Theonomie von der neutestamentlichen Gemeinde noch einmal als die Summe der gesamten eschatologischen *κλῆσις* und *ἀποκάλυψις* Gottes angesehen wird, wie das bei der Torafrömmigkeit des Judentums der Fall war. Für das Leben im Neuen Bund gibt es daher die bis dahin vorherrschende Gestalt des *νόμος* nicht mehr. Die eschatologische *κλῆσις* bewirkt, daß der Mensch in der Epoche des Evangeliums die Selbstgesetzgebung ausübt, ohne seiner Gesetzesschöpfung noch einmal die Gesetzesgestalt im überholten Sinn zu verleihen. Der Exodus aus der *νόμος*-Macht führt in eine neue Theozentrik hinein.

IV. Aufrichtung der „Archonten dieses Äons“

Paulus denkt, wenn er von Neuschöpfung und Herrschaftswechsel spricht, gewiß nicht an einen weltlosen Menschen, aber doch primär an den Menschen und nicht an die Welt. Die moraltheologische Hermeneutik wird den apokalyptischen Welt- und Geschichtshorizont[232] des paulinischen Denkens nicht vernachlässigen, die personbezogene Kainologie jedoch ins Zentrum rücken. Sie hat davon auszugehen, daß die Kehre in die Theozentrik nur zustande kommt, wenn der Mensch auch aus der Herrschaft der „Archonten dieses Äons" (2 Kor 2,8) überwechselt in die Herrschaft Gottes.

1. *Exponenten einer immanentistischen Anthropozentrik*

Die moraltheologische Hermeneutik hat das Nein des Menschen gegenüber der protologischen *κλῆσις* Gottes mehrdimensional als Aufrichtung der Mächte *σάρξ*, *ἁμαρτία*, *νόμος* und *θάνατος* dargestellt. Nun sind noch die „Archonten dieses Äons" (2 Kor 2,8)[233] in die Reihe der gegen Gott aufgerichteten Mächte einzureihen. Sie scheinen die Exponenten einer immanentistischen Anthropozentrik zu sein, die Statthalter der menschlichen Selbsteinschließung und der usurpierten Autonomie gegenüber Gott. Diese Feststellung drängt sich auf, wenn man bedenkt, daß der Apostel die Mächte nicht auf den Satan zurückführt (vgl. Röm 5,12 mit Weish 2,23f). Von den Engelsmächten wird die Verneinung der protologischen *κλῆσις* und der damit gesetzten Theonomie nicht ausgesagt, nur vom Menschen. Das hängt damit zusammen, daß Paulus mit der ganzen Bibel die an den Menschen ergangene heilsgeschichtliche *κλῆσις* reflektiert. Er kann den eschatologischen Neuschöpfungs- und Herrschaftswechsel-Gedanken wohl vom Menschen auf den Kosmos ausdehnen, nicht aber auch auf die gefallenen Engelsmächte. Die moraltheologische Hermeneutik konzentriert sich verständlicherweise ganz auf den Menschen in der Welt, der zur *κλῆσις* des Schöpfers nein sagt; ihr geht es primär um die Heilung der Entfremdung mit Gott, mit sich selbst und der Welt.

Nach P. Stuhlmacher wird Christus „zum Statthalter Gottes in der auf das Endgericht vollends zueilenden Welt und die Aufnahme in seine Gemeinschaft ist zugleich die Proklamation von Gottes neuschaffender Gerechtigkeit über der zurückkehrenden Kreatur. Der Auftrag an den Christus lautet auf die Niederwerfung der noch immer sich Gottes Urteil widersetzenden

---

232 Vgl. dazu G. Schrenk, Die Geschichtsanschauung des Paulus, in: ders., Studien zu Paulus (AThANT 26), Zürich 1954, 49–80; O. Kuss, Zur Geschichtstheologie der paulinischen Hauptbriefe, in: ThGl 46 (1956) 241–260; M. Carrez, La signification actuelle pour l'histoire de salut du visible et de l'invisible dans la pensée paulinienne, in: Oikonomia. Heilsgeschichte als Thema der Theologie, O. Cullmann zum 65. Geburtstag, hrsg. von F. Christ, Hamburg-Bergstedt 1967, 109–117.

233 Vgl. dazu G.H.C. Macgregor, Principalities and Powers. The Cosmic Background of Pauls Thought, in: NTS 1 (1954/55) 17–28; B. Caird, Principalities and Powers, Oxford 1956; H. Schlier, Mächte und Gewalten im Neuen Testament (QD 3), Freiburg i.Br. 1958; J. Schniewind, Die Archonten dieses Äons, in: ders., Nachgelassene Reden und Aufsätze, hrsg. von E. Kähler, Berlin 1952, 104–109.

alten Welt"[234]. Dazu zählen vor allem die „Archonten dieses Äons" (2 Kor 2,8), die in die Gruppe der Mächte einzureihen sind, die vom nein sagenden Menschen gegen Gott aufgerichtet werden. „Die Herrschaft des Christus hat das Ziel, Gottes Gerechtigkeit – das Recht des Schöpfers an der Welt in dieser Welt auch durchzusetzen (1 Kor 15,25f)"[235], aber Paulus hat den eschatologischen Sieg Christi über die Mächte und Gewalten nicht im Sinne einer exorzistischen Praxis aktualisiert.

2. *Personifikation der „Archonten dieses Äons"*

Es ist bereits deutlich geworden, in welchem Maße die das menschliche Nein repräsentierenden Mächte *σάρξ*, *ἁμαρτία*, *νόμος* und *θάνατος* objektiviert und personifiziert wurden. Sie füllen das Verhältnis bzw. den Raum zwischen dem nein sagenden Menschen und dem rufenden Gott aus. Ohne die Kategorie des „Zwischen" ist das Wesen der Dämonen nicht zu verstehen: In ihnen verdichtet und artikuliert sich der Immanentismus gegenüber Gott. Die immanentistische Anthropozentrik wird zu einer Größe, die über sich selbst hinauswächst. Bei Paulus erscheinen die Mächte als personifizierte Weltherrscher, deren Herrschaft nur über der Person des Menschen, von dem sie aufgerichtet werden, nicht aber über dem Kosmos aufgehoben werden kann. Gerade auch die hypostasierten Weltelemente verselbständigen sich zu personifizierten Weltmächten. Auf sie und auf die Geisterwelt des Judentums kann hier nur hingewiesen werden.

Der Herrschaftsantritt des Christus Gottes, der in den Raum zwischen Gott und Mensch eintritt und ihn ausfüllt, bringt *σάρξ*, *ἁμαρτία* und *νόμος* – nur hier – zum Vergehen. Im Raum der eschatologischen *ἐκκλησία* werden die Verkörperungen und Gestalten dieses Äons, also die Mächte, aber auch die sonstigen Weltherrscher und Dämonen zum Vergehen gebracht (1 Kor 7,29). Was in der *ἐκκλησία*, die in die Theozentrik heimkehrt, verschwindet, vergeht jedoch nach paulinischer Ansicht noch keineswegs im Kosmos schlechthin[236]. Paulus befaßt sich vornehmlich mit dem Vergehen des Äons, der zwischen Mensch und Gott besteht. Für den eschatologischen Missionar wird der Gedanke des Sieges Christi über die Archonten bzw. die Weltherrscher im Kosmos, vor allem der Gedanke der Ausräumung aus dem Kosmos, nur am Rande aktuell.

E. Käsemann hält es für das Anzeichen einer pneumatisch-urchristlichen Apokalyptik, wenn der Gedanke des Sieges Christi über die „Archonten

---

234 Gerechtigkeit 204.   235 Ebd.

236 Zum Streit um die Frage, ob Gottes eschatologisches Handeln primär dem einzelnen Menschen bzw. der *ἐκκλησία* oder der Entscheidung der Machtfrage im Kosmos gilt, vgl. J. Becker, Erwägungen zur apokalyptischen Tradition in der paulinischen Theologie, in: EvTh 30 (1970) 593–609, hier 594f; vgl. ferner H.K. Gieraths, Knechtschaft und Freiheit der Schöpfung, Diss. Bonn 1956.

dieses Äons" stärker beachtet und betont wird und das Thema der Überwindung der Mächte im Kosmos stark in den Vordergrund tritt[237]. Es steht fest, daß Paulus in seiner Christologie nicht ohne den ständigen Seitenblick auf die „Archonten dieses Äons" (2 Kor 2,8) auskommt (Phil 2,10). Immer wieder apostrophiert Paulus den Teufel als „Gott dieses Äons" (Gal 4,3; 1 Kor 2,6.8; 2 Kor 4,4; Kol 2,20). Bei alledem konzentriert sich der Apostel jedoch eindeutig auf die Überwindung der Mächteherrschaft im Leben des einzelnen und der *ἐκκλησία*. Es geht um deren Einübung der Theozentrik in einem Kosmos, der immer noch von den Mächten beherrscht wird[238]. Freilich dort, „wo die Bedeutung des Sterbens und Auferstehens Christi für die ganze Welt nicht gesehen wird und Paulus darum diese Geringschätzung der Tat Gottes in Christus bekämpfen muß"[239], dort rückt das Thema der Geistermächte vom Rand in die Mitte. Das ist im Kolosserbrief (Kol 2, 15)[240] und in den Nachpaulinen der Fall.

3. *Auswirkung der Äonsmächte auf die Autonomie*

Die paulinische Christologie bezieht sich vornehmlich auf den einzelnen bzw. die eschatologische *ἐκκλησία*. Beim Menschen und nirgends sonst[241] wird die Haltung des Nein bzw. die Aufrichtung der Mächte aufgehoben und das Ja zu Gott bzw. die konsekutive Theozentrik erreicht. Soviel ist freilich schon deutlich geworden, daß das Nein des Menschen zur protologischen *κλῆσις* nicht in einem luftleeren Raum zwischen Mensch und Gott, sondern ganz konkret in der Intersubjektivität, in der dialogischen Existenz und im Verhältnis zur Welt, seinen Ursprung und seinen Ort hat. Es geschieht ja die Vertauschung Gottes mit dem eigenen Ich oder mit den Weltelementen. Neben *σάρξ*, *ἁμαρτία* und *νόμος* bestimmen die Weltherrscher mit, ob ein Mensch die kategorische Aufforderung, die von der Wirklichkeit bzw. von einem Wert ausgeht, als Theonomie bejaht oder nicht. Sie können verhindern, daß die immanente Selbstbestimmung zur unbedingten Bindung an die Wirklichkeitsforderung führt und daß ein Gehorsam gegenüber der Theonomie zustande kommt. Die Fortdauer bzw. das Fortwirken der Archonten im Raum des Kosmos stellt also nicht die Autonomie als solche in Frage.

---

237 Vgl. Apokalyptik 105–131.

238 Kosmos bzw. Weltöffentlichkeit erfahren vom eschatologischen Herrschaftswechsel einzig und allein durch das Christusbekenntnis und das exemplarische Leben der Gemeinde. Vgl. dazu P. Stuhlmacher, Gerechtigkeit 210–217, 257f.

239 W.G. Kümmel, Theologie 167; vgl. ferner E. Lohse, Christologie und Ethik im Kolosserbrief, in: Apophoreta. Festschrift für E. Haenchen (BZNW 30), Berlin 1964, 156–168; P. Stuhlmacher, Verantwortung 165–186.

240 Vgl. dazu J. Lähnemann, Der Kolosserbrief. Komposition, Situation und Argumentation (StNT 3), Gütersloh 1971.

241 Vgl. dazu G. Schneider, Neuschöpfung 87.

Wohl aber können all diese Kräfte den Menschen bei der Ausübung der Autonomie behindern.
Paulus verfolgt die Einwirkung der Mächte auf den Menschen vor allem in der Situation des *πειρασμός*[242], d.h. der Versuchung. In ihr ist durchaus nicht nur die eben erst vollzogene Abkehr von den Götzen und die Kehre in die Theozentrik bedroht. Hier entscheidet sich immer auch, ob der Mensch sein Verhalten zum anderen Menschen oder zur Welt rein egozentrisch, also aus *σάρξ*, *ἁμαρτία* und *νόμος* heraus bestimmt. Denn in der Versuchung ist es immer offen, ob die unbedingte Hingabe an die Anforderung der Wirklichkeit zustande kommt oder nicht. Für den autonomen Menschen besteht eben die Gefahr der Fremdbestimmung durch die Mächte, die er zwischen sich und den Mitmenschen sowie zwischen sich und der Welt aufrichtet.

---

242 Zum Ganzen vgl. R. Schnackenburg, Zwischen den Zeiten. Christliche Existenz in dieser Welt nach Paulus, in: ChrEx II, 12–18.

4. Kapitel

CHRISTOLOGISCHE ERHELLUNG DER AUTONOMIE

Methodische Vorbemerkungen

Bei der *κλῆσις*-geschichtlichen und hamartiologischen Erhellung der Autonomie ist immer schon der eschatologische Herrschaftswechsel-Gedanke angeklungen, der die Überwindung der Mächteherrschaft durch Christus bzw. das *πνεῦμα* zum Inhalt hat. Doch standen der Herrschaftsantritt des *πνεῦμα*-Christus und die Auswirkungen auf die Menschen als solche noch nicht im Blickpunkt. Es schälte sich lediglich heraus, daß der Mensch durch sein Nein gegenüber dem rufenden Gott bzw. durch die Aufrichtung der Äonsmächte die Gabe und Aufgabe der theonomen Autonomie verfälscht und verfehlt. Dementsprechend wird nun die eschatologische Überwindung der Mächteherrschaft durch Christus bzw. das *πνεῦμα* als Wiederherstellung der ursprünglichen theonomen Autonomie verstanden und interpretiert.
Eine Hermeneutik, die die paulinische Christozentrik auf die sittliche Autonomie bezieht, weicht von allen bisherigen Darstellungen der Christologie[243] im Ansatz ab. Man spricht hier vom Herrschaftsantritt des *πνεῦμα*-Christus, von der Königsherrschaft Christi im menschlichen Leben und denkt dabei an eine spezifisch christozentrische Normierung des sittlichen Handelns. Im Gegensatz dazu soll die eschatologische Herausrufung aus der Mächteherrschaft und die eschatologische Hineinrufung in die *κοινωνία* Christi einmal auf die Autonomie bezogen werden.

I. CHRISTUS-*κοινωνία* ALS GRUND THEONOMER ORIENTIERUNG

Appliziert man die paulinische Christologie und Pneumatologie auf die *κλῆσις*-gegebene, aber immanentistisch gelebte Autonomie, dann ergeben sich drei Grundaussagen: die *κοινωνία* Christi bzw. des Geistes erscheint als Ermöglichungsgrund, als Ort theozentrischer Ausrichtung und als Anleitung zur Theonomie ohne Gesetzesgestalt.

---

243 Vgl. dazu H. Dressel, Krise und Neuansatz der Christologie, Bern 1966; H.R. Balz, Methodische Probleme der neutestamentlichen Christologie (WMANT 25), Neukirchen-Vluyn 1967; H. Braun, Der Sinn der neutestamentlichen Christologie, in: ZThK 54 (1957) 341–377; J. Gnilka, Zur Neutestamentlichen Christologie, in: ThRev 64 (1968) 293–300; ders., Jesus Christus nach frühen Zeugnissen des Glaubens (BHB 8), München 1970; J. Ernst, Personale oder funktionale Christologie?, in: MüThZ 23 (1972) 217–240; K.H. Schelkle, Theologie II.

1. *Spezifisch christozentrische Normierung?*

Es gibt eine Fülle wertvoller exegetischer Darstellungen der paulinischen Christozentrik[244], der In-Christus-Formeln[245], der Christus-Genitive[246], der Corpus-Christi-Idee[247] usw. Sie zeichnen sich fast alle dadurch aus, daß sie den von Paulus verkündigten Herrschaftsantritt Christi nicht im größeren Zusammenhang des eschatologischen Herrschaftswechsel-Gedankens darstellen, sondern statt dessen die statische Idee einer Königsherrschaft Christi[248] entwickeln. Die Feststellung, daß bei Paulus eine Hineinrufung in die Christus-*κοινωνία* erfolgt, wäre hier gleichbedeutend mit der Annahme, daß Gott seinem Christus für eine bestimmte Zeit der Herrschaft die Christen als Untertanen zuführt. Herausrufung aus der Götzenherrschaft und Einbringung in die Christusherrschaft bedeutet ein Christus-untertan-Sein bzw. ein Von-Christus-normiert-Sein. Statisch aufgefaßte Christusherrschaft und spezifische Normierung sind ein und derselbe Gedanke.

a) „Prinzip der Moral bei Paulus" (G. Staffelbach)

G. Staffelbach versucht zu beweisen, „daß die Christusverbundenheit, wie sie durch den Tod und die Auferweckung möglich wurde und durch den Glauben und die Sakramente zustande kommt, der Ausgangspunkt der Moral oder das Prinzip der Moral bei Paulus schlechthin ist"[249]. Wenn man vom

---

244 Folgende Werke zeichnen eine statische Christozentrik, wenn nicht Christusmystik als Ort der paulinischen Ethik: A. Deißmann, Paulus, Tübingen ²1925, 160; A. Schweitzer, Die Mystik des Apostels Paulus, Tübingen ²1954, 24, 229, 231, 263, 285; Ch. Bricka, Le fondement christologique de la morale paulinienne (Cahiers de la RHPhR 6), Straßburg und Paris 1923, 22f; A. Wikenhauser, Die Christusmystik des Apostels Paulus, Freiburg ²1956, 97f, 156f, 163f; C. Spicq, La morale paulinienne, in: Moral chretienne et requêtes contemporaines, Paris 1954, 47–70, hier 60; A. Kirchgässner, Erlösung und Sünde im Neuen Testament, Freiburg 1950, 85f.

245 Die statisch-mystische Interpretation der In-Christus-Formeln findet sich vor allem bei A. Deißmann, Paulus 111; Ch. Bricka, Le fondement christologique de la morale paulinienne 26f; A. Wikenhauser, Die Christusmystik des Apostels Paulus 9 u.ö. Vgl. den Überblick bei F. Neugebauer, Das paulinische „in Christo" in: NTS 4 (1957/58) 124–138; H. van Oyen, Zur Deutungsgeschichte des „En Christo", in: ZEE 11 (1967) 129–135.

246 Vgl. dazu A. Deißmann, Paulus 126; R. Reitzenstein, Die hellenistischen Mysterienreligionen nach ihren Grundgedanken und Wirkungen, Leipzig und Berlin ³1927, 334f; O. Schmitz, Die Christusgemeinschaft des Paulus im Lichte seines Genitivgebrauchs (NTF I, 2), Gütersloh 1924.

247 Vgl. dazu R. Schnackenburg, Christologie des Neuen Testamentes, in: MystSal III, I, 227–388; H.J. Gabathuler, Jesus Christus Haupt der Kirche – Haupt der Welt. Der Christushymnus Colosser 1,15–20 in der theologischen Forschung der letzten 130 Jahre, Zürich 1965.

248 Dieser Begriff sollte nach M. Honecker, Weltliches Handeln unter der Herrschaft Christi. Zur Interpretation von Barmen II, in: ZThK 69 (1972) 72–99, hier 92 (Weltliches Handeln), besser vermieden werden, da er „sprachlich das Gewand einer rückwärts

κλῆσις- und Herrschaftswechsel-Gedanken abstrahiert, dann können in der Tat die starken christozentrischen Aussagen des Apostels zum Urteil führen, daß „alle sittlichen Verpflichtungen der Christen auf der unio mit Christus gründen"[250]. G. Staffelbach stellt fest, daß Paulus die Berufenen nicht ins Bruderverhältnis zu Christus führt oder sie ihm auf der Ebene des Kindschafts- oder Sohnschaftsverhältnisses beiordnet. Der Apostel tue das deswegen nicht, weil er die Hineingerufenen unbedingt dem neuen Menschheitshaupt unterordnen und sie das Christus-untertan-Sein lehren will[251]. Sobald man vom umgreifenden κλῆσις- und Herrschaftswechsel-Gedanken abstrahiert, erscheint die Hineinrufung in die unio mit Christus als das Ganze, als „Ausgangspunkt der paulinischen Moral oder das Prinzip der Moral bei Paulus schlechthin". Zwischen Ermöglichungsgrund und Normierungsgrund des neuen Handelns braucht man dann nicht zu unterscheiden. Es hat sich jedoch gezeigt, daß man auch anders vorgehen kann. Gefragt wird dann, wie sich die eschatologische Herausrufung aus der Mächteherrschaft und die Hineinrufung in die Christus-*κοινωνία* auf die sittliche Existenz des Menschen auswirken. Hebt der Neuschöpfer den Selbstand und die Autonomie auf, die er in der protologischen κλῆσις grundgelegt hat? Wird die bedrohte oder gescheiterte Autonomie durch die Hineinrufung in Christus aufgehoben oder wiederhergestellt?

b) Autorität des Herrenwortes (W. Schrage)

Auch W. Schrage hat von der zentralen Stellung gesprochen, die Christus im paulinischen Denken einnimmt; er hat dabei den Horizont des κλῆσις- und Herrschaftswechsel-Gedankens nicht weiter berücksichtigt. Aus der zentralen Stellung Christi folgert er, daß „Christi Gebot und Wille für die paulinische Ethik als schlechterdings maßgebend zu gelten haben"[252].
W. Schrages Urteil hat interessante methodische Voraussetzungen. Er hat nämlich „die konkreten Einzelgebote in der paulinischen Paränese" phänomenologisch beschrieben, sie nach ihren wichtigsten Aspekten[253] und am Ende erst nach den „zugrunde liegenden inhaltlichen Normen"[254] untersucht. Hier werden dann „die mit dem Schöpfungsglauben"[255] und „die im

---

gewendeten Utopie trägt...". Zu seiner Rolle als „Leitidee der Ethik, insbesondere der Sozialethik" in der ökumenischen Theologie vgl. W. Trillhaas, Regnum Christi – Zur Geschichte der Idee im Protestantismus, in: LR 17 (1967) 51–73, hier 51.

249 Die Vereinigung mit Christus als Prinzip der Moral bei Paulus (FreibThSt 34), Freiburg i.Br. 1932, 1.

250 Ebd.

251 Vgl. a.a.O. 62.

252 W. Schrage, Einzelgebote 238.

253 Diese sind: „der Totalanspruch und die Einheit" (vgl. a.a.O. 49), „die Konkretheit" (vgl. a.a.O. 59), „die Verbindlichkeit" (vgl. a.a.O. 71), „die Allgemeingültigkeit" (vgl. a.a.O. 141), „die fortlaufende Konkretisierung des göttlichen Willens" (vgl. a.a.O. 163).

254 A.a.O. 187.

255 Vgl. a.a.O. 210–228.

Zusammenhang mit der Heilsgeschichte stehenden Normen"[256], ferner „die Herrenworte"[257] und „die Liebe als oberste Norm"[258] nacheinander aufgereiht. Die Reihenfolge signalisiert den Stellenwert, den die betreffende Normierung bei Paulus hat, von unten nach oben. W. Schrage setzt bei seiner Analyse die von der Paräneseforschung skizzierten Zusammenhänge zwischen Eschatologie und Ethik voraus. Es ist klar, daß die schöpfungstheologische Normierung die unterste Stufe einnimmt und den geringsten Stellenwert hat. Für den Apostel sind die in der Heilsgeschichte Israels ergangenen Normen die einzigen, die der Mensch vom rufenden Gott erhalten hat. Es entspricht der Logik des jüdischen Glaubens, daß die heilsgeschichtliche Gesetzgebung die Schöpfergesetzgebung völlig in den Hintergrund drängt. Das Sinaigesetz wird im Eschaton dann von den Herrenworten und insbesondere von der Liebesforderung Christi überboten und abgelöst. Obwohl es im Grunde nur wenige Spuren von Herrenworten gibt (vgl. 1 Thess 4,15; 1 Kor 7,10; 9,14; 11,23), erscheint der Apostel als ein konsequenter offenbarungsgeschichtlicher Denker, der der christologischen Normierung den obersten Platz und den höchsten Stellenwert einräumt.
Nichts gegen den historisch-kritischen Befund, der die paulinische Aktualisierung der Jesusüberlieferung erhebt. Wenn jedoch hierbei schon die nachösterliche Ebene berücksichtigt werden muß, dann darf der radikal nachösterliche Ansatz nicht übersehen werden, der zur Praxis der Hineinrufung in die *κοινωνία* des *πνεῦμα*-Christus geführt hat. Auf der einen Seite ist es für W. Schrage ausgemacht, daß „Jesus als historische Person keine erhebliche Bedeutung für Paulus hatte und seine Theologie keineswegs einfach eine Weitergabe oder Weiterentwicklung der Verkündigung Jesu darstellt"[259]. Auf der anderen Seite versucht er aber, die ethische Autorität Christi gegenüber den in die Christus-*κοινωνία* Hineingerufenen dadurch zu bestimmen, daß er herausarbeitet, wie Paulus die Jesusüberlieferung handhabt[260]. W. Schrage kehrt das weitverbreitete Urteil, daß Jesus weniger „als Lehrer und Verkündiger des göttlichen Willens ... denn als vorbildhafte historische Person"[261] wirke, um. Er erklärt, daß „die historische Person in ihrer Bedeutung als Norm für die paulinische Ethik"[262] entschieden zurücktritt hinter „die Bedeutung der Worte und Gebote des historischen Jesus für die paulinische Ethik"[263]. W. Schrage berücksichtigt dabei zu wenig, daß der Apostel gerade die Wirkungsgeschichte der historischen Ebene auf der neuen nachösterlichen Ebene durch den *πνεῦμα*-Christus geradewegs fortgesetzt sieht. Sie besteht in der Vergangenheit, Gegenwart und Zukunft aber haupt-

256 Vgl. a.a.O. 228–238.
257 Vgl. a.a.O. 238–249.
258 Vgl. a.a.O. 249–271.
259 A.a.O. 239.
260 Vgl. a.a.O. 238–249.
261 A.a.O. 241.
262 A.a.O. 239; vgl. ferner a.a.O. 241.
263 A.a.O. 241.

sächlich in der theozentrischen Ausrichtung des Christen. Letztlich entscheidet nicht die Zählung und Auswertung der zitierten Herrenworte, sondern die Feststellung, daß Paulus grundsätzlich die Menschen in die *κοινωνία* des *πνεῦμα*-Christus hineinruft und hineintauft und mehr mit der theozentrischen Richtkraft der Person Christi als mit einzelnen Herrenworten konfrontiert.

W. Schrage skizziert die interpretative Art, wie Paulus sich „auf ein ihm tradiertes Wort des geschichtlichen Herrn“[264] bezieht (1 Kor 7,10). Er beschreibt, wie Paulus sein eigenes apostolisches *παραγγέλλειν* deutlich vom „Anordnen“ des Kyrios (1 Kor 7,12.25) unterscheidet. Aus der großen Bedeutung, die Paulus jedem Hinweis auf ein Herrenwort beimißt, folgert W. Schrage, daß das Herrenwort „auch für ihn eine übergeordnete letzte Norm und Instanz“[265] darstellt. Demgegenüber arbeitet die Hermeneutik des Herrschaftswechsels heraus, daß die entscheidende normative Kraft in der theozentrischen Wirkung liegt, die der erhöhte Christus auf die in seine *κοινωνία* Hineingerufenen und -getauften ausübt.

Liegt im paulinischen Gebrauch der Jesusüberlieferung wirklich eine spezifisch christozentrische Normierung vor? Diese Frage sei am Beispiel der Jesusüberlieferung in der Ehescheidungsproblematik erörtert. Warum zitiert Paulus die Jesusüberlieferung (Mt 5,32 par) in der Ehescheidungsfrage (1 Kor 7,10)? Doch offensichtlich deswegen, weil der Kyrios als der große Überwinder des Mose-*νόμος* den ursprünglichen Anspruch des Schöpfers neu zur Geltung bringt. Das Herrenwort gilt hier nicht als die oberste Norm des christlichen Lebens, weil es ein neues Gebot bzw. das Gesetz des Kyrios darstellt. Es zählt deshalb, weil es den Ordnungsanspruch des Schöpfers an das von den Äonsmächten befreite Geschöpf artikuliert und ausrichtet. Paulus zitiert das Herrenwort, weil es seiner Grundidee von der Überwindung des *νόμος* und der gleichzeitigen Herausstellung der Theonomie durch Christus entspricht. Paulus läßt mit seinem Zitat – Herrenworte werden nicht zufällig „als Worte des Christus praesens“[266] aktualisiert – den Kyrios dahin aktiv werden, daß er die Theonomie für die Christen neu aufrichtet[267].

Alles deutet darauf hin, daß Paulus die Wirkung des *πνεῦμα*-Christus auf die in seine *κοινωνία* Hineingerufenen und Hineingetauften nicht mit der Kategorie der spezifischen Normierung beschrieben hat. Obwohl er der bevollmächtigte Apostel Christi ist, hütet er sich davor, sich „auf Inspirationen und Offenbarungen des Erhöhten“ zu berufen, „um sie dann als Herrenworte auszugeben“[268]. Mit einem Wort: die Christozentrik stellt in den Augen des Paulus die theonome Autonomie des Menschen wieder her.

---

264 A.a.O. 242.

265 A.a.O. 241.

266 A.a.O. 140.

267 Vgl. dazu J. Ratzinger, Zur Theologie der Ehe, in: ThQ 149 (1969) 52–74, bes. 54–57.

c) „Bindung an Gott“ (R. Schnackenburg)

R. Schnackenburg vermeidet bei seiner Paulusdarstellung beides: die Herauslösung bzw. Isolierung der Christozentrik aus dem umfassenden Herrschaftswechsel-Gedanken und die normative Auswertung derselben im Sinne einer spezifischen Normierung. Wiederholt erklärt er, daß in der persönlichen Erfahrung und in der missionarischen Aktivität des Apostels die Überwindung der Äonsmächte durch Christus die zentrale Stelle einnimmt. R. Schnackenburg hält diesen Gedanken für so beherrschend, daß er ihn als die „Grundkonzeption Pauli“[269] bezeichnet. Entscheidend ist dabei die Feststellung, daß „der Apostel nach seiner Grundkonzeption die Lösung von den Unheilsmächten zugleich als Bindung an Gott versteht“[270].
Damit hat R. Schnackenburg der Erkenntnis Bahn gebrochen, daß die Christozentrik nicht statisch als eine spezifische Normierung durch den Kyrios, sondern dynamisch als eine theozentrische Ausrichtung, als Hinführung zur Theonomie aufzufassen ist. Unaufhörlich macht der Apostel seinen Gemeinden bewußt, daß Christus nicht nur in der großen Weltgeschichte, sondern ganz konkret in jeder einzelnen Lebensgeschichte den Herrschaftswechsel bewirkt. Der Abbruch der alten und der Anbruch einer radikal neuen Epoche bedeutet, daß von jetzt an ein neuer Realisierungsgrund des Handelns eröffnet ist; die Äonsmächte behindern die Erfüllung der Theonomie nicht länger.

2. *Christus-κοινωνία: Ermöglichungsgrund*

Man hat in den christozentrischen Grundformeln nicht nur eine neue Motivierung, sondern eine neue Normierung des Handelns feststellen wollen. Seit der umfassende eschatologische Herrschaftswechsel-Gedanke stärker beachtet wird, ist eine Wendung zu beobachten. Jetzt betrachtet man die Christozentrik weniger als Normierungsgrund des Handelns, sondern als den entscheidenden Ermöglichungsgrund. Für Paulus steht fest, daß die Theonomie als Normierungsgrund auch in der Zeit der Mächteherrschaft fortbesteht. Die Nichtbeachtung der Theonomie durch das sündige Heidentum kann durchaus die Verfehlung elementarer Sollensforderungen nach sich ziehen. Doch bleibt dem menschlichen *νοῦς* die Theonomie aller Wirklichkeit als Normierungsgrund stets zugänglich. Die Verfinsterung des *νοῦς* hindert das Heidentum wohl an einer dem Judentum vergleichbaren theonomen Gestaltung seiner sittlichen Existenz; sie schneidet es aber nicht von der Theonomie als Normierungsgrund ab. Daraus zieht die Hermeneutik der *κλῆσις* und des Herrschaftswechsels die Konsequenz. Sie begreift die eschatologische Befreiung der *ἐκκλησία* aus der Herrschaft der Äonsmächte als die große Mög-

---

268 W. Schrage, Einzelgebote 242.
269 Botschaft 218, 219, 221.
270 A.a.O. 221.

lichkeit, daß sich eine Schar von Gehorsamen ganz neu in das Ja zur κλῆσις des Schöpfers und in die Theonomie zurückbegibt[271]. Die Hineinrufung in die κοινωνία Christi ermöglicht es, sich ganz und restlos für die Anforderungen der theonom verfaßten Wirklichkeit zu öffnen und sich ein für allemal aus einer religionistischen Vergötzung und Verabsolutierung der Weltelemente zu befreien. Die Hineinrufung in die Christus-κοινωνία bedeutet die Erlösung von aller Fremdbestimmung durch die Äonsmächte und die Archonten. Daraus resultiert die Fähigkeit, die Anforderungen aus der Wirklichkeit als die Theonomie des rufenden Schöpfers zu erkennen. Die Hineinrufung in die Christus-κοινωνία eröffnet demnach in erster Linie einen völlig neuen „Ermöglichungs- und Verwirklichungsgrund"[272] theonomen Handelns. Rein erkenntnismäßig sind Christen und Nichtchristen an die Anforderungen aus der Wirklichkeit gebunden.

Die Weise, wie Paulus das ihm offenbarte Christusereignis einerseits in das zentrale Thema der Gottesherrschaft einbezieht und andererseits auf den Menschen appliziert, sucht im Neuen Testament ihresgleichen. Christus wird als der große Befreier von den Äonsmächten und als der Rückführer in die Theozentrik dargestellt. Denn für Paulus ist der Mensch „nie bloß er selbst. Wie er immer ein konkretes Stück Welt ist, so wird er, was er letztlich ist, von außen her, nämlich durch die Macht, die ihn ergreift, und die Herrschaft, der er sich anheimgibt"[273]. Christus beendet die Herrschaft der Mächte und stellt den Herrschaftsanspruch des Schöpfers gegenüber seinem Geschöpf wieder her.

Hätte Paulus mit der Hineinrufung in die Christus-κοινωνία den Menschen einer spezifischen Normierung unterstellt, so hätte er ein anderes Bild von Christus zeichnen und eine andere Praxis christlicher Mahnrede entwickeln müssen. Wie schon angedeutet, erschien es jedoch dem Apostel einfach nicht mehr möglich, etwa den überlieferten Ruf des irdischen Jesus in Nachfolge und Jüngerschaft zu perpetuieren oder auch die Botschaft von der Herrschaft Gottes in der von Jesus aktualisierten Weise weiterzuverkünden. Paulus hat zwar die Vielzahl seiner konkreten Einzelgebote grundsätzlich in seiner Eigenschaft als Apostel Christi artikuliert. Aber er hat sie auf keinen Fall zu einer neuen Tora Christi gebündelt und als solche vorgestellt. Paulus hat darauf verzichtet, von Christus ein Gesetzgeberbild zu entwerfen, wie es etwa Mattäus bei der Redaktion seines Evangeliums versucht hat. Einen Auftrag des Kyrios, der über die Schöpfungs- oder Sinaigesetzgebung hinausgeht und für die Endzeit ein „Gesetz Christi" (Gal 6,2; Röm 8,2)

---

271 Nach E. Käsemann, Apokalyptik 128, unterscheidet Paulus „scharf zwischen Kirche als der erlösten und Welt als der unerlösten Schöpfung und modifiziert damit das apokalyptische Schema der beiden Äone. Denn Kirche ist für ihn wie für den Enthusiasmus ebenfalls so etwas wie Welt, nämlich Welt im Gehorsam Gottes."

272 W. Schrage, Einzelgebote 73.

273 E. Käsemann, Apokalyptik 130.

postuliert, hat Paulus nicht (1 Kor 7,25). Er stellt zwar expressis verbis die Verbindung her zwischen den Begriffen Christus und *νόμος*. Die Rede vom Gesetz Christi (Gal 6,2) sowie das Bekenntnis „vor Gott kein Gesetzloser ..., vielmehr dem Gesetze Christi verpflichtet" (1 Kor 9,21) zu sein, beziehen sich offensichtlich auf die Zusammenfassung des Dekalogs in der zentralen Liebesforderung, die Paulus aus der Jesusüberlieferung übernommen hat.

Paulus selbst versucht nicht im geringsten einen christlichen *νόμος* zu schaffen bzw. Ersatz für die Tora zu besorgen. Weder die wenigen „Verordnungen" (1 Kor 9,14) des Kyrios noch sein eigenes apostolisches Vorbild (1 Kor 7,8.17) oder die von ihm allenthalben gelehrten „Wege in Christus" (1 Kor 4,17) werden in den Rang und den objektiven Status eines neuen christlichen Gesetzes bzw. einer christlichen Tora erhoben[274]. Christus begründet als Überwinder der *νόμος*-Macht für alle in seine *κοινωνία* Hineingerufenen bzw. Hineingetauften eine „Ennomie" (1 Kor 10,11) neuer Art: die Verankerung in der Theonomie der Wirklichkeit, die aus der *κλῆσις* des Schöpfers hervorgeht. Voraussetzung dafür ist die theozentrische Ausrichtung des Menschen, wie sie im Vollzug des Herrschaftswechsels bzw. in der Christus-*κοινωνία* erfolgt.

3. *Christus-κοινωνία: theozentrische Ausrichtung*

In seinem ersten Brief definiert Paulus den Herrschaftswechsel-Gedanken streng theozentrisch als Bekehrung „von den Götzen zu Gott..., um dem lebendigen und wahrhaftigen Gott zu dienen" (1 Thess 1,9)[275]. Vom Galaterbrief an erscheint er dann in der typischen, durchreflektierten Gestalt. Erstmals wird die Herausrufung aus der „gegenwärtigen bösen Weltzeit" (Gal 1,4) als das Werk des Christus Gottes bezeichnet (Gal 1,3–5). Erstmals wird mit Hilfe des *αἰών*-Begriffs[276] die Unheilssituation verdeutlicht, aus der der Mensch herausgerufen wird. Erstmals erscheint die Formel von der Hineinrufung in die Gnade Christi (Gal 1,6). Sie kehrt auf dem Höhepunkt des Briefes in der entscheidenden Formel von der Hineinrufung in die (Christus-) Freiheit (Gal 5,13) wieder. Durch sie wird der Standort bzw. das Kraftfeld

---

274 Zu den „Sätzen heiligen Rechtes", wie sie z.B. in 1 Kor 5,3f ergehen, vgl. E. Käsemann, Sätze heiligen Rechtes im Neuen Testament, in: ders., EVB II, 69–82, hier 72–74.

275 Vgl. dazu J. Munck, 1 Thess 1,9–10 and the missionary preaching of Paul. Textual exegesis and hermeneutic reflexions, in: NTS 9 (1963) 95–110; G. Friedrich, Ein Tauflied hellenistischer Judenchristen (1 Thess 1,9f), in: ThZ 21 (1965) 502–516; P.E. Langevin, Le Seigneur Jesus selon un texte prepaulinienne 1 Thess 1,9–10, in: Sc Eccl 27 (1965) 263–282, 473–512.

276 Vgl. dazu G. Hierzenberger, Weltbewertung 58–60, 84–93; R. Schnackenburg, Das Verständnis der Welt im Neuen Testament, in: ders., ChrEx I, 157–186, hier 163–166.

markiert, in dem der Mensch neu auf Gott ausgerichtet wird. Christus erscheint als der Befreier des Glaubenden aus der Macht der *σάρξ* (Gal 2,16. 20; 3,3. u.ö.)[277], der *ἁμαρτία* (Gal 1,4; 2,17; 3,22)[278], des *νόμος* (Gal 3,2. 5.10. u.ö.)[279] und der Weltelemente (Gal 4,3.9)[280]. Damit sind erstmals in einem Paulusbrief die entscheidenden Elemente genannt, die die christozentrische Explikation des Herrschaftswechsel-Gedankens ausmachen.

Gleichzeitig wird verdeutlicht, daß sich die Herausrufung aus der „gegenwärtigen bösen Weltzeit" (Gal 1,4) und die Hineinrufung in die Gnade (Gal 1,6) und die Freiheit Christi (Gal 5,13) in einer neuen Theozentrik auswirken. So bekennt Paulus von sich selbst, er wisse sich aufgrund der Christus-*κοινωνία* „dem Gesetz gestorben, um Gott zu leben" (Gal 2,19). Der neue Kyrios Christus führt den von ihm beherrschten und ausgefüllten Apostel (Gal 2,20) geradewegs in die Theozentrik, in das neue „Leben für Gott"[281] zurück. Dabei leuchtet das große paulinische Anliegen einer Theonomie ohne Gesetzesgestalt deutlich auf. Paulus möchte gerade den Galatern sagen, daß der Mensch nicht kraft des *νόμος*, sondern kraft des neuen Beherrschtwerdens durch Christus „für Gott lebt".

Auch im 1. Korintherbrief wird der Leser gleich zu Beginn mit der Hineinrufung in die *κοινωνία* Christi (1 Kor 1,9) konfrontiert. Durch sie wird der Gläubige in jenen umfassenden eschatologischen Herrschaftswechsel einbezogen, in welchem Christus der Herrschaft der Götzen in der Welt (1 Kor 8,4f) ein Ende setzt und eine neue Theozentrik eröffnet. Die Hineinrufung in die Christus-*κοινωνία* bewirkt keine spezifisch christozentrische Normierung, sondern die theozentrische Ausrichtung: „... alles gehört euch, ihr aber gehört Christus, Christus aber Gott" (1 Kor 3,22 b. 23). Zuerst meint man,

---

277 Vgl. dazu G. Hierzenberger, Weltbewertung 107–110; R. Völkl, Christ und Welt nach dem Neuen Testament, Würzburg 1961, 202–204 (Christ und Welt).

278 Vgl. dazu K. Niederwimmer, Der Begriff der Freiheit im Neuen Testament (TBT 11), Berlin 1966, 113–117 (Freiheit); G. Bornkamm, Sünde, Gesetz und Tod (Röm 7), in: ders., Das Ende 51–69; K. Karner, Rechtfertigung, Sündenvergebung und neues Leben bei Paulus, in: ZsystTh 16 (1939) 548–561.

279 Vgl. dazu K. Niederwimmer, Freiheit 117–135; R. Völkl, Christ und Welt 188–192, 220–228.

280 Vgl. dazu M. Brändle, Kosmische Mächte. Eine exegetisch-religionsgeschichtliche Studie zum Begriff *στοιχεῖα* Kol 2,8.20, Diss. Enghien 1954; G. Bornkamm, Die Häresie des Kolosserbriefes, in: ThLZ 73 (1948) 11–20; H.M. Schenke, Der Widerstreit gnostischer und kirchlicher Christologie im Spiegel des Kolosserbriefes, in: ZThK 61 (1964) 391–403; J. Blinzler, Lexikalisches zu dem Terminus *στοιχεῖα τοῦ κόσμου* bei Paulus, in: Studiorum Paulinarum Congressus Internationalis Catholicus II, Rom 1963, 429–443; G. Delling, Art. *στοιχεῖον*, in: ThWNT VII, 670–687; H. Schlier, Galater 202–207; A.J. Bandstra, The Law and the elements of the world. An exegetical study in aspects of Paul's teaching, Kampen 1964.

281 W. Thüsing, Per Christum in Deum. Studien zum Verhältnis von Christozentrik und Theozentrik in den paulinischen Hauptbriefen (NTA NF 1), Münster 1965, 110 (Per Christum).

die Hineinrufung eröffne das „objektive Unterstelltsein“[282] unter die Herrschaft des Kyrios, das durch die entsprechende subjektive Bindung an Christus realisiert werden muß. Bald zeigt sich jedoch, daß der in die Christus-*κοινωνία* Hineingerufene vornehmlich am Sieg Christi über die „viele(n) Götter und viele(n) Herren“ (1 Kor 8,5) in dieser Welt partizipiert. Mit der Zugehörigkeit zum Herrschaftsbereich Christi beginnt eine völlig neue Herrschaft des Christen über „alles“. Weil Christus Gott gehört, bewirkt sein Herrschaftsantritt eine radikal neue Erkenntnis und Anerkenntnis der Theonomie aller Wirklichkeit[283].

Paulus läßt keinen Zweifel daran, daß „mit dem Kyrios Christus ... sein ganzer Herrschaftsbereich Gottes Eigentum und Gott unterstellt“[284] ist. Angesichts des eindeutigen Bekenntnisses zur Einzigkeit Gottes im Raum der Welt (1 Kor 8,4) heißt das, daß sich der Mensch an der Theonomie der Wirklichkeit orientieren muß. Nach W. Thüsing fragt Paulus nicht nur nach dem Verhältnis von Gott und Christus, sondern auch danach, wie sich die Bindung des Christen an seinen neuen Kyrios zu dessen Bindung an Gott verhält[285]. Soll die Bindung des Christen an Christus aber nun statisch als „Unterstellung unter die Herrschaft Christi als des Kyrios“ sowie als „In-Christus-Sein“[286] verstanden werden? W. Thüsing sieht den Christen „in seinem ganzen Leben, auch innerhalb der natürlichen Ordnungen völlig von seinem Kyrios abhängig und auf ihn verpflichtet“[287]. Im Horizont des Herrschaftswechsel-Gedankens stellt sich der Sachverhalt jedoch so dar, daß der Kyrios Christus den Menschen von den Äonsmächten befreit und ihn dadurch neu auf die Theonomie der Wirklichkeit ausrichtet. Nicht zufällig reflektiert Paulus darüber, daß der eschatologische Befreier von der Mächteherrschaft zuvor der präexistente Mitschöpfer ist. In Kor 8,6 klingt an, daß dem eschatologischen Befreiungswerk die protologische Mitwirkung an der Schöpfung des Menschen vorausliegt[288]. Wieder wird sichtbar, daß die paulinische Christologie aus einem schöpfungstheologischen Gesamthorizont heraus interpretiert werden muß.

Auch nach dem Römerbrief wirkt sich die Christozentrik in einer neuen theozentrischen Orientierung des Menschen aus. Paulus schreibt der Auferweckungs- und Erhöhungsexistenz Christi eindeutig theozentrische Funktion zu: „Denn mit seinem Sterben ist er der Sünde gestorben ein für alle-

---

282 W. Thüsing, Per Christum 12.

283 Dazu G. Schneider, Neuschöpfung 68: „Jesus ist in ethischer Hinsicht Wiederhersteller der ursprünglichen Schöpfungsordnung.“ Zum Ganzen vgl. E. Wolf, Naturrecht oder Christusrecht (unterwegs 11), Berlin 1960.

284 W. Thüsing, Per Christum 13.

285 Vgl. a.a.O. 3.

286 A.a.O. 4.

287 A.a.O. 22.

288 Zum Ganzen vgl. G. Lindeskog, Schöpfungsgedanke 165–169, 207–216; H. Hegermann, Die Vorstellung vom Schöpfungsmittler im hellenistischen Judentum und Urchristentum, Berlin 1961.

mal, mit seinem Leben aber lebt er für Gott" (Röm 6,10). Die theozentrische Funktion des geschichtlichen Lebens und Sterbens ist in die neue Existenzweise eingegangen, wird in ihr fortgesetzt, erfährt sogar eine merkliche Steigerung, weil der Erhöhte universal auf Menschheit und Kosmos bezogen ist[289]. Alle in die Christus-*κοινωνία* Hineingerufenen und -getauften werden von der theozentrischen Funktion (Röm 6,10) erfaßt und neu ausgerichtet. Als Teilhaber an der objektiven Ausrichtung Christi auf Gott haben die Christen die theozentrische Bewegung subjektiv bzw. existentiell-ethisch mitzuvollziehen. Ziel ist nicht eine mystische Gottesgemeinschaft, sondern die Übereinstimmung der mündigen Söhne mit dem Willen des Vaters. Der Appell, „für die Sünde tot" zu sein, „für Gott aber in Jesus Christus" zu leben (Röm 6,11), beinhaltet die Ausrichtung des neugeschaffenen Menschen auf die Theonomie. Die Mahnung „für Gott Frucht" (Röm 7,4) zu tragen, bedeutet, daß „der Christ selbst die ‚Frucht'" sei, „die ‚für Gott' heranreift"[290]. Anders als schöpfungstheologisch läßt sich das „Fruchtbringen für Gott" aber nicht interpretieren, bringt doch der eschatologische Ruf das Recht des Schöpfers auf sein Geschöpf zur Geltung[291].

4. Christus-κοινωνία: Theonomie ohne Gesetzesgestalt

Bisher ist die Christus-*κοινωνία* als Ort der Ermöglichung und der theozentrischen Ausrichtung des neuen Wandels charakterisiert worden. Jetzt muß als entscheidender Gesichtspunkt herausgearbeitet werden, daß der Christ auf eine Theonomie ohne Gesetzesgestalt ausgerichtet wird. Nicht als ob Paulus jemals ganz von seinem ethischen Offenbarungspositivismus weg- und zur Neuentdeckung des rufenden Schöpfers hingeführt worden wäre. Immerhin hat er das spätjüdische Offenbarungsverständnis überwunden, das sich in die lapidaren Sätze kleiden läßt: „1. Gott hat sich ein für allemal in der Thora und nur in der Thora offenbart; 2. der Mensch hat sein Verhältnis zu Gott nur in seinem Verhältnis zur Thora"[292]. Ausgerechnet dem Gesetzeseiferer Paulus hat sich Gott außerhalb der Tora geoffenbart: als der Vater des Gesetzeskritikers Jesus, als der Auferwecker und Erhöher des unter dem *νόμος* gekreuzigten Christus. Seither ist Paulus davon überzeugt, daß Jesus Christus die Mittlerstellung innehat und der Mensch sein Verhältnis zu Gott nur durch die Hineinrufung in die Christus-*κοινωνία* gewinnt. Tora und *νόμος* sind nicht mehr länger Inbegriff der Gottesoffenbarung. Vom Gottesbild wird die Toramaske bzw. die Gesetzgeberlarve abgestreift. Paulus weiß

---

289 Vgl. dazu W. Thüsing, Per Christum 3.72.

290 A.a.O. 100; vgl. dazu ferner F. Böckle, Die Idee der Fruchtbarkeit in den Paulusbriefen, Fribourg 1953.

291 Vgl. dazu P. Stuhlmacher, Gerechtigkeit 204f.

292 W. Gutbrod, Art. *νόμος*, in: ThWNT IV, 1016–1077, hier 1047.

sich nicht mehr dem Offenbarungspositivismus der Torafrömmigkeit verpflichtet, wodurch er auf die Rolle eines Treuhänders der unabänderlichen Gesetzesgestalt festgelegt wird. Er führt die in die *κοινωνία* des Sohnes (1 Kor 1,9) bzw. in den Herrschaftsbereich des *πνεῦμα*-Christus Hineingerufenen und -getauften ohne Tora in die neue Theozentrik ein. Er verzichtet auf die Gesetzesgestalt für die Darstellung der Theonomie. In seiner Sicht hatte mit dem Ereignis der eschatologischen *κλῆσις* und *ἀποκάλυψις* Christi der auf der heilsgeschichtlichen *κλῆσις* beruhende Alte Bund aufgehört, und ein Neuer Bund war geschlossen worden. Insbesondere die für den Alten Bund und das Judentum charakteristische Gestalt der Theonomie war durch den Herrschaftsantritt des *πνεῦμα*-Christus zu Ende gekommen. Der auf eine völlig neue Basis gestellte Neue Bund erforderte auch eine neue Gestalt der Theonomie. Der Ruf in die Rechtfertigung und in die *πίστις* begründeten ein neues und vom *νόμος* grundverschiedenes Prinzip menschlichen Handelns[293]. Die gläubige Annahme der Gottesgerechtigkeit bzw. die *πίστις* bewirkte die radikale Befreiung von jeder Selbstsorge. Von daher durfte die Theonomie niemals mehr die Gestalt des Gesetzes erhalten, damit das Tun des Guten nicht wieder zur conditio salutis und die „Werke des Gesetzes" (Röm 4,2f) nicht wieder zur Selbsterlösung mißbraucht werden könnten.
Der eschatologische Missionar vereinbart mit der Destruktion des *νόμος* durchaus die Weiterverwendung der dekalogischen Gestalt des Gotteswillens. Er reduziert und konzentriert das alttestamentlich-jüdische Gesetz auf das Sittengesetz im engeren Sinn. Er gebraucht den *νόμος*-Begriff ausdrücklich im neuen Sinn der sittlichen Forderungen (Gal 5,14.23). Aber auch wenn Paulus mit dem *νόμος*-Begriff nur den Kern der sittlichen Forderungen meint (Röm 1,32; 2,1.14f.21f; 3,20; 7,7; 13,8), wird für die eschatologische *ἐκκλησία* kein neuer Gesetzesbegriff urgiert. Das der heilsgeschichtlichen *κλῆσις* zugeordnete Gesetz bleibt in stark reduzierter Form als Leitfaden des göttlichen Willens für den Christen erhalten[294]. Paulus will dadurch verhindern, daß die jüdisch-hellenistische Gesetzespropaganda (philonischer Prägung[295]) von außen her in das Vakuum an Gesetz innerhalb seiner Gemeinden vorstößt. Doch hat „das Ende des Gesetzes als Heilsweg ... eben auch im Inhaltlichen eine gewisse Brechung der Gesetzesautorität nach sich gezogen: Wo die Angst vor dem Fluch und Verdammungsurteil des Gesetzes

---

293 Zum Verhältnis von *πίστις* und Ethos vgl. W. Schweitzer, Glaube und Ethos im Neuen und Alten Testament. Ein Beitrag zum Problem der biblischen Begründung der christlichen Ethik, in: ZEE 5 (1961) 129–149; A. van Harvey, Is there an Ethics of Belief?, in: JR 49 (1969) 41–58; K.H. Schelkle, Sittlichkeit als Gehorsam gegen das Wort Gottes, in: ders., Wort und Schrift. Beiträge zur Auslegung und Auslegungsgeschichte des Neuen Testaments, Düsseldorf 1966, 145–161.

294 Vgl. dazu W. Schrage, Einzelgebote 228–238; vgl. ferner M. Barth, Die Stellung des Paulus zu Gesetz und Ordnung, in: EvTh 33 (1973) 496–526.

295 Vgl. dazu U. Duchrow, Christenheit 103f, 172.

überwunden ist, da hat man zugleich auch einen gewissen Abstand und eine gewisse Freiheit gegenüber seiner inhaltlichen Forderung gewonnen, jedenfalls aber eine übertriebene Ängstlichkeit gegenüber dem Buchstaben verloren."[296]

Mit dem Hinweis auf das Sinaigesetz oder den Schöpfungsbericht wird lediglich die weiterhin geltende Theonomie betont, ohne daß eine neue Gestalt der Theonomie beschworen wird. Offensichtlich stand die Gesetzesidee sowohl im zeitgenössischen Judentum[297] als auch in der antiken Geisteswelt so stark im Vordergrund des Bewußtseins, daß Paulus nicht ganz auf sie verzichten konnte. Sie schien zur Kennzeichnung der sittlichen Existenz derart unumgänglich zu sein, daß er die dem Heidentum von der Schöpfung her zukommende Selbstbestimmung als „Sich-selbst-Gesetz-Sein" (Röm 2,14) charakterisierte. Wenn Paulus den *νόμος*-Begriff noch positiv aufgreift, dann berücksichtigt er dabei den Verständnishorizont der Adressaten. Aufs Ganze gesehen ist jedoch für den Apostel die Zeit der Identifizierung der Theonomie mit einer bestimmten Gestalt des *νόμος* beendet. In seiner gesetzestheologischen Reflexion hebt er eindeutig darauf ab, daß der Christ die fortdauernde Weisungs- und Orientierungsfunktion nicht mehr zu einem Gesetzeskodex machen und in einzelne Vorschriften aufgliedern soll, die nach Art religionistischer Gesetzeswerke zu erfüllen sind. Mit dem Evangelium ist das Ende der Gesetzesgestalt für die Theonomie der menschlichen Existenz verbunden.

II. *Κοινωνία πνεύματος* ALS GRUND THEONOMER ORIENTIERUNG

Nicht nur in der paulinischen Christozentrik hat man die Quelle einer spezifisch neuen Normierung sehen wollen. Von der paulinischen Zeit bis herauf in die Gegenwart hat man immer auch die Pneumatozentrik im Sinne einer eigenständigen, vom paulinischen Gottes- und Christusbild losgelösten – Normierung ausgelegt[298]. Wie konnte es zu dieser Anschauung kommen, und wie kann die – von der Christozentrik nicht abzutrennende – Pneumatozentrik existentiell-ethisch ausgelegt werden?

---

296 W. Schrage, Einzelgebote 237; ähnlich G. Hasenhüttl, Charisma. Ordnungsprinzip der Kirche (ÖF I, 5), Freiburg/Basel/Wien 1969, 27, 30.

297 Vgl. neben Anm. 227 (1. Teil) auch K. Berger, Die Gesetzesauslegung Jesu. Ihr historischer Hintergrund im Judentum und im Alten Testament. Teil I: Markus und Parallelen, Neukirchen-Vluyn 1972; A. Sand, Das Gesetz und die Propheten. Untersuchungen zur Theologie des Evangeliums nach Matthäus, Regensburg 1974.

298 Vgl. dazu W. Schrage, Einzelgebote 71–93; L. Aalen, Das Zeugnis des hl. Geistes als „Prinzip" der evangelischen Ethik, in: ZsystTh 15 (1938) 248–315.

1. *Spezifisch pneumatozentrische Normierung?*

Paulus hat aufgrund der eschatologischen *κλῆσις* und Offenbarung Christi (Gal 1,15) mehr über das Verhältnis des Geistes Gottes zum Menschen zu sagen als das Judentum. Er hat es aber vor allen Dingen anders darzustellen und zu akzentuieren als das schwärmerische Pneumatikertum. Paulus bezieht das *πνεῦμα* in den eschatologischen Herrschaftswechsel-Gedanken ein. Er verbindet es mit der Hineinrufung in Christus: Das *πνεῦμα* wird denen zuteil, die in die *κοινωνία* des Sohnes hineingerufen und hineingetauft werden. Gabe und Aufgabe der eschatologischen Gegenwart werden durch den *πνεῦμα*-Begriff verdeutlicht[299]. Hat die *κοινωνία πνεύματος* dieselben Eigenschaften wie die Christus-*κοινωνία*?

a) Annahme einer Geistunmittelbarkeit

Die paulinische Ankündigung vom Herrschaftsantritt des *πνεῦμα*-Christus konnte vom zeitgenössischen Pneumatikertum aufgegriffen und in seinem Sinne als reine *πνεῦμα*-Herrschaft mißdeutet werden[300]. Die pneumatologische Explikation des Herrschaftswechsel-Gedankens war das Tor, durch das die religionsgeschichtliche Verfälschung und Manipulation ihren Einzug halten konnte. Demgegenüber muß Paulus die Identität von Christozentrik und Pneumatozentrik herausarbeiten. Das berechtigt die Hermeneutik des Herrschaftswechsels dazu, die Überwindung des menschlichen Nein zur *κλῆσις* bzw. die Überwindung der Äonsmächte *σάρξ*, *ἁμαρτία* und *νόμος* auch als das Werk des *πνεῦμα* darzustellen.

Mit Nachdruck ist Paulus allen Versuchen einer Entchristlichung und Entethisierung seiner eschatologischen *πνεῦμα*-Verkündigung entgegengetreten. Der Apostel warnt vor den Vertretern eines *πνεῦμα ἕτερον* (2 Thess 2,2; 2 Kor 11,4), nach deren Verständnis sich die Geistesherrschaft in Glossolalie und Ekstatik, aber nicht im Ethos des Dienens und der Liebe auswirkt.

Paulus stellt aber nicht nur Kriterien zur Unterscheidung des christlichen vom religionsgeschichtlichen Pneumatikertum bereit. Er hat es auch mit einem Mißverständnis der *πνεῦμα*-Herrschaft zu tun, das durch seine Verkündigung des *πνεῦμα*-Christus als Ende des *νόμος* ausgelöst wurde[301]. Neben dem Gedanken von der Alleinherrschaft des *πνεῦμα*, der sich vor allem auf

---

299 Vgl. dazu H. Mühlen, Das Christusereignis als Tat des heiligen Geistes, in: MystSal III, 2, 513–544, hier 515.

300 Vgl. Dazu E. Käsemann, Apokalyptik 122.

301 Zum Ganzen vgl. J. Schreiner, Geistbegabung in der Gemeinde von Qumran, in: BZ 9 (1965) 161–180; H.D. Wendland, Das Wirken des Heiligen Geistes in den Gläubigen nach Paulus, in: ThLZ 77 (1952) 457–470; H. Bertrams, Das Wesen des Geistes nach den Anschauungen des Apostels Paulus (NTA IV, 4), Münster 1913; Chr. Maurer, Die Gesetzeslehre des Paulus nach ihrem Ursprung und ihrer Entfaltung dargestellt, Zürich 1941.

dem religiösen Sektor bzw. auf der liturgischen Versammlungsebene in den religionistischen Praktiken der Ekstatik und Glossolalie auswirkt, entsteht der Gedanke der unmittelbaren Geistleitung im sittlichen Bereich. Bedeutet die Herrschaft des eschatologischen *πνεῦμα* das Ende des *νόμος*, so ist die Annahme einer Geistunmittelbarkeit naheliegend. Hat die Geistesherrschaft nichts mehr mit dem erhöhten Christus zu tun, der den Menschen erneut auf den Gotteswillen hin ausrichtet, so kann leicht jener Anspruch auf die pneumatische Vollmacht bzw. Freiheit entstehen, der da sagt: „Alles ist mir erlaubt..." (1 Kor 6,12). Dagegen hilft nur die deutliche Parallelisierung von Christozentrik und Pneumatozentrik und die Hervorkehrung der ethischen Wirkung auf die Gläubigen.

b) Parallelisierung pneumatozentrischer und christozentrischer Grundformeln

Von Anfang an ist die christozentrische oder die pneumatozentrische Explikation des eschatologischen Herrschaftswechsel-Gedankens im Grunde ein und dasselbe. Christus bzw. das *πνεῦμα* erscheinen als die neue und endgültige Herrschaft, die im Eschaton von seiten Gottes her aufgerichtet wird. Sie stehen einmal wie zwei elliptische Punkte nebeneinander und dann wieder wechselweise bzw. austauschbar füreinander[302]. Das veranlaßt die Hermeneutik des Herrschaftswechsels zu erklären, daß Christus bzw. das *πνεῦμα* grundsätzlich von Gott ausgehen und das menschliche Nein bzw. die Äonsmächte, die vom Menschen her wider Gott stehen, aus dem Felde schlagen. Christus bzw. das *πνεῦμα* wollen an ihre Stelle treten und so in der Wurzel die Theozentrik des menschlichen Denkens und Handelns wiederherstellen.

Die Hineinrufung in die *κοινωνία* des *πνεῦμα*-Christus schafft die Voraussetzungen dazu. Zwar hat Paulus die urchristliche Praxis der Geistvermittlung mit dem Sakrament der Taufe vorgefunden. Aber er hat sie sehr geschickt mit der von ihm entwickelten Struktur der Hineinrufung in die Christus-*κοινωνία* verbunden. Man könnte sagen: Er hat das Sakrament, welches die *κοινωνία πνεύματος* (Phil 2,1) begründet, in sein Wort der Hineinrufung in die Christus-*κοινωνία* integriert. Von daher ist es zu verstehen, wenn fast sämtliche mit der christologischen Hineinrufungsformel verbundenen inhaltlichen Aussagen zum größten Teil auch auf das *πνεῦμα* übertragen werden.

Wie schon gesagt, gibt es neben bzw. zusammen mit der Christus-*κοινωνία*

---

302 Zum Ganzen vgl. I. Hermann, Kyrios und Pneuma (StANT 2), München 1961; ders., Art. Heiliger Geist, in: HThG I, 642–647; N.G. Hamilton, The Holy Spirit and Eschatology in Paul, Edinburg 1957; K.H. Schelkle, Theologie II, 235–248; zur Erwartung des Geistes im Judentum vgl. W.D. Davies, Pauls and Rabbinical Judaism, London 1948, 201–219.

auch die *κοινωνία πνεύματος* (Phil 2,1). Es gibt die Rechtfertigung des Berufenen „im Namen des Herrn Christus und im Geiste unseres Gottes" (1 Kor 6,11) bzw. die Gerechtigkeit in Christus (2 Kor 5,21; Phil 3,9) und im Geiste (Röm 14,17). Es gibt die Heiligung in Christus (Phil 1,1; 4,21) und im Geiste (2 Thess 2,13). Es gibt dic Freiheit in Christus (Gal 2,4; 5,1.13; 2 Kor. 3,17) und im Geiste (Röm 8,2). Es gibt die Liebe in Christus (Röm 5,5; 8,39) und im Geiste (Gal 5,22; Röm 15,30). Neben den christologischen Formeln „in Christus" oder „Christus in euch" (Röm 8,10), „in mir" (Gal 2,20) stehen die pneumatologischen Formeln „im Geiste" (vgl. Röm 8,9 mit 8,1) bzw. der „Geist Gottes in euch" (vgl. Röm 8,9 mit 8,10; 1 Kor 3,16). So wenig erstere im Sinne einer statisch-mystischen Ortsangabe zu verstehen sind, so wenig liegt das Proprium der letzteren vor allem in einem lokalen Sinn[303]. Das geht eindeutig aus der pneumatozentrischen Explikation des eschatologischen Herrschaftswechsel-Gedankens hervor: „denn das Gesetz des Geistes des Lebens in Christus Jesus hat dich vom Gesetz der Sünde und des Todes freigemacht" (Röm 8,2).
Es wäre gewiß falsch, den Ausbau der Pneumatozentrik als das Ergebnis der Abwehr des falschen Pneumatikertums allein zu betrachten. Aber die pneumatozentrischen Formeln sind doch auch immer ein Indiz dafür, daß Paulus in einer Abwehrstellung steht. Das geht besonders deutlich aus den Stellen hervor, wo Paulus um die Klärung der Zusammenhänge von Pneumatologie bzw. Christologie und Ethik bemüht ist.

2. Κοινωνία πνεύματος: *Ermöglichungsgrund*

Paulus erklärt, daß das *πνεῦμα* im Menschenleben die Macht der *σάρξ* und ihrer Begierden (Gal 5,16–17) gebrochen hat. Er stellt neben oder anstelle von Christus das *πνεῦμα* als die Macht vor, welche die alte Herrschaft des *νόμος* beendet (Gal 3,2). Er verkündet, daß der Herrschaftsantritt des Pneuma im Menschenleben einen Epochenwechsel bedeutet. Die „Werke des Fleisches" (Gal 5,22–23) verdeutlichen das „Einst" und das „Jetzt". Kein Wunder, daß Paulus bei der Formulierung des Imperativs zu folgenden, den christozentrischen Kerngedanken nachgebildeten pneumatozentrischen Formeln gelangt: im Geiste wandeln (vgl. Gal 5,16 mit 5,10; 2 Kor 12,18), im Geiste leben oder im Geiste wandeln (Gal 5,25: *πνεύματι στοιχεῖν*), im Geiste sein (Röm 8,9: *ἐν πνεύματι εἶναι*), sich vom Geiste Gottes leiten lassen (Röm 8,14; Gal 5,18: *πνεύματι ἄγεσθαι*). Liegt diesen pneumatozentrischen Formeln der Glaube an die Geistunmittelbarkeit zugrunde? W. Schrage fragt: „Ist der Geist für Paulus nur der Ermöglichungs- und Verwirklichungsgrund des neuen Wandels, oder kommt ihm auch eine normative Bedeutung zu? Vermittelt er nur Antrieb oder Kraft, oder gibt er auch die Richtung

303 Vgl. W. Schrage, Einzelgebote 79–82.

des christlichen Lebens an?"[304]

Die Hermeneutik des Herrschaftswechsels beantwortet diese Fragen so: Christus bzw. das πνεῦμα bewirken das zentrale Heilsgut der Freiheit (Gal 4,31; 5,1.13), d.h. das Ende der Fremdbestimmung durch die Mächte σάρξ, ἁμαρτία und νόμος. Paulus kann sich die Überwindung derselben gar nicht anders denn als Wirkung des πνεῦμα vorstellen. Aber ändert sich durch den Herrschaftsantritt des „Geistes des lebendigen Gottes" (2 Kor 3,3) etwas Grundlegendes an der vom rufenden Schöpfer gewollten menschlichen Autonomie? Ist es sinnvoll, in den paulinischen Aussagen über das Wandeln im Geiste eine Aussage über das direkte Normiertwerden durch den Geist zu sehen? W. Schrage glaubt, sogar eine Steigerung feststellen zu können. Während bei der Formel „im Geiste wandeln" (περιπατεῖν und στοιχεῖν) durchaus „auch schon die Art und Weise" anklinge, „in der sich der Wandel zu vollziehen hat", trete bei der Formel „nach dem Geiste wandeln" (Röm 8,4: κατὰ πνεῦμα περιπατεῖν) die normative Bedeutung „noch deutlicher"[305] hervor. Das stimmt aber doch nur, was die Loslösung des Menschen von den Äonsmächten bzw. den Archonten und die neue „Bindung an Gott" (R. Schnackenburg) betrifft. Der πνεῦμα-Christus befreit den Menschen und beendet damit die Fremdbestimmung. Die Hineinrufung in die κοινωνία Christi bzw. des Geistes stellt vor allem die theozentrische Ausrichtung des Menschen wieder her.

3. Κοινωνία πνεύματος: *theozentrische Ausrichtung*

Gerade die christlichen Pneumatiker werden von Paulus betont theozentrisch ausgerichtet und theonom orientiert. Eindrucksvoll ist die Einschärfung der Theonomie des sittlichen Handelns in 1 Thess[306], wo Paulus zur rechten Erkenntnis und zur Anerkennung der gottgesetzten Ordnungen (1 Thess 4,1–12; 2 Thess 3,6–15) auffordert[307]. Er weiß sich gerade als Diakon des Geistes zur Betonung der Theonomie verpflichtet. Die Ablehnung seiner Paraklese ist gleichbedeutend mit der Zurückweisung Gottes, der als der präsentische Spender des Geistes (1 Thess 4,8) bezeichnet wird.

---

304 A.a.O. 73.

305 A.a.O. 74. Aufs Ganze gesehen wird nach W. Schrage, a.a.O. 91, „der Geist bei Paulus viel stärker als Kraftquelle, denn als Wegweiser (dux, magister et director) für das neue Leben verstanden..."

306 Vgl. dazu H. Schlier, Auslegung des 1. Thessalonicherbriefes (4,13–5,11), in: BiLe 4 (1963) 19–30; P. Nepper-Christensen, Das verborgene Herrenwort. Eine Untersuchung über 1 Thess 4,13–18, in: StTh XIX (1965) 136–154, 154.

307 W. Schmithals, Paulus und die Gnostiker. Untersuchungen zu den kleinen Paulusbriefen (ThF 35), Hamburg-Bergstedt 1965, 113 Anm. 109, betont, daß Paulus in Thessalonich nicht gegen „Restbestände der heidnischen Sinnlichkeit" ankämpft, sondern gegen eine pervertierte christlich-pneumatische Freiheitspraxis.

Unverkennbar ist, daß die Ordnungen des Schöpfers, die für die Bereiche der Arbeit, des Geschäftslebens und der Sexualität neu eingeschärft werden, einen von der Herrschaft des *πνεῦμα* unabhängigen, objektiven Charakter haben[308].

Im 1. Korintherbrief hat Paulus es mit dem Anspruch auf eine a-ethische, pneumatische Freiheit (*ἐξουσία*) zu tun, bei dem man das Mißverständnis der Ablösung des *νόμος* durch das *πνεῦμα* mit Händen greifen kann[309]. In seiner Eigenschaft als Apostel Christi bzw. als Diakon des Geistes beansprucht er das Recht, „die zweifellos als geistgewirkt sich ausgebenden Urteile der Korinther kritisch nachzuprüfen"[310]. Ihm erscheint die Gegenwart „als endzeitliche Vollendung des alttestamentlichen Bundes, als den zugleich schon sichtbaren und noch verborgenen Anspruch der Gottesherrschaft auf Erden"[311]. Gerade in dieser Epoche des Geistes müssen immer wieder die Normen des Schöpfungsordners und das zentrale Liebesgebot herausgestellt werden[312]. Denn das *πνεῦμα* bringt keinen neuen, sondern den biblisch artikulierten Herrschaftswillen Gottes zur Geltung. Das *πνεῦμα* fügt weder etwas zur eschatologischen Selbstoffenbarung Gottes noch etwas zur Theonomie der Wirklichkeit hinzu. Daher sind die echten Pneumatiker daran zu erkennen, daß sie die vom Diakon des Geistes herausgestellte Schöpferordnung als verbindlich anerkennen, sei es in der Frage der Ehe oder eines geordneten Zusammenwirkens der Charismatiker zur *οἰκοδομή* des Leibes Christi. Dem Postulat, im Namen der Geistesfreiheit mit Dirnen verkehren zu dürfen, setzt Paulus das Genesiszitat als letzte Begründung entgegen (1 Kor 6,16). Nur der hat die echte Geistesfreiheit, der sich an die Ordnung des Schöpfers bindet[313]. Geistesherrschaft wirkt sich nämlich grundsätzlich in einer neuen Theozentrik aus.

Auch im Römerbrief findet sich eine nachdrückliche Herausstellung der objektiven Theonomie an die Adresse der christlichen Pneumatiker. Ob Paulus die Gemeinde von der hellenistisch-jüdischen Gesetzespropaganda philoni-

---

308 Vgl. dazu U. Duchrow, Christenheit 171.

309 Vgl. dazu W. Foerster, Art. *ἐξουσία*, in: ThWNT II, 559–572, hier 567.

310 H. Greeven, Propheten, Lehrer, Vorsteher bei Paulus. Zur Frage der ‚Ämter' im Urchristentum, in: ZNW 44 (1952/53) 1–43, hier 12 Anm. 27.

311 E. Käsemann, Apokalyptik 112; das Zitat steht im Zusammenhang von Ausführungen über die Gemeindeleitung „kraft himmlischen Rechtes". Zum Ganzen vgl. P. Simpfendörfer, Wesen und Werk des Heiligen Geistes im Alten Testament und Neuen Testament, Reutlingen 1937; W. Michaelis, Reich Gottes und Geist Gottes nach dem Neuen Testament, Basel 1931.

312 Vgl. W. Schrage, Einzelgebote 232; K. Niederwimmer, Erkennen und Lieben. Gedanken zum Verhältnis von Gnosis und Agape im 1. Korintherbrief, in: KuD 11 (1965) 75–102.

313 Vgl. dazu H.D. Wendland, Die Briefe an die Korinther (NTD 7), Göttingen [8]1962, 159 (Korinther); ders., Ethik 87.

scher Herkunft[314] umworben sieht oder ob er auch hier das Mißverständnis bezüglich der Ablösung des *νόμος* durch das *πνεῦμα* bekämpft, kann nicht entschieden werden. Jedenfalls spricht Paulus vom „Gesetz des Geistes des Lebens in Christus Jesus" (Röm 8,2). Hier ist die Pneumatozentrik (Röm 8,9a.11a und c), die mit der Christozentrik völlig auswechselbar scheint (Röm 8,10 c), mit dem *νόμος*-Begriff verknüpft. Zuerst wird festgestellt, daß der Geist bzw. Christus das „Gesetz der Sünde und des Todes" (Röm 8,2) außer Kraft setzt. Dann aber wird der Pneumatiker bzw. der Christ mit jenem *νόμος* konfrontiert, in dem das heilige und gerechte Gesetz Gottes (Röm 7,12.14) zusammengefaßt und aufbewahrt ist für die Epoche des Evangeliums. Die Geistesmenschen (Röm 8,4) müssen es lernen, die Überwindung des *νόμος* mit der Neuaufrichtung der Theonomie zu vereinbaren[315]. „Die sich vom Geiste Gottes leiten lassen" (Röm 8,14), werden ganz klar mit dem offenbarungsgeschichtlichen Symbol der Theonomie, dem Dekalog (Röm 13,8), vor allem aber mit der aktuellen und objektiven Theonomie konfrontiert, die der Herr von Schöpfung und Geschichte mit der geschichtlichen Setzung des Staates aufgerichtet hat (Röm 13,1–7). Dekalog und Schöpfungsordnung enthalten Forderungen, die objektiv sind und von der Wirklichkeit her an den christlichen Pneumatiker ergehen. Nur allzuoft muß das jenen Pneumatikern entgegengehalten werden, die als Libertinisten oder als Antinomisten Anspruch auf die Unmittelbarkeit zum *πνεῦμα* erheben.

4. Κοινωνία πνεύματος: Theonomie ohne Gesetzesgestalt

Paulus steht in dem Dilemma, einerseits (gegenüber dem Judentum und der jüdisch-hellenistischen Gesetzespropaganda) den Exodus aus dem *νόμος* und andererseits (gegenüber dem falschen Pneumatikertum) die Objektivität der Theonomie durchsetzen zu müssen. Er hat diese Aufgabe mit Hilfe des eschatologischen Herrschaftswechsel-Gedankens meisterhaft gelöst. Dieser Gedanke ermöglichte ihm die Zurücknahme bzw. den Abbau des herrschenden *νόμος*, ohne daß dadurch auch die Objektivität der Theonomie abgeschwächt wurde. Denn der von der Mächteherrschaft befreite und in der *κοινωνία* Christi bzw. des Geistes stehende Mensch kann in ganz neuer Weise mit der fortdauernden Weisungs- und Orientierungsfunktion des Gesetzes konfrontiert werden. Von daher war es kein Problem, die inhaltliche Kontinuität der christlichen Ethik mit den (im Judentum oder im Heidentum) eingeführten sittlichen Normen herauszustellen[316]. Paulus weist die *ἐκκλησία*

---

314 Vgl. dazu U. Duchrow, Christenheit 81.91.92–109; vgl. ferner H.W. Bartsch, Die historische Situation des Römerbriefes, in: Communio Viatorum 8 (1965) 199–208; O. Kuss, Paulus 178–204; D. Lührmann, Offenbarungsverständnis 141 Anm. 1.

315 Vgl. H.D. Wendland, Ethik 58.

316 Vgl. dazu W. Schrage, Einzelgebote 230–233; G. Bornkamm, Gesetz und Schöp-

in den Fragen des sittlichen Verhaltens immer wieder auf die Außenstehenden hin (Kol 4,5; 2 Kor 8,21); er fordert sie auf, das Urteil der Heiden zu berücksichtigen. Norm und Inhalt des sittlichen Handelns sind auch denen, die Gott nicht kennen, bekannt und überprüfbar.

Paulus bewegt sich auf einer mittleren Position zwischen dem überholten offenbarungspositivistischen Haben und Besitzen des Gotteswillens einerseits und einer Gewichtsverlagerung auf das Subjekt bzw. die Grundkräfte Liebe, *νοῦς* und *συνείδησις* des erneuerten Menschen andererseits. Das objektive Moment wird dadurch festgehalten, daß Liebe, *νοῦς* und *συνείδησις* des Christen auf die Anforderungen bezogen werden, die jedermann zugänglich sind. Der radikalen Individualisierung der Ethik durch das Pneumatikertum wird ein Riegel vorgeschoben. In diese Richtung deutet „die häufige Aufforderung, sich selbst zu prüfen (1 Kor 11,28; 2 Kor 13,5; Gal 6,4) oder den Willen Gottes zu erforschen (Röm 12,2; Eph 5,10) oder das, worauf es ankommt, zu erwägen (Phil 1,10)“[317]. Eine unmittelbare, normative Geistleitung kommt nicht in Frage, weil gerade die Grundkräfte Liebe, *νοῦς* und *συνείδησις* von neuem in ihre Funktionen eingesetzt werden.

Das Problem einer überholten oder neuen Materialethik stellt sich für den radikal eschatologischen Denkhorizont des Paulus nicht in gleicher Weise wie heute. Die Hermeneutik des Herrschaftswechsels sagt im Blick auf den heutigen Glaubenshorizont mit Recht, daß der Herrschaftsantritt des „Geistes des lebendigen Gottes“ (2 Kor 3,3) den Menschen aus dem Nein zur *κλῆσις* des Schöpfers bzw. aus der Aufrichtung der Äonsmächte herausholt und ihn mit der Theonomie der Wirklichkeit konfrontiert. Heute muß festgestellt werden, daß der „Geist des lebendigen Gottes“ der Geist des rufenden Schöpfers ist. Wenn sich Paulus mit dem Appell, die Lebensordnungen einzuhalten, auf die Autorität Gottes stützt, der den Geist spendet (1 Thess 4,8), ist das nicht schöpfungstheologisch gedacht. Daß er sich bei der Formulierung der zahlreichen konkreten Einzelgebote de facto im schöpfungstheologischen Horizont bewegt, steht auf einem anderen Blatt.

Allein schon wegen der Auseinandersetzung mit dem Pneumatikertum hätte Paulus niemals sagen können, daß der Mensch „sich selbst Gesetz“ sei. Er hätte das Pneumatikertum schwerlich daran hindern können, die eigene Stimme mit dem Anruf des *πνεῦμα* zu verwechseln, wenn er sie unmittelbar und ausschließlich auf die unartikulierte und auszuhorchende *κλῆσις* des Schöpfers verwiesen hätte[318]. Im Bewußtsein eines irregeleiteten Pneumatikertums hätte das nur Verwirrung gestiftet und den Verlust bzw. die Preisgabe der objektiven Theonomie bedeutet.

Paulus glaubt auf die Gestalt eines positiven Gesetzes nicht ganz verzichten

---

fung im Neuen Testament (SGV 175), Tübingen 1934.

317 R. Schnackenburg, Botschaft 237f.

318 Vgl. W. Schrage, Einzelgebote 92.

zu können, weil er das Pneumatikertum auf die objektive Theonomie verpflichten will. Um so bedeutsamer ist die Feststellung, daß seine *διακονία πνεύματος* (2 Kor 3,8) in der Verkündigung einer Theonomie ohne Gesetzesgestalt gipfelt. Bei aller Abwehr des Anspruchs auf Geistunmittelbarkeit bleibt Paulus bei seiner Verkündigung, daß das *πνεῦμα* das Alte Testament und sein Gesetz beendet. Obwohl der Missionar um das Vakuum an Gesetz in seinen Gemeinden, insbesondere in den Pneumatikerkreisen weiß, hält er an dem Anspruch fest, das Ende der Gesetzesepoche zu verkünden. In 2 Kor 3,1–18 hebt er sich als Verkünder des Neuen Bundes mit seiner *νόμος*-freien Theozentrik deutlich vom Mittler des Alten Bundes mit seiner Gesetzestheozentrik ab. Paulus besteht darauf, daß der von der heilsgeschichtlichen *κλῆσις* gestiftete Alte Bund mitsamt seiner durch Mose vermittelten Bundesurkunde, dem Gesetz, als „vergänglich" (2 Kor 3,7) und als „alter" Bund (2 Kor 3,14) anzusehen ist. Von daher ruft der Apostel in den vom Christus Gottes eröffneten Neuen Bund und seine *νόμος*-freie Theozentrik hinein. Nur in der *κοινωνία* Christi bzw. des Geistes ist die Einsicht in das „Alt"-sein und „Vergänglich"-sein des bisherigen Bundes sowie der gesetzlichen Gestalt der Theozentrik zu gewinnen. Von der Synagoge wird das „alte Testament" bzw. die Tora immer noch als die Urkunde der Theonomie schlechthin betrachtet und gelesen. Als Apostel Christi und Diakon des Geistes leitet Paulus die eschatologische *ἐκκλησία* dazu an, im Neuen Bund zu leben und sich an der Theonomie ohne Gesetzesgestalt zu orientieren. Der Missionar hat den eschatologischen Herrschaftswechsel im Leben der Korinther aktualisiert, was das Ende aller Mächte, insbesondere auch der Macht des *νόμος* bedeutet. Die Herrschaft der „steinernen Tafeln" ist durch die Herrschaft des „Geistes des lebendigen Gottes" abgelöst worden. Statt des *νόμος* herrscht in ihren Herzen der von den Propheten verheißene und mit Christus erschienene (bzw. von Christus gesendete) „Geist des lebendigen Gottes" (2 Kor 3,3). Die alte prophetische Heilsverheißung der Neuschöpfung des Herzens und der Verleihung des neuen Geistes (Jer 31,33f; Ez 11,19; 36,26) hat sich an den Christen erfüllt. Paulus hat den singulären offenbarungsgeschichtlichen Auftrag, einen neuen Bund ohne Gesetzestheozentrik zu eröffnen. Er vergleicht seine eigene erfüllungszeitliche *δόξα* mit derjenigen des einstigen großen Gesetzesmittlers Mose. Er legt dar, daß er sich die Befähigung (2 Kor 3,5) zu seinem einzigartigen Amt, in dem er nur mit Mose verglichen werden kann, weder angemaßt noch den Epochenwechsel vom *γράμμα* zum *πνεῦμα*[319] selbst erfunden hat. Das alles ist ihm von oben und von außen gegeben und aufgegeben worden. Gäbe es die

---

319 Vgl. dazu E. Kamlah, Buchstabe und Geist. Die Bedeutung dieser Antithese für die alttestamentliche Exegese des Apostels Paulus, in: EvTh 14 (1954) 276–282; E. Käsemann, Geist und Buchstabe, in: ders., PP 237–285; G. Ebeling, Art. Geist und Buchstabe, in: RGG II, 1290–1296, hier 1291.

Überbietung der mosaischen Berufung und Namensoffenbarung durch die eschatologische κλῆσις und Christusoffenbarung (Gal 1,15) nicht, so wäre er nicht berechtigt, von einer unvergleichlichen Steigerung der δόξα zu sprechen, die über seinem eschatologischen Auftrag liegt. Aber er hat den Epochenwechsel erfahren, also muß er auch den Dienst im Alten Bund als „Dienst des Todes" (2 Kor 3,7) und als „Dienst der Verurteilung" (2 Kor 3,9) kennzeichnen, den hinfort geltenden Dienst des „neuen Bundes" dagegen als „Dienst des Geistes" (2 Kor 3,8) und als „Dienst der Gerechtigkeit" (2 Kor 3,9).
Wo liegt der Skopus, die Sinnspitze beim δόξα-Vergleich?[320] Die δόξα des Mose gründet in der Sendung, das Gesetz zu überbringen. Die eigene, ungleich heller erstrahlende δόξα des Apostels ist dagegen nicht mehr mit dem Auftrag verknüpft, ein neues Gesetz zu vermitteln. Sie liegt vielmehr auf dem eschatologischen „Dienst des Geistes"; denn hier wird der Sieg Christi bzw. des πνεῦμα über die Mächte σάρξ, ἁμαρτία, νόμος und θάνατος jedem übereignet, der glaubt. Der Missionar ist zutiefst davon durchdrungen, daß er mit seiner Hineinrufung in die κοινωνία Christi bzw. des Geistes dem Menschen die Gerechtigkeit Gottes, die Freiheit der Kinder bzw. der Söhne Gottes schenken darf. Die Hineinrufung in die Sohnes-κοινωνία aktualisieren, die eine neue theozentrische Ausrichtung vermittelt, bedeutet viel mehr als das, was Mose aufgetragen war, nämlich der Theonomie die Gesetzesgestalt zu geben. Im Neuen Testament fällt die Gesetzesgestalt zur Darstellung des Willens Gottes fort, weil die Söhne bzw. die Mündiggewordenen die Theonomie auch ohne Buchstabengestalt erfüllen. Es kommt im Eschaton auf die Einsetzung in die κοινωνία des Sohnes bzw. in die κοινωνία πνεύματος (Phil 2,1) an, nicht auf die Darreichung des Gotteswillens in Buchstabengestalt.

III. Charismatischer Standort und theonome Orientierung

Es genügt nicht, festzustellen, daß bei Paulus die Christozentrik und die Pneumatozentrik parallelisiert sind und daß der Christ in der κοινωνία des πνεῦμα-Christus theozentrisch orientiert und auf eine Theonomie ohne Gesetzesgestalt ausgerichtet wird. Man sollte weiter differenzieren und den κλῆσις-gegebenen allgemeinen Standort in der κοινωνία πνεύματος vom speziellen charismatischen Standort unterscheiden. Damit wird man der Tatsache gerecht, daß sich die paulinische Pneumatologie in die Charismentheo-

---

320 Vgl. dazu H. Ulonska, Die Doxa des Mose. Zum Problem des Alten Testaments in 2 Kor 3,1–16, in: EvTh 26 (1966) 378–388; S. Schultz, Die Decke des Moses, in: ZNW 49 (1958) 1–30.

logie[321] hinein ausfächert. Beachtet werden muß auch, wie Paulus den religionistischen Immanentismus der Antike *κλῆσις*-geschichtlich und hamartiologisch erhellt und auf dem Felde der Pneumatologie überwindet.

1. *Κοινωνία πνεύματος als charismatischer Standort*

Versucht die Pneumatologie, die immanentistische Verfälschung des eschatologischen *κλῆσις*-Geschehens abzuwehren, so konzentriert sich die Charismentheologie darauf, die Mißdeutung der *πνεῦμα*-Gabe abzuwehren, die mit der Hineinrufung in die Christus-*κοινωνία* verbunden ist. Paulus geht so vor, daß er die von einigen verabsolutierte *πνεῦμα*-Gabe dem eschatologischen *κλῆσις*- und Herrschaftswechsel-Gedanken ein- und unterordnet[322] und gerade den spezifisch charismatischen Standort als Kraftfeld theonomer Orientierung darstellt.

a) Pneumatologie als Abwehr des Immanentismus

Die frühere hamartiologische Erhellung der immanentistischen Selbstabkapselung bedarf der Ergänzung. Denn dieser Vorgang ist beim antiken Menschen von ausgesprochen religionistischer Natur. Nicht Säkularismus, Autonomismus oder Atheismus prägen die Verschlossenheit des früheren Menschen gegenüber dem rufenden Gott. Vielmehr äußert sich die Verabsolutierung des eigenen Selbst in paulinischer Zeit als Selbstidentifikation mit dem *πνεῦμα*. Das Nein des antiken Menschen gegenüber dem rufenden Gott, die Aufrichtung der *σάρξ* und *ἁμαρτία* sind von höchster religionistischer Intensität. Glossolalie, Ekstatik und Gnosis[323] prägen die Identifikation mit dem *πνεῦμα*. Sie breiten sich in den paulinischen Gemeinden aus und stoßen den von der eschatologischen *κλῆσις* Erreichten wieder in den antiken Immanentismus zurück. So suggeriert beispielsweise die Ekstatik den Paulusgemeinden, daß man allein durch den ekstatischen Ausstieg aus der leibgebundenen Existenz und durch den Überstieg der Ordnungen das eschatologische Her-

---

321 Vgl. dazu H. Schürmann, Die geistlichen Gnadengaben in den paulinischen Gemeinden, in: ders., Ursprung und Gestalt. Erörterungen und Besinnungen zum Neuen Testament, Düsseldorf 1970, 236–267; G. Hasenhüttl, Charisma; K. Wennemer, Die charismatische Begabung der Kirche nach dem hl. Paulus, in: Scholastik 34 (1959) 503–525; H. Greeven, Die Geistesgaben bei Paulus, in: WuD NF 6 (1959) 11–120; E. Käsemann, Art. Geist und Geistesgaben im NT, in: RGG II, 1272–1279; ders., Amt und Gemeinde im Neuen Testament, in: ders., EVB I, 109–134, hier 110–127.

322 Vgl. dazu E. Käsemann, Art. Geist und Geistesgaben im NT 1275.

323 Vgl. dazu H. Langerbeck, Aufsätze zur Gnosis. Aus dem Nachlaß hrsg. von H. Döries (AAWG.PH 3. Fol. 69), Göttingen 1967; K. Prümm, Zur neutestamentlichen Gnosis-Problematik, in: ZkTh 87 (1965) 399–442; 88 (1966) 1–50; E. Haenchen, Gab es eine vorchristliche Gnosis?, in: ZThK 49 (1952) 316–349; R. Haardt, Die Gnosis. Wesen und Zeugnisse, Salzburg 1967; K.W. Tröger, Gnosis und Neues Testament. Studien aus Religionswissenschaft und Theologie, Gütersloh 1973.

ausgerufensein adäquat zur Darstellung bringen könne. Durch die gnostische Identifikation des menschlichen Selbst mit dem göttlichen *πνεῦμα* wird vor allem die paulinische Hineinrufung in die *κοινωνία* des *πνεῦμα*-Christus verfälscht, denn sie wird als in sich abgeschlossenes und vollendetes Ereignis interpretiert. Es wird erklärt, daß dem sterblichen Leib keineswegs die eschatologische Zukunft, die radikale ontische Neuschöpfung offenstehe[324], die Paulus in Aussicht stellt. Gerade an diesem Punkt aber muß der antike Immanentismus aus den Angeln gehoben werden. Der Apostel durchkreuzt den gnostischen Wahn der Autarkie durch die Verkündigung, daß die vocatio novissima, d.h. der schöpferische Ruf Gottes den Menschen gerade im Tode noch einmal von oben und außen ergreifen und aus dem Nichts ins Dasein rufen werde. Die christlichen Pneumatiker werden durch die Ankündigung der Auferweckung von den Toten angeleitet, die Externität der vocatio novissima des Neuschöpfers festzuhalten.

In der Gnosis wird aber nicht nur die Externität der vocatio novissima des Neuschöpfers, d.h. des Vollendungshandelns preisgegeben. Verflüchtigt und aufgelöst wird vor allem auch die Externität jener *κλῆσις*, durch welche der Christ hier und jetzt schon aus der Herrschaft der Äonsmächte *σάρξ*, *ἁμαρτία* und *νόμος* herausgerufen und als proleptische Neuschöpfung konstituiert wird[325]. Das *κλῆσις*-Geschehen in all seinen Dimensionen (präsentischen und futurischen) steht auf dem Spiel, die *κλῆσις*-geschichtliche Erhellung der menschlichen Existenz ist dringend geboten. Deshalb versucht Paulus seine Adressaten in der Glaubensüberzeugung zu festigen, daß das menschliche Leben in Vergangenheit (Röm 4,17), Gegenwart und Zukunft – also auf mehreren Ebenen – von der göttlichen *κλῆσις* getragen und gestaltet wird.

Die Gegner erheben den Anspruch, die eschatologische Heraus- und Hineinrufung, die Paulus in *κλῆσις* und Taufe ein für allemal vollzieht, mit Hilfe ihrer religionistischen Techniken je neu zu aktualisieren. Sie verbreiten die Anschauung, daß Geistesgabe bzw. Geistbesitz experimentell überprüfbar und verifizierbar seien, alles unter dem Vorwand, der eschatologischen *κλῆσις* dadurch die Form einer zeitgemäßen Religiosität zu geben. Dadurch wird in den Augen des Apostels aber gerade das *κλῆσις*-Verhältnis zerstört, das zwischen dem *πνεῦμα* Gottes und dem *πνεύμα* des Menschen besteht.

---

324 Vgl. dazu W. Schmithals, Gnosis; F. Leist, Biblische und gnostische Seinserfahrung, in: Die Frage nach dem Menschen. Aufriß einer philosophischen Anthropologie. Festschrift für Max Müller zum 60. Geburtstag, hrsg. von H. Rombach, Freiburg/München 1966, 326–351; D. Georgi, Die Gegner des Paulus im 2. Korintherbrief. Studien zur religiösen Propaganda in der Spätantike (WMANT 11), Neukirchen-Vluyn 1964.

325 Vgl. dazu F. Hahn, „Siehe, jetzt ist der Tag des Heils“. Neuschöpfung und Versöhnung nach 2 Kor 5,14–6,2, 244–253; E. Dinkler, Die Verkündigung als eschatologisch-sakramentales Geschehen. Auslegung von 2 Kor 5,14–6,2, in: Die Zeit Jesu. Festschrift für H. Schlier, hrsg. von G. Bornkamm und K. Rahner, Freiburg/Basel/Wien 1970, 169–190.

Die Distanzierung und Unterscheidung des Gerufenen gegenüber dem Rufenden fällt bei der Identifizierung des eigenen Selbst mit dem göttlichen *πνεῦμα* fort. Gleichzeitig mit der Apotheose des eigenen *πνεῦμα* wird die dialogische Bindung an die Theonomie des göttlichen *πνεῦμα* aufgehoben. Der Gottesgehorsam wird durch eine vermeintliche *πνεῦμα*-Unmittelbarkeit ersetzt.
Im Grunde handelt es sich bei der paulinischen Unterscheidung von wahrem und falschem Pneumatikertum um die Aufdeckung und Überwindung einer immanentistisch gelebten Autonomie mit religionistischer Verbrämung. Der Versuch, die *κοινωνία πνεύματος* von religionistischen Aktivitäten zu säubern und als Ort ethischer Verantwortlichkeit gegenüber der Theonomie zu erweisen, zielt auf die Wiederherstellung der ursprünglichen theonomen Autonomie. An die Stelle der religionistisch verbrämten Verabsolutierung des eigenen Selbst soll die Befreiung des Menschen zur theonomen Selbstbestimmung treten. Paulus betont den Kausalzusammenhang zwischen *πνεῦμα*-Herrschaft und Weltethos. Das Weltethos wird also von Paulus nicht primär deswegen hervorgehoben, weil sich die Gemeinde wegen der Parusieverzögerung in der Welt einrichten muß (Paränese-Modell). Der Christ wird vielmehr von dem ihm zuteil gewordenen pneumatozentrischen Standort her (Ermöglichungsgrund) zum Handeln gedrängt.

b) Bestimmung des allgemeinen pneumatozentrischen Standorts

Paulus bekämpft die Entethisierung des Lebens in der *κοινωνία πνεύματος* zunächst durch den Nachweis, daß die Hineinrufung in die *κοινωνία* des *πνεῦμα*-Christus jedermann einen allgemeinen Standort gewährt, der existentiell-ethisch verifiziert werden muß. Es läßt sich zeigen, daß Paulus von der Bestimmung des allgemeinen Standorts in der *κλῆσις* bzw. in der Christus-*κοινωνία* (1 Thess und Gal) weiterschreitet zur Bestimmung eines reich differenzierten charismatischen Standorts (1 Kor), der genauso existentiell-ethisch verifiziert werden muß.
Der früheste Paulusbrief enthält noch kein Echo auf eine religionistische und libertinistische Aktualisierung der *πνεῦμα*-Gabe oder der pneumatischen Freiheit. Paulus hebt seine Kompetenz hervor, im Namen Gottes zu sprechen, der ihnen den Geist darreicht (1 Thess 4,8). Er beschwört ihre Berufung zur Heiligkeit (1 Thess 4,7). Der Hinweis, daß sich speziell die *πνεῦμα*-Gabe in den „Früchten des Geistes" (Gal 5,22) zu verkörpern habe, unterbleibt. Im Schlußappell warnt der Apostel davor, aus der Defensive gegenüber dem falschen Pneumatikertum zum Sturm gegen alles Pneumatikertum überzugehen und den Geist auszulöschen (1 Thess 5,20). Hier wird doch wohl schon an die ekstatisch verfremdeten Aktivitäten auf der Gemeindeebene gedacht. Doch wird der *οἰκοδομή*-Charakter der einzelnen charismatischen Aktivitäten noch nicht hervorgehoben.
Im Galaterbrief kommt bereits die pneumatozentrische Explikation des

eschatologischen Herrschaftswechsel-Gedankens vor. Es wird herausgearbeitet, daß die Herrschaft des πνεῦμα existentiell-ethisch und nicht anders zu verifizieren ist. Der Apostel verlangt prinzipiell von jedem Berufenen, der der Macht der σάρξ und des νόμος entrissen ist, daß er „Früchte des Geistes" (Gal 5,22) hervorbringt. Er geht davon aus, daß die Pneumatiker, die die Freiheit vom νόμος im libertinistischen Sinne mißverstehen, sich an keine Theonomie mehr gebunden fühlen. Nicht zuletzt deshalb orientiert Paulus die Pneumatiker an der zentralen Liebesforderung (Gal 5,14) und an den Geboten Gottes. Entscheidend ist jedoch die Feststellung, daß die κοινωνία Christi bzw. des πνεῦμα im Galaterbrief noch ganz allgemein als Ermöglichungs- und Motivationsgrund des neuen Handelns bezeichnet wird. Von einer Uminterpretation der πνεῦμα-gelenkten Aktivitäten im Sinne des ekstatischen Pneumatikertums ist noch nichts zu spüren. Dementsprechend liegt auch für Paulus noch kein Anlaß vor, die Bestimmung des charismatischen Standortes des einzelnen oder der Gruppe beim Aufbau und bei der Selbstdarstellung der Gemeinde vorzunehmen. Noch genügt die allgemeine Standortbestimmung in der κοινωνία Christi bzw. des πνεῦμα.

c) Bestimmung des spezifisch charismatischen Standorts

Es scheint, daß Paulus bei der Aktualisierung der eschatologischen κλῆσις bzw. bei der Hineinrufung in die Christus-κοινωνία von Anfang an den πνεῦμα-Aspekt (1 Thess und Gal), aber noch nicht auch das Thema der charismatischen Zuteilung behandelt hat. Vermutlich ist der Apostel erst im Verlauf seiner Auseinandersetzung mit den Pneumatikern dahin geführt worden, die κοινωνία πνεύματος als einen differenzierten charismatischen Standort zu bestimmen. Denn mit der eschatologischen κλῆσις konnte durchaus ein Auftrag bzw. eine Funktion für den Empfänger verbunden sein. Die mit der Hineinrufung verbundene πνεῦμα-Gabe konnte mehr bewirken wollen als nur den Vollzug des Herrschaftswechsels. Die Geistgabe konnte z.B. die missionarische Weitergabe der κλῆσις initiieren oder den gemeinschaftlichen Vollzug des Herrschaftswechsels im Raum der ἐκκλησία fördern, festigen und sicherstellen. Fest steht, daß Paulus nicht dabei stehengeblieben ist, die fundamentalen, für alle Berufenen bzw. Getauften geltenden Strukturen der κλῆσις (Heilsberufung, Neuschöpfung, Heraus- und Hineinrufung) herauszuarbeiten. Er hat sich über die Individuation der mit der κλῆσις verbundenen Zuteilung Gedanken gemacht und vom Beitrag der einzelnen und ganzer Gruppen zum Aufbau der Gemeinde gesprochen[326]. Jedenfalls konnte die Hermeneutik der eschatologischen κλῆσις durchaus mit einer Charismenlehre verbunden werden; die soteriologische Explikation der κλῆσις konnte zur

---

326 Nach E. Käsemann, Grundsätzliches 206, begreift Paulus „alles Handeln des Christen als charismatisch, nämlich als konkrete Bekundung der sich selber differenzierenden Charis..."

ekklesiologischen Explikation der *κλῆσις*-gegebenen Charismen erweitert werden. Schließlich sah der Apostel sich selbst, aber auch andere, durch das Ereignis der eschatologischen *κλῆσις* bzw. durch den Vollzug des Herrschaftswechsels auf einen besonderen charismatischen Standort gestellt. Er sah sich und andere aus der Schöpfungsordnung der Ehe[327] herausgerufen, während er die gleiche Ordnung für die Mehrheit in seinen Gemeinden neu zur Geltung brachte. Es lag also von vornherein im Horizont des *κλῆσις*- und insbesondere auch des Herrschaftswechsel-Gedankens, daß im Einzelfall von einer Totalbestimmung bzw. von einem ganz spezifischen Werkauftrag gesprochen werden konnte.

Allem Anschein nach ist nun in Korinth die Vielfalt der *κλῆσις*-vermittelten Aufbau- bzw. Dienstfunktionen in der Gemeinde in den Sog des ekstatischen Pneumatikertums hineingeraten. Das Bedürfnis nach ekstatischer bzw. glossolalischer Verifikation des *πνεῦμα*-Besitzes überwucherte und verdeckte eines Tages den Zusammenhang zwischen *κοινωνία πνεύματος* und *οἰκοδομή* der Gemeinde. Beim einzelnen oder bei Gruppen konnten sich diese Funktionen durchaus in ihr Gegenteil, nämlich in eine Destruktionskraft verkehren. Nichts war dann notwendiger, als die Auswirkung der *κοινωνία πνεύματος* und insbesondere der speziellen *πνεῦμα*-Gaben für den Aufbau der Gemeinde ins Bewußtsein zu heben. Die *κοινωνία πνεύματος* und die damit im Einzelfall gegebene besondere Geistesgabe mußte als Ermöglichungs- und Motivationsgrund für die spezifischen Aktivitäten aufgezeigt werden. Damit stand die Problematik einer (möglicherweise, aber nicht notwendigerweise) mit der *κλῆσις* bzw. mit der Hineinrufung verbundenen Individuation von Zuteilungen zur Klärung an[328]. Die Klärung der grundsätzlichen Frage ist mit der Abwehr von Irrtümern verbunden. Paulus verhilft jedenfalls dem Pneumatikern dazu, den von ihm beanspruchten charismatischen Standort in genau der gleichen *κοινωνία* Christi bzw. des Geistes zu sehen, in die jeder hineingerufen ist. Er leitet die Besitzer besonderer Geistesgaben dazu an, darin vornehmlich den Ermöglichungs- und Motivationsgrund für den spezifischen Beitrag zur *οἰκοδομή* des Gemeindeganzen zu sehen.

d) Kriterium für die Echtheit der Geistesgaben

Ekstatische Pneumatiker hatten in Korinth die Geistesgaben verfälscht, die für die Selbstdarstellung der eschatologischen *ἐκκλησία* von besonderer Wichtigkeit waren. Paulus mußte bezüglich des Einsatzes der Charismen beim Aufbau der Gemeinde klare Vorstellungen entwickeln. Vor allem brauchte er ein Kriterium, mit dem er die Echtheit der *κλῆσις*-gegebenen

---

327 So U. Duchrow, Christenheit 175 Anm. 574.

328 Nach E. Käsemann, Art. Geist und Geistesgaben im NT 1276, hat „jeder Christ ... wie den G. (Röm 8,9) so auch sein besonderes Charisma, und zwar als seine konkrete Berufung (1 Kor 7,7.17)".

Geistesgaben messen und überprüfen konnte. Er entdeckt das Kriterium im Dienstcharakter bzw. in der positiven Auswirkung für die *οἰκοδομή*. Das Kriterium, das für alle in den Charismenlisten (1 Kor 12,6f.28; Röm 12,6f) zusammengefaßten Geistesgaben maßgebend ist, ist das Maß ihrer *διακονία* gegenüber der Gemeinde (1 Kor 12,7; 14,26)[329]. Das Bedürfnis, die Herrschaft des *πνεῦμα* und seine Gaben in der ekstatisch-glossolalischen Weise der „Offenbarung des Geistes" (1 Kor 12,7) zu aktualisieren bzw. zu verifizieren, wird eindeutig als nichtchristlich abgestempelt. Die Selbstdarstellung der eschatologischen *ἐκκλησία* soll sich nicht auf der religionistischen Ebene abspielen. Es geht beim einzelnen wie bei der Gemeinschaft um den Vollzug des Herrschaftswechsels und um die Kehre in die Theonomie. Der geistgeleitete Aufbau und die geistgeleitete Selbstdarstellung der eschatologischen *ἐκκλησία* ist damit ganz eindeutig unterscheidbar geworden: Beide artikulieren sich nicht religionistisch, sondern existentiell-ethisch.

2. *Charismatisches Prophetentum und theonome Orientierung*

Obwohl eine Vielzahl von Charismen aufgeführt werden, konzentriert sich Paulus auf die Funktion der Propheten in der Gemeinde (1 Kor 12,28; 14,29.32.37 u.ö.). Auf dem Hintergrund des *κλῆσις*-geprägten allgemeinen Prophetentums der Gemeinde versucht er den Standort der neutestamentlichen Propheten in seiner unverwechselbaren Eigenart herauszuarbeiten. Moraltheologisch interessant ist dabei, daß der prophetische Beitrag vor allem „konkret-aktuelle(n) Charakter" hat und sich vornehmlich auf „die weitergehende Konkretisierung der apostolischen Forderungen"[330] bezieht. Die Frage ist, ob die ethische Funktion des charismatischen Prophetentums heute im schöpfungstheologischen Horizont aktualisiert und außerdem auf den Autonomiegedanken bezogen werden kann.

a) Prophetentum und konkrete Ethik

W. Schrage schreibt dem Wirken der neutestamentlichen Propheten durchaus einen aktuellen Offenbarungscharakter zu, verlegt ihn aber in den ethischen Bereich. Könnte man sagen, daß das neutestamentliche Prophetentum seine „konkrete sittliche Wegweisung im hic et nunc"[331] dadurch leistet, daß es Empfänger bzw. Träger einer unausgesetzten *κλῆσις* Gottes bleibt? Histo-

---

329 Vgl. dazu F. Grau, Der neutestamentliche Begriff *χάρισμα*, seine Geschichte und seine Theologie, Diss. Tübingen 1946, 48, 52, 57, 137f. Zum Ganzen vgl. L. Lerle, Diakrisis Pneumaton bei Paulus. Diss. Heidelberg 1947; H. Bacht, Wahres und falsches Prophetentum. Ein kritischer Beitrag zur religionsgeschichtlichen Behandlung des frühen Christentums, in: Bibl 32 (1951) 237–262; K. Maly, 1 Kor 12,1–3, eine Regel zur Unterscheidung der Geister?, in; BZ 10 (1966) 82–95.

330 W. Schrage, Einzelgebote 183.

331 A.a.O. 181; zum Ganzen vgl. a.a.O. 181–186.

risch gesehen, beziehen sich die neutestamentlichen Propheten sicher ausschließlich auf die eschatologische κλῆσις, die das Leben des Christen auf eine neue Grundlage stellt und es gleichzeitig auf die ausstehende zukünftige Vollendung ausrichtet. Sie konzentrieren sich auf den so sehr gefährdeten existentiell-ethischen Vollzug der κλῆσις als Heilsberufung, Neuschöpfung, Heraus- und Hineinrufung. Man wird jedoch den prophetischen Dienst an der eschatologischen κλῆσις heute hinterfragen und einen nicht unwichtigen Dienst an der κλῆσις des Schöpfers herausschälen. Wenn es wirklich zutrifft, daß es bei der neutestamentlichen Prophetie „um das tägliche Wort als tägliches Licht auf dem Wege der Gemeinde und nicht um ein für allemal geschehende Weisungen"[332] geht, dann darf das Charisma auch als Dienst an der protologischen κλῆσις des Schöpfers und Geschichtsherrn interpretiert werden. Wenn hier „wirklich Leitung und Weisung von Fall zu Fall und in jeder konkreten Situation neu"[333] geschieht, dann darf dabei an die Hinführung zur Theonomie ohne Gesetzesgestalt gedacht werden. Denn in der Epoche des Evangeliums steht die Weisungs- und Orientierungsfunktion der κλῆσις-bedingten Wirklichkeit im Vordergrund.
Mit Nachdruck fordert Paulus die „Verstehbarkeit" und „Überprüfbarkeit" der prophetischen Aktivität durch die ganze Gemeinde. Beides ist aber doch nur gegeben, wenn es um die aktuelle Verdeutlichung der Theonomie geht, an welche die aus dem νόμος herausgerufene Gemeinde und die Charismatiker bzw. Pneumatiker gleichermaßen gebunden sind[334]. Gegen die Annahme einer normativen Geistunmittelbarkeit hat sich Paulus gewehrt. Es gibt keine Ausnahmeregelung für Charismatiker. Das Wirken der neutestamentlichen Propheten auf ethischem Gebiet erfolgt also keineswegs aufgrund einer direkten Geistleitung, sondern aufgrund des geistgewirkten Zugangs zur Theonomie der Wirklichkeit.

b) Normierung der charismatischen Existenz

Paulus hat jede Vorstellung von einer Herrschaft des πνεῦμα, bei der von Gott und seinem Christus abgesehen wird, grundsätzlich abgewehrt. Gerade als Diakon des Geistes kämpft er für das Christentum und nicht etwa für eine reine πνεῦμα-Religiosität. In Fragen der Pneumatologie und Ethik hat er immer eine klare Linie durchgehalten. Er hat die normative Geistunmittelbarkeit nicht vordergründig abgewiesen und dann doch wieder für den Einzelfall – durch die Hintertür des Charismabegriffs – die spezifisch pneumatozentrische Normierung eingeführt. Eine unmittelbare und normative Totalbestimmung einzelner durch den Herrschaftsantritt des πνεῦμα-Christus gibt es in seinen Augen eigentlich nur im Falle der Ehelosigkeit (1 Kor 7,7), die für Christus und für die eschatologische οἰκοδομή der Gemeinde ge-

332 A.a.O. 183.
333 Ebd.
334 Vgl. dazu U. Duchrow, Christenheit 171.

lebt wird. Es gibt die Totalbestimmung des Kyrios Christus über seinen Knecht oder des πνεῦμα über den Diakon von Fall zu Fall. Wem mit der Hineinrufung in die Christus-κοινωνία das Charisma der Ehelosigkeit als Standort zugewiesen wurde, der sieht darin mehr als nur einen Ermöglichungs- und Motivationsgrund seines spezifischen Dienstes[335]; er weiß sich gleichzeitig aus einer Schöpfungsordnung, wie es die Ehe ist, herausgerufen. Ansonsten stellen die mit der κλῆσις bzw. mit der Hineinrufung gegebenen bzw. entdeckten Charismen oder Zuteilungen keine Normierung oder Totalbestimmung dar. Ihre Wirkung bleibt auf die Ermöglichung eines Dienstes bzw. auf die Befähigung zu einer besonderen Aktivität begrenzt.
Der Apostel spricht ausnahmslos alle auf die κλῆσις und auf das κλῆσις-gemäße Verhalten an. Aber er spricht nicht alle Berufenen auch auf einen besonderen charismatischen Standort an[336]. Von daher kommt es, daß Paulus seine Geist- bzw. Taufparaklese bwußt an alle adressiert. Doch auch in der Charismenparaklese muß er sich notgedrungen mit summarischen Listen und Zuordnungen begnügen. Die Briefsituation erlaubt es nicht, auf Einzelfälle gesondert einzugehen. Deshalb hält sich Paulus auch auf diesem Sektor mit gezielten Imperativen zurück (1 Kor 12,31; 14,1.12.39), er müßte sonst ganz individuell auf den Ermöglichungs- und Motivationsgrund eingehen (1 Kor 7,7; 12,8f; Röm 12,6).
Die Berufenen und die Charismatiker werden von einer Ethik aus paulinischem Geist in der Normfrage gleichgestellt. Sie werden unterschiedslos auf die Theonomie ohne Gesetzesgestalt verpflichtet. Wer in die κοινωνία Christi bzw. des Geistes hineingerufen bzw. hineingetauft wird, gerät in ein Kraftfeld theozentrischer Ausrichtung. Die Individuation der κλῆσις durch spezifische Zuteilungen oder Charismen ändert daran nichts. Die Geistesherrschaft besteht in der Befreiung des menschlichen πνεῦμα von der Fremdbestimmung durch σάρξ, ἁμαρτία und die „Archonten dieses Äons". Man könnte sagen: die Epoche des Geistes besteht in der Wiederherstellung der theonomen Autonomie, aufgrund deren jeder an die Weisungen des Schöpfers und Geschichtsherrn gewiesen ist, die er in der Wirklichkeit vorfindet. Der Geist bewirkt, daß die Hinwendung der eschatologischen ἐκκλησία zur Welt nicht in eine neue Vergötzung der Weltelemente mündet, sondern in die Kehre zur Theonomie. Es gilt, gegen die Identifikation des menschlichen Selbst mit dem göttlichen πνεῦηα und für die Erkenntnis und Anerkenntnis der Theonomie zu kämpfen und am sittlichen Verantwortungsbewußtsein gegenüber dem rufenden Gott festzuhalten. Diese Aufgabe ist

---

335 Nach W. Schrage, Einzelgebote 144 Anm. 17 und 18, hält Paulus die Ehe nicht für ein Charisma. Gegenteiliger Ansicht sind R. Völkl, Christ und Welt 241; L. Hick, Stellung des Hl. Paulus zur Frau im Rahmen seiner Zeit (Kirche und Volk Bd. 5), Köln 1957, 111.

336 Vgl. G. Hasenhüttl, Charisma 234.

nicht auf die paulinische Zeit beschränkt. Gegenüber dem antiken wie auch gegenüber dem heutigen säkularistischen Immanentismus ist die theologische Grundlegung und Verankerung der Ethik gleich vordringlich.

ZUSAMMENFASSUNG

Kann von einer christologisch-pneumatologischen Erhellung der Autonomie gesprochen werden? Sicher nicht in gleicher Weise wie von der *κλῆσις*-geschichtlichen Erhellung des geschöpflichen Selbstands oder von der hamartiologischen Erhellung der immanentistischen Selbstabkapselung gesprochen werden kann. Immerhin erschöpft sich die *κλῆσις*-geschichtliche Erhellung nicht darin, ausgehend von der soteriologischen *κλῆσις* die protologische *κλῆσις* des Schöpfers aufzudecken. Sie läßt sich vielmehr durch die Hineinrufungsstruktur zu einer christologischen Erhellung erweitern. Freilich wird dadurch das Geschehen der Wiederherstellung der theonomen Autonomie zunächst sehr allgemein ausgeleuchtet. Es erhellt z.B. daraus, daß die Hineinrufung in die *κοινωνία* des *πνεῦμα*-Christus keine spezifisch christozentrische oder pneumatozentrische Normierung, sondern eine ausgesprochen theozentrische Ausrichtung beinhaltet. Es kündigt sich dadurch an, daß der Christ auf die Theonomie ohne Gesetzesgestalt verpflichtet und zur eigenständigen und *αἰών*-kritischen Findung bzw. Prüfung des Willens Gottes aufgerufen wird. Man kann mit Hilfe der Hineinrufungsstruktur ermitteln, daß die Grundkräfte der Person *νοῦς* und *συνείδησις* durch den Herrschaftsantritt Christi bzw. des Geistes nicht ausgeschaltet oder materialethisch programmiert, sondern in ihrer Autonomiefunktion reaktiviert werden.
Daran ändert auch die Tatsache nichts, daß mit der eschatologischen Hineinrufung in die *κοινωνία* des *πνεῦμα*-Christus eine Individuation von Zuteilungen bzw. Charismen verbunden ist. Sie differenzieren zwar den allgemeinen Standort des Christen in der *κοινωνία πνεύματος*, aber sie bewirken keine solche Individualisierung, die die Einheit bzw. Gemeinschaft in der theonomen Autonomie aufhebt. Denn die Normierung des sittlichen Handelns wird nicht an die charismatische Basis gebunden oder gar aufgesplittert. Die theonome Orientierung der Pneumatiker und Charismatiker rückt die Universalität der theonomen Autonomie nur um so deutlicher ins Licht.
Bis jetzt sind erst die Grundlagen der neuen Ausübung der Autonomie skizziert. Die Frage, wie denn die *αἰών*-kritische und die *αἰών*-überwindende Autonomie von der Grundlage der Christus-*κοινωνία* aus funktioniert, kann nur durch die Zusammenfassung der *κλῆσις*-geschichtlichen, hamartiologischen und christologisch-pneumatologischen Erhellung beantwortet werden. Dies wird bei der Frage nach der Aktualisierbarkeit der christologischen Erhellung versucht.

5. Kapitel

AKTUALISIERBARKEIT DES AUTONOMIE-MODELLS

Methodische Vorbemerkungen

Ziel der Arbeit ist der Entwurf eines bibeltheologischen Autonomie-Modells aus paulinischem Geist, nicht die konkrete Ausführung eines moraltheologischen Autonomiekonzepts aus paulinischem Geist. Modell und Ausführung sind zwei grundverschiedene Dinge. Die Frage der Aktualisierbarkeit des Modells kann daher im Schlußkapitel nur angeschnitten werden. Endgültig beantwortet werden könnte sie nur durch die konkrete moraltheologische Ausführung des Autonomiekonzepts. Dabei müßte das ganze Modell mit all seinen Bauteilen im Horizont der neuzeitlichen Autonomiediskussion durchreflektiert und es müßten wenigstens Ansätze und Konturen eines moraltheologischen Konzepts herausgearbeitet werden. Doch der zweite Schritt kann nicht vor dem ersten getan werden. Hier sollen zu den einzelnen Punkten nur Prolegomena geboten werden, mehr nicht.
So wird z.B. der Weg der Ethik im Horizont des Autonomiegedankens nur in groben Strichen skizziert, um die Probleme der theologischen Aktualisierung des Autonomiegedankens zu verdeutlichen. Es wird der nachcartesianisch-anthropozentrische Denkhorizont angedeutet, der den Autonomieanspruch der Aufklärung prägt. Dadurch wird die moraltheologische Debatte über Vereinbarkeit oder Unvereinbarkeit von Autonomie und Theonomie verständlich. Es wird vor allem auf die jüngste theologische Rezeption des Autonomiegedankens hingewiesen, die dem Votum A. Auers u.a. für ein moraltheologisches Autonomiekonzept zugrundeliegt. Im Hinblick auf die angelaufene Diskussion wird zu zeigen versucht, daß die κλῆσις-geschichtliche, die hamartiologische und christologische Erhellung der Autonomie die Auseinandersetzung mit dem immanentistischen Autonomieverständnis aufzunehmen vermag. Befürworter und Gegner eines Autonomiekonzepts sollen sich davon überzeugen, daß die Moraltheologie mit Hilfe eines Autonomie-Modells aus paulinischem Geist sich auf den geforderten Gestaltwandel einlassen und die Selbstdarstellung im Horizont des Autonomiegedankens vollziehen kann.

I. ETHIK IM HORIZONT DES AUTONOMIEGEDANKENS

Dem Votum A. Auers für ein theologisches Autonomiekonzept wird gegenwärtig heftig widersprochen. Nach Ansicht der Gegner liegen die Gründe, derentwegen man dem Votum nicht zustimmen, sondern nur mit tiefster Skepsis begegnen kann, im neuzeitlichen Autonomiepostulat selbst. Wie steht es damit? Welche Standpunkte haben sich in der Autonomiediskussion bisher herausgebildet? Bietet das vorgelegte Modell die Chance einer gesamttheologischen Erhellung der Autonomie?

1. *Autonomiepostulat im Zeichen der Aufklärung (I. Kant)*

Es ist die Urfassung des Autonomiepostulats durch I. Kant und seine Wirkungsgeschichte, die die abgrundtiefe Skepsis gegenüber jedem theologischen Gebrauch des Autonomiebegriffs hervorruft[337]. I. Kant ratifiziert die cartesianische Wende der Philosophie zum Menschen: Das alte Objektdenken, das dem Sein den Primat gegenüber dem Bewußtsein bzw. dem Objekt den Primat gegenüber dem Subjekt gibt, wird abgelöst durch ein Subjektdenken, das vom Ich ausgeht, den Menschen in den Mittelpunkt stellt und alles auf ihn bezieht. Subjektivität, Freiheit und Autonomie des Menschen erscheinen als Grundgegebenheiten, die keiner theologischen Begründung mehr bedürfen. Insbesondere der Begriff der Autonomie „steht jetzt für die Möglichkeit und Bestimmung des Menschen, sich durch sich selbst in seiner Eigenschaft als Vernunftwesen zu bestimmen"[338]. I. Kant erhebt den Autonomiegedanken zum Strukturprinzip aller Philosophie und Ethik, wobei die Selbstgesetzgebung der theoretischen Vernunft die Basis bildet für die Selbstgesetzgebung der praktischen Vernunft.
Weil das alte Ordnungsdenken, das Gott an die Spitze stellte und ihn als alleinigen Gesetzgeber anerkannte, abgelöst wird, kommt I. Kant dazu, das frühere Verhältnis von Religion und Ethik umzukehren. Religion wird zur Funktion der praktischen Vernunft, weil die reine oder theoretische Vernunft die Existenz Gottes nicht beweisen kann[339]. Der Gottesgedanke ist Postulat der praktischen Vernunft. Das moralische Gesetz führt „durch den Begriff des höchsten Guts, als das Objekt und den Endzweck der reinen praktischen Vernunft, zur Religion, d.i. zur Erkenntniß aller Pflichten als göttlicher Gebote, nicht als Sanctionen, d.i. willkürliche, für sich selbst zufällige Verordnungen eines fremden Willens, sondern als wesentlicher Ge-

---

337 Vgl. B. Stoeckle, Grenzen; J. Ratzinger, Prinzipien. Zur Auseinandersetzung damit vgl. D. Mieth, Autonome Moral im christlichen Kontext. Zu einem Grundlagenstreit der theologischen Ethik, in: Orientierung 40 (1976) 31–34.

338 R. Pohlmann, Art. Autonomie 707. Zum Autonomiebegriff I. Kants vgl. H. Thielicke, Theologische Ethik II, 2, 542–545; L. Borgolte, Zur Grundlegung der Lehre von der Beziehung des Sittlichen zum Religiösen im Anschluß an die Ethik Nic. Hartmanns, Würzburg 1938, 9–13 (Beziehung des Sittlichen); J. Schwartländer, Der Mensch ist Person. Kants Lehre vom Menschen, Stuttgart 1968, 128–219; Ch. Keller, Das Theologische 19–86.

339 Vgl. Ch. Keller, Das Theologische 49–60.

setze eines jeden freien Willens für sich selbst,die aber dennoch als Gebote des höchsten Wesens angesehen werden müssen..."[340]
I. Kant verbindet den Autonomieanspruch noch mit einer „von hinten her, als Postulat, wiedereingeführten Theologie"[341]. Doch je mehr sich der Autonomiestandpunkt verfestigt, desto weniger wird die Gottesidee im Kantschen Sinne für notwendig erachtet. Das Autonomieprinzip entfaltet eine solche Faszination, daß darüber das Postulat der „Erkenntnis aller Pflichten als göttlicher Gebote" (I. Kant) bald vernachlässigt wird. Was das ethische Denken nach Descartes und Kant prägt, ist die Ablösung des rezeptiven Moments durch das aktive. Man spricht nicht mehr vom Bestimmtwerden des Willens durch Willensgegenstände bzw. den Willen evozierende Objekte (Nützlichkeits- und Glückserwägungen) und durch die Wirklichkeit überhaupt. Der Wille wird nicht mehr als rezeptive, sondern als bestimmunggebende Aktivität definiert. Die den Willen bestimmenden Objekte, das esse, dem das agere zu entsprechen hat, treten völlig hinter dem Aktivitäts- und Produktivitätscharakter des „Ich denke" zurück. Die Begriffe autonomer Wille und autonome praktische Vernunft werden von Kant synonym gebraucht. Theoretische und praktische Vernunft empfangen ihre Bestimmung nicht von etwas anderem, sondern aus sich selbst. Sie verhalten sich gegenüber der Wirklichkeit nicht mehr in einem ausgewogenen Verhältnis von empfangender und stiftender Aktivität[342], sondern die Aktivität, Kreativität und Produktivität des „Ich denke" überwiegt bei weitem das Sich-Einlassen auf Objekte, das Hinhorchen auf die Wirklichkeit. „Da allein das vernünftige Wesen sittlich gut, d.h. rein aus Pflicht zu handeln vermag, beinhaltet der Kategor. Imperativ zugleich, daß das Gesetz bzw. die moral. Güte nicht von ‚außen' kommen oder empfangen werden können, sondern schon an sich in der Person gegenwärtig sind: in der reinen Vernunft."[343] Daraus entwickeln sich die Charakteristika des autonomistischen Denkens, auf die später näher eingegangen werden muß.
Das emanzipatorische Pathos, das in Kants Postulat der Autonomie, Selbständigkeit und Mündigkeit des Menschen anklingt, kehrt im Menschenbild J.G. Fichtes erheblich verstärkt wieder[344]. Er radikalisiert den Grundsatz,

340 I. Kant, Kritik der praktischen Vernunft, in: Kant's gesammelte Schriften, hrsg. von der Königlich Preußischen Akademie der Wissenschaften, Bd. V, Berlin 1913, 129.

341 K. Hilpert, Art. Autonomie, in: Wörterbuch christlicher Ethik, Freiburg 1975, 28–34, hier 30.

342 Vgl. dazu M. Welker, Vorgang 199.

343 K. Hilpert, Art. Autonomie 29. Zum Ganzen vgl. H.J. Platon, Der kategorische Imperativ. Eine Untersuchung über Kants Moralphilosophie, Berlin 1962.

344 Dazu K. Barth, KD III, 2, 128: „Fichtes Gott ist Fichtes Mensch und Fichtes Mensch ist Fichtes Gott. Und eben darum, weil Gott für ihn nicht-existent ist, hat Fichte jenen Begriff des schlechthin autarken, absolut innerlichen Wesens denken und dieses Wesen dem Menschen zuschreiben und die so ausgestattete Figur für den wirklichen Menschen halten müssen."

daß die theoretische und praktische Vernunft durch nichts außer durch sich selbst bestimmt werden dürfe. Die absolute Existenz und Autonomie des Ich ist nach J.G. Fichte gekennzeichnet durch die „absolute Unbestimmbarkeit durch irgend etwas ausser dem Ich“[345]. Die „Entlehnung der Bestimmungsgründe von irgend etwas ausser uns“[346] ist als Heteronomie unbedingt abzulehnen.

Der von I. Kant und I.G. Fichte entwickelte Autonomiegedanke ist keineswegs an die geschichtliche Epoche seiner Urheber (Aufklärung) gebunden, sondern lebt als systematischer Denkansatz der Aufklärung bis heute weiter. Er kehrt in jedem Autonomie-Standpunkt wieder, bei dem sich der Mensch von Gott als Seins- und Sollensgrund emanzipiert und sich zum einzigen Bezugspunkt der Welt erklärt. Aus theologischer Perspektive muß er als immanentistischer Autonomieanspruch bezeichnet werden, wie immer er sich auch im einzelnen theoretisch begründet. Er ist zum Modell atheistischen Selbstverständnisses und atheistischer Selbstverwirklichung geworden. Kennzeichnend dafür ist die Behauptung, daß der Mensch sich selbst entfremdet wird, sobald er sich zu Gott in Beziehung setzt[347]. Erst durch die Emanzipation von Transzendenz und Theonomie kann der Mensch nach diesem Autonomieverständnis zu sich selber kommen und alle Möglichkeiten der Selbstbestimmung und Selbstverwirklichung ausschöpfen.

2. *Unvereinbarkeit von Autonomie und Theonomie?*

Die ablehnende Reaktion auf den immanentistischen Autonomieanspruch blieb nicht aus. F.H. Jacobi kritisiert das Autonomiedenken I. Kants und J.G. Fichtes als eine „Selbstgötterey“[348]. Für F. Schlegel, der an der Verankerung des Sittengesetzes in Gott festhält, ist jede Begründung der Moral „aus reiner Selbstbestimmung der Vernunft ... verwerflich“[349]. F.v. Baader nennt das Prinzip der Kantschen Autonomie-Moral „antireligiös“ und wendet sich scharf gegen „die ganz neue Irrlehre der Autonomie des Menschen und seiner absoluten Sichselbstbegründung oder seines Sichselbst-Autoritätseins...“[350] Es ist unschwer zu erkennen, daß sich der Hauptstoß der

---

345 J.G. Fichte, Das System der Sittenlehre nach den Prinzipien der Wissenschaftslehre, in: Sämtliche Werke, hrsg. J.H. Fichte, Leipzig o.J., Bd. 4, 56.

346 Ebd.

347 Nach K. Marx resultiert die Entfremdung gerade nicht aus der Verneinung Gottes, sondern aus dem Ja zu Religion und Gott. Vgl. dazu H. Kimmerle, Der marxistische Atheismus. Zur Religionskritik bei Marx, Engels und Lenin, in: EvTh 8 (1966) 434–447.

348 Jacobi an Fichte, in: F.H. Jacobi, Werke, hrsg. von F. Roth und F. Köppen, Bd. 3, Leipzig 1816, 3, 37, 50 (Nachdruck Darmstadt 1976).

349 Die Entwicklung der Philosophie in 12 Büchern, 8: Kritik der Moralprinzipien, in: Werke Erg. Bd. 3, 1848, 255f, zitiert bei R. Pohlmann, Art. Autonomie 714.

350 Ueber Religions- und religiöse Philosophie im Gegensatze sowohl der Religions-

Kritik am Autonomiegedanken gegen die Emanzipation des Menschen und seiner Moralität von Gott richtet. Dabei konnte sich die Ablehnung nicht unmittelbar gegen I. Kant selbst wenden, denn seine Formulierung des Autonomieprinzips war noch nicht religionsfeindlich im strikten und programmatischen Sinn. Es konnte sich jedoch sehr schnell der dezidierte Atheismus an die Spitze der Autonomiebewegung setzen.
War die Möglichkeit des immanentistisch-atheistischen Autonomieanspruchs im nachcartesianisch-anthropozentrischen Denken nicht geradezu vorprogrammiert? Für das Subjektdenken ist einzig und allein die Erfahrung des eigenen Ich (Cogito, ergo sum), nicht jedoch auch die Erfahrung des rufenden bzw. sich offenbarenden Schöpfers evident gegeben. Vom immanentistischen Denkansatz her neigt das Subjekt dahin, die fremde eigenständige Wirklichkeit außerhalb des eigenen Ich nicht mehr voll wahrzunehmen und ernst zu nehmen. Denn dadurch, daß die theoretische Vernunft sich ihre Gegenstandswelt selbst auferbaut, begrenzt sie sie auch. Nach R. Schaeffler wird ein solches Bewußtsein fast zwangsläufig erfahrungs- und geschichtsunfähig, „weil es jede Begegnung mit der Wirklichkeit unter zwei Bedingungen stellt: Das Wirkliche darf sich nicht als das Unvorhersehbar-Kontingente zeigen, das sich keinem vorgegebenen Gesetz unterwirft, und es darf nicht als das Eigenständig-Fremdartige begegnen, das dem Versuch widersteht als Moment in den Prozeß des zu sich kommenden Subjekts der Theorie oder der Praxis eingegliedert zu werden“[351]. Sobald ein Mensch keine Wirklichkeit mehr gelten läßt, die er nicht selbst aufbaut, wird er unfähig zur Begegnung mit dem rufenden und sich offenbarenden Gott. Erfahrungs- und Geschichtsunfähigkeit wirken sich gerade für Religion und Theologie verheerend aus, weil es darum geht, die transzendente Dimension der Wirklichkeit zu erkennen und anzuerkennen. Sobald das eigene Bewußtsein nicht mehr von außen und von oben affiziert und bestimmt werden darf, ist das immanentistische Autonomiebewußtsein unvermeidlich. Dadurch aber wird der Mensch unfähig zum Hinhorchen und Eingehen auf das Vorgegebene, das Eigenständige und Fremde, das außerhalb des eigenen Ich existiert.
Für dieses Denken hat H.E. Hengstenberg die Bezeichnung „Autonomismus“[352] geprägt. Die Neigung bzw. das Gefälle des Autonomiedenkens zum „Autonomismus“ ist eine Tatsache, die es für die Ethik ungeeignet macht. Das Wesen autonomistischen Denkens ist, daß es „Maß und Vorbild der

philosophie als der irreligiösen Philosophie, in: F.X. von Baader, Sämtliche Werke, hrsg. von F. Hoffmann, J. Hamberger u.a., Bd. I, Aalen 1963, 326 (Nachdruck der Ausgabe Leipzig 1851).

351 Die Religionskritik sucht ihren Partner. Thesen zu einer erneuerten Apologetik, Freiburg/Basel/Wien 1974, 81 (Religionskritik).

352 Autonomismus und Transzendenzphilosophie, Heidelberg 1950 (Autonomismus); vgl. ferner H.K. Kohlenberger, Art. Autonomismus, in: Historisches Wörterbuch der Philosophie I, 720–721.

Sinnrealisierung in das Seiende selbst"[353] und nicht in die göttliche Transzendenz verlegt. So entsteht „ein Weltbild ohne Gott"[354], das niemals Grundlage von Ethik sein kann. Aufgrund seiner Analyse autonomistischer Weltbilder spricht H.E. Hengstenberg dem Autonomiebegriff jeglichen Gebrauchswert in der Theologie ab. Autonomie und Theonomie schließen sich gegenseitig aus.
Die Tendenz zum Atheismus ist vor allem dem Autonomiegedanken neukantianischer Prägung[355] eigen, sie findet sich aber auch im Autonomiegedanken der gegen Kant konzipierten Wertethik. So hat z.B. N. Hartmann die „Autonomie der Werte und ihres Sollens im Sinne ihrer letzten, eigenen Selbstbegründung" oder eine „Autonomie der idealen Werte an sich"[356] gelehrt. M. Scheler konnte sich dieses Ethikkonzept nicht ohne positives atheistisches Fundament vorstellen, wenn es wirklich die Selbstverantwortlichkeit des Menschen aufs äußerste steigern wollte[357]. Aus der grundsätzlichen Feststellung der Wertethik, daß es die „Gebundenheit an Werte" gibt, hätte man gewiß auch folgern können, „daß eine absolute Autonomie dem Menschen gar nicht eignen kann"[358]. Aber der Atheismusverdacht hinderte die Theologie, sich näher auf den Autonomiegedanken einzulassen. Der nachcartesianisch-anthropozentrische Standpunkt sollte nicht zur Denkform des moraltheologischen Denkens werden.
A. Hartmann wendet sich im Anschluß an H.E. Hengstenbergs Kritik des Autonomismus gegen „die neuzeitliche Idee der autonomen Vernunft, die sich in Gegensatz zum übernatürlichen Offenbarungsglauben stellt" und „sich als ursprünglich schöpferisch versteht und als Gesetz, Ordnung und Wert nur anerkennen will, was aus ihr selbst stammt"[359]. P. Bolkovac überbietet die These H.E. Hengstenbergs, daß „das sittliche Subjekt in seinem sittlichen Sollen nicht autonom, sondern rezeptiv"[360] sei dadurch, daß er den vom Autonomiedenken perhorreszierten Begriff der Heteronomie zur Kennzeichnung der christlichen Moral vorschlägt: „Der Seins-Unterschied zwischen Schöpfer u Geschöpf rechtfertigt u fordert die Heteronomie: die

---

353 H. Hengstenberg, Autonomismus 180.
354 A.a.O. 62.
355 Vgl. dazu R. Pohlmann, Art. Autonomie 712.
356 Th. Steinbüchel, Die philosophische Grundlegung der katholischen Sittenlehre (HkS I, 2), Düsseldorf ^{4}1951, 239 (Grundlegung). Zur Kritik am Autonomiebegriff N. Hartmanns vgl. L. Borgolte, Beziehung des Sittlichen 13–21; vgl. ferner R. Groos, Wertethik oder religiöse Sittlichkeit? Eine Auseinandersetzung mit der Ethik Nicolai Hartmanns und der neueren evangelischen Ethik (FGLP VI, 2), München 1933.
357 Philosophische Weltanschauung, München/Bern 1954, 44; zum Autonomiebegriff M. Schelers vgl. M. Uchiyama, Das Wertwidrige in der Ethik Max Schelers (MPhF 4), Bonn 1966, 128–132.
358 Th. Steinbüchel, Grundlegung 238.
359 Art. Autonomismus, in: LThK I, 1131–1132, hier 1131.
360 H.E. Hengstenberg, Ethik 98.

Freiheit des Menschen wird an die Ordnung u das Gebot Gottes gebunden“[361]. Man möchte nicht auch noch im katholischen Bereich ein Autonomiebewußtsein züchten und kultivieren, wie es im evangelischen Lager[362] bei W. Herrmann[363] geschah, der die sittliche Autonomie vom Gottesgedanken löste, um dem Vorwurf der Heteronomie zu entgehen. Gerade der neuzeitliche Mensch sieht allzuleicht in sich selbst „den letzten Wert überhaupt..., vergißt die Kreatürlichkeit des Menschen und den Herrschaftsanspruch Gottes“[364]. Viele Moraltheologen interpretieren Autonomie völlig undifferenziert „als ein weltimmanentes, dem neuzeitlichen Rationalismus entsprechendes ethisches Prinzip..., das in direktem Gegensatz zu einer letztlich religiös gegründeten Moral und damit zur Theonomie steht“[365].

3. *Neutrale Bedeutungsgehalte des Autonomiebegriffs*

So sehr der immanentistische Bedeutungsgehalt die Diskussion beherrscht, so existieren mittlerweile doch auch eine ganze Reihe von Autonomiebegriffen, die nicht mehr den Immanentismus I. Kants und J.G. Fichtes widerspiegeln. Sehr früh schon entwickelte sich eine vom Immanenzprinzip losgelöste, eigenständige Verwendung des Autonomiebegriffs in der Darstellung der Ethik. So dient der Autonomiebegriff z.B. als Synonym für die Willensfreiheit[366], er war ja schon von I. Kant verwendet worden, um die Autonomie des Willens als des obersten Prinzips der Sittlichkeit und die Freiheit des

---

361 P. Bolkovac, Art. Autonomie, in: Philosophisches Wörterbuch, hrsg. von W. Brugger, Freiburg/Basel/Wien ³1967, 34–35, hier 35.

362 Vgl. dazu J. Köstlin, Die Begründung unserer sittlich-religiösen Überzeugung, Berlin 1893, 6–18, 88ff; E. Billing, Ethische Grundfragen des evangelischen Christentums. Einige Betrachtungen beim Studium von Herrmanns Ethik, in: ZThK 13 (1903) 267–323; E. Fürst, Die sittliche Aufgabe des Christen bei Ritschl und seiner Schule unter besonderer Berücksichtigung der Bergpredigt, Diss. Tübingen 1944, 107–165.

363 Vgl. W. Herrmann, Ethik ³1904, 40: „Wenn wir es uns nicht selbst sagen, so kann auch kein anderer, weder Gott noch Mensch uns sagen, was die unbedingte Forderung gebietet, die der letzte Grund unseres sittlichen Verhaltens sein muss.“ Vgl. ferner a.a.O. 41–42; ders., Gesammelte Aufsätze, hrsg. von F.W. Schmidt, Tübingen 1923, 407: „Die Sittlichkeit ist in ihrer Wurzel vergiftet, sobald ein Gedanke, der allerdings jedem frommen Menschen heilig ist, zum Grund der sittlichen Überzeugung gemacht wird, nämlich der Gedanke, daß das sittliche Gebot das Gebot Gottes ist. Ohne diesen Gedanken wollen wir Christen freilich nicht leben. Sehen wir aber wirklich in ihm den Grund unserer sittlichen Überzeugung, so haben wir überhaupt keine sittliche Überzeugung.“ Zum Ganzen vgl. W. Wiesenberg, Das Verhältnis von Formal- und Materialethik, erörtert an dem Streit zwischen W. Herrmann und E. Troeltsch, Diss. Leipzig 1934.

364 P. Bolkovac, Art. Autonomie 35.

365 R. Pohlmann, Art. Autonomie 714.

366 Vgl. W. Wundt, Ethik. Eine Untersuchung der Tatsachen und Gesetze des sittlichen Lebens, 3: Die Prinzipien der Sittlichkeit und die sittlichen Lebensgebiete, Stuttgart ⁴1912, 126 (Ethik).

Menschen als eines Vernunftwesens zu charakterisieren[367]. Wenn man in der Moraltheologie seither von der sittlichen Autonomie spricht, so will man meistens diesen psychologisch-persönlichen Sachverhalt zum Ausdruck bringen: „Bedeutet Autonomie freie persönliche Selbstentscheidung, so ist sie vor Gottes Willen und Gebot sittlich unentbehrlich."[368]
Der Autonomiebegriff wird verwendet als Synonym für den ethischen Freiheitsbegriff überhaupt[369], als Kennzeichen des Begriffs der Person[370], aber auch zur Kennzeichnung der Selbstverpflichtung durch eigene Einsicht oder anders ausgedrückt, zum Ausschluß autoritativer Fremdbestimmung des einen durch den anderen[371]. Schließlich wird der Autonomiebegriff als Terminus technicus auch in solchen Ethikkonzepten gebraucht, die im Gegensatz zum Kantschen Autonomieprinzip entwickelt wurden und kein immanentistisches Vorzeichen tragen. So unterscheidet z.B. M. Scheler „Autonomie des sittlichen Erkennens und Autonomie des sittlichen Wollens und Handelns" als grundverschiedene Dinge und betont gegenüber I. Kant, daß auch „der Akt des Gehorsams ein autonomer Willensakt"[372] sei, wie überhaupt alle „sittliche Einsicht ‚selbstgesetzlich' (autonom)" sei, insofern sie „dem immanenten Gesetze der emotionalen Einsichtsakte selber folgt"[373]. Bei M. Scheler ist die Autonomie der sittlichen Person „nur eine Folge ihres wertrealisierenden ethischen Verhaltens"[374]. Es versteht sich von selbst, daß dieser neutrale Begriff der „Autonomie der Ethik und der natürlichen Sittlichkeit"[375] in die Moraltheologie Eingang gefunden hat.
Von noch größerer Bedeutung für die neuere Moraltheologie wurde jedoch ein anderer Sprachgebrauch. Gemeint ist die – letztlich auch im Gefolge I. Kants, insbesondere des Neukantianismus – entstandene Rede von den konkreten Autonomien der Wissenschaft, des Sozialen, der Ästhetik usw.[376] Da-

---

367 Belege dafür bei R. Pohlmann, Art. Autonomie 708; ferner K. Hilpert, Art. Autonomie 29.

368 Th. Steinbüchel, Grundlegung 239.

369 Vgl. W. Windelband, Über Willensfreiheit. Zwölf Vorlesungen, Tübingen [3]1918, 86.

370 W. Wundt, Ethik 326.

371 Vgl. dazu L. Nelson, System der philosophischen Ethik und Pädagogik (Vorlesungen über die Grundlagen der Ethik, Bd. 2), Göttingen/Hamburg [2]1949, 216.

372 Der Formalismus in der Ethik und die materiale Wertethik. Neuer Versuch der Grundlegung eines ethischen Personalismus (Gesammelte Werke 2), Bern 1954, 101 Anm. 2.

373 Absolutsetzung und Realsetzung der Gottesidee, in: Schriften aus dem Nachlaß, I: Zur Ethik und Erkenntnislehre (Gesammelte Werke 10), Bern 1957, 181–253, hier 197.

374 R. Pohlmann, Art. Autonomie 712.

375 Vgl. den gleichnamigen Abschnitt bei M. Reding, Philosophische Grundlegung der katholischen Moraltheologie (HdM 1), München 1953, 201–204 (Grundlegung); ferner Th. Steinbüchel, Grundlegung I, 2, 236–241 u.ö.

376 Vgl. R. Pohlmann, Art. Autonomie 712.

bei wird die allgemein angenommene Autonomie bzw. Eigengesetzlichkeit des Denkens in eine Vielfalt von Autonomien der einzelnen Wirklichkeitsbereiche ausdifferenziert. Hier wird nicht nur unterstrichen, daß den modernen Wissenschaften eine methodische Beschränkung auf einen bestimmten Bereich der Wirklichkeit zugrunde liegt, sondern auch herausgestellt, daß dem unterschiedlichen methodischen Zugriff jeweils verschieden geprägte Autonomien entsprechen. Damit verbunden ist der methodische Atheismus der Wissenschaften, der sich jedoch im Idealfall auf den rein methodisch-technischen Ausschluß der Gottesfrage beschränkt und die grundsätzliche Offenheit für die Transzendenz wahrt. Man wird nicht abstreiten, daß es ein Gefälle vom methodischen zum prinzipiellen Atheismus geben kann, bei dem die Gottesfrage dann überhaupt nicht mehr in ihrer Bedeutsamkeit erfaßt wird. In der philosophischen Ethik kann es leicht geschehen, daß aus dem Terminus technicus Autonomie ein reideologisierter Autonomiegedanke und ein immanentistisches Moralprinzip gemacht wird. Denn jedes Autonomieverständnis ist im tiefsten und letzten auf den Vollzug der neuzeitlichen Wende zum Menschen zurückzuführen. Bei vielen Autonomiebegriffen ist jedoch keine theologisch negative Zielrichtung, d.h. keine immanentistische Abkapselung gegenüber Gott vorauszusetzen[377]. Gerade der Autonomiegedanke der modernen Wissenschaften hält sich normalerweise in der Schwebe zwischen methodischem Atheismus und grundsätzlicher Offenheit für die Frage nach Gott.

4. *A. Auers Votum für ein Autonomiekonzept*

Es versteht sich von selbst, daß die Befürworter[378] eines theologischen Autonomiekonzepts an die zahlreichen nichtimmanentistischen Bedeutungsgehalte und an den neutralen Gebrauch des Autonomiebegriffs anknüpfen können. A. Auer begründet sein Votum für ein Autonomiekonzept jedoch vor allem mit der immer noch unerledigten Herausforderung, die vom Autono-

---

377 Vgl. dazu Th. Steinbüchel, Grundlegung 239f; B. Lakebrink, Metaphysik 135.

378 Neben A. Auer und F. Böckle wären zu nennen: J. Fuchs, Gibt es eine spezifisch christliche Moral?, in: StdZ 185 (1970) 99–112; R. Hofmann, Das Menschliche im christlichen Ethos, in: Humanismus zwischen Christentum und Marxismus (MASt 56), München 1970, 145–168; St. Pfürtner, Natürliche Menschlichkeit und christliches Ethos, in: Herausforderung 243–266; ders., Autonomie des Menschen – Autonomie Gottes, in: Begegnung 345–359; A. Ruf, Grundkurs Moraltheologie I: Gesetz und Norm, Freiburg 1975, 158, 165f; H. Juros / T. Styczen, Methodologische Ansätze ethischen Denkens und ihre Folgen für die theologische Ethik, in: Theologische Berichte IV, hrsg. von J. Pfammater und F. Furger, Zürich/Einsiedeln/Köln 1974, 89–108; D. Mieth, vgl. Anm. 13 (1. Teil), Anm. 337 und 386 (2. Teil); H. Küng, Christ sein, München/Zürich 1975, 531–535; W. Korff, Theologische Ethik. Eine Einführung, unter Mitarbeit von W. Fürst und J. Torggler, Freiburg/Basel/Wien 1975.

miepostulat der Aufklärung gegenüber Kirche und Theologie ergeht[379]. Der Entwurf einer theologischen Ethik im Horizont des Autonomiebewußtseins erscheint ihm unumgänglich. Eine wesentliche Hilfe ist das Autonomieverständnis, das sich in jüngster Zeit im christlichen Raum zu entwickeln beginnt[380]. Es versteht sich als kritischer Mitvollzug der neuzeitlichen Wende zur Anthropozentrik[381], als Versuch, die Theologie in den nachcartesianisch-anthropozentrischen Denkhorizont zu transponieren. Anthropozentrik, Autonomie und Säkularität des menschlichen Lebens und der Welt werden dabei als Wirkungen des Christentums, näherhin als Konsequenzen der Schöpfungstheologie begriffen. Jedes Gefälle zu einem mehr als methodischen Atheismus und jeder Immanentismus werden sorgfältig zu vermeiden gesucht[382]. Das Bewußtsein für die theologisch positive Aktualisierung der Autonomie wird nicht bloß offengehalten, sondern geschärft.

A. Auer geht bei seinem Votum davon aus, daß das Autonomiebewußtsein aus sehr unterschiedlichen Quellen geschöpft wird, je nachdem, ob man es mit einem dezidierten Atheismus, mit dem methodischen Atheismus oder mit dem eben skizzierten christlichen Autonomieverständnis zu tun hat. Er rechnet durchaus mit dem Mißtrauen der immanentistischen Seite, denn die Welt hat „ihre Eigentlichkeit als Welt voll entdeckt und ist ihrer so spontan bewußt geworden, daß sie – jedenfalls fürs erste – jede Relativierung, aus welcher Transzendenz auch immer, resolut und pathetisch zurückweist; sie hat sich um der endgültigen Sicherung ihres neu erkämpften geistigen Besitzstandes willen, immanentistisch verschlossen“[383].

A. Auer rechnet jedoch vor allem mit jener Gruppe, deren Anspruch auf Autonomie nicht dem Bedürfnis nach Emanzipation, sondern einem ausgeprägten innerweltlichen Verantwortungsbewußtsein entspringt[384]. Für viele Christen ist nun einmal die Intersubjektivität bzw. die Mitmenschlichkeit[385] das

---

379 Vgl. dazu H. Krings, Freiheit als Chance. Kirche und Theologie unter dem Anspruch der Neuzeit, Düsseldorf 1972, 21–46.

380 Vgl. die Stichworte „Autonomia“ und „Autonomie“ im Register des LThK: Das Zweite Vatikanische Konzil III, 736, 747.

381 Vgl. dazu J.B. Metz, Christliche Anthropozentrik. Über die Denkform des Thomas von Aquin, München 1962; P. Eicher, Die anthropologische Wende. Karl Rahners philosophischer Weg vom Wesen des Menschen zur personalen Existenz (Dokimon. Neue Schriftenreihe zur FZPhTh Bd. 1, Freiburg/Schweiz 1970.

382 Vgl. dazu W. Kasper, Möglichkeiten der Gotteserfahrung heute, in: GuL 42 (1969) 329–349; J. Sudbrack, Atheismus als Modell christlicher Gottesbegegnung, in: GuL 43 (1970) 24–38; O. Semmelroth, Die „gottlose“ Welt und der christliche Schöpfungsglaube, in: GuL 44 (1971) 169–180; L. Scheffczyk, Gott-loser Gottesglaube. Grenzen und Überwindung der nichttheistischen Theologie, Regensburg 1975.

383 A. Auer, Autonome Moral 159.

384 Vgl. a.a.O. 13; ders., Interiorisierung der Transzendenz. Zum Problem Identität oder Reziprozität von Heilsethos und Weltethos, in: Humanum 47–65 (Interiorisierung); vgl. auch F. Böckle, Theonome Autonomie 22.

385 Vgl. dazu W. van der Marck, Grundzüge einer christlichen Ethik, Düsseldorf 1967,

entscheidende Feld geworden, auf dem sie als neuzeitliche Menschen coram deo ihr Ja oder Nein zu Gott sagen. „Indem sich die Verantwortung des Menschen vor sich selbst und vor seinen Mitmenschen, vor seinen Kulturgütern und Wertvorstellungen legitimiert, legitimiert sie sich geschichtlich vor Gott."[386] Für A. Auer versteht es sich von selbst, daß die Moraltheologie „die Erfahrung der Anthropozentrik der Welt und der damit verbundenen Verantwortung des Menschen"[387] positiv aufgreifen kann und muß. Er verweist ausdrücklich auf den Versuch einer theologischen Rezeption des Autonomiebewußtseins bei D. Bonhoeffer[388], schlägt jedoch selbst einen anderen Weg ein als D. Bonhoeffer oder auch F. Gogarten[389] und P. Tillich[390]. A. Auer beruft sich bei seinem Votum auf Modelle, die die Exegese[391] und Theologiegeschichte[392] bereitstellen. Die vorliegende Arbeit ist der Frage nach der Aktualisierbarkeit der neutestamentlichen, speziell der paulinischen Ethikmodelle nachgegangen. Sie kommt zum Ergebnis, daß die von der Exegese und Systematik entwickelten Modelle als solche nicht aktualisierbar sind. Nachdrücklich wird jedoch auf die Aktualisierbarkeit der paulinischen Theologie im Horizont des Autonomiebewußtseins hingewiesen. Das Votum für ein Autonomiekonzept soll dadurch untermauert und verstärkt werden, daß ein Autonomie-Modell aus paulinischem Geist zur Diskussion gestellt wird. Für die Gegner eines Autonomiekonzepts ist es ausgemacht, daß der nachcartesianisch-anthropozentrische Denkhorizont vom offenbarungsgeschichtlichen Denken her nicht akzeptiert und in ein theologisches Autonomiekonzept integriert werden kann. Diese These soll wenigstens insoweit entkräftet werden als gezeigt wird, daß die κλῆσις-geschichtliche Erhellung der Autonomie im heutigen Denkhorizont aktualisierbar ist und auch der neuzeitliche Mensch zur Anerkennung des schöpfungstheologischen Grundes seiner Autonomie geführt werden kann.

Die Gegner kritisieren weiter, daß die Rezeption des Autonomiebegriffs

---

54–65; A. Auer, Interiorisierung 56–60.

386 D. Mieth, Eine Situationsanalyse aus theologischer Sicht, in: Moral 13–33, hier 16 d.

387 A.a.O. 16.

388 Vgl. A. Auer, Autonome Moral 184; zum Ganzen vgl. E. Feil, Die Theologie Dietrich Bonhoeffers. Hermeneutik, Christologie, Weltverständnis (GT. A 6), München/Mainz 1971.

389 Vgl. dazu M. Welker, Vorgang 129–153; G. Hunold, Ethik im Bannkreis der Sozialontologie. Eine theologisch-moralanthropologische Kritik des Personalismus (EHS. T 29), Bern/Frankfurt 1974, 27–78 (Ethik).

390 Vgl. dazu G. Welker, Vorgang 154–178; G. Kuhlmann, Brunstäd und Tillich. Zum Problem einer Theonomie der Kultur, Tübingen 1929.

391 Vgl. Anm. 126 (1. Teil), vor allem die Darstellung der alttestamentlichen Ethikrezeption (Dekalog, Propheten, Weisheit) und der neutestamentlichen Ethikrezeption (Jesus, Paulus) in: Autonome Moral 55–122.

392 Vgl. a.a.O. 123–136: Patristik, Thomas von Aquin, Theologie der Aufklärungszeit (S. Mutschelle). Zu S. Mutschelle vgl. bes. Ch. Keller, Das Theologische 87–192.

ausgerechnet in dem Augenblick vorgeschlagen wird, wo man allenthalben vor der negativen Bilanz des autonomistischen Denkens steht und von der Moraltheologie ganz neue Wege eines (die Freiheit einschränkenden und die Zukunft sichernden) Weltverhaltens gefunden werden müßten[393]. Anstatt sich dem Kompetenzanspruch der autonomistisch agierenden Wissenschaften zu beugen und sich an das fraglich gewordene Autonomieprinzip anzupassen, solle sich die theologische Ethik auf ihre Quellen besinnen: Die Situation „befragt die theologische Ethik bzw. Glaube und Theologie in ihrer Identität"[394]. Nach M. Welkers Urteil herrschen gegenwärtig „Irritation und Verlegenheit im Blick auf das Reizwort, die philosophischen Theoriebildungen und die eigene Rede von Autonomie in der Theologie"[395]. Das ändert nichts an der geschichtlichen Irreversibilität des Autonomiebewußtseins und an der Dringlichkeit der theologischen Aufarbeitung. Hilfreicher als Mißtrauen und Klage wäre der Versuch einer hamartiologischen Erhellung der immanentistischen Autonomie, bei der die Folgen der Emanzipation und Entfremdung von Gott aufgezeigt und zur Rückkehr in die theonome Autonomie angeleitet würde. Im Schlußkapitel wird gezeigt, welche bibeltheologische, speziell paulinische Grundlage es hierfür gibt und wie sie im heutigen Denkhorizont verifiziert werden kann.

Durch das vorgelegte Autonomie-Modell aus paulinischem Geist sollen vor allem die Punkte untermauert und verstärkt werden, in denen A. Auer versucht, das christliche Proprium[396] bei der autonomen Findung und Statuierung der Normen zur Geltung zu bringen und dadurch der in die Krise geratenen immanentistischen Autonomie entgegenzusteuern. In den Überlegungen zur christologisch-pneumatologischen Erhellung der Autonomie wird versucht, die von A. Auer hervorgehobene stimulierende und kritisierende Funktion[397] des Christlichen mit den Materialien der paulinischen Christologie, Ekklesiologie und Kainologie zu formieren.

---

393 Vgl. K. Hilpert, Art. Autonomie 28.

394 Ebd. 395 Vorgang 206.

396 Vgl. dazu F. Böckle, Was ist das Proprium einer christlichen Ethik?, in: ZEE 11 (1967) 148–159; R. Simon, Spécifité de l'éthique chrétienne, in: Le Supplément Nr. 92, Paris 1970, 74–104; A. Auer, Autonome Moral 163–172; K. Demmer, Sein und Gebot, Paderborn 1970, 199–243; H. Rotter, Die Eigenart der christlichen Ethik, in: StdZ 98 (1973) 407–416; G. Teichtweier, Eine neue Moraltheologie?, in: Lebendiges Zeugnis Heft 1/2 (1965) 67–89; ders., Die Sittlichkeit des erlösten Menschen, in: Im Dienst des Glaubens. Handbuch der Missio Canonica I. Die theologischen Grundlagen der Glaubensverkündigung, hrsg. von N. Rocholl und I. Rocholl-Gärtner, Trier 1962, 311–440.

397 Autonome Moral 193–197.

II. Aktualisierbarkeit der κλῆσις-geschichtlichen Erhellung der Autonomie

Aufgrund der cartesianisch-anthropozentrischen Wende veränderte sich das Verständnis der Wirklichkeit, in der die Theologie die Gottesdimension zu verifizieren hat. Der Einstieg erfolgt nicht mehr im Raum der Naturwissenschaften und der Metaphysik[398], sondern im Bereich der Geschichte und der Ethik. G. Ebeling betont, daß die Theologie ihre Wahrheit im Bereich des Ethischen und nirgends sonst zu verifizieren hat[399]. Das bedeutet konkret, daß die κλῆσις-geschichtliche Erhellung der Autonomie im Horizont des immanentistischen Autonomiepostulats stattfinden muß. Es soll gezeigt werden, daß die theonome Verankerung der Autonomie „nicht durch Verzicht auf Autonomie" entsteht, „sondern durch Vertiefung der Autonomie in sich selbst, bis zu dem Punkt, wo sie über sich hinausweist"[400]. Die Frage ist, welches Autonomieverständnis sich besonders für die κλῆσις-geschichtliche Vertiefung eignet.

1. *Κλῆσις-geschichtliche Erhellung der Autonomie im Anschluß an das dialogische Denken*

Das neuere dialogische Denken[401] eignet sich besonders dazu, die protologische κλῆσις-Struktur des Menschseins herauszuarbeiten und von daher den nachcartesianischen Standpunkt der Ich-Einsamkeit zu überwinden[402]. Aus methodischen Gründen wird über die Offenheit gegenüber dem transzendenten Gott nicht hinausgegangen[403]. Insofern der Autonomiegedanke von vornherein an der zwischenmenschlichen Ich-Du-Beziehung ansetzt, wird die idealistisch-egologische Konzeption einer immanentistisch in sich geschlossenen Autonomie vermeidbar[404].

---

398 Vgl. dazu G. Ebeling, Theologie und Verkündigung. Ein Gespräch mit Rudolf Bultmann (HUTh 1), Tübingen ²1963, 2f; ders., Wort und Glaube, Tübingen ³1968, 381–392; ferner Bilanz I, ²1970.

399 Vgl. Evidenz 324f, 327f; ders., Gott und Wort, Tübingen 1966, 82f; ders., Das Verständnis von Heil in säkularisierter Zeit, in: Kontexte IV, hrsg. von H.J. Schultz, Stuttgart/Berlin 1967, 5–14, hier 12. Zur Kritik der Hermeneutik G. Ebelings vgl. R. Lorenz, Die unvollendete Befreiung vom Nominalismus. Martin Luther und die Grenzen hermeneutischer Theologie bei Gerhard Ebeling, Gütersloh 1973.

400 P. Tillich, Art. Theonomie, in: RGG², hrsg. von H. Gunkel und L. Zscharnack, Bd. V, Tübingen 1931, 1128–1129, hier 1128.

401 Vgl. dazu die in Anm. 145 (1. Teil), Anm. 200 und 405 (2. Teil) genannten Arbeiten.

402 Vgl. A. Edmaier, Dialogische Ethik 158, 215.

403 Vgl. dazu A. Edmaier, Dialogische Ethik 163–175, 176–188, 210–218; B. Langemeyer, Personalismus 195–266.

404 Vgl. dazu A. Edmaier, Dialogische Ethik 11, 37–50, 115–120, 214f.

Das dialogische Denken verweist mit Nachdruck auf die Dialogizität und Sprachlichkeit des Menschen[405], in der auch die fundamentalen ethischen Kategorien des Anrufs und der Verantwortung angesiedelt sind[406]. Damit ist jener Punkt anvisiert, wo die Autonomie der dialogischen Person über sich hinauszuweisen vermag, weil die Person selbst auf die protologische *κλῆσις* des Schöpfers zurückgeführt werden kann. Die Theologie besteht darauf, daß der Mensch als ein *κλῆσις*-geschichtliches Wesen begriffen wird. Sie wehrt sich dagegen, die dialogische Existenz „in einem absoluten Sinne als Mittelpunkt und Maß aller Wirklichkeit zu nehmen und etwa die Theologie in eine reine Anthropologie zu überführen"[407]. Nach L. Scheffczyk „öffnet gerade das Verständnis der Worthaftigkeit des Menschen sein Sein auf das absolute, schöpferische Wort Gottes hin, so daß der Mensch aufgrund seines worthaften Seins gerade nicht ruhender Mittelpunkt des Alls wird, sondern Durchgangspunkt und dynamische Bewegung auf ein absolutes Zentrum hin"[408]. Aus theologischer Sicht „kann das vorausgesetzte Urwort nicht der gleichen bedingten Ordnung angehören; sonst wäre das erstmalige Entstehen oder der Ursprung eines solchen Dialoges nicht zu erklären. Es hat also keinen Sinn, den dialogischen, responsorialen Charakter oder die Worthaftigkeit der menschlichen Existenz im ersten Ansatz von einem Angesprochensein des ‚Ich' durch ein mitmenschliches ‚Du' abzuleiten und rein weltimmanent zu erklären; denn dieses ‚Du' ist ja auch ein endlich-bedingtes Wesen und bedarf der Erklärung seiner Wortfähigkeit durch das schöpferische, erweckende Ansprechen von seiten einer absoluten Person, es sei denn, der Mensch macht sich die im Grunde unvollziehbare Vorstellung zu eigen, er könne von sich aus und aus eigener Kraft einen Dialog mit dem absoluten ‚Du' Gottes eröffnen. Das käme auf die Annahme hinaus, daß der Mensch sich selbst in seinem eigentümlichen Wesen begründen, d.h. sich selbst erschaffen könne."[409]

Es versteht sich von selbst, daß das Menschenbild des dialogischen Denkens nach der protologischen *κλῆσις* des Schöpfers hinterfragt[410] und sein Autonomiebegriff theologisch verankert werden kann. Durch das dialogische Denken kann der theologische Autonomiegedanke eindrucksvoll dargestellt und das immanentistische Verständnis der Autonomie als Selbstschöpfung überwunden werden. Von diesem Denkansatz aus ist gerade „nicht die

---

405 Vgl. dazu F. Franzen, F. Ebners Philosophie der Sprache in ihrer theologischen Bedeutung für die Anthropologie. Diss. Münster 1964, 24, 81; H.R. Müller-Schwefe, Die Sprache und das Wort. Grundlagen der Verkündigung, Hamburg 1961, 120f.

406 Vgl. dazu G. Ebeling, Evidenz 343.

407 L. Scheffczyk, Heilsmacht 21.

408 Ebd.

409 A.a.O. 20.

410 Der protologische *κλῆσις*-Gedanke wird bejaht, um nicht in einen regressus in infinitum zu geraten, sondern um im absoluten Selbst des rufenden Gottes Grund und Boden zu gewinnen. Vgl. dazu A. Edmaier, Dialogische Ethik 219–221.

autonome ethische Selbstgestaltung des Menschen" das Primäre, „sondern das dialogische Verhältnis mit dem das Zwischen gewährenden ewigen Du ist das Umfassende und Erste"[411]. Autonomie ist mit Gerufensein vereinbar; Autonomiedenken im dialogischen Horizont und κλῆσις-geschichtliches Denken schließen einander nicht aus, sondern ein. „Denn in dem dialogisch verstandenen religiösen Verhältnis bin ich ja ganz ich selbst, und zwar ganz bestimmt von dem Verhältnis mit dem unsagbaren Ursprung; aber, weil das Verhältnis so weit wie die Wirklichkeit überhaupt ist, darin ganz frei. In dem dialogisch gedachten religiösen Verhältnis schließen sich die Bestimmung durch das Verhältnis und die ethische Forderung der Autonomie nicht aus, sondern ein."[412]

Das „Cogitor, ergo sum", das F. v. Baader[413] dem cartesianisch-anthropozentrischen Standpunkt entgegengehalten hat, läßt sich demnach nicht nur ins paulinische und ins dialogische Denken einbringen, sondern auch mit dem Gedanken der sittlichen Autonomie verknüpfen. Der Kernsatz des κλῆσις-geschichtlich erhellten bzw. vertieften dialogischen Denkens lautet dann: Ich werde gerufen – also bin bzw. handle ich autonom. Dialogisches Denken und κλῆσις-geschichtliche Erhellung erbringen zusammen den Fundamentalsatz des Autonomiekonzepts: Der Mensch ist von der κλῆσις des Schöpfers her „sich selbst Gesetz" und bei aller Eigenständigkeit bzw. Autonomie ein zutiefst religiöses Wesen[414]. Vor allen anderen Bezügen, in die er hineingestellt ist, z.B. gesellschaftlichen Bezügen, ist er von der welt- und existenzstiftenden κλῆσις des Schöpfers her gesehen eine Gott korrespondierende Person[415].

Nach F. Böckle können „Anspruch und Verantwortung ... als gemeinsamer Ausgangspunkt sowohl für eine innerweltliche als auch eine theonome Ethik gelten"[416]. Nur dürfen die ethischen Kategorien „Anspruch und Verantwortung" nicht, wie es im dialogischen Denken der Fall ist, ganz auf die Dialogizität und Sprachlichkeit des Menschen eingeschränkt werden, sonst ist ihre Reichweite zu sehr begrenzt. „Anspruch und Verantwortung" müssen als Grundstruktur der Wirklichkeit im weitesten Sinne angesehen werden, wenn

---

411 B. Casper, Denken 321. 412 A.a.O. 322.

413 Vgl. dazu H. Meyer, Geschichte der abendländischen Weltanschauung, IV. Von der Renaissance bis zum deutschen Idealismus, Würzburg/Paderborn 1950, 393–399, hier 395; K. Hemmerle, Franz von Baaders philosophischer Gedanke der Schöpfung (Symposion 13), Freiburg/München 1963; G. Funke, Cogitor ergo sum. Sein und Bewußtsein, in: Sinn und Sein. Ein philosophisches Symposion, hrsg. von R. Wisser, Tübingen 1960, 155–182, hier 174f.

414 Vgl. dazu L. Scheffczyk, Heilsmacht 27–169; vgl. ferner B. Langemeyer, Personalismus 247–266.

415 An dieser Grundaussage entzündet sich die Auseinandersetzung mit dem marxistischen Denken. Vgl. dazu W. Maaz, Selbstschöpfung oder Selbstintegration des Menschen (SICSW 17), Münster 1967, 76–136, hier 81–85 (Selbstschöpfung).

416 Theonome Autonomie 23.

ein tragfähiges und umfassendes Ethikkonzept entwickelt werden soll. Von seinem Denkansatz her erweist sich das dialogische Denken als unfähig „Anspruch und Verantwortung“ auch außerhalb der zwischenmenschlichen Wirklichkeit aufzuzeigen[417]. Der vom dialogischen Denken bereitgestellte und vom κλῆσις-geschichtlichen Denken erhellte bzw. theologisch vertiefte Autonomiegedanke kann daher noch nicht als nach allen Seiten hin brauchbare Verständigungsbasis gelten. Es muß ein viel breiterer Einstieg in die Wirklichkeit gewählt werden, damit eine umfassende Verständigung über die Autonomie in Gang kommt. Immerhin konnte am konkreten Beispiel des dialogischen Denkens gezeigt werden, daß der Autonomiegedanke und das κλῆσις-geschichtliche Denken miteinander vereinbar sind.

2. *Κλῆσις-geschichtliche Erhellung der Autonomie im Anschluß an A. Auer*

Bei A. Auer findet sich jene Formel für den Einstieg in die Wirklichkeit, die die Engführung des dialogischen Denkens vermeidet und die Wirklichkeit im weitesten Sinne κλῆσις-geschichtlich aufhellt. A. Auer definiert das Sittliche als „das Ja zur Wirklichkeit“[418] im umfassendsten Sinne. Die Formel erweist sich als eine Verständigungsbasis, auf der sich sämtliche Richtungen, vom Subjektdenken bis zum Objektdenken und zum dialogischen Denken über das Wesen und die Funktion der sittlichen Autonomie verständigen können. Außerdem entspricht sie der Forderung G. Ebelings, daß die Theologie von heute die Gottesdimension beim ethischen Einstieg in die Wirklichkeit zu verifizieren hat.

Nachdem die Gegner im Votum für ein Autonomiekonzept die Preisgabe der Theologie beschlossen sehen, erscheint es angebracht, zuerst die theologische Aktualität der Auerschen Formel herauszuarbeiten. Selbstverständlich will sie primär dazu dienen, die konkrete Verständigung und Kooperation in allen Fragen der Findung und Statuierung sittlicher Normen voranzubringen. Doch wird dabei die Ambivalenz der Autonomie und die Tatsache ihrer meist theologisch negativen Aktualisierung nicht außer acht gelassen. Gerade die Formel für den Einstieg in die Wirklichkeit kann jedermann zeigen, daß es A. Auer niemals nur um den rein technischen Vorgang der Autonomie, sondern um die theologische Bewältigung des Phänomens der immanentistischen Autonomie geht.

---

417 Vgl. dazu G. Hunold, Ethik 7–25.

418 Autonome Moral 15, 16. Zum Wirklichkeitsbegriff vgl. K. Hörmann, Die Bedeutung der konkreten Wirklichkeit für das sittliche Tun nach Thomas von Aquin, in: ThPrQ 123 (1975) 118–129; Chr. Walter, Voraussetzungen in der theologischen Frage nach der Wirklichkeit, in: NZsystTh 8 (1966) 311–326; B. Lakebrink, Metaphysik 237–260; J. Kleinstück, Wirklichkeit und Realität. Kritik eines modernen Sprachgebrauchs, Stuttgart 1971.

A. Auer weist darauf hin, daß der Begriff „Wirklichkeit" auf Meister Eckhart zurückgeht und die Übersetzung des lateinischen actualitas darstellt[419]. Die Wortwahl geschieht also bei A. Auer aus dem Gespür dafür, daß der Mensch „zutiefst ein theologisches Wesen ist", das auf „die entscheidende Dimension der Wirklichkeit"[420], nämlich auf den wirkenden Gott stoßen oder hingewiesen werden kann. Die „Relation zu einer transzendenten Wirklichkeit" oder „die Verwiesenheit auf eine absolute, transzendente (personale) Wirklichkeit"[421] soll durch die Anstrengung einer gemeinsamen Auslotung der Wirklichkeit auch dem im Immanentismus befangenen Gesprächspartner erkennbar und akzeptabel gemacht werden. Dadurch, daß A. Auer den theologisch vertiefbaren bzw. auslotbaren Begriff der „Wirklichkeit" wählt und das Sittliche als „das Ja zur Wirklichkeit" definiert, ist eine Plattform gegeben, von der aus alle zum theologischen Grund ihrer Autonomie geführt werden können. Der Fundamentalsatz des theonomen Autonomieverständnisses lautet, daß der Schöpfer in einem ursprünglichen und unausgesetzten protologischen κλῆσις-Verhältnis zum Menschen und zur Welt steht, oder anders ausgedrückt, daß „das Urdu Gottes alle seine Geschöpfe, insbesondere aber den Menschen ... gerufen, und dadurch in einen ihm gegenüber relativen Selbstand freigegeben hat"[422]. Die Erkenntnis des Schöpfers geht den Weg über die Welterkenntnis. Die Weltzuwendung des Menschen kulminiert im Ja zur κλῆσις des verborgenen Schöpfers. Das uneingeschränkte volle Ja zur Wirklichkeit (einschließlich ihrer religiösen Dimension) erweist sich demnach als der Weg in die personale Relation (religio) zum rufenden Gott.
A. Auers Definition des Sittlichen als „Ja zur Wirklichkeit" ist als Versuch zu werten, gerade den im Immanentismus Befangenen auf dem Feld der ethischen Durchdringung der Wirklichkeit abzuholen und zur Erkenntnis und Anerkenntnis der protologischen κλῆσις des Schöpfers hinzuführen. Durch die Aufforderung zu einem uneingeschränkten „Ja zur Wirklichkeit" soll gerade der Denker einer absoluten Autonomie dahin gebracht werden, das Denkprinzip völlig autonomer inhaltlicher Selbstbestimmung und Selbstschöpfung zu hinterfragen. Die aus dem Autonomieanspruch herrüh-

---

419 Vgl. Autonome Moral 17 Anm. 6.

420 A.a.O. 22. Vgl. den Wirklichkeitsbegriff bei G. Ebeling, Wort Gottes und Hermeneutik, in: Neuland in der Theologie, II. Die neue Hermeneutik, hrsg. von J.M. Robinson und J.B. Cobb, Zürich/Stuttgart 1965, 109–146; ders., Theologie und Wirklichkeit, in: ZThK 53 (1956) 372–383.

421 A. Auer, Autonome Moral 21.

422 A. Edmaier, Dialogische Ethik 220. Über die Anteilgabe am göttlichen Leben in der Form der Endlichkeit reflektiert H.E. Hengstenberg, Das Band zwischen Gott und Schöpfung, Regensburg ²1948; ders., Sein und Ursprünglichkeit. Zur philosophischen Grundlegung der Schöpfungslehre, München 1958; vgl. ferner L. Dümpelmann. Kreation als ontisch-ontologisches Verhältnis. Zur Metaphysik der Schöpfungstheologie des Thomas von Aquin (Symposion 30), Freiburg/München 1969; L. Scheffczyk, Gottes fortdauernde Schöpfung, in: Lebendiges Zeugnis Heft 1 (1968) 46–71.

rende Erfahrungs- und Geschichtsunfähigkeit soll ihm bewußtgemacht und der Zugang zur vollen Wirklichkeit wieder eröffnet werden. A. Auers Formel vom „Ja zur Wirklichkeit" erweist sich als Versuch, den sich selbst absolut setzenden Menschen mit dem außerhalb des Ich existierenden wahren Absoluten, nämlich mit Gott zu konfrontieren. Der auf absolute Autonomie pochende Mensch soll dahin geführt werden, die Existenz Gottes anzuerkennen, der dem eigenen Ich bzw. Selbst vorausliegt und ihm durch die protologische κλῆσις überhaupt erst Bestand und Eigenständigkeit verleiht.
Es scheint, daß A. Auer beim Ja zur transzendenten Dimension der Wirklichkeit die klassische, metaphysische Explikation bevorzugt. Das hängt damit zusammen, daß die metaphysische Explikation der Transzendenz Gottes (als einer transempirischen, allem Geschichtlichen vorausliegenden und vor allem auch nachirdischen Realität) Theologie immer noch am besten ermöglicht[423]. Erfahrungsgemäß stößt der Mensch bei bloßer Überschreitung des eigenen Ich bald ins Leere; das sich und seine Gegenstandswelt selbst bestimmende Subjekt dringt zu wenig zum Schöpfergott vor. Die metaphysische Explikation gehört zum Korrekturversuch, durch den das autonomistische Denken wieder theologiefähig gemacht werden soll. Das metaphysische „Ja zur Wirklichkeit" soll dabei durchaus nicht etwa hinter den Autonomiegedanken zurückführen zu der alten Sicht, wonach Welt und Geschichte unmittelbar und direkt von Gott bestimmt und beherrscht werden.
Nach A. Auers Intention soll der Gott, der im „Ja zur Wirklichkeit" erkannt wird, a priori auf eine autonome Welt und auf einen autonomen Menschen bezogen werden. Schließlich ist die Wirklichkeit, zu der der heutige Mensch das volle Ja sprechen soll, längst nicht mehr die bloße Natur im Sinne der alten Kosmologie, sondern die vom Menschen gestaltete Geschichte. Das „Ja zur Wirklichkeit" versteht sich als das Ja zu einer vom autonomen Menschen gestalteten Natur und Geschichte[424]. Wenn A. Auer dazu auffordert, im „Ja zur Wirklichkeit" primär das Ja zu Gott zu aktualisieren, dann heißt das nicht, daß Welt und Wirklichkeit dadurch sakralisiert werden sollen. Denn beim heutigen „Ja zur Wirklichkeit" kann vom Autonomiebewußtsein nicht mehr abstrahiert werden. Ein ungeschichtliches oder gar restauratives „Ja zur Wirklichkeit" wäre kein Weg zu einem theologischen Autonomiekonzept, das den neuzeitlichen Menschen ansprechen soll.
Deshalb muß vor allen Dingen der Mensch, der den Anspruch auf Autonomie erhebt, realistisch eingeschätzt werden. A. Auers Versuch, den Menschen über das „Ja zur Wirklichkeit" zum Ja zu Gott zu führen, setzt die

---

423 Zum Ganzen vgl. MystSal I, 940–948; W. Kamlah, Gibt es wirklich „die Entscheidung zwischen geschichtlichem und metaphysischem Denken?", in: EvTh 14 (1954) 171–177; K. Kremer, Gott und Welt in der klassischen Metaphysik, Stuttgart/Berlin/Köln/Mainz 1969.
424 Vgl. dazu A. Auer, Interiorisierung 47.

realistische paulinische Einschätzung des Menschen voraus. Sie besagt, daß der konkrete Mensch sich einen Begriff von der Wirklichkeit macht, bei dem die Dimension der Transzendenz verneint wird[425], um das eigene Selbst verabsolutieren zu können. Aus paulinischer Sicht wird seit dem Ja des ersten Menschen zur Wirklichkeit gerade der Kern, der eigentliche Kulminationspunkt, nämlich das Ja zum rufenden Schöpfer ausgeklammert. Seither kann der Mensch das „Ja zur Wirklichkeit" durchaus mit einem Nein zur transzendenten Dimension verbinden; er kann diese für seine Person ausschließen. Das „Ja zur Wirklichkeit" kann areligiös, atheistisch in einem Gott und die Theonomie verneinenden Sinne sein. Es liegt an der Verabsolutierung bzw. an der Apotheose des eigenen Selbst, daß es zur Ausprägung des immanentistischen Autonomiebewußtseins kommt. Für viele liegt hier der Grund, warum die Christen konsequent auf den Autonomiegedanken verzichten sollen. Sie meinen, auch den immanentistischen Gesprächspartner auffordern zu müssen, erst sein Ja oder wenigstens die grundsätzliche Offenheit gegenüber Gott zu erklären, damit sein „Ja zur Wirklichkeit" akzeptiert und ernst genommen werden könne. Ist die Übereinstimmung im Ja zu Gott die conditio sine qua non für die gemeinsame Verwendung des Autonomiegedankens oder für die gemeinsam praktizierte sittliche Autonomie?

3. „Gebrauchswert der Formel von der Autonomie der Moral"

L. Billot hat geglaubt, angesichts des Phänomens des neuzeitlichen Atheismus Zweifel anmelden zu sollen, ob dieser eine Ethik entwickeln könne[426]. M. Reding faßt die Diskussion dieser These dahin zusammen, daß sich L. Billot weder auf Anhaltspunkte in der katholischen Tradition noch auf Paulus (Röm 1, 18–22) stützen könne, wenn er die ausdrückliche Erkenntnis Gottes zur Voraussetzung der Sittlichkeit erkläre[427]. Vor allem A. Auer hat diesen Standpunkt – aus taktischen Gründen und grundsätzlichen Einsichten – mit allem Nachdruck verneint[428]. Die *κλῆσις*-geschichtliche Erhellung der Autonomie gibt ihm darin recht, wenn sie feststellt, daß der Schöpfer aufgrund des protologischen *κλῆσις*-Verhältnisses die Existenz und Aktivität

---

425 Die Negierung des herkömmlichen Transzendenzverständnisses könnte übrigens die Theologie zur Entwicklung eines neuen Verstehenshorizonts von Transzendenz veranlassen. Vgl. dazu A. Stüttgen, Die Wirklichkeit und ihre Transzendenz. Zur Struktur des neuzeitlichen Erfahrungshorizonts, in: Internationale Dialog Zeitschrift 2 (1969) 227–231; vgl. ferner E. Biser, Dialog mit dem Unglauben, in: WuW 21 (1966) 339–347.

426 La Providence de Dieu et le nombre infini d'hommes en dehors de la vie normale du salut, in: ÉtB (1921) 56–60.

427 Grundlegung 202; vgl. zu Person und Werk: H. Le Floch, Le cardinale Billot, Paris 1947.

428 Autonome Moral 30.

eines jeden Menschen trägt und erhält. Sie ergänzt den Fundamentalsatz von der relativen Autonomie des Menschen und der Welt dahin, daß auch der im Nein zur κλῆσις des Schöpfers stehende und die Äonsmächte über sich aufrichtende Mensch seine sittliche Autonomie behält. Ein für allemal ist ihm die Basis des relativen Selbstands gegeben. Die Selbstbestimmung des Willens aus der menschlichen Vernunft bleibt als solche intakt, auch wenn die Annahme der κλῆσις Gottes verneint und jede religiöse Bindung verweigert wird.

Gewiß sind Selbstverständnis und Wirklichkeitsverständnis des immanentistisch sich verschließenden Menschen ohne die Anerkennung Gottes und der Theonomie nicht voll entwickelt. Dennoch ist eine echte und weitreichende Ausübung der sittlichen Autonomie auch dann möglich, wenn der Mensch dabei von Gott abstrahiert. Man wird sorgfältig unterscheiden, ob einer im Zustand der Entfremdung von Gott das Theonomiebewußtsein verloren hat, aber doch offen ist, ob einer den Anspruch auf absolute Autonomie immanentistisch bzw. atheistisch durchreflektiert und mit einem autonomistischen Weltbild untermauert oder ob einer im Kontext der neuzeitlichen Selbst- und Wirklichkeitserfahrung anthropozentrisch denkt und als Christ eine immanenzbewußte Autonomie realisiert. Die Moraltheologie hat sich daran gewöhnt, die in den Wissenschaften übliche methodische Ausklammerung der Gottesdimension zu akzeptieren.

Auch im Falle einer dezidierten ideologischen Verneinung der Gottesdimension muß der Moraltheologe nicht annehmen, daß der Betreffende an der weitgehenden Erfassung des Sittlichen gehindert wäre. Denn Gott entzieht seine Mitwirkung auch dann nicht, wenn der Mensch sich mit seinem Nein gegenüber der κλῆσις als Person-gegen-Gott etabliert. A. Auer geht davon aus, daß der Mensch nur auf die Mitwirkung Gottes (concursus divinus), nicht aber auch auf den persönlichen Empfang der Anrede und Offenbarung des Schöpfers angewiesen ist, um „den Vollsinn seiner Existenz in der Welt und damit auch den entscheidenden Kern des Sittlichen“[429] zu verstehen.

Von daher ergibt sich der „Gebrauchswert der Formel von der Autonomie der Moral“[430] von selbst: Die Moraltheologie sieht sich in die Lage versetzt, auf der Basis eines allgemeinen Autonomiebewußtseins, in die ethische Verständigung und Kooperation mit Nichtgläubigen einzutreten, ohne zuvor die letzten Fragen klären zu müssen. Der Christ kann bei der autonomen Findung und Statuierung sittlicher Normen mit dem Nichtchristen konsentieren und kooperieren, ohne von diesem die Anerkennung des theologischen Grundes seiner Autonomie fordern zu müssen. Die Bejahung der relativen und theonomen Autonomie ist nicht der Ausgangspunkt, sondern der Zielpunkt der theologischen Ethik. Die von A. Auer vorgeschlagene gemein-

---

[429] Ebd.

[430] Ebd.

same Bejahung der Wirklichkeit berücksichtigt die Möglichkeit bzw. das Faktum der Verneinung der κλῆσις Gottes, ohne sie als Ausschließungsgrund der sittlichen Autonomie schlechthin zu werten. Der Ansatz beim „Ja zur Wirklichkeit" erweist sich als brauchbar, weil einerseits die Differenzierung voll gewahrt wird, die sich aus der unterschiedlichen Stellungnahme zur Gottesfrage ergibt und andererseits konsequent auf die Vermittlung eines theonom verankerten Autonomiebewußtseins hingearbeitet wird. Die Moraltheologie kann bei ihrer Wertung des „Ja zur Wirklichkeit" von dem möglicherweise vorhandenen Defekt des Immanentismus bzw. Atheismus nicht abstrahieren[431]. Es ist für sie keine Frage, daß die sittliche Autonomie des Menschen durch Atheismus oder durch Glauben verschieden affiziert bzw. qualifiziert wird. Die Nichtanerkennung Gottes führt aber nicht zur Unfähigkeit, die sittlichen Anforderungen wahrzunehmen. Wohl schwindet das sittliche Verbindlichkeitsbewußtsein[432], aber nicht die Reichweite des Erkennens. Der Moraltheologe wird sich also auch auf ein „Ja zur Wirklichkeit" einlassen, das von einem immanentistischen Verständnis der Autonomie ausgeht und auf der – über das Methodische hinausgehenden – Ausklammerung der Theonomie beharrt. Doch wird er alle Hebel in Bewegung setzen, um die immanentistisch verstandene Autonomie zu einem Punkt zu führen, wo sie über sich hinausweist. Das „Ja zur Wirklichkeit" hat seine volle Tiefe erst erreicht, wenn der theonome Grund der Autonomie erkannt und anerkannt wird. Eine Moraltheologie aus paulinischem Geist muß es wagen, diese vom Glauben erleuchtete und um die Dimension der Theonomie vertiefte Autonomie zu aktualisieren.

4. *„Heilsethos" und „Weltethos" als Aspekte eines Autonomiekonzepts*

A. Auer hat nicht nur den „Gebrauchswert der Formel von der Autonomie der Moral" aufgezeigt und einen wertvollen Beitrag zur Frage der Aktualisierung der protologischen κλῆσις heute geleistet. Er hat gleichzeitig auch beachtliche Hinweise dafür gegeben, wie der heilsgeschichtlich-eschatologische κλῆσις-Gedanke in das Ganze eines Autonomiekonzepts integriert werden kann. In diesem müssen heilsgeschichtliche und protologische κλῆσις in das rechte Verhältnis zueinander gebracht werden, ohne daß die biblisch-paulinische Sicht ins Gegenteil verkehrt und der protologische κλῆσις-Gedanke einseitig auf Kosten des heilsgeschichtlichen herausgestellt wird. Die

431 Vgl. H.E. Hengstenberg, Autonomismus 289–391; zum Problem des Immanentismus vgl. W. Schulz, Der Gott in der neuzeitlichen Philosophie, Pfullingen 1957; F. Sciacca, Objektive Inwendigkeit, Einsiedeln 1965; D. von Hildebrand, Das trojanische Pferd in der Stadt Gottes, Regensburg 1968, 217–229.

432 Vgl. dazu A. Auer, Autonome Moral 27; F. Böckle, Theonome Autonomie 24; Th. Steinbüchel, Grundlegung 236.

Begriffe „Heilsethos" und „Weltethos" fordern dazu heraus, auf die Begriffe der heilsgeschichtlichen und der protologischen κλῆσις appliziert zu werden. Dabei ist zu berücksichtigen, daß in κλῆσις-geschichtlicher Betrachtung der protologische κλῆσις-Gedanke eindeutig als Konsekutivum verstanden wird, weil ja der Mensch überhaupt erst durch die heilsgeschichtliche κλῆσις auf ihn aufmerksam wird. Das christliche „Ja zur Wirklichkeit", in welchem das Ja zum Schöpfergott impliziert bzw. artikuliert wird, hat die Kenntnis und Annahme der heilsgeschichtlich-eschatologischen κλῆσις zur Voraussetzung. Es ist bereits als Frucht bzw. als Wirkung der soteriologischen κλῆσις anzusehen, durch die allein der Mensch aus seiner immanentistischen Selbstabkapselung gegenüber Gott herausgerufen und in die Unmittelbarkeit zum rufenden Gott zurückversetzt wird. Die heilsgeschichtlich-eschatologische κλῆσις hebt die Unheilssituation primär dadurch auf, daß sie die Aufrichtung der Äonsmächte überwindet und der eigenständigen menschlichen Existenz die Vertikalität, Relativität und Theozentrik zurückgibt. Die heilsgeschichtliche κλῆσις bewirkt im Menschen die πίστις (den Glauben), als das, was der Mensch Gott seinem Neuschöpfer schuldet, sie bewirkt das Heilsethos, das Gott allein zukommt. Auf die heilsgeschichtliche κλῆσις antwortet der Mensch also primär mit dem Heilsethos, während er sich dann erst in zweiter Linie auch der theonomen Verankerung bzw. Legitimierung seiner sittlichen Autonomie vergewissert.

Man könnte demnach die beiden Komponenten des Autonomie-Modells aus paulinischem Geist mit den Begriffen „Heilsethos" und „Weltethos" bezeichnen. Es spricht für die Richtigkeit und den Aktualitätswert der Auerschen Unterscheidung, daß sie durch die κλῆσις-geschichtliche Reflexion vollauf verifiziert wird. Mit dem Begriff „Heilsethos" läßt sich die Realität der heilsgeschichtlich-eschatologischen κλῆσις und die entsprechende menschliche Reaktion voll und klar zum Ausdruck bringen. A. Auer trägt dem Primat und der Besonderheit der heilsgeschichtlichen κλῆσις dadurch Rechnung, daß er sie allein die „Gottunmittelbarkeit", die „transzendente Lebensorientierung" bzw. das „Heilsethos" begründen läßt; die „Weltzugewandtheit", die „immanente Lebensorientierung" bzw. das „Weltethos"[433] werden davon abgehoben, ohne daß die Zusammengehörigkeit in Frage gestellt wird.

A. Auers Unterscheidung trägt der Tatsache Rechnung, daß es zwei Weisen des Wortgeschehens gibt: die Sprache der Wirklichkeit und die Sprache der Verkündigung[434]. Es wird im paulinischen Geist festgehalten, daß die Spra-

---

433 Interiorisierung 64; vgl. ferner Autonome Moral 12 Anm. 2.

434 Vgl. dazu G. Ebeling, Evidenz 353; ferner C.H. Ratschow, Das Heilshandeln und das Welthandeln Gottes, in: NZSystTh 1 (1959) 25–80; J.L. Leuba, Institution und Ereignis. Gemeinsamkeiten und Unterschiede der beiden Arten von Gottes Wirken nach dem Neuen Testament (ThÖ 3), Göttingen 1957.

che der Wirklichkeit als solche den von Gott abgewandten Menschen nicht über die „Weltzugewandtheit", die „immanente Lebensorientierung" bzw. ein immanentes „Weltethos" hinausführt, ihm die Gottunmittelbarkeit nicht zu schenken vermag[435]. Die Unterscheidung spiegelt den paulinischen Sachverhalt wider, daß der faktische Mensch die Sprache der Wirklichkeit vernimmt, ohne zur protologischen κλῆσις des Schöpfers ja zu sagen. Die Vorrangstellung des Heilsethos besagt, daß der im Raum seiner eigenen Schöpfung zurückgewiesene Schöpfer auf der heilsgeschichtlichen Ebene, im Kerygma bzw. im Evangelium neu vor das Geschöpf hintritt, um es wieder in die Theozentrik zurückzuholen. Kerygma und Evangelium bewirken, daß der Vorgang der Immanentisierung und Verabsolutierung der Autonomie mit all seinen Unheilsfolgen aufgedeckt und behoben wird. Die Ich-Einsamkeit des immanentistisch verschlossenen Menschen wird von oben und außen her aufgebrochen, und seine Theozentrik wird wiederhergestellt. Nur durch die Annahme des fremden, eigenständigen Du Gottes, das vor aller Geschichte existiert und die relative Eigenständigkeit des Menschen und der Welt begründet, können der Immanentismus und seine Unheilsfolgen aufgehoben werden. Durch die Betonung des Heilsethos kommt zum Ausdruck, daß die Sprache der Verkündigung und die heilsgeschichtliche κλῆσις nicht zum bloßen Moment der Selbstschöpfung und Selbstbestimmung gemacht werden dürfen. Denn sie können beim Geschehen des Zu-sich-selbst-Kommens des Menschen ihre Wirkung nur entfalten, weil die Ursache des Heils außerhalb des menschlichen Ich existiert und Neuschöpfung ein Werk Gottes ist, das von oben und außen her am Menschen geschieht.

Die Auswirkung der heilsgeschichtlichen κλῆσις auf die sittliche Autonomie im engeren Sinne ist demgegenüber ein Ereignis zweiten Ranges oder richtiger: Sie bewegt sich auf einer anderen Ebene, sie befähigt den Menschen zum vollen „Ja zur Wirklichkeit". Der Begriff „Weltethos" bezeichnet jene Verständigungsbasis, die es zwischen Christen und Nichtchristen geben muß, wenn letztere von der immanentistisch gelebten Autonomie zur theonomen Autonomie geführt werden sollen und wenn es zur Verständigung und Kooperation in den Fragen der sittlichen Autonomie kommen soll. Auf die Notwendigkeit und die doppelte (missionarische und ethische) Funktion dieser Verständigungsbasis braucht hier nicht mehr eingegangen werden. Darüber ist bei der Formel „Ja zur Wirklichkeit" – ein Synonym für „Weltethos" – ausführlich gesprochen worden. Nur soviel sei angemerkt, daß der Begriff „Weltethos" bei A. Auer „das Gesamt der aus der Sachordnung der einzelnen menschlichen Lebensbereiche sich ergebenden Verbindlichkeiten"[436] beinhaltet. Damit ist im Grunde jene Autonomie gemeint, die unterschiedslos allen eignet, auch denen, die eine theonome Verankerung bzw. Legitimierung der „sich ergebenen Verbindlichkeiten" abweisen. Daß

435 A. Auer, Interiorisierung 64.

436 Autonome Moral 185.

das „Heilsethos" nicht als Quelle weltethischer Normierung, wohl aber als deren Prüfstand angesprochen werden kann, dürfte deutlich geworden sein. Gewiß handelt es sich hier um „das Gesamt jener Verbindlichkeiten, durch die die Abhängigkeit des Menschen von Gott und seine Gemeinschaft mit Christus ausdrücklich verifiziert werden; es handelt sich hier also um Vollzüge, bei denen nicht die Hinwendung zur Welt, sondern die Unmittelbarkeit zu Gott im Vordergrund steht"[437]. Das schließt die stimulierende und kritisierende Wirkung auf das „Weltethos" jedoch nicht aus, sondern ein.
A. Auer hat herausgearbeitet, daß das Verhältnis zwischen „Heilsethos" und „Weltethos" nicht durch Identität, sondern durch Interdependenz und Reziprozität[438] gekennzeichnet ist. Das Ethos der Gläubigen ist je nach der Sichtweise als „inkarniertes Heilsethos" oder als „integriertes Weltethos"[439] zu bezeichnen. Indem H. Schürmann an die Stelle der Begriffe Heil und Welt die Begriffe „geistlich" und „sittlich" setzt, ist die duale Einordnung A. Auers nicht wesentlich modifiziert worden[440]. Auf den Autonomiegedanken angewandt, heißt das, daß sich das aus der heilsgeschichtlich-eschatologischen κλῆσις hervorgehende Heilsethos wesenhaft in einem neuen Autonomieverständnis ausdrückt. Die von der heilsgeschichtlichen κλῆσις hergestellte Gottunmittelbarkeit setzt sich im Weltethos bzw. im „Ja zur Wirklichkeit" sofort in ein Ja zum rufenden Schöpfer um und gibt damit dem „Ja zur Wirklichkeit" seine eigentliche Tiefe, der Autonomie die Theonomie. Die Inkarnation des κλῆσις-geschichtlichen Heilsethos besteht in dem Bewußtsein, daß der Mensch seine Autonomie der protologischen κλῆσις verdankt und daß er sie in einem umfassenden, totalen „Ja zur Wirklichkeit" zu realisieren hat. Umgekehrt stellt sich das christliche Autonomiebewußtsein als das κλῆσις-geschichtlich integrierte Autonomiebewußtsein dar, für das die Epoche der immanentistischen Abkapselung beendet ist und die Epoche der theologisch positiven Aktualisierung der Autonomie beginnt.
Zum Schluß sei noch darauf hingewiesen, daß der von A. Auer vorgeschlagene Weg zum vollen Verständnis und zur vollen Realisierung der Autonomie – wenigstens in entscheidenden Punkten – auch von der johanneischen Theologie her untermauert werden kann[441] und umgekehrt, daß johanneische Theologie in einem Autonomiekonzept aktualisiert werden kann. Das von A. Auer geforderte „Ja zur Wirklichkeit" schließt aus johanneischer Sicht die Bejahung des Logos bzw. der Logoshaftigkeit der Wirklichkeit (einschließlich des eigenen νοῦς) mit ein. Im Vergleich zur paulinischen

---

437 A.a.O.

438 Vgl. A. Auer, Interiorisierung 45–65; ders., Autonome Moral 22, 114, 185f.

439 Autonome Moral 186.

440 Vgl. Die Frage nach der Verbindlichkeit der neutestamentlichen Wertungen und Weisungen, in: Prinzipien 11–39, hier 28 Anm. 25, 31–38.

441 A. Auer bevorzugt die johanneische Logostheologie. Vgl. Weltoffener Christ 93–98; Christsein im Beruf 222–224; Autonome Moral 18, 149.

Theologie muß als Mangel festgestellt werden, daß sich beim johanneischen „Ja zur Wirklichkeit" das Ja zur Wirklichkeit nicht vom Ja zum Logos trennen läßt. Es ist nicht vorgesehen, daß das eine isoliert vom anderen oder richtiger, das eine auf Kosten des anderen aktualisiert werden kann. Anders als die paulinische Theologie kennt die johanneische Theologie nicht das menschliche Nein auf der Ebene des Schöpfer-Geschöpf-Verhältnisses oder als Antwort auf die protologische *κλῆσις* des Schöpfers. Sie sieht das Nein des Menschen erst auf der heilsgeschichtlichen Ebene gegenüber dem in sein Eigentum gekommenen, inkarnierten Logos (Joh 1,11) wirksam werden. Das „Ja zur Wirklichkeit" geht hier nicht mit einem gezielten Nein zum Logos zusammen, denn dieser wird erst als menschgewordener Logos zum Gegenstand der Verneinung. Die paulinische Theologie bietet mit dem Äonsmächte- und dem Herrschaftswechsel-Gedanken größere Differenzierungsmöglichkeiten an.

Da die Schöpfungstheologie im neutestamentlichen Raum grundsätzlich ein Konsekutivum ist, macht es allerdings wenig Unterschied, ob man den Autonomiegedanken aus dem Horizont paulinischer oder johanneischer Theologie begründet. Aus johanneischer Sicht versteht es sich von selbst, daß die Autonomie – schöpfungstheologisch gesehen – in der Logoshaftigkeit des *νοῦς* und der Wirklichkeit gründet. A. Auers Anliegen einer schöpfungstheologischen Grundlegung der Autonomie ruht somit auf einem soliden neutestamentlichen – paulinischen und johanneischen – Fundament. Der johanneische Mangel an hamartiologischer Erhellung setzt sich bis in die christologische Erhellung hinein fort: Die johanneische Theologie stimmt mit der paulinischen lediglich darin überein, daß auch sie vom menschgewordenen Logos keine spezifisch christliche Materialethik ausgehen sieht – die Erneuerung der Liebe ausgenommen. Nach beiden neutestamentlichen Theologien resultiert aus der *κοινωνία* mit dem *πνεῦμα*-Christus eine klare Theozentrik des Christen. Diese Theozentrik aber kann im Glaubenshorizont von heute nur schöpfungstheologisch aktualisiert werden.

Der flüchtige neutestamentliche Theologievergleich ergibt, daß die paulinische Theologie schon wegen der *κλῆσις*-geschichtlichen Erhellung der Autonomie den Vorzug verdient. Sie hat die größere Chance der Aktualisierbarkeit nicht zuletzt deswegen, weil *κλῆσις*-geschichtliche und hamartiologische Erhellung ineinandergreifen und untrennbar zusammengehören.

III. Aktualisierbarkeit der hamartiologischen Erhellung der Autonomie

Die *κλῆσις*-geschichtliche Erhellung berücksichtigt bereits das menschliche Nein bzw. die Äonsmächte. Der christozentrische *κλῆσις*-Gedanke (die Hineinrufung in Christus) kann ohne die hamartiologische Kehrseite (die Herausrufung aus der Mächteherrschaft) überhaupt nicht entfaltet werden. Bei der κλῆσις-geschichtlichen und christologischen Erhellung wird also grundsätzlich die Hamartiologie schon mitbehandelt, so oft die immanentistische Abkapselung der Autonomie ins Blickfeld rückt. Dennoch verdient die Frage nach der Aktualisierbarkeit der paulinischen Hamartiologie eigens erörtert zu werden. Der ἁμαρτία-Begriff soll durch die Begriffe ,,Emanzipation"[442] und ,,Entfremdung"[443] von Gott expliziert und in den Horizont des heutigen Autonomiebewußtseins übersetzt werden. Das immanente Verständnis der Entfremdung und die immanente Charakteristik des autonomistischen Denkens vermitteln dabei wertvolle Einsichten, an die die hamartiologische (und christologische) Erhellung der Autonomie anknüpfen kann.

1. *Ambivalente Autonomie: Emanzipation und Entfremdung*

Die paulinische Hamartiologie kann vom heutigen Menschen durchaus verifiziert werden, wenn er dabei auf die Begriffe angesprochen wird, die sein Selbstbewußtsein prägen: Autonomie und Emanzipation. Der Anspruch auf absolute Autonomie kann als Emanzipation von Gott verstanden werden. Emanzipation von Gott bedeutet, die ambivalente Gabe der Autonomie in theologisch negativer Richtung, d.h. in immanentistischer Abkapselung gegenüber Gott zu realisieren. Der neuzeitliche Anspruch auf die absolute Autonomie im Sittlichen erweist sich als die Konsequenz aus dem vorausgehenden, umfassenderen Anspruch, nur noch von der Evidenz des eigenen Selbst auszugehen und den Entwurf und die Gestaltung des eigenen Selbst und der Welt in die eigene Hand zu nehmen. Aus dem erkenntnistheoretischen Postulat absoluter Autonomie resultiert der Anspruch auf absolute Autonomie im Sittlichen, was unweigerlich zur Loslösung des Ethos von Gott und Religion führt und der Ethik eine atheistische Signatur verleiht: Die Existenz Gottes gilt als unvereinbar mit der Autonomie des Menschen.

Der Anspruch auf absolute Autonomie kann vielleicht noch besser mit dem Begriff der Entfremdung verdeutlicht werden. Nach P. Tillich ist dieser Begriff besonders geeignet, das neuzeitliche Erfahrungsurteil und das neuzeitliche Glaubensurteil in bezug auf die Sünde zusammenzufassen[444]. Damit

---

442 Zum Ganzen vgl. Erlösung und Emanzipation (QD 61) hrsg. von L. Scheffczyk, Freiburg/Basel/Wien 1973.

443 Vgl. dazu E. Ritz, Art. Entfremdung, in: Historisches Wörterbuch der Philosophie I, 509–525 (Lit.); E. Schillebeeckx, Glaubensinterpretation. Beiträge zu einer hermeneutischen und kritischen Theologie, Mainz 1971, 162.

444 Vgl. Systematische Theologie, Bd. II, Stuttgart 1958, 52–68; ders., Philosophie und Schicksal. Schriften zur Erkenntnislehre und Existenzphilosophie. Gesammelte Werke, Bd. IV, Stuttgart 1961, 183–199; Th. Wernsdörfer, Die entfremdete Welt. Eine Untersuchung zur Theologie Paul Tillichs (SDGSTh 21), Zürich/Stuttgart 1968, 139–359; G. Schepers, Schöpfung und allgemeine Sündigkeit. Die Auffassung Paul Til-

kann der paulinische ἁμαρτία-Begriff in seinem ganzen Bedeutungsumfang wiedergegeben und gleichzeitig auch die Wirkungsgeschichte der immanentistisch gelebten Autonomie veranschaulicht werden.
Die paulinischen Begriffe σάρξ und ἁμαρτία enthalten beides: den Hinweis auf die freie Tat, den aktiven Vollzug, die vertikale Spitze, aber auch den Hinweis auf das Resultat, den Zustand und die Aufrechterhaltung des Zustands. Der Theologe wird am Begriff der Entfremdung vor allem das aktive Moment der persönlichen Entfernung, Distanzierung und Trennung von Gott hervorheben. Er eignet sich durchaus zur Definition der Sünde als einer bewußten Abwendung von Gott und kann mit dem Begriff der Emanzipation von Gott gleichgesetzt werden. Es soll jedoch nicht geleugnet werden, daß der Entfremdungsbegriff nach dem allgemeinen Sprachgebrauch vor allem jene Bedeutungsgehalte des ἁμαρτία-Begriffs artikuliert, in denen die Wirkungsgeschichte bzw. die Zuständlichkeit beschrieben werden, die aus dem menschlichen Nein bzw. aus der Aufrichtung der Äonsmächte hervorgehen. Redet man von Entfremdung, wird vor allem an die Entfremdung vom eigenen Selbst, vom Mitmenschen und von der Wirklichkeit gedacht. Der Theologe wird die Chance nutzen, die Entfremdung des Menschen von sich, dem Nächsten und der Wirklichkeit auf die aktive Entfremdung des Menschen von Gott zurückzuführen und das Entfremdungsgeschehen als eine Einheit aufzufassen. Der hamartiologischen Erhellung muß ja besonders daran gelegen sein, den mehrdimensionalen Zustand der Entfremdung als das Ergebnis der aktiven Entfremdung von Gott (dem Seins- und Sollensgrund) darzustellen. Sie muß darauf achten, daß der Kausalzusammenhang, den der paulinische ἁμαρτία-Begriff anzeigt (vertikale Spitze – horizontale Auswirkung) bei der theologischen Verwendung des Entfremdungsbegriffs deutlich zum Vorschein kommt und außerdem im Horizont des Autonomiegedankens aktualisiert wird.
Es soll hier nur soviel angedeutet werden, daß sich der Zustand der Entfremdung selbst wieder auf jeden einzelnen Akt der Entfremdung von Gott auswirkt. Anders ausgedrückt: Jeder Entschluß, die ambivalente Autonomie theologisch negativ, d.h. in immanentistischer Abkapselung gegenüber Gott zu realisieren, muß bereits als Wirkung der vorangegangenen aktiven Entfremdung und Emanzipation von Gott begriffen werden. Umgekehrt gilt, daß die Emanzipation als Prozeß und die Entfremdung als Dauerzustand durch jeden einzelnen, freien Akt aktiver Entfremdung von Gott am Leben erhalten werden. Aktive Entfremdung von Gott verursacht den Zustand der Entfremdung, ratifiziert diesen Zustand, entspringt diesem Zustand. Sie kann daher nicht losgelöst vom Zustand des Entfremdetseins betrachtet werden. Jeder Anspruch auf absolute Autonomie ratifiziert je neu den Zu-

---

lichs im Kontext der heutigen Diskussion (BÖThPr 12) Essen 1974, 103–105, 118–130.

stand des Immanentismus und der Entfremdung, der dazu führt, daß die Beziehung bzw. das Verhältnis zu Gott, zum eigenen Selbst, zum Mitmenschen und zur Welt gestört, wenn nicht unterbrochen bleibt. Deshalb müssen immanente und hamartiologische Erhellung zusammenwirken, um das komplexe Phänomen der Entfremdung zu erfassen. Dies soll am Beispiel einer immanenten und hamartiologischen Erhellung der entfremdeten Vernunft näher veranschaulicht werden.

2. *Immanente Erhellung der Entfremdung der Vernunft*

P. Tillich charakterisiert die aktive Entfremdung des Menschen von Gott dreifach: als Akt ganzheitlicher Abwendung von Gott, als „Zuwendung zu sich selbst als dem Zentrum des eigenen Selbst“[445] und als Verlangen, „das Ganze der Wirklichkeit dem eigenen Selbst einzuverleiben“ bzw. ein- und unterzuordnen[446]. Damit sind auch schon die Charakteristika des autonomistischen Denkens gut herausgearbeitet: die radikale Emanzipation von Gott, die immanentistisch in sich geschlossene Anthropozentrik, das veränderte, um nicht zu sagen gestörte Verhältnis zur Wirklichkeit. Das Postulat absoluter Autonomie führt speziell zur Entfremdung des Organs der Autonomie, der Vernunft – ein Vorgang, der immanent und hamartiologisch aufgehellt werden muß.
Es ist der immanenten Kritik nicht verborgen geblieben, daß sich durch den Anspruch der theoretischen und praktischen Vernunft auf absolute Autonomie das Verhältnis des Menschen zu sich selbst und zur Wirklichkeit entscheidend verändert. Durch den Standpunkt radikaler Anthropozentrik und Subjektivität wird nicht bloß das protologische κλῆσις-Verhältnis geltungshaft aufgehoben bzw. die Emanzipation von Gott vollzogen. Man kann rein immanent aufzeigen, daß der Anspruch, das menschliche Selbst absolut autonom, d.h. ohne Rücksicht auf die Vorgegebenheit eines Wesensgesetzes, entwerfen und gestalten zu wollen, den Menschen notwendig zur Entfremdung mit sich selbst führen muß. Genauso stellt sich heraus, daß der Mensch, dessen Verhältnis zur Welt bzw. zur Wirklichkeit ausschließlich „durch das Kategoriengefüge von Produktion, Material und Produkt beherrscht“[447] wird, zwangsläufig auch in die Entfremdung mit der Welt gerät.
Die Entfremdung mit sich und mit der Welt besteht – rein immanent gesehen – ganz einfach darin, daß das autonomistische Denken und Wollen mit der Wirklichkeit, wie sie tatsächlich ist, nichts Rechtes anzufangen weiß. Kommt schon „nicht nur alles Heil“, sondern der Wirklichkeitsentwurf als

---

445 Systematische Theologie 59. 446 A.a.O. 60.
447 R. Schaeffler, Religionskritik 86; zum Ganzen vgl. H. Czuma, Autonomie. Eine hypothetische Konstruktion praktischer Vernunft, Freiburg/München 1974; M. Landmann, Entfremdende Vernunft, Stuttgart 1975.

solcher allein aus dem autonomen Ich, d.h. „allein aus den Werken" dieses autonomen Ich, dann gilt das „auch und besonders für jene ‚Gerechtigkeit', die dieses Bewußtsein in den Weltverhältnissen sucht und vermißt"[448]. Von Haus aus neigt das Autonomiedenken dazu, die Güte bzw. das Gute ausschließlich in der Vernunft zu erblicken, die den Willen bestimmt sowie den guten Willen allein für gut zu halten und die Güte bzw. das Gute gerade nicht in der Wirklichkeit zu suchen. Von daher muß es zu erheblichen Schwierigkeiten kommen, sobald der ideale Wille mit der konkreten Wirklichkeit zusammenstößt. Die Welt im Zustand der Entfremdung scheint „nicht das angemessene Betätigungsfeld" eines so gearteten Willens zu sein „und die Vernunft, die sich in diesem Willen betätigen möchte, erfährt sich dieser Welt gegenüber im Zustand völliger Entfremdung"[449]. R. Schaeffler verweist in diesem Zusammenhang auf die beständigen Mittel-Ziel-Konflikte und auf die Erfahrung, „daß der Gebrauch der Mittel zunächst das objektive Ergebnis der eigenen Absicht verfälscht und schließlich sogar die subjektive Absicht korrumpiert (so daß zuletzt die Rede von der Friedenssicherung nur zum Vorwand für die kriegerische Gewalt, die Rede von Freiheitskampf nur zum Deckmantel für totalitäre Unterdrückung wird)"[450]. Der Handelnde erkennt „in den Ergebnissen seines Wirkens die eigenen Absichten nicht" wieder und stellt fest, daß er im Ergebnis häufig „das bewirkt, was überwunden werden sollte"[451]. Nach dem Urteil R. Schaefflers hat sich ja gerade nicht „die hemmungslose Bosheit, nicht einmal die Heuchelei ... als die wirksamste Ursache von Unrecht und Gewalt in weltumspannender Größenordnung erwiesen, sondern der ‚gute Glaube', für die ‚gerechte Sache' zu streiten und in ihrem Dienste nichts als das Unerläßliche zu tun"[452]. Demnach bildet „den wahren Skandal der Weltgeschichte ... jenes objektiv Böse, das aus dem vermeintlich oder wirklich subjektiv guten Willen hervorgeht, denn durch diese Art des Bösen wird die Antinomie von Wollen und Wirken offenkundig, die die sittliche Vernunft innerlich auflöst"[453]. Die Erfahrung und Verarbeitung dieser Welt- und Selbstentfremdung führt jedoch keineswegs zur Korrektur des Autonomieprinzips und des daraus resultierenden Wirklichkeitsverhältnisses, im Gegenteil: „Der gute Wille fordert als seine Voraussetzung eine bessere Welt. Das Autonomiepostulat ... verlangt, daß diese bessere Welt von uns selbst produziert werde."[454]

Hinzukommt, daß der auf absolute Autonomie pochende Mensch, der gewohnt ist als der Schöpfer seiner selbst, der Welt und der Zukunft aufzutreten, dazu neigt, das von ihm Entworfene und Gestaltete als gelungen und gut zu bewerten, für die Übel dagegen keine Verantwortung zu übernehmen.

---

448 R. Schaeffler, Religionskritik 87.

449 A.a.O. 88.

450 Ebd.

451 Ebd.

452 A.a.O. 97.

453 Ebd.

454 A.a.O. 88.

Es versteht sich von selbst, daß sich mit der Verabsolutierung des Menschen oder mit der Verabsolutierung einer Rasse (Klasse) zum geschichtlichen Subjekt der Weltgestaltung fast zwangsläufig auch Schuldverdrängungsmechanismen einspielen. Ihnen vermag eine rein immanente Autonomiekritik nur schwer beizukommen. Hier stößt die immanente Kritik an eine Grenze, die nur von der theologischen Autonomie- und Vernunftkritik überwunden werden kann. Speziell der hamartiologischen Erhellung der Autonomie fällt die Aufgabe zu, die immanente Autonomiekritik aufzugreifen und zu vertiefen. Sie muß die Folgen des autonomistischen Denkens bis auf die letzte Wurzel der aktiven Entfremdung und Emanzipation von Gott zurückführen. Sie muß die schwerwiegende Veränderung in der Legitimationsstruktur des Ethos herausarbeiten und erhärten, daß der Wegfall der theologalen Legitimation den Verlust der Letztverbindlichkeit bedeutet und das Problem der Verpflichtungskraft des Ethischen aufwirft[455]. Aufgrund ihres verschärften Problembewußtseins muß sie darauf hinwirken, daß der ganze neuzeitliche Emanzipationsprozeß gerade auch auf seine negative Wirkungsgeschichte hin durchleuchtet wird. In seinem Verlauf wurden bisher immer nur soziale Unterdrückung sowie politische Repression und Herrschaft analysiert, ohne daß diese Phänomene auf die tieferen Wurzeln der aktiven Entfremdung und Emanzipation von Gott hinterfragt worden wären. Es wäre notwendig, sie als zwangsläufige Erscheinungsformen immanentistischer Autonomie zu reflektieren bzw. sie als die Objektivationen einer durch die Äonsmächte bestimmten Vernunft transparent zu machen. Zuletzt hat die hamartiologische Erhellung der Autonomie zu klären, inwieweit das von Gott entfremdete bzw. emanzipierte und sich selbst absolut setzende menschliche Ich überhaupt noch die Funktion der Selbstanklage, der Selbstverurteilung und des Selbstgerichts ausüben kann, ob hierfür nicht die Relation zum wahrhaft Absoluten (Gott) und zur Theonomie die notwendige Voraussetzung bilden.

3. *Hamartiologische Erhellung der Entfremdung der Vernunft*

Die Reichweite einer immanenten Autonomiekritik endet bei dem Nachweis, daß der neuzeitliche Anspruch auf absolute Autonomie wegen der Entfremdung der Vernunft bisher nicht eingelöst werden konnte und grundsätzlich nicht eingelöst werden kann. Die theologische Autonomiekritik wird angesichts dieses Sachverhalts nicht resignieren, weil sie von vornherein davon ausgeht, daß das eigentliche Problem der Autonomie mit rein ethischen Mitteln nicht gelöst werden kann. Sie hält das Phänomen der entfremdeten Vernunft nicht für ein Problem, das im Horizont der Entfremdung des Menschen mit sich, mit dem Nächsten und der Welt gelöst werden könnte.

---

455 Vgl. dazu G. Ebeling, Evidenz 318–323.

Begnügt sich die immanente Autonomie- und Vernunftkritik damit, die Antinomie von Wollen und Bewirken rein vordergründig aus dem gestörten Verhältnis der autonomistischen Vernunft zur Wirklichkeit herzuleiten, so versucht die theologische Autonomiekritik sie auf das defekte grundlegende „Ja zur Wirklichkeit" zurückzuführen, bei dem das eigene Ich oder die Welt verabsolutiert und die Relation zum wahren Absoluten (zu Gott) verfehlt wird. Die hamartiologische Erhellung der Autonomie wird die paulinische Vorstellung von der mehrdimensionalen Aufrichtung der Mächteherrschaft zu Hilfe nehmen, wenn sie die Verabsolutierung des menschlichen Selbst zu verdeutlichen und die Störungen im Verhältnis des Menschen zu sich, zum Mitmenschen und zur Welt aus ihrer wahren Wurzel zu erklären versucht.

Im Vorgang der aktiven Entfremdung bzw. Emanzipation von Gott wird aus dem verabsolutierten Selbst – paulinisch gesprochen – die Größe *σάρξ* und *ἁμαρτία*, die sich als Macht nicht nur zwischen dem Menschen und Gott selbst, sondern auch zwischen Mensch und Mitmensch sowie zwischen Mensch und Welt etabliert. Man könnte genausogut sagen, daß sich die beim Abbruch des Verhältnisses zu Gott entstehende Verhältnislosigkeit in den zwischenmenschlichen und sozial-kulturellen Bereich hinein ausbreitet[456]. Das Sich-selbst-absolut-Setzen hat primär zur Folge, daß die Grundbeziehung und das Urverhältnis zum Schöpfer abgebrochen wird, ohne das die Menschwerdung nicht gelingen kann. Indem die grundlegende Relation, nämlich die Einigung mit dem Schöpfer abgebrochen wird, geraten aber auch die übrigen Beziehungen, Verhältnisse bzw. Bewegungen durcheinander, die zur Identitätsfindung unerläßlich sind. Wird die Kommunikation mit dem Nächsten und mit der Welt aber auch nur gestört und belastet, ist bereits die Selbstwerdung gefährdet. Denn kein Selbst wird das, wozu es sich entfalten soll, wenn die Beziehungen und Verhältnisse gestört werden, die die Selbstwerdung begründen und voranbringen.

Der Vorgang der Entfremdung der Vernunft, die Entstehung der Antinomie von Wollen und Bewirken resultiert – paulinisch gesehen – daraus, daß der Mensch, der sich von Gott als Seinsgrund und von der Theonomie als Sollensgrund losreißt, dadurch nicht in die intendierte Freiheit gelangt. Der Mensch gehört nun zwar ganz seinem verabsolutierten Ich, aber das bedeutet, daß er von jetzt an ganz der aufgerichteten *σάρξ* und *ἁμαρτία* hörig ist[457]. Von der Basis der ambivalenten Autonomie aus kann nämlich der

---

456 Für K. Marx, der den Menschen als Funktion gesellschaftlicher Zustände versteht, kann die Aufhebung der Entfremdung nur über die Veränderung der Strukturen erfolgen. „Er erlöst die Strukturen aus ihrer Entfremdung, um auf diesem Wege dann und danach auch den Menschen aus seiner Entfremdung zu erlösen." So H. Thielicke, Strukturen 106. Zum Ganzen vgl. J. Wössner, Sozialnatur und Sozialstruktur – Studien über die Entfremdung des Menschen, Berlin 1965.

457 Vgl. R. Bultmann, Theologie 246.

Mensch nur die Art der Bindung wählen – theonome oder $\alpha i\acute{\omega}\nu$-gebundene Autonomie –, aber nicht, ob er sich binden will oder nicht. Einmal an das absolut gesetzte Selbst bzw. an die aufgerichtete σάρξ und ἁμαρτία ausgeliefert, ist er los von Gott. Sobald sich aber die vertikale Verhältnislosigkeit auch ins Horizontale hinein ausbreitet, folgt das menschliche Ich nicht mehr dem Gesetz eigener Einsicht, sondern unterliegt der Antinomie von Erkennen und Wollen, Wollen und Bewirken. Die Autonomie im Sittlichen würde nur funktionieren, wenn das menschliche „Ja zur Wirklichkeit" intakt wäre und das Verhältnis des Menschen zu sich, zum Mitmenschen und zur Welt nicht durch die Verhältnislosigkeit gegenüber Gott empfindlich gestört würde. Das sich selbst verabsolutierende Ich läßt sich durch die Anforderungen der Wirklichkeit nicht mehr unbedingt verpflichten; das selbstherrlich gewordene Ich tut nicht einmal, was es im ursprünglichen Anspruch auf absolute Autonomie intendiert. Paulus beschreibt das Phänomen der entfremdeten Vernunft, wenn er ausführt: „Ich weiß, daß in mir, d.h. in meinem Fleisch, das Gute nicht wohnt. Denn das Gute wollen, dazu bin ich bereit, aber nicht, es auszuführen. Ich tue nämlich nicht das Gute, das ich will, vielmehr was ich nicht will, das Böse, das tue ich. Wenn ich aber das tue, was ich nicht will, dann führe nicht mehr ich es aus, sondern die in mir wohnende Sünde" (Röm 7,18–20)[458].
Die paulinische Hamartiologie ist dem heutigen Entfremdungsdenken an Problembewußtsein weit voraus. Sie begnügt sich nicht mit der immanenten Reflexion der Zuständlichkeit, sondern drängt auf die κλῆσις-geschichtliche und hamartiologische Erhellung der Ursachen der Entfremdung[459]. Sie konfrontiert das immanentistische Denken mit der Frage, wie es denn um die Negation der Negation im tiefsten Punkt bestellt ist. Läßt sich die Tatsache, daß Gott selbst betroffen ist, daß der Ruf des Schöpfers verneint und die Äonsmächte gegen ihn aufgerichtet werden, genauso aus der Welt schaffen, wie sich viele weltimmanente Negativitäten negieren lassen? Die κλῆσις-geschichtliche und hamartiologische Erhellung der Autonomie stellt fest, daß im Fall der aktiven Entfremdung und Emanzipation von Gott die Aufhebung der Negation nicht mehr Sache des Menschen, sondern ausschließlich Sache Gottes ist. Die Negation der menschlichen Negation bzw. die Aufhebung des Anspruchs auf absolute Autonomie ist Gott selbst vorbehal-

---

458 Zum Ganzen vgl. J. Kürzinger, Der Schlüssel zum Verständnis von Röm 7, in: BZ 7 (1963) 270–274; W.G. Kümmel, Römer 7 und die Bekehrung des Paulus, Leipzig 1929; U. Duchrow, Christenheit 96–99.

459 Nach F. Böckle, Theonome Autonomie 22f, eröffnet „die Frage nach der Vernünftigkeit der Vernunft, die sich nicht in sich selbst widersprüchlich vollziehen darf, die eigentliche ethische Problematik. Hier liegt auch die Aufgabe der theologischen Ethik. Es müßte ihr der Aufweis gelingen, daß sie die Vernünftigkeit menschlicher Vernunft überzeugend zu sichern vermag."

ten[460]. Der menschlichen Vernunft mag es gelingen, die eigene Negation der Einheit, der Harmonie, der Beziehungen und Verbindungen da und dort zu negieren. Es bleibt aber Sache der heilsgeschichtlichen *κλῆσις*, die aktive Entfremdung und Emanzipation des Menschen von Gott zu negieren und aufzuheben.

Deshalb zielt die *κλῆσις*-geschichtliche und hamartiologische Erhellung von vornherein über die bloße Beschreibung und Erklärung des Phänomens der immanentistischen Autonomie hinaus. Sie ist keine Anleitung zur innerweltlichen Aufhebung, sondern bezweckt die Annahme der heilsgeschichtlichen *κλῆσις*, die allein die Erneuerung von *καρδία* und *νοῦς*, d.h. die Wiederherstellung des Menschen als Person-für-Gott bewirken kann. Erst wenn der relativ autonome Mensch wieder in der Theozentrik und Theonomie verankert und die Einheit mit Gott wieder hergestellt ist, ist auch „die volle Realisierung und die Ausgestaltung aller Haltungen des Menschseins möglich. Die Theonomie ist der Garant des ganzen Menschtums."[461] Mehr als die Erneuerung des Herzens und der Vernunft und die Wiederherstellung der Person-für-Gott kann allerdings nicht in Aussicht gestellt werden, denn der Zustand der Entfremdung dauert fort. Immerhin wird durch die Hineinrufung in die Christus-*κοινωνία* die Ausübung einer *αἰών*-kritischen und *αἰών*-überwindenden Autonomie ermöglicht.

IV. Aktualisierbarkeit der christologischen Erhellung der Autonomie

Bei der christologisch-pneumatologischen Erhellung der Autonomie wurde versucht, die Stellung des relativ autonomen Menschen in der Christus-*κοινωνία* zu beschreiben. Es ist sehr beachtenswert, daß darin keine spezifisch christozentrische oder pneumatozentrische Normierung, sondern eine ausgesprochen theozentrische Ausrichtung stattfindet, durch die der Christ mit einer Theonomie ohne Gesetzesgestalt konfrontiert wird. Damit sind aber gewissermaßen erst die Bedingungen zur Wiederherstellung der theonomen Autonomie aufgezeigt. Es bleibt noch zu verdeutlichen, wie die *αἰών*-kritische Ausübung der Autonomie in der Christus-*κοινωνία* zustande kommt und funktioniert. Dazu muß das eschatologische Herrschaftswechselgeschehen insgesamt ins Auge gefaßt und als Aufhebung der Fremdbestimmung sowie als Ermöglichung einer *αἰών*-kritischen Autonomie begriffen werden. Zwei Aspekte sind dabei besonders zu beachten: erstens der ekklesiale Vollzug des Herrschaftswechsels und dementsprechend die ekklesiale Aktualisierung der *αἰών*-kritischen Autonomie, zweitens die Rolle der Kainologie.

---

460 Vgl. dazu A. Auer, Ist die Sünde eine Beleidigung Gottes? Zur theologischen Dimension der Sünde, in: ThQ 155 (1975) 53–68.

461 Th. Steinbüchel, Grundlegung 240.

Wie wenig die Frage der Aktualisierbarkeit des Herrschaftswechsel-Gedankens im Horizont des Autonomiebewußtseins durchreflektiert und geklärt ist, zeigt eine Äußerung E. Käsemanns, in der die Begriffe Herrschaftswechsel und Autonomie einander diametral entgegengesetzt werden. „Denn Existenz ist bei Pl jeweils durch den Herrn bestimmt, dem wir gehören. Wenn in der Taufe Existenzwandel erfolgt und Gottes Wort neue Schöpfung setzt, so besagt das nichts anderes als Herrschaftswechsel. Der neue Herr trennt uns von dem, was wir zuvor waren, und er läßt uns niemals bleiben, was wir jeweils sind, weil er anders prima causa, aber nicht wirklich unser Herr wäre. Der Mensch ist nach diesem theologischen Zusammenhang nie in der Weise der Autonomie frei."[462] Zweifellos hält sich E. Käsemann bei seiner Interpretation streng an Paulus, sowohl was dessen soteriologische Neubestimmung der menschlichen Existenz („durch den Herrn bestimmt", „Existenzwandel", „neue Schöpfung", „Herrschaftswechsel") als auch, was dessen schöpfungstheologisches Schweigen betrifft. Daß das Herr-Sein des Christus über die Christen nicht nach Art einer prima causa gedacht werden kann, ist E. Käsemann zuzugeben. Schwieriger zu entscheiden ist schon, ob das Verhältnis des rufenden Schöpfers zu seinem relativ autonomen Geschöpf nicht mit Hilfe des Begriffs prima causa bestimmt werden darf. Dieser Sachverhalt ist von Paulus zwar nicht metaphysisch durchdacht, aber eben doch vorausgesetzt, und der Systematiker wird bei seiner Explikation des Herrschaftswechsel-Gedankens beide Ebenen festhalten müssen: die schöpfungstheologische Ebene, auf der Gott prima causa ist, und die soteriologische Ebene, auf der der Christus Gottes das nein sagende Geschöpf wieder ins Ja zu Gott zurückführt. Der Systematiker weiß, daß der metaphysische Terminus prima causa den schöpfungstheologischen Sachverhalt der radikalen Relativität und Kreatürlichkeit[463] zu wenig zum Ausdruck bringt. Vor allem kann mit Hilfe dieses Begriffs nicht verdeutlicht werden, daß der Schöpfer durch die protologische *κλῆσις* auch das Geschöpf noch Geschöpf, genauer: relativ autonomes Geschöpf bleiben läßt, das zur protologischen *κλῆσις* nein sagt bzw. statt der Gottesherrschaft die Herrschaft der Äonsmächte *σάρξ* und *ἁμαρτία* über sich aufrichtet. Wird aber nicht gerade dieser Status des Menschen vorausgesetzt, wenn Paulus die soteriologische Neubestimmung des Menschen durch die Begriffe „Existenzwandel", „neue

---

462 Gottesgerechtigkeit 188; ders., Apokalyptik 130. Ähnlich äußert sich W. Joest, Gesetz 118: „Was dem Glauben gegeben ist, liegt weit hinaus über ein ethisches Autonomie-Ideal. Der menschliche Freiheitsbegriff reicht zur Beschreibung des Christenstandes nicht aus — so wenig wie das menschliche Verhältnis von Herr und Knecht."

463 Vgl. dazu H. Volk, Gott alles in allem. Gesammelte Aufsätze, Mainz 1961, 7—25, hier 13f, 17—22.

Schöpfung" bzw. „Herrschaftswechsel" expliziert? Besagt das paulinische Denken nicht, daß durch den Herrschaftsantritt Christi die vom Menschen aufgerichtete Herrschaft der Äonsmächte beendet wird und daß der Christ durch den neuen Herrn aus der Sklaverei bzw. aus der Fremdbestimmung durch *σάρξ* und *ἁμαρτία* befreit wird? Man fragt sich unwillkürlich, warum das eine und das andere nicht auf den Autonomiegedanken bezogen werden darf. Wenn der von Paulus ins Auge gefaßte Status des Menschen durch die Begriffe „ambivalente Autonomie", „Anspruch auf absolute Autonomie", „immanentistische Selbstabkapselung", „fremdbestimmte Autonomie" auch nur halbwegs korrekt wiedergegeben wird, dann darf doch wohl auch der Herrschaftswechsel-Gedanke darauf bezogen und als Wiederherstellung der theonomen Autonomie oder als Befähigung zur *αἰών*-kritischen Autonomie interpretiert werden. Weil der Herrschaftswechsel-Gedanke die *κλῆσις*-geschichtliche und hamartiologische Erhellung mitumfaßt, steht seiner Applikation auf den Autonomiegedanken nichts im Wege, im Gegenteil: Erst so wird aus der Analyse die Therapie, durch die die Krise der Autonomie an der Wurzel geheilt oder doch wenigstens zum Besseren gewendet werden kann. Nach G. Ebeling ist davon auszugehen, „daß das Problem des Ethischen offenbar ethisch nicht lösbar ist. Denn wie sollte der sich selbst bedrohende Mensch sich selbst von dieser Bedrohung befreien können? Wie sollte der mit sich selbst im Widerspruch befindliche Mensch sich selbst zurechtbringen und mit sich einig werden können?"[464] Auf diese Fragen hat die christologische Erhellung der Autonomie zu antworten. Die Antwort liegt in dem Nachweis, daß der Herrschaftswechsel und die Christus-*κοινωνία* den Grund für eine *αἰών*-kritische und *αἰών*-überwindende Autonomie legen. Wie aber kann verdeutlicht werden, daß es durch den Herrschaftswechsel zu einem Kurswechsel in der Autonomie kommt? Was geschieht, wenn der Mensch im Vollzug des Herrschaftswechsels bzw. mit dem Eintritt in die Christus-*κοινωνία* die theologisch negative Bahn der Autonomie verläßt und die theologisch positive Zielrichtung einschlägt?

2. Christus-κοινωνία als Grund der αἰών-kritischen und αἰών-überwindenden Autonomie

Die Auskunft auf die erste Frage lautet, daß Jesus Christus dem Menschen die Einigung mit sich selbst, dem Mitmenschen und der Welt möglich macht, daß er ihn in die Einigung mit Gott zurückführt, indem er die aktive Entfremdung und Emanzipation von Gott beendet. Der Mensch unterscheidet sich vom Menschen Jesus Christus dadurch, daß die ambivalente Autonomie sein Ausgangspunkt ist und daß er seine Eigenständigkeit – im Ge-

---

464 Evidenz 340; vgl. ferner W. Pannenberg, Die Krise des Ethischen und die Theologie, in: ThLZ 87 (1962) 7–15.

gensatz zu Christus – in der Abwendung von Gott aktualisiert. Durch die Hineinrufung in die Christus-*κοινωνία* erhält der Mensch die Möglichkeit, sein Eigenständigsein neu und anders, nämlich auf Gott hin zu realisieren[465]. Somit wird der Eintritt in die Christus-*κοινωνία* zur conditio sine qua non dafür, daß auch die gestörten Verhältnisse, Beziehungen und Bewegungen zum eigenen Ich, zum Nächsten und zur Welt wieder in Ordnung kommen. In der Christus-*κοινωνία* wird der Mensch vom Hang bzw. vom Zwang zur immanentistischen Selbstverabsolutierung befreit. Er hört auf, seine Autonomie im Widerspruch und im Protest gegen Gott zu vollziehen. Auf jeden Fall ist Christus das Ja bzw. das Amen Gottes (2 Kor 1, 19f) zur (theonomen) Autonomie und bedeutet nicht ihre Aufhebung. Die Herrschaft Christi ist keiner menschlichen Herrschaft gleichzusetzen, die Untertanen erzeugt und deren Leben bis ins kleinste regelt und normiert. Christus herrscht über den Menschen so, daß er ihn zur freien und mündigen Realisierung der theonomen Autonomie führt. Christus vermittelt dem Christen die gleiche Eindeutigkeit für Gott, die ihm selber eigen ist, die gleiche theozentrische Gerichtetheit, die seine Eigenständigkeit auszeichnet. Christus herrscht so, daß er sein Mächtig-Sein, sein Herr-Sein auf die Überwindung der Äonsmächte richtet, auf den Abbau der Fremdbestimmung und die Einsetzung in die Freiheit: „Gott ... ruft ins Eigene, wenn er zu sich ruft."[466]

Von daher ergibt sich, daß die *αἰών*-kritische und *αἰών*-überwindende Autonomie, die durch Christus ermöglicht wird, primär eine vertikale und erst in zweiter Linie auch eine horizontale Komponente hat. Der Christ lebt aufgrund der Christus-*κοινωνία* seine Autonomie kritisch gegenüber seinem eigenen Selbst, das zur Verabsolutierung seines Wesens, seiner Kreativität und Kompetenz neigt; er bejaht seine Relativität, seine Kreatürlichkeit, die seine Eigenständigkeit kennzeichnen. Es muß nun aber vor allem verdeutlicht werden, worin die *αἰών*-kritische und *αἰών*-überwindende horizontale Komponente besteht, wie sie zustande kommt, wie sie sich auswirkt.

Ihr Wesen besteht in einer neuen Einstellung zur Wirklichkeit, in einem neuen, vom Ja zu Gott geprägten Ja zu sich selbst, zum Mitmenschen und zur Welt. Dabei wird die Fortdauer der Entfremdung kritisch berücksichtigt. In der Christus-*κοινωνία* wird der Mensch frei von der Fremdbestimmung durch *σάρξ* und *ἁμαρτία*: „Der freie Mensch ist also nicht der mit sich identische Mensch, sondern der zu Gott und zu sich selbst in ein Verhältnis gebrachte Mensch. Der freie Mensch ist zu sich selbst in ein Verhältnis ge-

---

465 Nach G. Klein, „Reich Gottes" als biblischer Zentralbegriff, in: EvTh 30 (1970) 642–670, hier 682, versteht Paulus gerade „Christi Herrschaftsantritt als Rettung, ja in gewisser Weise als Herstellung des einzelnen, der erst, nachdem er aus dem kollektiven Dämmer erweckt ward, sich als von seinem Schöpfer bei unverwechselbarem Namen gerufenes Geschöpf erfährt".

466 J.B. Metz, Zur Theologie der Welt, Mainz/München 1968, 24.

bracht, indem er zu Gott in ein Verhältnis gebracht ist, eben in das ... Verhältnis des Glaubens, der Gottes Freiheit unsere Freiheit werden läßt."[467] Es versteht sich von selbst, daß sich diese Freiheit bei der Suche nach den Anforderungen aus der Wirklichkeit voll auswirkt: Es wird eine Menschwerdung möglich, bei der sich der einzelne ohne Vorbehalt auf das vorgegebene Wesensgesetz einläßt. Man wird die Feststellung B. Stoeckles, daß mit der Verabsolutierung des Selbst fast zwangsläufig die Verabsolutierung des Lustprinzips verbunden ist und dem (immanentistischen) Autonomiedenken von daher die Tendenz zum Eudämonismus, ja Libertinismus[468] innewohnen kann, nicht einfach von der Hand weisen. Es leuchtet jedoch ein, daß diese Tendenz nicht auch dem Autonomiegedanken der theologischen Ethik unterstellt werden darf, erweist sich doch die Christus-*κοινωνία* als Grund einer *αἰών*-kritischen und *αἰών*-überwindenden Autonomie, die der Ausprägung jeder libertinistisch-eudämonistischen Einstellung kritisch gegenübersteht.

Das auf dem Boden der Christus-*κοινωνία* gesprochene „Ja zur Wirklichkeit" erlaubt erstmals wieder eine Selbstbestimmung bzw. eine Selbstgesetzgebung, bei der die Vorgegebenheiten voll erkannt und anerkannt werden. Der imperativische bzw. appellative Charakter der Wirklichkeit wird aufmerksam zur Kenntnis genommen. Es kommt zu einer neuen Offenheit und Wachheit für die Verpflichtungskraft und den Geltungsanspruch des eigenen Wesensgesetzes und der Sachgesetze. Die *αἰών*-kritische Funktion wird also nicht dadurch wahrgenommen, daß eine feste Kriterientafel für die Rezeption bzw. Selektion[469] profaner Moral erstellt und vorgelegt wird. Es wäre naiv, sich von den Paulusbriefen eine ausgebaute Kriterientafel zu erwarten. Der Missionar hat kein theoretisches Instrumentar für die Findung und Statuierung sittlicher Normen, vor allem für die Aussonderung fremdbestimmter Normen geschaffen. Als Verfasser von Gelegenheitsbriefen hat er nicht im einzelnen ausgeführt, wie sich die Äonsbefangenheit auf die Grundkräfte Liebe, *νοῦς* und *συνείδησις* auswirkt und wie sie weggefiltert werden kann. Auch aus einer Synopse und Analyse der von Paulus rezipierten paränetischen Materialien ginge das nicht hervor. Die in die *κοινωνία* des *πνεῦμα*-Christus Hineingerufenen sind auch nicht von vornherein als die beati possidentes anzusprechen. „Sind die Christen weniger durch die Sünde in ihrem gesellschaftlichen Handeln beeinträchtigt als Nichtchristen, weil ihre Vernunft erneuert ist? Oder wissen sie nicht lediglich mehr um die Gefährdung alles menschlichen Handelns durch die Sünde – ohne selbst von

467 E. Jüngel, Freiheitsrechte und Gerechtigkeit, in: ders., Unterwegs 246–256, hier 253.
468 Vgl. Grenzen 39f.
469 Zum Ganzen vgl. J. Schreiner, Bedeutung 156; J. Ratzinger, Prinzipien 45–50; B. Fraling, Glaube und Ethos 92–99.

ihr frei zu sein – und sehen sich daher stärker genötigt zu nüchternem Gebrauch der Vernunft?"[470] Man wird trotz der berechtigten Anfrage M. Honeckers die Bedeutung der Christus-*κοινωνία* für die *αἰών*-kritische Funktion der Christen nicht unterschätzen. Es zeichnet sich ab, daß die *ἐκκλησία* einen unverwechselbaren Beitrag leisten kann, wenn sie nur den Herrschaftswechsel wirksam vollzieht.

3. *Ekklesiale Aktualisierung der αἰών-kritischen und αἰών-überwindenden Autonomie*

Es ist mehrfach angeklungen, bedarf aber noch einer zusätzlichen Verdeutlichung, daß die *αἰών*-kritische Funktion nicht nur Sache des einzelnen, sondern der *ἐκκλησία*[471] ist. Die Frage ist, ob es Anhaltspunkte für den ekklesialen Vollzug des Herrschaftswechsels bei Paulus gibt und wie die Ekklesiologie im Horizont des Autonomiegedankens aktualisiert werden kann. Das Paränese-Modell hat die *ἐκκλησία* als apokalyptisch gestimmte weltflüchtige Exodusgemeinde gezeichnet. Dabei wird der Exoduscharakter ausschließlich auf Parusie und Weltende bezogen. Es versteht sich von selbst, daß der Akzent bald von der eschatologischen Naherwartung des Exodus aus dem Todeskosmos[472] auf den existentiell-ethischen Vollzug des Exodus aus der Herrschaft der Äonsmächte verlegt worden sein muß. Schließlich fühlte sich die *ἐκκλησία* keineswegs zur Untätigkeit und zum Passivismus verurteilt, während sie von Gott den endgültigen Vollzug des Herrschaftswechsels im Kosmos erwartet. In den Paulusbriefen gibt es deutliche Anzeichen dafür, daß die *ἐκκλησία* den Exodus aus der Mächteherrschaft hier und jetzt zu antizipieren hat[473]. Allerdings wird die Fremdbestimmung der Schöpfung durch die Äonsmächte gerade im Zeichen der Naherwartung derart intensiv erfahren, daß Paulus eine äußerst zurückhaltende Formel für den Weltgebrauch (1 Kor 7,29–31)[474] anbieten zu müssen glaubt. Erfahrungen des christlichen Versagens und Unterliegens bewirken, daß die im Christusglau-

---

470 M. Honecker, Liebe und Vernunft 254.

471 Vgl. dazu K.L. Schmidt, Art. *ἐκκλησία* in: ThWNT III, 533–535; W. Schrage, „Ekklesia" und „Synagoge". Zum Ursprung des urchristlichen Kirchenbegriffs, in: ZThK 60 (1963) 178–202; Chr. Müller, Gottes Volk; K. Rahner, Das Verhältnis der Kirche zur Gegenwartssituation im allgemeinen, in: HdPth II, 2, 42–45; K. Lehmann, Die Kirche und die Herrschaft der Ideologien, a.a.O. 109–180; E. Schillebeeckx, Gott – Kirche – Welt (Gesammelte Schriften 2), Mainz 1970, 213–269.

472 Vgl. R. Kabisch, Eschatologie 141.

473 Vgl. E. Käsemann, Apokalyptik 128; vgl. P. Stuhlmacher, Gerechtigkeit 232.

474 Zum Ganzen vgl. H. Braun, Die Indifferenz gegenüber der Welt bei Paulus und bei Epiktet, in: ders., Gesammelte Studien zum Neuen Testament und seiner Umwelt 159–167; W. Schrage, Stellung 125–154; H. Flender, Das Verständnis der Welt bei Paulus, Markus und Lukas, in: KuD 14 (1968) 1–27, hier 2–7; R. Schnackenburg, Das Verständnis der Welt im Neuen Testament, in: ders., ChrEx I, 157–186.

ben angelegte Positivität des Weltverhaltens durch die Sorge bezüglich der Übermacht der Äonsmächte abgedunkelt wird. Im Kosmos agiert immer noch der nicht zur Umkehr gerufene Mensch, der fortwährend die Herrschaft der Mächte aufrichtet. Die in die *κοινωνία* des *πνεῦμα*-Christus Hineingerufenen stehen in der Gefahr, das Ja zu Theozentrik und Theonomie auszusetzen bzw. zu widerrufen, indem sie sich wieder *σάρξ*, *ἁμαρτία* und *νόμος* zuwenden.
Wie sehen die Ansätze für den ekklesialen Vollzug des Herrschaftswechsels in den Paulusbriefen aus? Wie kann der skizzierte präsentische Exoduscharakter der *ἐκκλησία* im Horizont des Autonomiebewußtseins verifiziert werden? Wichtig ist, daß Paulus die Befreiung des Menschen aus der Mächteherrschaft nie bloß individuell oder rein religiös interpretiert hat[475]. Herausrufung und Exodus[476] beziehen sich für ihn a priori auf die *ἐκκλησία* und auf den *αἰών*-Charakter der Welt. Die Herausrufung richtet sich an Menschen der verschiedensten Sozialstrukturen (biologischen, religionsgeschichtlichen und gesellschaftlichen). Mann und Frau, Jude und Heide, Herr und Knecht werden aber nicht aus den Sozialstrukturen als solchen, sondern aus der spezifischen Äonsimprägnierung ihrer jeweiligen Bereiche herausgerufen. Der Exodus aus der Mächteherrschaft und die Rückkehr in die Theozentrik spiegeln sich in einem neuen Selbstverständnis und in einem neuen Verhalten wider. Die Christen heben sich von dem *αἰών*-geprägten und *αἰών*-befangenen Zeitgenossen ab. Sie erhalten durch die Hineinrufung in die Christus-*κοινωνία* eine neue theozentrische Existenzbasis[477]. Die mit der Hineinrufung verbundene charismatische Zuteilung eröffnet einen zusätzlichen Ermöglichungsgrund für den Aufbau einer *αἰών*-kritischen Gemeinschaft.
Wie sieht der Ansatz zum ekklesialen Vollzug des Herrschaftswechsels konkret aus? Paulus verlangt in 1 Kor 6,1–11 beispielsweise, daß die bisher in foro externo ausgetragenen Streitfragen in das forum internum der *ἐκκλησία* gebracht und hier aufgearbeitet werden[478]. Die Forderung gründet auf der Überzeugung, daß sich die Streitfälle beim gemeinschaftlichen Vollzug des Herrschaftswechsels in jenes Nichts auflösen, das sie für wahrhaft Herausgerufene eigentlich sind. Paulus warnt die Korinther eindringlich davor, angesichts des schon geschehenen und des unmittelbar bevorstehenden endgültigen Weltendes, nochmals den schon vollzogenen Stellungswechsel

475 St. Pfürtner, Autonomie des Menschen – Autonomie Gottes 352, betont im Hinblick auf Gal 5,1: „Wer diesen Freiheitsauftrag ‚rein religiös' auslegt, der mystifiziert das Evangelium und hat immer noch nicht den alten Dualismus zwischen weltlichem und religiösem Leben überwunden."

476 Vgl. dazu H.J. Kraus, Das Thema „Exodus". Kritische Erwägungen zur Usurpation eines biblisches Begriffs, in: EvTh 31 (1971) 608–630.

477 Vgl. dazu G. Klein, „Reich Gottes" als biblischer Zentralbegriff 662.

478 Vgl. E. Dinkler, Zum Problem der Ethik bei Paulus. Rechtsnahme und Rechtsverzicht (1 Kor 6,1–11), in: ZThK 49 (1952) 167–200 (Ethik); O. Merk, Handeln 95.

rückgängig zu machen. Wer jetzt als Heraus- und Hineingerufener, als Geheiligter und Gerechtfertigter nochmals zur juristischen Selbstbehauptung greift, der richtet wieder die *σάρξ*, die *ἁμαρτία* und den *νόμος* zwischen sich und Gott und zwischen sich und dem Nächsten auf. Wer so kurz vor dem Ende noch einmal nach den erledigten Maßstäben und Kategorien des alten Äons greift, um sein Selbst, seine *σάρξ* zu verteidigen und durchzusetzen, der wird zum Ungerechten, ja zum Räuber gegenüber seinem Bruder in der *κοινωνία πνεύματος*. Blendet man den starken eschatologischen Kontext der Aussage aus, bleibt doch ein starker Appell zum ekklesialen Vollzug des Herrschaftswechsels übrig.

Paulus hat es in Korinth mit einer Gemeinschaft zu tun, die es nicht fertigbringt, aus dem Herausgerufensein die entsprechenden Konsequenzen zu ziehen und aus dem Hineingerufensein ihre Gegenwartsprobleme zu meistern.

Herausrufung und Hineinrufung eröffnen auch für den Sklaven und Freien, für den Juden und Griechen, für den Mann und die Frau einen neuen Ermöglichungsgrund *αἰών*-kritischen Denkens und Handelns[479]. Auf der ekklesialen Ebene der Christus-*κοινωνία* wächst der Gedanke einer neuen Ordnung, ohne daß deswegen die bisherigen Strukturen abqualifiziert oder gar zertrümmert werden. H.D. Wendland spricht von der „Umkehrung der sozialen Stände in Christus, welche doch die ‚alte' soziale Ordnung (daß es nämlich Sklaven und Freie gibt) nicht zerstört"[480]. Auf der ekklesialen Ebene verliert nur der *αἰών*-Charakter der gesellschaftlichen Standorte seine Wirkkraft, nur er ist für die *οἰκοδομή* des Leibes Christi nicht mehr relevant, sondern hinderlich. Die kleinen Gemeinden sind Zentren, in denen die Neuschöpfung des Menschen antizipiert wird, in denen die Gestalt des Lebens und der Gemeinschaft umrißhaft sichtbar und erfahrbar wird, die der Fremdbestimmung durch die Äonsmächte entrissen ist. Aus paulinischer Sicht ist das von der Fremdbestimmung befreite Humanum durchaus kein bloßes Objekt eschatologischer Erwartung. Der neue Mensch ist vielmehr eine geschichtliche, konkrete, innerhalb der eschatologischen *ἐκκλησία* auszuformende Gestalt.

Umgesetzt in ein Autonomiekonzept aus paulinischem Geist heißt das, daß sämtliche für die Mächteherrschaft und den alten Äon signifikanten Denkkategorien durch die *αἰών*-kritische Funktion der *ἐκκλησία* ausgeschieden werden müssen. Die *ἐκκλησία* hat bei der Rezeption und Integration profaner Moral äußerst wachsam zu sein und als Prinzip *αἰών*-kritischer Weiterentwicklung zu wirken.

---

479 Nach D. Wiederkehr, Berufung 143, fällt den christlichen Sklaven dabei eine ganz besondere Rolle zu.

480 Korinther 54; vgl. ferner H. Conzelmann, Rechtfertigungslehre 402f; P. Stuhlmacher, Verantwortung 170.

4. 'Εκκλησία *als Raum, in dem „die Gestalt dieser Welt vergeht" (1 Kor 7,31)*

Der gemeinschaftliche Vollzug des Herrschaftswechsels bewirkt, daß in der eschatologischen ἐκκλησία „die Gestalt dieser Welt vergeht" (1 Kor 7,31) und eine neue Gestalt sichtbar wird. Paulus sieht sich durch die grundstürzende Erfahrung des Rufs in die Christus-κοινωνία zu der Aussage bewogen, der allgemein erst für die Zukunft erwartete, kommende Äon sei „als schon hereinbrechend und im Werden befindlich" anzusehen und „diese Welt" sei „im Vergehen begriffen"[481]. Entgegen der jüdisch-apokalyptischen Überzeugung lautet die paulinische Verkündigung, daß diese Welt nicht unter dem Gericht Gottes[482], sondern unter dem vorgezogenen Neuschöpfungshandeln Gottes steht. Das bedeutet, daß der Neuschöpfer „diese Welt" zunächst einmal im Menschenherzen und in der Gemeinschaft der Gläubigen zum Vergehen bringt. Die Ablösung „dieser Welt" durch die „kommende Welt" wird im Geschehen der Heraus- und Hineinrufung antizipiert[483].

Daraus darf gefolgert werden, daß die eschatologische ἐκκλησία die Entbindungsstätte der neuen Schöpfung ist; sie ist keinesfalls etwas ganz anderes als die Schöpfung Gottes, etwas neben ihr oder über ihr Schwebendes. Man darf auch nicht außer acht lassen, daß Paulus das Eschaton insgesamt als die Rückkehr in den Zustand des Proton aufgefaßt hat[484]. Das bedeutet für die eschatologische ἐκκλησία, daß sie „als die Schar der Gehorsamen" bestimmt wird, „die als solche in der Nachfolge des gehorsamen Adam stehen. Im Gehorsam der Christen erweist sich ... die Kirche als die neue Schöpfung, die dahin zurückgekehrt ist, wovon Adam fiel. In ihrem Gehorsam zeigt sich, daß die Auferstehungsmacht sie regiert und die Mächte außer dem Tode in ihr nicht mehr herrschen."[485]

Paulus selbst hat den eschatologischen κλῆσις- und ἐκκλησία-Gedanken nicht auf das Ereignis der protologischen κλῆσις bezogen. Dennoch darf die eschatologische ἐκκλησία als jener Teil der Welt definiert werden, der sich in der metanoia[486], d.h. in der Einstellung des gehorsamen Adam gegenüber dem rufenden Schöpfer befindet. Die ἐκκλησία ist grundsätzlich

---

481 G. Hierzenberger, Weltbewertung 58.

482 Vgl. a.a.O. 59.

483 Vgl. a.a.O. 59f.

484 Expressiv verbis findet sich dieser Gedanke im Barnabasbrief (Barn 6,13: τὰ ἔσχατα ὡς τὰ πρῶτα).

485 E. Käsemann, Apokalyptik 128.

486 Vgl. dazu J. Behm, Art. μετανοέω μετάνοια, in: ThWNT IV, 972–976; R. Schnackenburg, Umkehr-Predigt zum Neuen Testament, in: ders., ChrEx I, 35–60, hier 51f; W. Trilling, Metanoia als Grundforderung der neutestamentlichen Lebenslehre, in: Theologisches Jahrbuch, hrsg. von A. Dänhardt, Leipzig 1968, 66–76; H. Braun, „Umkehr" in spätjüdisch-häretischer und in frühchristlicher Sicht, in: ZThK 50 (1953) 243–258.

– im Alten, wie im Neuen Testament – „nichts anderes als in die Kehre gebrachte Welt"[487]. Durch die eschatologische κλῆσις wird sich die umkehrende Welt bewußt, daß sie immer schon in Relation zum rufenden Schöpfer existiert und daß sie diesen Ruf bisher mit Nein beantwortet hat. Beide Relationen, das eschatologische und das protologische κλῆσις-Verhältnis, bestimmen die ἐκκλησία nicht nur akzidentell, sondern wesenhaft. Man sollte die Duplizität des κλῆσις-Ereignisses bei der Ekklesiologie nicht außer acht lassen: „In der Kirche kehrt sich die von Gott gerufene Welt zu Gott."[488]

E. Jüngels Definition der ἐκκλησία kann unschwer im Horizont des Autonomiegedankens aktualisiert werden. Wenn es zutrifft, daß „die in der Kehre zu Gott existierende Welt auf die unbekehrte Welt"[489] bezogen ist, dann muß der ἐκκλησία gerade bezüglich der Autonomie eine αἰών-kritische Funktion zugebilligt werden. Die ἐκκλησία als Raum, in dem „die Gestalt dieser Welt vergeht" (1 Kor 7,31) und eine αἰών-kritische bzw. αἰών-überwindende Autonomie praktiziert wird, ist auf die Welt bezogen, die im Anspruch auf absolute Autonomie, d.h. in immanentistischer Selbstabkapselung gegenüber Gott verharrt. Die Kirche kann als die in die Theozentrik (Heilsethos) und in die Theonomie (Weltethos) zurückgekehrte autonome Welt definiert werden, die mit der sich immanentistisch abkapselnden und selbst verabsolutierenden Welt um die Aktualisierung der wahren Autonomie ringt[490].

5. *Αἰών-kritische Funktion der ἐκκλησία in der Welt*

Zuletzt soll die αἰών-kritische Funktion, die beim Autonomie-Modell aus paulinischem Geist der neutestamentlichen ἐκκλησία zukommt, mit anderen Bestimmungen dieser Funktion (K. Barth, J.B. Metz) verglichen werden. Es wurde festgestellt, daß der gemeinschaftlich-ekklesiale Vollzug des Herrschaftswechsels primär nach innen wirkt, nicht nach außen. Der Erkenntnisvorsprung, der mit dem Ende der Fremdbestimmung durch σάρξ, ἁμαρτία und νόμος gegeben ist, wird von Paulus wegen der Naherwartung des Weltendes nur noch für die οἰκοδομή des Leibes Christi ausgewertet[491]. Hier

---

487 E. Jüngel, Erwägungen 244. 488 A.a.O.

489 A.a.O.

490 Vgl. dazu A. Grillmeier, Wandernde Kirche und werdende Welt, Köln 1968, 90–100. St. Pfürtner, Autonomie des Menschen – Autonomie Gottes 352, betont: „Erst Heilsglaube begründet und ermöglicht volle Selbstbestimmung des Menschen." Zum Ganzen vgl. F. Böckle, in: MystSal V, 21–221, hier 106–112.

491 Vgl. dazu H. Conzelmann, Rechtfertigungslehre 402f; W. Schrage, Einzelgebote 174, unterstreicht: „Das Prüfen und Erkennen des göttlichen Willens hat seinen rechten Ort allein in der Gemeinde und im Verein mit den anderen Gliedern des Leibes Christi."

sollte und mußte der Exodus aus den im alten Äon geltenden Kategorien und Denkweisen maßgebend sein, aber er sollte von hier aus nicht zum Postulat für draußen gemacht werden. Es lohnte sich nicht, die bestehenden Verhältnisse so kurz vor dem Ende umzustürzen. Die Institutionen des alten Äons behalten für die Angehörigen der ἐκκλησία ihre Ordnungsfunktion, wo immer sie mit den Außenstehenden kooperieren müssen. Mit der Indifferenz und Irrelevanz dieser Dinge ist es in dem Moment vorbei, wo Paulus in den weltlichen Lebensraum hinausblickt und aufgrund der hier herrschenden allgemeinen Ordnungsvorstellung z.B. den Sklaven und die Frau zur Unterordnung auffordert. Die in der Welt geltenden sozialen Spielregeln und Strukturen werden nicht nur deshalb anerkannt, weil die christliche Minorität sie respektieren muß. Rein von der Christologie her kommt es Paulus nicht in den Sinn, eine *αἰών*-kritische Funktion zu urgieren und sie draußen in der Welt durchzusetzen. Die Christus-κοινωνία stellt für ihn keinen Normierungsgrund, sondern einen Ermöglichungsgrund des Handelns dar[492]. Paulus, der ganz bestimmt die Christus-κοινωνία exemplarisch ausschöpft bzw. auswertet, respektiert die sozialethischen Normen und Institutionen, weil er – in schöpfungstheologischer Hinsicht – das allgemeine Wissen der Zeit in bezug auf Ordnung und Gerechtigkeit in der Welt teilt. Das Autonomie-Modell aus paulinischem Geist versucht diesen Sachverhalten Rechnung zu tragen, indem es lediglich von einer *αἰών*-kritischen Funktion der ἐκκλησία in der Welt spricht.
Es ergibt sich nun die Möglichkeit, die eben skizzierte Funktionsbestimmung mit derjenigen K. Barths zu vergleichen. Aus paulinischer Perspektive muß festgestellt werden, daß die Christus-κοινωνία nicht als Quelle materialethischer Information angesehen und der ἐκκλησία kein offenbarungspositivistischer Wissensvorsprung gegenüber der Bürgergemeinde[493] eingeräumt werden kann. K. Barths Funktionsbestimmung unterscheidet sich von derjenigen des Autonomie-Modells dadurch, daß er sie ausschließlich von der heilsgeschichtlich-eschatologischen κλῆσις, genauer: von Jesus Christus als dem endgültigen Wort Gottes her bestimmt. K. Barth scheint das „Ja zur Wirklichkeit" (einschließlich der protologischen κλῆσις) kein gangbarer Weg mehr zu den Anforderungen der Theonomie zu sein. Er trifft die paulinische Intention, was die Erkenntnis Gottes, aber nicht, was die Erkennbarkeit der Anforderung Gottes, angeht. Im Widerspruch zum paulinischen Denken glaubt er, das im ersten Artikel, d.h. im Schöpfungsglauben begründete und jedermann zugängliche Naturrecht durch das im zweiten Artikel,

492 Ganz anders H.U. v. Balthasar, Neun Sätze zur christlichen Ethik, in: Prinzipien 69–93, hier 74, 77.
493 Vgl. K. Barth, Christengemeinde und Bürgergemeinde (ThSt/B), Zollikon-Zürich 1946 und München 1946.

d.h. im Christusglauben gegebene „Übernatur-Recht“[494] ersetzen zu sollen. Dessen Empfänger und Vermittler aber ist einzig und allein die Kirche. K. Barth konzipiert die Ethik als Antwort auf den heilsgeschichtlich-eschatologischen Ruf Gottes in Jesus Christus. Die Verantwortlichkeit liegt für ihn nicht im „Ja zur Wirklichkeit“, sondern einzig und allein im Ja zur eschatologischen Wirklichkeit Jesus Christus. K. Barth will den Begriff der Verantwortlichkeit[495] nicht auf das Naturrecht, sondern ausschließlich auf das „Übernatur-Recht“ in Jesus Christus angewandt wissen.
Dementsprechend definiert er die Christengemeinde als Wissende, als Initiatorin des Guten, als Wächterin. Die Bürgergemeinde ist ihr gegenüber die Unwissende, die auf Initiativen und Informationen Angewiesene. Für K. Barth ist das politische Wissen „ein Besitz, über den nur die Kirche, sie ganz allein auf Erden verfügt. Nur von ihr kann die menschliche Initiative zur richtigen Gestaltung des Staates ausgehen.“[496] Natürlich setzt das auch bei K. Barth voraus, daß sich der Christuseffekt zuerst im Binnenraum der Kirche auswirkt. „Im Grunde dachte Barth, daß die Kirche ein Ort sein könnte und sollte, an dem das Bürgertum exemplarisch zu überholen sei, an dem sich durch den Heiligen Geist Menschen der verschiedenen Klassen finden und in Entsprechung zum ‚neuen Menschen‘ leben können und wollen.“[497] Man sieht, daß K. Barth die Funktion der Kirche nicht aus der ursprünglichen Beziehung zur Welt bzw. zur natürlichen Gemeinschaft bestimmen kann, wie das im Autonomie-Modell geschieht. Ihn hindert die Ablehnung der natürlichen Theologie und der protologischen *κλῆσις* daran, die Kirche der Welt auf der Ebene der sittlichen Autonomie zuzuordnen. Davon geht das Autonomie-Modell aus, ohne deswegen den Christuseffekt im Raum der *ἐκκλησία* gering zu veranschlagen. Ist K. Barths Auffassung der heilsgeschichtlich-eschatologischen *κλῆσις* als materialethische Quelle und seine Definition der *ἐκκλησία* als materialethische Information zu halten?[498] Wächterfunktion der *ἐκκλησία* – ja, aber nicht aufgrund einer offenbarungspositivistischen Information durch die heilsgeschichtlich-eschatologische *κλῆσις*, sondern aufgrund ihrer Befähigung zur *αἰών*-kritischen und *αἰών*-überwindenden Autonomie. Auch das Autonomie-Modell betont, daß es in der *κοινωνία* des *πνεῦμα*-Christus zu einem ethischen Erkenntnisvor-

---

494 H. Thielicke, Theologische Ethik, II, 2 Ethik des Politischen, Tübingen 1958, 714.
495 Vgl. KD II, 2, 714, K. Barth bekämpft die vom neuzeitlichen Luthertum entwikkelte Diastase von Gesetz und Evangelium, wie sie sich z.B. in der Trennung von Dogmatik und Ethik bei W. Herrmann und in der Identifizierung von Gottesgesetz und Volksnomos bei F. Gogarten u.a. abzeichnet, vgl. dazu B. Klappert, Promissio 85, 128–132, hier 129.
496 G. Wingren, Evangelium 316.
497 D. Schellong, Bürgertum 112.
498 M. Honecker, Weltliches Handeln 98, betont: „Jesus Christus ist nicht dadurch Herr, daß er sich als ethischer Gesetzgeber erweist, sondern so, daß er den Christen frei macht zu menschlichem, geschöpflichen Handeln in der Welt.“

sprung kommen sollte. Aber es hält auch die biblische Wahrheit fest, daß der Schöpfer selbst die gottlosen Geschöpfe noch das Gute erkennen und sie als Werkzeuge seines Welthandelns fungieren läßt. Der Schöpfer bindet sich nicht an die ἐκκλησία in dem Sinne, daß sie allein der Ort wäre, wo die sittliche Autonomie im Vollsinne ausgeübt werden kann[499].

Das gleiche gilt gegenüber J.B. Metz, der für die Kirche eine gesellschaftskritische Funktion postuliert[500]. Das Autonomie-Modell aus paulinischem Geist stimmt mit seiner Position insofern überein, als beide die Kirche nicht der Welt gegenüberstellen, wie K. Barth das tut. Bei letzterem ist die Kirche für die Welt, jedoch nicht selbst ein Stück Welt. J.B. Metz dagegen geht davon aus, „daß die Kirche nicht etwas ganz anderes als die Welt ist. Sie lebt nicht ‚neben' oder ‚über' der Geschichte und der jeweiligen Gesellschaft. Vielmehr lebt sie in ihnen etwa als Bestandteil und Ferment von Geschichte und Gesellschaft. Als solche soll sie aber sozusagen als Vertreterin des eschatologischen Vorbehaltes Gottes fungieren. Deshalb kommt ihr die Bezeichnung ‚gesellschaftskritische Institution' zu."[501] Die Funktionsbeschreibung des Autonomie-Modells hebt sich insofern davon ab, als sie auf der ekklesialen Ebene eine doppelte *αἰών*-kritische Funktion herausarbeitet oder richtiger, die vertikale Komponente in der *αἰών*-kritischen Funktion stärker betont. Denn aus paulinischer Sicht hat die ἐκκλησία primär die Kehre zur Theozentrik durchzuhalten, d.h., sie darf sich als Welt mit theologisch positiver oder wenigstens *αἰών*-kritischer Einstellung unter keinen Umständen der von Gott abgekehrten Welt, die ihre Autonomie theologisch negativ bzw. völlig *αἰών*-befangen aktualisiert, gleichgestalten. Der paulinische Appell, sich nicht dieser Welt gleichzugestalten (Röm 12,1f), entspringt der Gewißheit, „daß diese Welt zum Vergehen verurteilt ist. Zum Vergehen wohin? Eben in die Kehre, in der die Glaubenden als Kirche schon existieren. Die Verurteilung zum Vergehen ist also in Wahrheit ein Freispruch zum Werden."[502]

So gesehen ist die Kirche die „in die Kehre gebrachte Welt"[503] bzw. „die zur Ordnung gekommene Welt"[504]. Die Kirche ist der Raum, in dem der Mensch von aller Fremdbestimmung durch die Äonsmächte frei werden und zu sei-

---

499 Vgl. G. Wingren, Evangelium 315; A. Dekker, Homines bonae voluntatis. Das Phänomen der profanen Humanität in Karl Barths Kirchlicher Dogmatik, Zürich 1969.

500 Das. Problem einer „politischen Theologie" und die Bestimmung der Kirche als Institution gesellschaftskritischer Freiheit, in: Conc 4 (1968) 403–411.

501 A. Ganoczy, Sprechen von Gott in heutiger Gesellschaft. Weiterentwicklung der „Politischen Theologie", Freiburg/Basel/Wien 1974, 33.

502 E. Jüngel, Erwägungen 244. 503 Ebd.

504 Vgl. zum Ganzen A. Auer, Die Kirche als „die zur Ordnung gekommene Welt", in: Mysterium Kirche in der Sicht der theologischen Disziplinen, hrsg. von F. Holböck und Th. Sartory, Salzburg 1962, II, 491–494. A. Auer, a.a.O. 493 Anm. 37, interpretiert diese von Origenes geprägte Formel dahin, die Kirche sei „die zu ihrer Eigentlichkeit, zu ihrem eigentlichen Sinn gelangte Welt".

ner Eigentlichkeit als theozentrisch autonomes Geschöpf zurückfinden kann. Als „die von Gott gerufene Welt“[505] bzw. als die „in die Kehre gebrachte Welt“[506] hat sie der immanentistisch verschlossenen Welt den letzten Richtungssinn aller geschöpflichen Aktivität zu verdeutlichen.
Wie J.B. Metz geht auch das Autonomie-Modell bei der Bestimmung des Verhältnisses von Kirche und Welt von einem Menschen aus, der sich als autonom begreift, wobei die menschliche Autonomie im umfassenderen Horizont der Autonomie der Welt gesehen wird. Hier wie dort wird das Heilsethos und das ekklesiale Christsein streng auf die Autonomie bezogen. Gemeinsam ist ferner, daß die kritische Funktion nicht an eine spezifische Zuteilung bzw. an einen charismatischen Standort (etwa an die Gemeindeprophetie) gebunden wird, sondern an die *ἐκκλησία* als ganze. Der Unterschied besteht darin, daß die Definition der *αἰών*-kritischen und *αἰών*-überwindenden Funktion der *ἐκκλησία* stärker auf die Ambivalenz der Autonomie sowie auf die Universalität der theologisch negativen Aktualisierung Bezug nimmt. Ihre Spitze richtet sich auf die Umkehrung der immanentistischen Autonomie als der Wurzel aller Übel. Die *αἰών*-kritische Funktion muß zuerst die Wurzel des immanentistischen Autonomiepostulats anpacken, bevor sie sich der Analyse und Therapie der Symptome zuwendet.
Gibt es auch eine klare Vorstellung über die Rolle des kirchlichen Lehramts bei der ekklesialen Ausübung der *αἰών*-kritischen Funktion? J. Ratzinger befürchtet, daß in einem Autonomiekonzept ein kirchliches Lehramt in Sachen Moral keinen Platz behält, weil die inhaltliche Moral aus dem Bereich des Glaubens „abgedrängt“ und „der Glaube aus dem Raum der Vernunft herausgezogen“[507] wird. Für Ratzinger scheint zu sprechen, daß ein Autonomiekonzept die sittliche Autonomie unterschiedslos allen zuspricht und für die Kirche nurmehr eine kritische Funktion reserviert. Demnach sollte sich das kirchliche Lehramt künftig nur noch im Bereich der heilsgeschichtlich-eschatologischen *κλῆσις* Gottes (Heilsethos) „originär“ zuständig zu Wort melden, in dem durch die protologische *κλῆσις* Gottes begründeten Bereich der Autonomie (Weltethos) dagegen nur noch im Falle offenkundigen Versagens, also „subsidiär“[508], aktiv werden. Mit der Forderung an das kirchliche Lehramt, die sittliche Autonomie als Ausgangsbasis anzuerkennen, wird diesem jedoch keineswegs die Kompetenz abgesprochen, sich in Fragen des Weltethos zu Wort zu melden. Denn aus dem depositum der heilsgeschichtlichen *κλῆσις* ergibt sich von selbst die Aufgabe, gegenüber der immanentistisch verstandenen und gelebten Autonomie die *αἰών*-kritische und *αἰών*-überwindende Funktion auszuüben. Dem Lehramt fällt

---

505 E. Jüngel, Erwägungen 237.
506 Ebd.
507 J. Ratzinger, Kirchliches Lehramt – Glaube – Moral, in: Prinzipien 64.
508 Vgl. dazu A. Auer, Autonome Moral 188.

die Rolle der exemplarischen Ausübung der *αἰών*-kritischen Autonomie zu, nicht mehr und nicht weniger.

6. *Αἰών-kritische oder kainologisch orientierte Aktualisierung der Autonomie?*

Zuletzt soll nach dem spezifisch eschatologischen bzw. kainologischen Moment bei der Wiederherstellung der theonomen Autonomie gefragt werden. Die exegetischen Ethikmodelle erblicken in der Eschatologie den Hauptgrund für die Zeitgebundenheit und Nichtaktualisierbarkeit der Christologie, Ekklesiologie und Weltethik des Paulus. Nach den Entdeckern der Eschatologie (R. Kabisch, M. Dibelius u.a.) verhält es sich so, daß Paulus „das Krachen im Gebälk der alten Welt vernimmt und sich auf ihren Untergang einrichtet"[509]. In ihren Augen verhindert die Naherwartung der Parusie und des Weltendes jede konstruktive Lösung des Eschatologie-Ethik-Problems, so daß es zum Notbehelf der sukzessiven Rezeption und Integrierung des profanen Weltethos kommt (Paränese-Modell). Der eschatologische Befund (und die schöpfungstheologische Fehlanzeige) schränkt die Aktualisierbarkeit der exegetischen Ethikmodelle erheblich ein[510]. Bleibt also noch zu klären, welche Rolle der Eschatologie im Rahmen des Autonomie-Modells aus paulinischem Geist zukommt.

Die Frage ist, wie die paulinische Eschatologie heute verifiziert werden kann[511], ob sie nur als personbezogene oder auch als weltbezogene Kainologie[512] aktualisiert werden muß. Folgt man dem Vorschlag A. Grabner-

---

509 H.D. Wendland, Korinther 56. Ähnlich auch G. Hierzenberger, Weltbewertung 33; P. Stuhlmacher, Glauben und Verstehen bei Paulus 346.

510 So fragt z.B. E. Dinkler, Ethik 186: „Ist nicht die ... als ‚eschatologisch' charakterisierte Ethik des Paulus an eine mythologische Eschatologie gebunden, die sich nicht erfüllt hat und auch für uns nicht mehr annehmbar ist, und die aufgrund der entscheidenden mythologischen Motivation auch die hieraus abgeleiteten ethischen Lösungen hinfällig werden läßt?"

511 Vgl. dazu J. Kiss, Zur eschatologischen Beurteilung der Theologie des Apostels, in: ZsystTh 15 (1938) 379–416; W.D. Davies und D. Daube, The Background of the New Testament and its Eschatology. In honor of C.H. Dodd, Cambridge 1956; W. Grundmann, Überlieferung und Eigenaussage im eschatologischen Denken des Apostels Paulus, in: NTS 8 (1961) 12–26; O. Knoch, Die eschatologische Frage, ihre Entwicklung und ihr gegenwärtiger Stand, in: BZ 22 (1962) 112–120; R. Schnackenburg, Leben auf Hoffnung hin. Christliche Existenz nach Röm 8, in: BiLe 39 (1966) 316–319; ders., Art. Eschatologie im Neuen Testament, in: LThK III, 1088–1093, hier 1087; H. Schlier, Das worauf alles wartet. Eine Auslegung von Römer 8,18–30, in: Interpretation der Welt. Festschrift für Romano Guardini zum 80. Geburtstag, hrsg. von H. Kuhn, H. Kahlefeld und K. Forster, Würzburg 1965, 599–616; zur Frage der Aktualisierbarkeit äußern sich vor allem E. Dinkler, Ethik 187, 188; P. Stuhlmacher, Verantwortung 186.

512 Vgl. neben den in Anm. 18, 99, 144 genannten Arbeiten: J. Behm, Art. *καινός*, in: ThWNT III, 450–456; ders. Art. *νέος ἀνανεοῦσθαι*, in: ThWNT IV, 899–904; P.

Haiders, die paulinische Eschatologie insgesamt im Sinne von Kainologie zu interpretieren, dann könnte man die bei Paulus vorhandene präsentische Eschatologie als personbezogene Kainologie und die futurische[513] Eschatologie als weltbezogene Kainologie charakterisieren. Paulus selbst hat keinen Grund, eine solche Unterscheidung zu treffen oder dabei gar an eine Alternative zu denken. Mit Hilfe der getroffenen Unterscheidung sollen Probleme der Gegenwart ins Licht des paulinischen Denkens gerückt werden.
Ein Hauptproblem besteht z.B. darin, daß das immanentistische Autonomiedenken sich in einem beständigen Weltentwerfen, Weltplanen und Zukunftbauen aktualisiert und leicht zu optimistischen Futorologien und Utopien neigt. Aber auch im christlichen Raum führt das Autonomiedenken dahin, mit einem Partner zu wetteifern und ihn übertreffen zu wollen, der längst die Schöpfereigenschaft von Gott auf sich selbst übertragen hat. Die bloß schöpfungstheologische Begründung der Autonomie wird als ungenügend empfunden, weil sie die Christen zu wenig in die Richtung einer „Veränderungsethik"[514] drängt. Man fragt daher im christlichen Lager, ob man nicht einen kainologisch begründeten Auftrag zur Veränderung und Gestaltung der Welt habe. Versuche, die christliche Eschatologie im Sinne von Futurologie und Utopie zu aktualisieren, gibt es genug. Man berauscht sich an der Vorstellung von einer normativen Kraft der christlichen Kainologie. Die Strukturen der Gesellschaft sollen nicht im Namen des Schöpfers, sondern des eschatologischen Neuschöpfers verändert und neugestaltet werden. Gerade für die theonom gelebte Autonomie stellt sich daher die Frage, ob es eine christliche Kainologie gibt, die auf die Veränderung der Welt zielt. Muß die paulinische Eschatologie heute im Sinne einer weltbezogenen Kainologie aktualisiert werden?[515]

Tachau, „Einst" und „Jetzt" im Neuen Testament. Beobachtungen zu einem urchristlichen Predigtschema in der neutestamentlichen Briefliteratur und zu seiner Vorgeschichte (FRLANT 105), Göttingen 1972; W. Matthias, Mensch 385–397; K. Galley, Altes und neues Heilsgeschehen bei Paulus (ATh I, 22), Stuttgart 1965; U. Luz, Der alte und der neue Bund bei Paulus und im Hebräerbrief, in: EvTh 27 (1967) 318–336; J. Gewiess, Die Neuheit des Christentums nach dem Zeugnis des Neuen Testaments, in: ZMR 40 (1956) 81–93.

[513] Vgl. dazu W.G. Kümmel, Futurische und präsentische Eschatologie im ältesten Christentum, in: NTSt 5 (1959) 113–126.

[514] Zum Ursprung dieses Begriffs vgl. W. Pannenberg, Geschichtstatsachen und christliche Ethik, in: Diskussion zur „politischen Theologie", hrsg. von H. Peukert, Mainz/München 1969, 230–246, hier 237ff.

[515] Zum Ganzen vgl. W. Kasper, Politische Utopie und christliche Hoffnung, in: FH 24 (1969) 563–572; H.D. Wendland, Die Wirkung der christlichen Eschatologie auf die Gestaltung der christlichen Sozialethik, in: ders., Botschaft an die soziale Welt. Beiträge zur christlichen Sozialethik der Gegenwart, Hamburg 1959, 154–165; H.G. Jung, Befreiende Herrschaft. Die politische Verkündigung der Herrschaft Christi, München 1965; T. Mahlmann, Eschatologie und Utopie im geschichtsphilosophischen Denken Paul Tillichs, in: NZsystTh 7 (1965) 339–370.

Es versteht sich von selbst, daß sich die Moraltheologie hauptsächlich der personbezogenen Kainologie zuwendet und daß sie dieselbe auf den Autonomiegedanken zu beziehen versucht. Sie erörtert die Wirkung der Christus-*κοινωνία* auf die Autonomie und die Rolle der *ἐκκλησία* als Trägerin der *αἰών*-kritischen Funktion. Doch es muß auch geklärt werden, ob das Christentum eine weltbezogene Kainologie hat, die prospektive und normative Elemente in sich enthält. Es muß entschieden werden, ob die Christen über die *αἰών*-kritische Funktion hinaus eine generell kainologische Note in die Autonomie einbringen. Davon hängt es ab, ob die Christen mit den Vertretern der immanentistischen Autonomie konkurrieren sollen oder ob sie das autonomistische Denken in dem entscheidenden Punkt korrigieren müssen, wo es Autonomie mit Kainologie in einem säkularistisch verstandenen Sinn gleichsetzt. Christen und Nichtchristen müssen sich darüber klarwerden, ob es über die *αἰών*-kritische und *αἰών*-überwindende Ausübung der Autonomie hinaus noch so etwas wie eine kainologisch orientierte Autonomie gibt.

7. *Normative Kraft der Kainologie?*

R. Kabisch beschränkt die Wirkung der Eschatologie auf die jenseitsbezogene Motivierung des sittlichen Handelns[516]. Die Ethik wird durch sie zum bloßen Mittel, das die Aufnahme ins Reich Gottes bezweckt. Der Gedanke, daß die eschatologische Motivation als Triebfeder einer dynamischen innerweltlichen Ethik fungieren könne, wird völlig ausgeschlossen. A. Grabner-Haider dagegen stellt bei der eschatologisch begründeten Mahnrede fest, daß die futurissche Vollendungsgestalt als ein maßgebliches, wenn nicht gar normatives Element ins Spiel kommt[517]. Man wird jedoch gerade gegenüber den Aussagen der futurischen Eschatologie vorsichtig sein, weil hier immer zwischen einer existentiell-ethischen und einer weltbildlich bedingten Aussageabsicht unterschieden werden muß. Nach A. Vögtle verzichtet das Neue Testament, was den „eigentliche(n) kosmologische(n) Aspekt" betrifft, „auf eine lehrhafte Aussage. Die Frage nach der relativen und absoluten Zukunft des Kosmos kann der Exeget mit gutem Gewissen dem Naturwissenschaftler überlassen. Im Zentrum der neutestamentlichen Heilsbotschaft steht das auf die Zukunft ausgerichtete Heilshandeln Gottes am Menschen und damit die endzeitliche Heilsgemeinde."[518]

Die neueren Versuche, zu einer eschatologisch motivierten und dynamisierten christlichen Weltethik zu kommen, sehen nur allzuleicht über die bei Paulus selbst gegebene Akzentuierung hinweg. Sie versuchen die Entfremdungszustände aufzuheben, ohne dabei an die aktive Entfremdung bzw.

516 Vgl. Eschatologie 56.
517 Belege dafür bei W. Thüsing, Per Christum 70, 119f, 123f, 127f, 131f, 142f, 256.
518 A. Vögtle, Kosmos 233.

Emanzipation des Menschen von Gott zu denken, der sich die personbezogene Kainologie zuwendet. Im Begriff der personbezogenen Kainologie aber liegt die klare Aussage beschlossen, daß Paulus und mit ihm das ganze Christentum primär die Neuschöpfung der menschlichen Person bzw. die „Erneuerung des Geistes" (Röm 12,2) verkündet, nicht einen kainologisch begründeten Auftrag zur Veränderung der irdischen Strukturen[519]. Die *ἐκκλησία* kann an der innerweltlichen bzw. geschichtlichen Zukunft, insbesondere an der konkreten Mitgestaltung der Weltwirklichkeit nicht uninteressiert sein, im Ansatz ist die *αἰών*-kritische Funktion schon bei Paulus vorhanden. Doch vermittelt das paulinische Christusevangelium kein kainologisches Zielbild und keine kainologischen Weltentwürfe. Der Apostel äußert sich dezidiert nur über die Vollendungsgestalt der Heilsgemeinde und der Welt. Sie ist nach Paulus das Ergebnis der radikalen Neuschöpfungstat Gottes. Denn auf die Externität der Heilsvollendung wird gerade gegenüber dem antiken Immanentismus (Ekstatik, Gnosis) größter Wert gelegt. Es ist davon auszugehen, daß Paulus über die Vollendungsgestalt der aus der Todesmacht herausgerufenen Gemeinde und Welt mehr reflektiert hat (Röm 8, 18–23) als über eine Welt, aus der die Äonsmächte *σάρξ*, *ἁμαρτία* und *νόμος* ausgeräumt werden sollten. Das spricht nicht gegen das Konzept einer *αἰών*-kritischen und *αἰών*-überwindenden Ausübung der Autonomie, wohl aber entlastet es dieselbe von dem Zwang, kainologische Zukunftsentwürfe bereitstellen und als christliches Proprium einbringen zu müssen.

Paulus entwirft vor seinen Gemeinden keine innerweltlichen Zukunftspläne, weder ein christliches Bild vom Menschen noch ein christliches Ideal von den gesellschaftlichen Verhältnissen. Das hängt damit zusammen, daß für ihn die eschatologische *κλῆσις* kein Materialgrund für das Weltverhalten ist, obwohl von ihr *αἰών*-kritische und *αἰών*-überwindende Impulse zum Handeln in der Welt ausgehen[520]. Das gilt auch für die markanten paulinischen Hineinrufungsformeln, die z.B. den Frieden (1 Kor 7,15) und die Freiheit (Gal 5,1.13) als Vollendungsgestalten menschlicher Existenz anvisieren. Der Ruf zu Frieden und Freiheit verpflichtet die neutestamentliche *ἐκκλησία* nicht primär zu geschichtlicher Realisierung und ist doch ein *αἰών*-kritischer Stimulus ersten Ranges. Aktuelle, zeitbezogene sozialethische Normen können aus dem eschatologischen Herrschaftswechsel-Gedanken als solchem nicht abgeleitet werden, trotzdem wird durch den Vollzug des Herrschaftswechsels die *αἰών*-kritische und *αἰών*-überwindende Autonomie, gerade auch im Sinne der Überwindung absolut gesetzter menschlicher Herrschaft,

---

519 Nach H. Thielicke, Strukturen 110, ist es „völlig eindeutig, daß das biblische Denken alle Wandlungen bei der Person und nicht bei den Umständen, d.h. den Strukturen beginnen läßt".

520 Vgl. dazu W. Thüsing, Die Botschaft des Neuen Testaments – Hemmnis oder Triebkraft der gesellschaftlichen Entwicklung?, in: GuL 43 (1970) 136–148, hier 142.

in Gang gebracht. Die kainologischen Impulse, die vom gemeinschaftlichen Vollzug des Herrschaftswechsels ausgehen, führen gerade zur streng methodischen Eruierung der Sachgesetze[521] und zur vorbehaltlosen Verifizierung ihrer innerweltlichen und geschichtlichen Verbindlichkeit. Weltentwürfe werden aus dem Ja zur evolutiven Wirklichkeit gewonnen, sie gehören in die Zuständigkeit der menschlichen Autonomie und der *αἰών*-kritisch agierenden *ἐκκλησία*, aber nicht in die Kompetenz der Kainologie. Selbstverständlich ist Paulus weit von dem Gedanken an eine evolutive Wirklichkeit entfernt. In das *ἅπαξ λεγόμενον* von Gott, der das „Nichtseiende ins Dasein ruft" (Röm 4,17) läßt sich die Evolutionsvorstellung aber durchaus nachträglich eintragen. Für das Autonomie-Modell aus paulinischem Geist ist jedenfalls nicht die mit der heilsgeschichtlich-eschatologischen *κλῆσις* gegebene kainologische Vollendungsgestalt der Welt der Materialgrund der Weltethik, sondern die in der protologischen *κλῆσις* des Schöpfers und Geschichtsherrn gründende Werdegestalt der Welt selbst.

Wenn überhaupt etwas an der eschatologischen Vollendungsgestalt des Menschen und der Welt normativ auf den Handelnden einwirkt, dann ist es die endgültige Theozentrik, die aus der Vollendungsgestalt herausstrahlt. Nach K. Barth wird die Welt der Evolution und Geschichte einmal mitsamt ihrem Ablauf- und Geschehenscharakter aus der Herrschaft des Todes und damit auch aus der Macht der übrigen Äonsmächte herausgerufen und in den Zustand der Ewigkeit transponiert[522]. Es sei dahingestellt, ob der paulinische Heraus- und Hineinrufungsgedanke so aktualisiert werden kann. Auf jeden Fall gibt K. Barths theozentrische vita-aeterna-Idee den ausgesprochen theozentrischen Charakter, den die paulinische Vollendungsgestalt hat, adäquat wieder. Das Autonomie-Modell aus paulinischem Geist darf darin das eschatologische Maßbild der relativen bzw. theonomen Autonomie erblicken, durch das die Dringlichkeit der Umkehr von der immanentistischen Abkapselung zur *αἰών*-kritischen und theonomen Autonomie eindrucksvoll unterstrichen wird[523]. Jedenfalls wird von der kainologischen Vollendungsgestalt her die insgeheim schon vorhandene und vom Menschen zu respektierende

---

521 Vgl. dazu R. Henning, Sachgesetzlichkeit und Ethik, in: Jahrbuch des Instituts für Christliche Sozialwissenschaften Münster 11 (1970) 9–20; A.K. Ruf, Maßstäbe sittlichen Verhaltens. Zur Frage der Normfindung in der Moraltheologie, in: Die neue Ordnung 23 (1969) 161–174; zur Sachlichkeit als ethischem Grundbegriff vgl. R. Herrmann, Ethik. Gesammelte und nachgelassene Werke IV, hrsg. von J. Haar, Göttingen 1970, 49–57; vgl. ferner M. Honecker, Das Problem der Eigengesetzlichkeit, in: ZThK 73 (1976) 92–130 (Lit.).

522 Vgl. die Darstellung der Eschatologie K. Barths bei G.C. Berkouwer, Der Triumph der Gnade in der Theologie Karl Barths, Neukirchen Kreis Moers 1957, 308–327, hier 325f.

523 Nach E. Jüngel, Erwägungen 244, „werden in der Gewißheit der ‚letzten Dinge' die vorletzten, weltlichen Dinge endlich (nicht unendlich, aber wirklich endlich) wichtig (D. Bonhoeffer)".

Theozentrik und Theonomie von Natur und Geschichte ins Licht gestellt und transparent gemacht. In diesem Sinne läßt also auch die futurische Eschatologie bzw. Kainologie die immanentistisch gelebte Autonomie als eine Unmöglichkeit erscheinen, die im Angesicht der gewissen theozentrischen Zukunft überwunden werden muß.

Zusammenfassend läßt sich sagen, daß es nach immanentistischem Verständnis das Wesen der Autonomie ausmacht, Entwurf und Schöpfung des menschlichen Lebens und der Welt zu sein. Kein theologisches Autonomiekonzept kommt daher an der Korrektur des autonomistischen Denkens, das selbst Kainologie zu sein beansprucht, vorbei. Am recht verstandenen schöpferischen Charakter der menschlichen Autonomie wird festgehalten, die Übertragung der Schöpfereigenschaft von Gott auf den Menschen wird jedoch kategorisch zurückgewiesen. Es darf als Folge des Immanentismus bezeichnet werden, daß der Mensch jeden Sinn für die Wirklichkeit und Vorgegebenheit der Schöpfung verliert und am Ende überall nur noch sich selbst begegnet. Die viel diskutierten gesellschaftlichen Verhältnisse und Entfremdungszustände werden als das entlarvt, was sie sind: Produkte einer immanentistischen Autonomie, bei der sich der Mensch von der Wirklichkeit und von Gott gleich weit entfernt hat und bei der sich die Äonsmächte voll auswirken. Es wird gezeigt, welche Konsequenzen es zeitigt, wenn nicht vom „Ja zur Wirklichkeit" ausgegangen und der Verpflichtungsgrund nicht in der vorgegebenen Theonomie, sondern in der egologisch konzipierten Utopie gesehen wird. Feststeht, daß sich auch im Eschaton und trotz der Existenz der *ἐκκλησία* der normale Anspruch auf Autonomie in immanentistischer, die *κλῆσις* Gottes verneinender Weise artikuliert und manifestiert. Die Vertauschung des Schöpfers und Geschichtsherrn mit dem verabsolutierten eigenen Selbst, die Usurpation der Schöpfereigenschaft[524], die Aufrichtung der Äonsmächte, nimmt in der Geschichte kein Ende. Es wird zu allen Zeiten versucht, von Gott losgelöst und rein auf sich gestellt, die Welt zu entwerfen und zu gestalten. Und der immanentistische Mensch wird das Selbstverständnis der *ἐκκλησία* immer zurückweisen, die einzige wahre Neuheit in der Geschichte zu sein, jenes Stück Welt, das Gott selbst aus der Herrschaft der Äonsmächte herausgerufen, in die Kehre zur Theozentrik versetzt und zum Raum der *αἰών*-kritischen Ausübung der Autonomie gemacht hat. Der immanentistische Mensch wird den *αἰών*-kritischen Hinweis der *ἐκκλησία* ablehnen, der besagt, daß die aktive Entfremdung von Gott die Entfremdungszustände heraufführt und daß deshalb die *αἰών*-kritische und *αἰών*-überwindende Ausübung der Autonomie das Höchste darstellt, was in einer Gott entfremdeten Welt gelingen kann.

---

524 Zum Ganzen vgl. W. Maaz, Selbstschöpfung; G. Muschalek, Tat Gottes und Selbstverwirklichung des Menschen (QD 62), Freiburg/Basel/Wien 1974, 82–101; E. Jüngel, Möglichkeit 227.

SCHLUSS

Zum Schluß sei nochmals die Frage gestellt und beantwortet, die am Ausgangspunkt der Arbeit steht: Warum wendet sich eine moraltheologische Untersuchung den Modellen paulinischer Ethik zu? Oder zugespitzt gefragt: Warum befaßt man sich in der Moraltheologie jetzt mit Paulus, wo sich das Interesse der Exegese und der theologischen Hermeneutik doch ganz deutlich auf die synoptischen Evangelien verlagert?[525] Sollte sich die theologische Ethik nicht dem allgemeinen Trend anschließen, zumal sich ja auch die evangelische Exegese, Theologie und Ethik daran beteiligt und ein Brückenschlag für die katholische und evangelische Ethik vom paulinischen Boden aus gar nicht mehr so vordringlich oder erfolgversprechend zu sein scheint? Ist es nicht problematisch, den von M. Dibelius geforderten Neubau einer eschatologisch dynamisierten Weltethik überhaupt noch mit Bausteinen der paulinischen Theologie errichten zu wollen, wo M. Dibelius selbst die Bausteine weniger bei Paulus als vielmehr bei der Jesusverkündigung der synoptischen Evangelien bereitliegen sah? Warum sich nicht gleich der allgemeinen Hinwendung zu den synoptischen Quellen des Christentums anschließen, wo doch alle Erneuerungsversuche von der gleichen Entscheidung für die jesuanische Ethik ausgegangen sind: die Theologie der Hoffnung[526], die Theologie der Revolution[527] und die politische Theologie[528]?

Auf die Frage nach dem moraltheologischen Interesse an den Modellen paulinischer Ethik gibt es zwei Antworten: eine, die in der Forschungsgeschichte, und eine, die in der theologischen Sache selbst begründet ist. Zunächst leuchtet ein, daß die Moraltheologie den von der Exegese zuerst ausgesendeten Impuls auch zuerst auffängt und aufarbeitet. Der erste und wichtigste Impuls ist aber nun einmal von der Paräneseforschung ausgegangen, die ihr Rezeptionsmodell vornehmlich aus formgeschichtlichen Beobachtungen an der neutestamentlichen Briefliteratur, speziell am Corpus Paulinum gewonnen hat. Die Parakleseforschung hat diesen Impuls noch verstärkt, wobei sie das moraltheologische Interesse vor allem auf die paulinische Theolo-

525 Vgl. F.J. Steinmetz, Geht das paulinische Christentum zu Ende?, in: GuL 45 (1972) 245–261, hier 249f.

526 Vgl. dazu Diskussion über die „Theologie der Hoffnung", hrsg. von W.D. Marsch, München 1967; G. Greshake, Neue Ansätze zu einer Theologie der Hoffnung, in: Herausforderung und Kritik der Moraltheologie 206–228; A. Auer, Glaube, Hoffnung und Liebe. Die Öffnung eines traditionellen moraltheologischen Traktats in die Dimension des Gesellschaftlichen, in: Funktion und Struktur christlicher Gemeinde 91–114.

527 Vgl. Diskussion zur „Theologie der Revolution", hrsg. von E. Feil und R. Weth, München/Mainz 1969.

528 Vgl. dazu die in Anm. 501, 514, 515 genannten Arbeiten.

gie, genauer: auf den Vorgang der Theologisierung der Ethik bei Paulus, lenkte. An der moraltheologischen Diskussion des verbindlichen Richtbilds bzw. Modells hat sich dadurch nichts geändert, da beide Modelle in der Beschreibung des grundlegenden Vorgangs der Rezeption und Integrierung profaner Moral übereinstimmen. Das moraltheologische Interesse gründet also ganz einfach darin, daß sich die beiden Stränge der exegetischen Ethikforschung zunächst auf das Corpus Paulinum konzentrieren. Die Frage nach der Aktualisierbarkeit der paulinischen Ethikmodelle drängte sich geradezu auf. Außerdem verlieren die Paulusbriefe durch eine Schwenkung des exegetischen Interesses nicht das geringste an ihrem hohen theologischen Stellenwert[529], vom moraltheologischen Nachholbedarf an paulinischer Theologie ganz zu schweigen. Die moraltheologische Auswertung der Synoptikerforschung wird, forschungsgeschichtlich gesehen, notwendig der zweite Schritt sein. Doch kann das moraltheologische Interesse an Paulus nicht allein historisch begründet werden.

Was die Zuwendung zu den Modellen paulinischer Ethik veranlaßt und die Diskussion beherrscht, ist die moraltheologische Frage bzw. Suche nach einem verbindlichen Richtbild bzw. Modell für den Ausbau eines Autonomiekonzepts. Für die Moraltheologie geht es in erster Linie nicht darum, sich über den paränetischen Ansatz der urkirchlichen Weltethik Klarheit zu verschaffen. Es ist richtig, daß er für die gesamte Urkirche maßgebend war und darüber hinaus für die Entwicklung der christlichen Weltethik schicksalhaft wurde[530]. Doch es gilt ja längst nicht mehr, das paränetische Konzept der neutestamentlichen Epoche, sondern das im Anschluß daran entwickelte ordnungstheologische Konzept abzulösen. Der neuzeitliche Mensch und Christ hat sich längst von diesem statischen, ordnungstheologischen Konzept emanzipiert, das bisher dazu diente, die bestehenden Ordnungen schöpfungstheologisch zu stabilisieren und zu sanktionieren[531]. Man erwartet von der Moraltheologie ein Autonomiekonzept. Kann vom Rezeptionsmodell der Paräneseforschung eine Hilfestellung für das gesuchte Autonomiekonzept erwartet werden?

Die Auskunft des vorliegenden Modellvergleichs ist negativ. Die Tatsache, daß M. Dibelius eine gültige Diagnose des paränetischen Ansatzes der urkirchlichen Weltethik gegeben, die gegenwartsbezogene Diskussion des Rezeptions- bzw. Integrierungsmodells angeregt und dadurch einen Beitrag zur Überwindung des statischen, ordnungstheologischen Konzepts geleistet hat, bedeutet noch nicht, daß er auch die Weichen für ein theologisches Autonomiekonzept gestellt hat. Aus der Darstellung der bei Paulus bzw. beim paränetischen Ansatz vorherrschenden theologischen Komponenten und der

529 Vgl. dazu O. Kuss, Paulus 452–457.
530 Vgl. H. Schulze, Kriterien 191f.
531 Vgl. a.a.O. 191.

Feststellung des daraus resultierenden schöpfungstheologischen Defizits ergibt sich eindeutig, daß die paulinische Theologie und Ethik in ihrer geschichtlichen Gestalt zur Grundlegung der sittlichen Autonomie nicht herangezogen werden kann. Das gleiche gilt auch für die rezeptionsgeschichtlichen Modelle: Auch sie sind wegen der Zeitgebundenheit der Paulusrezeption zur Grundlegung eines Autonomiekonzepts nicht geeignet. Das gesuchte Richtbild ist weder bei den exegetischen noch bei den rezeptionsgeschichtlichen Ethikmodellen zu finden, es muß von Grund auf neu geschaffen werden.

Daß in der paulinischen Theologie zahlreiche Elemente zur Verfügung stehen, die auf das neuzeitliche Autonomiebewußtsein bezogen werden können, hat die hermeneutisch-systematische These dieser Arbeit zu zeigen versucht. Die Skizze der κλῆσις-geschichtlichen, hamartiologischen und christologischen Erhellung der Autonomie verleugnet weder die Fremdheit paulinischen Denkens[532] noch die Partikularität paulinischer Theologie im Gesamthorizont des Neuen Testaments[533]. Doch dürfte schwer abzustreiten sein, daß die paulinische Theologie eine ab ovo κλῆσις-geschichtliche, mit dem antiken Immanenzprinzip ringende Hermeneutik des Christseins ist, die zumindest Ansätze für das Ringen mit dem neuzeitlichen Immanenzprinzip der absoluten Autonomie bereitstellt, so groß der bewußtseinsgeschichtliche Abstand zwischen damals und heute auch ist. Im Lichte des paulinischen Denkens erscheint die immanentistische Abkapselung gegenüber Gott, wie sie sich im Anspruch auf absolute Autonomie artikuliert, als das entscheidende Datum der Unheilsgeschichte, die Öffnung des autonomen Menschen für Theozentrik und Theonomie dagegen als das entscheidende Datum der Heilsgeschichte. Im Mittelpunkt des Autonomie-Modells aus paulinischem Geist steht daher der von der κλῆσις des Schöpfers ins Dasein, d.h. zur relativen Autonomie gerufene und durch das Nein unter die Herrschaft der Äonsmächte geratene Mensch, der durch die heilsgeschichtlich-eschatologische κλῆσις Gottes von der Fremdbestimmung befreit und durch den Ruf in die Christus-*κοινωνία* bzw. ἐκκλησία zur *αἰών*-kritischen und *αἰών*-überwindenden Autonomie befähigt wird.

Die Aktualität paulinischer Theologie besteht demnach darin, daß sie es der heutigen Moraltheologie ermöglicht, ohne Vorbehalt und aus einem gesamttheologisch geschärften Problembewußtsein heraus, auf die Theorie und Praxis der sittlichen Autonomie einzugehen. Es läßt sich im Bereich der neutestamentlichen Theologien kein zweites Autonomie-Modell ausbauen, das in

---

532 Vgl. dazu O. Kuss, Paulus 282–305.

533 Vgl. dazu a.a.O. 437–439, hier 437: Paulus „stellt mit seinen Gemeinden und in der besonderen Ausprägung seines und ihres Glaubens einen Teil der damaligen ‚Kirche' dar, einen bedeutenden Teil, wenn man so will: den ‚fortschrittlichsten', den ‚modernsten' Teil, aber eben nur einen Teil".

gleicher reflexiver Intensität den Autonomiegedanken ausleuchtet. Daher ist das moraltheologische Interesse an der paulinischen Theologie von den Schwankungen des exegetischen Interesses völlig unabhängig. Es hat seinen tiefsten Grund in der Ergiebigkeit der paulinischen Theologie für ein Autonomiekonzept.

LITERATURVERZEICHNIS

Das Verzeichnis der Quellen und Hilfsmittel bezieht sich auf den neutestamentlichen Text. Die im forschungsgeschichtlichen Teil herangezogenen Quellen (z.B. die Werke des M. Dibelius) erscheinen unter den Kommentaren oder im Literaturverzeichnis. Ins Literaturverzeichnis sind nur Werke, Aufsätze und Artikel aufgenommen, die mehrmals zitiert werden oder auf die besonders hingewiesen wird. Sie erscheinen nach dem ausführlichen Erstbeleg in den Anmerkungen mit verkürztem Titel; die Titelabkürzung wird beim Erstbeleg und beim nachfolgenden Literaturverzeichnis jeweils in der Klammer ( ) angegeben. Die übrigen Arbeiten werden in den Anmerkungen mit allen Angaben (ausgenommen: Abkürzungen) zitiert. Über die verwendeten Abkürzungen informiert das Verzeichnis auf S. 13.

1. Quellen und Übersetzungen

Altjüdisches Schrifttum außerhalb der Bibel, übersetzt und erläutert von P. Rießler, Augsburg 1928.

Die Apokryphen und Pseudepigraphen des Alten Testaments, 2 Bde., hrsg. von E. Kautsch, Tübingen 1921. Nachdruck Hildesheim 1962.

Die Texte aus Qumran (Hebräisch und Deutsch), ediert von E. Lohse, Darmstadt 1964.

Flavii Josephi Opera I–VII, ediert von B. Niese, Berlin ^{2}1965.

Novum Testamentum Graece, ediert von E. Nestle und K. Aland, Stuttgart ^{26}1965.

2. Hilfsmittel

Bauer, W., Griechisch-Deutsches Wörterbuch zu den Schriften des Neuen Testaments und der übrigen urchristlichen Literatur, Berlin ^{5}1958.

Bibeltheologisches Wörterbuch, hrsg. von J.B. Bauer, Graz/Wien/Köln 1959.

Die Religion in Geschichte und Gegenwart. Handwörterbuch für Theologie und Religionswissenschaft, hrsg. von K. Galling, I–VI, Tübingen ^{3}1957–1962 (RGG).

Einführung in die Methoden der biblischen Exegese, hrsg. von J. Schreiner, Würzburg 1971.

Haag, H., Bibellexikon. Einsiedeln/Zürich/Köln 1951.

Historisches Wörterbuch der Philosophie, hrsg. von J. Ritter, Bd. I, Darmstadt 1971.

Kraus H.J., Geschichte der historisch-kritischen Erforschung des Alten Testaments, Neukirchen-Vluyn [2]1969.

Kümmel W.G., Das Neue Testament. Geschichte der Erforschung seiner Probleme (Sammlung Orbis III, 3), Freiburg/München 1958.

Lexikon für Theologie und Kirche, hrsg. von J. Höfer und K. Rahner, I–X, Freiburg i.Br. [2]1957–1965 (LThK).

Lexikon für Theologie und Kirche. Das Zweite Vatikanische Konzil. Dokumente und Kommentare, hrsg. von H.S. Brechter, B. Häring, J. Höfer, H. Jedin u.a., I–III, Freiburg/Basel/Wien 1966–1968.

Reallexikon für Antike und Christentum, hrsg. von Th. Klauser I–VI, Stuttgart 1950–1972 (RAC).

Rigaux B., Paulus und seine Briefe. Der Stand der Forschung (BHB 2), München 1964.

Sacramentum Mundi. Theologisches Lexikon für die Praxis, hrsg. von K. Rahner und A. Darlap, I–IV, Freiburg/Basel/Wien 1967–1969.

Schmithals W., Die Apokalyptik. Einführung und Deutung, Göttingen 1973.

Schmoller A., Handkonkordanz zum griechischen Neuen Testament, Stuttgart [13]1963 (Handkonkordanz).

Schnackenburg R., Neutestamentliche Theologie. Der Stand der Forschung (BHB 1), München 1963.

Schreiner, J., Alttestamentlich-jüdische Apokalyptik, München 1969.

Schweitzer, A., Geschichte der paulinischen Forschung, Tübingen [2]1933.

Theologisches Begriffslexikon zum Neuen Testament, hrsg. von E. Beyreuther und H. Bietenhard, I–III/1.2, Wuppertal 1967–1971.

Theologisches Wörterbuch zum Neuen Testament, I–VII, hrsg. von G. Kittel, Stuttgart 1933–1964; VIIff hrsg. von G. Kittel und G. Friedrich, Stuttgart 1965ff.

3. KOMMENTARE

Althaus, P., Der Brief an die Römer (NTD 6), Göttingen [9]1959 (Römer).

Beyer H.W., Der Brief an die Galater (NTD 8), neu bearbeitet von P. Althaus, Göttingen [9]1962, 1–55.

Die Bibel. Die heilige Schrift des Alten und Neuen Bundes. Deutsche Ausgabe mit den Erläuterungen der Jerusalemer Bibel, hrsg. von D. Arenhövel, A. Deißler, A. Vögtle, Freiburg/Basel/Wien 1968.

Dibelius M., An die Thessalonicher I. II., An die Philipper (HNT 11), Tübingen [3]1937.

–, An die Kolosser, Epheser, An Philemon (HNT 12), Tübingen [2]1927.

–, An die Kolosser, Epheser, An Philemon. Dritte von H. Greeven neu bearbeitete Auflage (HNT 12), Tübingen 1953.

–, An Timotheus I. II., An Titus (HNT 13), Tübingen [2]1931.

–, Die Pastoralbriefe. Dritte neu bearbeitete Auflage von H. Conzelmann (HNT 13), Tübingen 1955.

–, Der Brief des Jakobus (MeyerK 15), Göttingen ^{7}1921.

Friedrich G., Der Brief an die Philipper (NTD 8), Göttingen ^{9}1962, 92–129.186–194.

Gnilka J., Der Philipperbrief (HThK X, 3), Freiburg/Basel/Wien 1968.

Lietzmann H., An die Korinther I. II. Vierte von W.G. Kümmel ergänzte Auflage (HNT 9), Tübingen 1949.

Lohmeyer E., Die Briefe an die Kolosser und an Philemon (MeyerK IX, 2), Göttingen ^{11}1956.

–, Der Brief an die Philipper (MeyerK IX, 1), Göttingen ^{11}1956.

Kuss O., Die Briefe an die Römer, Korinther und Galater (RNT 6), Regensburg 1940.

–, Der Römerbrief, Lieferung I. II., Regensburg ^{2}1963.

Maurer Chr., Der Galaterbrief (Prophezie. Schweizerisches Bibelwerk für die Gemeinde), Zürich 1943.

Meyer W., Der erste Brief an die Korinther, 1. Teil (Prophezie. Schweizerisches Bibelwerk für die Gemeinde), Zürich 1947.

Michel O., Der Brief an die Römer (MeyerK IV), Göttingen ^{12}1963.

Oepke, A., Die Briefe an die Thessalonicher (NTD 8), Göttingen ^{9}1962, 155–185.

Schlier H., Der Brief an die Galater (MeyerK VII), Göttingen ^{12}1962 (Galater).

Staab K., Die Thessalonicherbriefe, Die Gefangenschaftsbriefe (RNT 7), Regensburg 1950.

Strack H.L. / Billerbeck P., Kommentar zum Neuen Testament aus Talmud und Midrasch I–V, München ^{2}1956.

Wendland H.D., Die Briefe an die Korinther (NTD 7), Göttingen ^{8}1962 (Korinther).

Windisch H., Der zweite Korintherbrief (MeyerK VI), Göttingen ^{9}1924.

4. Aufsätze, Artikel und Monographien

Althaus O., Die Ethik Martin Luthers, Gütersloh 1965 (Ethik).

–, Die Theologie Martin Luthers, Gütersloh 1963 (Theologie).

Antwort. Festschrift zum 70. Geburtstag von Karl Barth, Zürich 1956 (Antwort).

Auer A., Autonome Moral und christlicher Glaube, Düsseldorf 1971 (Autonome Moral).

–, Die Erfahrung der Geschichtlichkeit und die Krise der Moral, in: ThQ 149 (1969) 4–22.

–, Die normative Kraft des Faktischen. Zur Begegnung von Ethik und

Sozialempirie, in: Begegnung. Beiträge zu einer Hermeneutik des theologischen Gesprächs. Festschrift für H. Fries, hrsg. von M. Seckler, O.H. Pesch, J. Brosseder, W. Pannenberg, Graz 1972, 615–632.

–, Glaube, Hoffnung und Liebe. Die Öffnung eines traditionellen moraltheologischen Traktats in die Dimension des Gesellschaftlichen, in: Funktion und Struktur christlicher Gemeinde. Festgabe für Prof. Dr. Heinz Fleckenstein zum 65. Geburtstag, hrsg. von H. Pompey, J. Hepp, E. Mielenbrink, Würzburg 1971, 91–114.

–, Interiorisierung der Transzendenz. Zum Problem Identität oder Reziprozität von Heilsethos und Weltethos, in: Humanum. Moraltheologie im Dienst des Menschen, hrsg. von J. Gründel, F. Rauh und V. Eid, Düsseldorf 1972, 47–65.

–, Nach dem Erscheinen der Enzyklika ‚Humanae Vitae' – Zehn Thesen über die Findung sittlicher Weisungen, in: ThQ 149 (1969) 75–85.

–, Weltoffener Christ. Grundsätzliches und Geschichtliches zur Laienfrömmigkeit, Düsseldorf [4]1966.

Barth K., Christengemeinde und Bürgergemeinde (ThSt 20), Zollikon/Stuttgart/München 1946.

–, Eine Schweizer Stimme 1938–1945, Zollikon/Zürich 1945 (Schweizer Stimme).

–, Evangelium und Gesetz (ThEx 32), München 1935 (Evangelium).

–, Kirchliche Dogmatik, Zollikon/Zürich, II, 2: [3]1959; III, 2: 1959; III, 4: [2]1957; IV, 1: 1953; IV, 2: 1955.

Bauer K.A., Leiblichkeit – das Ende aller Werke Gottes, Gütersloh 1971 (Leiblichkeit).

Begegnung. Beiträge zu einer Hermeneutik des theologischen Gesprächs. Festschrift für H. Fries, hrsg. von M. Seckler, O.H. Pesch, J. Brosseder, W. Pannenberg, Graz 1972.

Bieder W., Die Berufung im Neuen Testament (AThANT 38), Zürich 1961 (Berufung).

Bilanz der Theologie im 20. Jahrhundert. Perspektiven, Strömungen, Motive in der christlichen und nichtchristlichen Welt, hrsg. von H. Vorgrimler und R. van der Gucht I, Freiburg/Basel/Wien [2]1970; III, 1970 (Bilanz).

Bjerkelund C.J., Parakalô. Form, Funktion und Sinn der parakalô-Sätze in den paulinischen Briefen (BTN 1), Oslo/Bergen/Tromsö o.J. (1967) (Parakalô).

Blank J., Paulus und Jesus. Eine theologische Grundlegung (StANT 18), München 1968 (Paulus).

–, Zum Problem ethischer Normen im Neuen Testament, in: Herausforderung und Kritik der Moraltheologie, hrsg. von G. Teichtweier und W. Dreier, Würzburg 1971, 172–183.

Blumenberg H., Art. Autonomie und Theonomie, in: RGG I, 788–792.

Bolkovac P., Art. Autonomie, in: Philosophisches Wörterbuch, hrsg. von W. Brugger, Freiburg/Basel/Wien ³1967, 34–35.

Borgolte A., Zur Grundlegung der Lehre von der Beziehung des Sittlichen zum Religiösen im Anschluß an die Ethik Nic. Hartmanns, Würzburg 1938 (Beziehung des Sittlichen).

Bormann C. von, Die Theologisierung der Vernunft, in: Studium Generale 22 (1969) 753–770.

Bornkamm G., Das Ende des Gesetzes. Paulusstudien. Gesammelte Aufsätze I (BEvTh 16), München ²1958 (Das Ende).
Daraus die Aufsätze:
Die Offenbarung des Zornes Gottes (Röm 1–3) 9–33.
Sünde, Gesetz und Tod (Röm 7) 51–69.

–, Art. Paulus, in: RGG V, 177–197.

Böckle, F., Theonome Autonomie. Zur Aufgabenstellung einer fundamentalen Moraltheologie, in: Humanum. Moraltheologie im Dienst des Menschen, hrsg. von J. Gründel, F. Rauh und V. Eid, Düsseldorf 1972, 17–46.

–, Theonomie und Autonomie der Vernunft, in: Fortschritt wohin? Zum Problem der Normenfindung in der pluralen Gesellschaft, hrsg. von W. Oelmüller, Düsseldorf 1972, 63–76.

Braun H., Die Indifferenz gegenüber der Welt bei Paulus und bei Epiktet, in: ders., Gesammelte Studien zum Neuen Testament und seiner Umwelt, Tübingen 1962, 159–167.

–, Gerichtsgedanke und Rechtfertigungslehre bei Paulus (UNT 19), Leipzig 1930 (Gerichtsgedanke).

Braumann G., Art. Ermahnen, in: Theologisches Begriffslexikon zum Neuen Testament, hrsg. von L. Coenen, E. Beyreuther und H. Bietenhard, I, Wuppertal 1967, 272–276.

Bultmann R., Das Problem der Ethik bei Paulus, in: ZNW 23 (1924) 123–140.

–, Der Stil der paulinischen Predigt und die kynisch-stoische Diatribe (FRLANT 13), Göttingen 1910.

–, Das religiöse Moment in der ethischen Unterweisung des Epiktet und das Neue Testament, in: ZNW 13 (1912) 97–110.177–191.

–, Glauben und Verstehen. Gesammelte Aufsätze II, Tübingen ⁴1965.
Daraus der Aufsatz:
Anknüpfung und Widerspruch 117–132.

–, Theologie des Neuen Testaments, Tübingen ⁵1965 (Theologie).

Calvin, J., Unterricht in der christlichen Religion. Institutio Religionis Christianae, übers. und bearbeitet von O. Weber, Neukirchen ²1955.

Casper B., Das dialogische Denken. Eine Untersuchung der religionsphilosophischen Bedeutung Franz Rosenzweigs, Ferdinand Ebners und Martin Bubers, Freiburg/Basel/Wien 1967.

Cobb J., Die christliche Existenz. Eine vergleichende Studie der Existenzstrukturen in verschiedenen Religionen, München 1970 (Existenz).

Conzelmann H., Grundriß der Theologie des Neuen Testaments, München 1967 (Grundriß).

–, Die Rechtfertigungslehre des Paulus: Theologie oder Anthropologie?, in: EvTh 28 (1968) 389–404 (Rechtfertigungslehre).

Deißmann A., Licht vom Osten. Das Neue Testament und die neuentdeckten Texte der hellenistisch-römischen Welt, Tübingen [4]1923.

Delling G., Partizipiale Gottesprädikationen in den Briefen des Neuen Testaments, in: StTh 17 (1963) 1–59 (Gottesprädikationen).

Dibelius M., Altes und Neues Testament als Quelle sozialer und politischer Lehre (Studienbriefe des ASTA Heidelberg, Theologische Reihe, Brief 1), Heidelberg 1947.

–, Botschaft und Geschichte. Gesammelte Aufsätze I. Zur Evangelienforschung, in Verbindung mit H. Kraft hrsg. von G. Bornkamm, Tübingen 1953 (BuG I).
Daraus die Aufsätze:
Die Bergpredigt 79–174.
Das soziale Motiv im Neuen Testament 178–203.

–, Botschaft und Geschichte. Gesammelte Aufsätze II. Zum Urchristentum und zur hellenistischen Religionsgeschichte, in Verbindung mit H. Kraft hrsg. von G. Bornkamm, Tübingen 1956 (BuG II).
Daraus die Aufsätze:
Glaube und Mystik bei Paulus 94–116.
Paulus und die Mystik 134–159.
Rom und die Christen im ersten Jahrhundert 177–228.

–, Die Formgeschichte des Evangeliums. Zweiter photomechanischer Nachdruck der 3. Auflage, hrsg. von G. Bornkamm, Tübingen 1966 (Formgeschichte).

–, Geschichtliche und übergeschichtliche Religion im Christentum, Göttingen 1925 (zweite unveränderte Auflage unter dem Titel: Evangelium und Welt, Göttingen 1929) (Religion).

–, Paulus, hrsg. und zu Ende geführt von W.G. Kümmel (Sammlung Göschen 1160), Berlin 1951, [3]1964.

–, Wozu Theologie? Von Arbeit und Aufgabe theologischer Wissenschaft, Leipzig 1941.

Dihle A., Art. Ethik, in: RAC VI, 646–796.

Dinkler E., Zum Problem der Ethik bei Paulus. Rechtsnahme und Rechtsverzicht (1 Kor 6,1–11), in: ZThK 49 (1952) 167–200 (Ethik).

Diskussion über die „Theologie der Hoffnung", hrsg. von W.D. Marsch, München 1967.

Diskussion zur „politischen Theologie", hrsg. von H. Peukert, München/Mainz 1969.

Diskussion zur „Theologie der Revolution", hrsg. von E. Feil und R. Weth, München/Mainz 1969.

Duchrow U., Christenheit und Weltverantwortung. Traditionsgeschichtliche und systematische Struktur der Zweireichelehre (FBESG 25), Stuttgart 1970 (Christenheit).

Dülmen A. van, Die Theologie des Gesetzes bei Paulus (SBM 5), Stuttgart 1968.

Ebeling G., Die Evidenz des Ethischen und die Theologie, in: ZThK 57 (1960) 318–356 (Evidenz).

–, Art. Hermeneutik, in: RGG III, 242–262.

Edmaier A., Dialogische Ethik. Perspektiven – Prinzipien (EiSt NF 3), Kevelaer 1969 (Dialogische Ethik).

Egel E., Die Berufungstheologie des Apostels Paulus, Diss. Heidelberg 1939.

Eid V., Die Verbindlichkeit der paulinischen Freiheitsbotschaft für die christliche Lebensgestaltung, in: Herausforderung und Kritik der Moraltheologie, hrsg. von G. Teichtweier und W. Dreier, Würzburg 1971, 184–205.

Fraling B., Glaube und Ethos. Normfindung in der Gemeinschaft der Gläubigen, in: ThGl 62 (1972) 81–105 (Glaube und Ethos).

Friedrich G., Art. Römerbrief, in: RGG V, 1137–1143.

Gadamer H.G., Wahrheit und Methode. Grundzüge einer philosophischen Hermeneutik, Tübingen [2]1965 (Wahrheit).

Gestalt und Anspruch des Neuen Testaments, hrsg. von J. Schreiner, Würzburg 1969.

Grabner-Haider A., Paraklese und Eschatologie bei Paulus. Mensch und Welt im Anspruch der Zukunft Gottes (NTA NF 4) (Paraklese).

–, Paraklese und biblische Hermeneutik, in: Cath 21 (1967) 213–221 (Hermeneutik).

Grässer E., Das eine Evangelium. Hermeneutische Erwägungen zu Gal 1, 6–10, in: ZThK 66 (1969) 306–344.

Hahn F., „Siehe, jetzt ist der Tag des Heils". Neuschöpfung und Versöhnung nach 2 Kor 5,14–6,2, in: EvTh 33 (1973) 244–253.

Hartmann N., Ethik, Berlin [3]1949.

Hasenhüttl G., Charisma. Ordnungsprinzip der Kirche (Ökumenische Forschungen I, 5), Freiburg/Basel/Wien 1969.

Haufe G., Besprechung von C.J. Bjerkelund, Parakalô, in: ThLZ 94 (1969) 266.

Hengstenberg H.E., Autonomismus und Transzendenzphilosophie, Heidelberg 1950 (Autonomismus).

–, Das Band zwischen Gott und Schöpfung, Regensburg [2]1948.

–, Freiheit und Seinsordnung, Stuttgart 1961 (Freiheit).

–, Grundlegung der Ethik, Stuttgart/Berlin/Köln/Mainz 1969 (Ethik).

– Sein und Ursprünglichkeit. Zur philosophischen Grundlegung der

Schöpfungslehre, München 1958.
Herausforderung und Kritik der Moraltheologie, hrsg. von G. Teichtweier und W. Dreier, Würzburg 1971 (Herausforderung)
Herr T., Zur Frage nach dem Naturrecht im deutschen Protestantismus der Gegenwart (AzS 4), München/Paderborn/Wien 1972.
–, Naturrecht aus der kritischen Sicht des Neuen Testamentes (AzS 11), München/Paderborn/Wien 1976 (Naturrecht).
Herrmann W., Ethik [3]1904.
Hierzenberger G., Weltbewertung bei Paulus nach 1 Kor 7,29–31. Eine exegetisch-kerygmatische Studie, Düsseldorf 1967 (Weltbewertung).
Hilpert K., Art. Autonomie, in: Wörterbuch christlicher Ethik, hrsg. von B. Stoeckle, Freiburg 1975, 28–34.
Hofmann R., Moraltheologische Erkenntnis- und Methodenlehre (HdM 7), München 1963 (Methodenlehre).
Holtz T., Zum Selbstverständnis des Apostels Paulus, in: ThLZ 91 (1966) 321–330.
Honecker M., Liebe und Vernunft, in: ZThK 68 (1971) 227–259.
–, Weltliches Handeln unter der Herrschaft Christi. Zur Interpretation von Barmen II, in: ZThK 69 (1972) 72–99 (Weltliches Handeln).
Humanum. Moraltheologie im Dienst des Menschen, hrsg. von J. Gründel, F. Rauh und V. Eid, Düsseldorf 1972 (Humanum).
Ihmels L., Theonomie und Autonomie im Licht der christlichen Ethik. Akademische Antrittsrede, geh. zu Leipzig am 22. XI. 1902, Leipzig 1902.
Joest W., Gesetz und Freiheit. Das Problem des tertius usus legis bei Luther und die neutestamentliche Parainese, Göttingen 1951 (Gesetz).
Jüngel E., Unterwegs zur Sache. Theologische Bemerkungen (BEvTh 61), München 1972 (Unterwegs).
Daraus die Aufsätze: Die Welt als Möglichkeit und Wirklichkeit 206–233 (Möglichkeit).
Erwägungen zur Grundlegung evangelischer Ethik im Anschluß an die Theologie des Paulus 234–245 (Erwägungen).
Freiheitsrechte und Gerechtigkeit 246–256.
Kabisch R., Die Eschatologie des Paulus in ihrem Zusammenhang mit dem Gesamtbegriff des Paulinismus, Göttingen 1893 (Eschatologie).
Kaufmann H., Besprechung von A. Auer, Autonome Moral und christlicher Glaube, in: BiKi 4 (1972) 126–127.
Käsemann E., Exegetische Versuche und Besinnungen II, Göttingen [5]1967 (EVB II).
Daraus die Aufsätze:
Sätze heiligen Rechtes im Neuen Testament 69–82.
Zum Thema der urchristlichen Apokalyptik 105–131 (Apokalyptik).
Gottesgerechtigkeit bei Paulus 181–193 (Gottesgerechtigkeit).
Gottesdienst im Alltag der Welt. Zu Römer 12, 198–204.

Grundsätzliches zur Interpretation von Römer 13, 204–222 (Grundsätzliches).

–, Art. Geist und Geistesgaben im NT, in: RGG II, 1272–1279.

–, Leib und Leib Christi. Eine Untersuchung zur paulinischen Begrifflichkeit (BHTh 9), Tübingen 1933.

–, Paulinische Perspektiven, Tübingen 1968 (PP).
Daraus die Aufsätze:
Zur paulinischen Anthropologie 9–60.
Rechtfertigung und Heilsgeschichte im Römerbrief 108–139.
Geist und Buchstabe 237–285.

Kant I., Kritik der praktischen Vernunft, in: Kant's gesammelte Schriften, hrsg. von der Königlich Preußischen Akademie der Wissenschaften, Bd. V, Berlin 1913.

Klappert B., Promissio und Bund. Gesetz und Evangelium bei Luther und Barth (FSÖTh 34), Göttingen 1976 (Promissio).

Kuhn K.G., Πειρασμός – ἁμαρτία – σάρξ im Neuen Testament und die damit zusammenhängenden Vorstellungen, in: ZThK 49 (1952) 200–222.

Kuss O., Auslegung und Verkündigung I. Aufsätze zur Exegese des Neuen Testaments, Regensburg 1963 (AuV).
Daraus die Aufsätze:
Der Glaube nach den paulinischen Hauptbriefen 187–212.
Die Heiden und die Werke des Gesetzes (nach Röm 2,14–16) 213–245 (Die Heiden).

–, Paulus. Die Rolle des Apostels in der theologischen Entwicklung der Urkirche (Auslegung und Verkündigung III), Regensburg 1971 (Paulus).

Kümmel W.G., Martin Dibelius als Theologe, in: ThLZ 74 (1949) 129–140.

Küng H., Rechtfertigung. Die Lehre Karl Barths und eine katholische Besinnung (Horizonte 2), Einsiedeln 1957.

Kürzinger J., Der Schlüssel zum Verständnis von Röm 7, in: BZ 7 (1963) 270–274.

Kraus H.J., Menschliche Existenz unter der Herrschaft Gottes. Zum biblischen Verständnis der Person, in: Ekklesia und Res Publica, K.D. Schmidt zum 65. Geburtstag, hrsg. von G. Kretschmar und B. Lohse, Göttingen 1961, 11–23 (Existenz).

Laub F., Eschatologische Verkündigung und Lebensgestaltung. Eine Untersuchung zum Wirken des Apostels beim Aufbau der Gemeinde in Thessalonike (BU 10), Regensburg 1973.

Langemeyer B., Der dialogische Personalismus in der evangelischen und katholischen Theologie der Gegenwart (KKSt 8), Paderborn 1963 (Personalismus).

Limbeck M., Die Ordnung des Heils. Untersuchungen zum Gesetzesverständnis des Frühjudentums, Düsseldorf 1971.

–, Von der Ohnmacht des Rechts. Untersuchungen zur Gesetzeskritik des Neuen Testaments, Düsseldorf 1972.

Lindeskog G., Studien zum neutestamentlichen Schöpfungsgedanken (UUÅ 11), Uppsala/Wiesbaden 1952 (Schöpfungsgedanke).

Löwe R., Kosmos und Aion. Zur heilsgeschichtlichen Dialektik des urchristlichen Weltverständnisses (NtlF 5), Gütersloh 1935.

Luther M., Werke. Kritische Gesamtausgabe Weimar 1883ff.

Lührmann D., Das Offenbarungsverständnis bei Paulus und in den paulinischen Gemeinden (WMANT 16), Neukirchen/Vluyn 1965 (Offenbarungsverständnis).

Maurer Ch., Art. σύνοιδα συνείδησις, in: ThWNT VII, 897–918.

Matthias W., Der alte und neue Mensch in der Anthropologie des Paulus, in: EvTh 17 (1957) 385–397 (Mensch).

Mercker H., Schriftauslegung als Weltauslegung. Untersuchungen zur Stellung der Schrift in der Theologie Bonaventuras (VGI NF 15), Paderborn 1971 (Schriftauslegung).

Moral (Grünewald-Materialbücher 4), hrsg. von A. Hertz, Mainz 1972 (Moral).

Merk O., Handeln aus Glauben. Die Motivierungen der paulinischen Ethik (MaThSt 5), Marburg 1968 (Handeln).

Mieth D., Auf dem Wege zu einer dynamischen Moral (Reihe X), Graz/Wien/Köln 1970.

–, Autonome Moral im christlichen Kontext. Zu einem Grundlagenstreit der theologischen Ethik, in: Orientierung 40 (1976) 31–34.

–, Eine Situationsanalyse aus theologischer Sicht, in: Moral (Grünewald-Materialbücher 4), hrsg. von A. Hertz, Mainz 1972, 13–33.

Müller Chr., Gottes Gerechtigkeit und Gottes Volk. Eine Untersuchung zu Römer 9–11 (FRLANT 86), Göttingen 1964 (Gottes Volk).

Mysterium Salutis. Grundriß heilsgeschichtlicher Dogmatik, hrsg. von J. Feiner und M. Löhrer, Einsiedeln/Zürich/Köln, I: 1965; II: 1967; III, 1: 1970; III, 2: 1969; IV, 1: 1972; IV, 2: 1973; V: 1976 (MystSal).

Neuhäusler E., Art. Berufung, in: LThK II, 280–283.

–, Ruf Gottes und Stand des Christen. Bemerkungen zu 1 Kor 7, in: BZ 3 (1959) 43–60.

Niederwimmer K., Der Begriff der Freiheit im Neuen Testament (TBT 11), Berlin 1966 (Freiheit).

Otto R., Freiheit und Notwendigkeit. Ein Gespräch mit Nicolai Hartmann über Autonomie und Theonomie der Werte. Mit einem Nachwort hrsg. von Th. Siegfried, Tübingen 1940.

Pieper K., Paulus. Seine missionarische Persönlichkeit und Wirksamkeit (NTA XII, 1–2), Münster [2u3]1929.

Pohlmann R., Art. Autonomie, in: Historisches Wörterbuch der Philosophie, hrsg. von J. Ritter, I, Darmstadt 1971, 701–719.

Pfürtner St., Autonomie des Menschen – Autonomie Gottes, in: Begegnung. Beiträge zu einer Hermeneutik des theologischen Gesprächs, Festschrift für H. Fries, hrsg. von M. Seckler, O.H. Pesch, J. Brosseder, W. Pannenberg, Graz 1972, 345–359.

Quell G. / Bertram G. / Stählin G. / Grundmann W. / Rengstorf K.H., Art. ἀπαρτία, in: ThWNT I, 267–339.

Rahner K., Erlösungswirklichkeit in der Schöpfungswirklichkeit, in: ders., Sendung und Gnade. Beiträge zur Pastoraltheologie, Innsbruck/Wien/München 1959, 51–88.

–, Über die Einheit von Nächstenliebe und Gottesliebe, in: ders., Schriften zur Theologie VI, Einsiedeln/Zürich/Köln 1965, 277–298.

Rahner K. / Thüsing W., Christologie – systematisch und exegetisch (QD 55), Freiburg 1972 (Christologie).

Ratzinger J., Prinzipien christlicher Moral (Kriterien 37), Einsiedeln 1975 (Prinzipien).

Reding M., Philosophische Grundlegung der katholischen Moraltheologie (HdM 1), München 1953 (Grundlegung).

Ritz E., Art. Entfremdung, in: Historisches Wörterbuch der Philosophie, hrsg. von J. Ritter I, Darmstadt 1972 509–525.

Sand A., Der Begriff „Fleisch" in den paulinischen Hauptbriefen (BU 2), Regensburg 1967.

Schaeffler R., Die Religionskritik sucht ihren Partner. Thesen zu einer erneuerten Apologetik, Freiburg/Basel/Wien 1974 (Religionskritik).

Scheffczyk L., Von der Heilsmacht des Wortes. Grundzüge einer Theologie des Wortes, München 1966 (Heilsmacht).

–, Der Mensch als Berufener und Antwortender, in: Herausforderung und Kritik der Moraltheologie, hrsg. von G. Teichtweier und W. Dreier, Würzburg 1971, 1–23.

Schellong D., Bürgertum und christliche Religion. Anpassungsprobleme der Theologie seit Schleiermacher (ThEx 187), München 1975 (Bürgertum).

Schelkle K.H., Theologie des Neuen Testaments I. Schöpfung, Düsseldorf 1968 (Theologie I).

–, Theologie des Neuen Testaments II. Gott war in Christus, Düsseldorf 1973 (Theologie II).

–, Theologie des Neuen Testaments III. Ethos, Düsseldorf 1970 (Theologie III).

Schierse F.J., Art. Äon, Äonenlehre, in: LThK I, 680–683.

Schillebeeckx E., Glaubensinterpretation. Beiträge zu einer hermeneutischen und kritischen Theologie, Mainz 1971.

Gott – Die Zukunft des Menschen, Mainz 1969.

Sjöberg E., Wiedergeburt und Neuschöpfung im palästinensischen Judentum, in: StTh 4 (1950) 44–85 (Judentum).
–, Neuschöpfung in den Toten-Meer-Rollen, in: StTh 9 (1955) 131–136.
Schlier H., Mächte und Gewalten im Neuen Testament (QD 3), Freiburg i.Br. 1958.
–, Vom Wesen der apostolischen Ermahnung nach Röm 12,1–2, in: ders., Die Zeit der Kirche. Exegetische Aufsätze und Vorträge, Freiburg 21958, 74–89 (Ermahnung).
Schlink E., Gesetz und Paraklese, in: Antwort. Festschrift zum 70. Geburtstag von Karl Barth, Zürich 1956, 326–335 (Gesetz).
Schmid H.H., Schöpfung, Gerechtigkeit und Heil. „Schöpfungstheologie" als Gesamthorizont biblischer Theologie, in: ZThK 70 (1973) 1–19 (Schöpfung).
Schmidt K.L., Art. ἐκκλησία, in: ThWNT III.
–, Art. καλέω κλῆσις, in: ThWNT III, 498–501.
Schmithals W., Die Gnosis in Korinth. Eine Untersuchung zu den Korintherbriefen (FRLANT 48), Göttingen 21965 (Gnosis).
–, Paulus und die Gnostiker. Untersuchungen zu den kleinen Paulusbriefen (ThF 35), Hamburg-Bergstedt 1965 (Gnostiker).
Schmitz O. / Stählin G., Art. παρακαλέω παράκλησις, in: ThWNT V, 771–785.
Schnackenburg R., Art. Eschatologie im Neuen Testament, in: LThK III, 1088–1093.
–, Das Heilsgeschehen bei der Taufe nach dem Apostel Paulus (MüThS 1), München 1959 (Heilsgeschehen).
– Die neutestamentliche Sittenlehre in ihrer Eigenart im Vergleich zu einer natürlichen Ethik, in: Moraltheologie und Bibel (AMT, hrsg. von J. Stelzenberger, Bd. 6), Paderborn 1964.
–, Die sittliche Botschaft des Neuen Testamentes (HdM 6), München 21962 (Botschaft).
– Christliche Existenz nach dem Neuen Testament. Abhandlungen und Vorträge I, München 1967.
Daraus der Aufsatz:
Das Verständnis der Welt im Neuen Testament 157–186.
–, Christliche Existenz nach dem Neuen Testament. Abhandlungen und Vorträge II, München 1968.
Daraus die Aufsätze:
Christliche Freiheit nach Paulus 33–49.
Die „Mündigkeit" des Christen nach Paulus 51–71.
Der Christ und die Zukunft der Welt 149–185.
–, Gottes Herrschaft und Reich. Eine biblisch-theologische Studie, Freiburg/Basel/Wien 31963.
–, Schriften zum Neuen Testament. Exegese in Fortschritt und Wandel,

München 1971 (Schriften).
Daraus die Aufsätze:
Zum Verfahren der Urkirche bei der Jesusüberlieferung 155–175.
Todes- und Lebensgemeinschaft mit Christus 361–391.

Schneider G., Καινὴ κτίσις. Die Idee der Neuschöpfung beim Apostel Paulus und ihr religionsgeschichtlicher Hintergrund, Trier 1959.

–, Neuschöpfung oder Wiederkehr. Eine Untersuchung zum Geschichtsbild der Bibel, Düsselsorf 1961 (Neuschöpfung).

Schrage W., Die konkreten Einzelgebote in der paulinischen Paränese. Ein Beitrag zur neutestamentlichen Ethik, Gütersloh 1961 (Einzelgebote).

–, Die Stellung zur Welt bei Paulus, Epiktet und in der Apokalyptik. Ein Beitrag zu 1 Kor 7,29–31, in: ZThK 61 (1964) 125–154 (Stellung).

Schreiner J., Die bleibende Bedeutung der sittlichen Forderung des Alten Testaments, in: Herausforderung und Kritik der Moraltheologie, hrsg. von G. Teichtweier und W. Dreier, Würzburg 1971, 151–171 (Bedeutung).

–, Die zehn Gebote im Leben des Gottesvolkes. Dekalogforschung und Verkündigung (BHB 3), München 1966, 11–66.

Schulze H., Begriff und Kriterien einer theologischen Handlungslehre – im Gegenüber zu paränetischer und ordnungstheologischer Ethik, in: EvTh 29 (1969) 183–202 (Kriterien).

Schüller B., Gesetz und Freiheit. Eine moraltheologische Untersuchung, Düsseldorf 1966 (Gesetz).

Schwantes H., Schöpfung und Endzeit. Ein Beitrag zum Verständnis der Auferweckung bei Paulus (ATh I, 12), Stuttgart 1962 (Schöpfung).

Schweizer E., Baumgärtel F., Meyer R., Art. σάρξ, in: ThWNT VII, 98–151.

Staffelbach G., Die Vereinigung mit Christus als Prinzip der Moral bei Paulus (FreibThSt 34), Freiburg i.Br. 1932.

Steinbüchel Th., Die philosophische Grundlegung der katholischen Sittenlehre (HkS I, 2), Düsseldorf [4]1951 (Grundlegung).

Steinmetz F.J., Geht das paulinische Christentum zu Ende?, in: GuL 45 (1972) 245–261.

Stelzenberger J., Syneidesis im Neuen Testament (AMT 1), Paderborn 1961 (Syneidesis).

Stockmeier P., Christlicher Glaube und antikes Ethos, in: Begegnung. Beiträge zu einer Hermeneutik des theologischen Gesprächs. Festschrift für H. Fries, hrsg. von M. Seckler, O.H. Pesch, J. Brosseder, W. Pannenberg, Graz 1972, 433–446.

Stoeckle B., Grenzen der autonomen Moral, München 1974 (Grenzen).

Strecker G., Handlungsorientierter Glaube. Vorstudien zu einer Ethik des Neuen Testaments, Stuttgart/Berlin 1972 (Glaube).

Stuhlmacher P., Christliche Verantwortung bei Paulus und seinen Schülern, in: EvTh 28 (1968) 165–186 (Verantwortung).

–, „Das Ende des Gesetzes". Über Ursprung und Ansatz der paulinischen Theologie, in: ZThK 67 (1970) 14–39 (Ende).
–, Das paulinische Evangelium I. Vorgeschichte (FRLANT 95), Göttingen 1968 (Evangelium).
–, Erwägungen zum ontologischen Charakter der καινὴ κτίσις bei Paulus, in: EvTh 27 (1967) 1–35 (Charakter).
–, Gerechtigkeit Gottes bei Paulus (FRLANT 87), Göttingen 1965 (Gerechtigkeit).
–, Neues Testament und Hermeneutik. Versuch einer Bestandsaufnahme, in: ZTHK 68 (1971) 122–161 (Hermeneutik).
Tachau P., „Einst" und „Jetzt" im Neuen Testament. Beobachtungen zu einem urchristlichen Predigtschema in der neutestamentlichen Briefliteratur und zu seiner Vorgeschichte (FRLANT 105), Göttingen 1972.
Teichtweier G., Eine neue Moraltheologie?, in: Lebendiges Zeugnis Heft 1/2 (1965) 67–89.
Thielicke H., Können sich Strukturen bekehren?, in: ZThK 66 (1969) 98–114 (Strukturen).
Thüsing W., Die Botschaft des Neuen Testaments – Hemmnis oder Triebkraft der gesellschaftlichen Entwicklung?, in: GuL 43 (1970) 136–148.
–, Per Christum in Deum. Studien zum Verhältnis von Christozentrik und Theozentrik in den paulinischen Hauptbriefen (NTA NF 1), Münster 1965 (Per Christum).
Thüsing W. / Rahner K., Christologie – systematisch und exegetisch (QD 55), Freiburg 1965 (Christologie).
Tillich P., Art. Theonomie, in: RGG², hrsg. von H. Gunkel und L. Zscharnack, Bd. V, Tübingen 1931, 1128–1129.
Tillich P., Systematische Theologie, Bd. II, Stuttgart 1958.
Vögtle A., Das Neue Testament und die Zukunft des Kosmos, Düsseldorf 1970.
Völkl R., Christ und Welt nach dem Neuen Testament, Würzburg 1961 (Christ und Welt).
Welker M., Der Vorgang Autonomie. Philosophische Beiträge zur Einsicht in theologischer Rezeption und Kritik, Neukirchen-Vluyn 1975 (Vorgang).
Wendland H.D., Ethik des Neuen Testaments (Grundrisse zum Neuen Testament, hrsg. von G. Friedrich. NTD Ergänzungsreihe 4), Göttingen 1970.
Wernsdörfer Th., Die entfremdete Welt. Eine Untersuchung zur Theologie Paul Tillichs (SDGSTh 21), Zürich/Stuttgart 1968.
Wiederkehr D., Die Theologie der Berufung in den Paulusbriefen (StFr NF 36), Freiburg/Schweiz 1963 (Berufung).
Wikenhauser A., Die Christusmystik des Apostels Paulus, Freiburg ²1956.
Wingren G., Evangelium und Gesetz, in: Antwort. Festschrift zum 70. Geburtstag von Karl Barth, Zürich 1956, 310–322 (Evangelium).
Wörterbuch christlicher Ethik, hrsg. von B. Stoeckle, Freiburg 1975.

PERSONENREGISTER